werkausgabe edition suhrkamp
Bertolt Brecht   Gesammelte Werke in 20 Bänden

Bertolt Brecht
Gesammelte Werke

Band 15

Suhrkamp Verlag

Herausgegeben vom Suhrkamp Verlag
in Zusammenarbeit mit Elisabeth Hauptmann

Gesammelte Werke © Copyright Suhrkamp Verlag,
Frankfurt am Main 1967.
1. bis 50. Tausend. Alle Rechte vorbehalten.
Schriften zum Theater:
© Copyright Suhrkamp Verlag,
Frankfurt am Main 1963, 1964.

Schriften zum Theater 1

Augsburger Theaterkritiken 1918-1922
Aus den Notizbüchern 1920-1926
Über den Untergang des alten Theaters 1924-1928
Der Weg zum zeitgenössischen Theater 1927-1931
Über eine nichtaristotelische Dramatik 1933-1941
Neue Technik der Schauspielkunst etwa 1935-1941
Über den Beruf des Schauspielers etwa 1935-1941
Über Bühnenbau und Musik
des epischen Theaters 1935-1942

Redaktion: Werner Hecht

Augsburger Theaterkritiken
1918 bis 1922

Frank Wedekind

Am Samstag durch die sternbesäte Nacht den Lech hinunterschwärmend, sangen wir zufällig seine Lieder zur Gitarre, das an Franziska, das vom blinden Knaben, ein Tanzlied. Und, schon sehr spät, am Wehr sitzend, die Schuhe fast im Wasser, das von des Glückes Launen, die sehr seltsam sind und in dem es heißt, es sei am besten, täglich seinen Purzelbaum zu schlagen. Sonntag morgen lasen wir erschüttert, daß Frank Wedekind am Samstag gestorben sei.
Das kann man nicht ohne weiteres glauben. Seine Vitalität war das Schönste an ihm. Ob er einen Saal, in dem Hunderte von Studenten lärmten, ob er ein Zimmer, eine Bühne betrat, in seiner eigentümlichen Haltung, den scharfgeschnittenen, ehernen Schädel etwas geduckt vorstreckend, ein wenig schwerfällig und beklemmend: es wurde still. Obwohl er nicht sonderlich gut spielte – er vergaß sogar das von ihm selbst vorgeschriebene Hinken immer wieder und hatte den Text nicht im Kopf –, stellte er als Marquis von Keith manche Berufsschauspieler in Schatten. Er füllte alle Winkel mit sich aus. Er stand da, häßlich, brutal, gefährlich, mit kurzgeschorenen roten Haaren, die Hände in den Hosentaschen, und man fühlte: den bringt kein Teufel weg. Er trat im roten Frack als Zirkusdirektor vor den Vorhang, Hetzpeitsche und Revolver in den Fäusten, und niemand vergaß je wieder diese metallene, harte, trockene Stimme, dieses eherne Faunsgesicht mit den »schwermütigen Eulenaugen« in den starren Zügen. Er sang vor einigen Wochen in der Bonbonniere zur Gitarre seine Lieder mit spröder Stimme, etwas monoton und sehr ungeschult: Nie hat mich ein Sänger so begeistert und erschüttert. Es war die enorme Lebendigkeit dieses Menschen, die

Energie, die ihn befähigte, von Gelächter und Hohn überschüttet, sein ehernes Hoheslied auf die Menschlichkeit zu schaffen, die ihm auch diesen persönlichen Zauber verlieh. Er schien nicht sterblich.

Als er uns diesen Herbst in kleinem Kreis sein letztes Werk, den »Herakles«, vorlas, staunte ich über seine eherne Energie. Er las zweieinhalb Stunden, ohne auszusetzen, ohne ein einzigesmal die Stimme zu senken – und was für eine starke, eherne Stimme war das! –, ohne zwischen den Akten eine Minute lang aufzuschnaufen, reglos über den Tisch gestemmt, halb auswendig, diese in Erz getriebenen Verse, indem er immer der Reihe nach jedem von uns Zuhörern tief in die Augen sah.

Zum letztenmal sah und hörte ich ihn vor sechs Wochen bei der Abschiedsfeier des Kutscher-Seminars. Er schien völlig gesund, sprach angeregt und sang auf unseren Zuruf drei seiner schönsten Lieder zur Laute, ziemlich spät nach Mitternacht. Bevor ich nicht gesehen habe, wie man ihn begräbt, kann ich seinen Tod nicht erfassen. Er gehörte mit Tolstoi und Strindberg zu den großen Erziehern des neuen Europa. Sein größtes Werk war seine Persönlichkeit.

12. März 1918

»Gespenster« von Ibsen

Das Stück behandelt eine starke Frau, die durch heldenmütiges Lügen etwas Gutes bewirken oder besser: etwas Schlechtes verdecken will. Sie hat sich des Geldes wegen verheiraten lassen. Sie läuft ihrem Manne, dem Säufer, fort, zu dem Pastor, den sie vielleicht liebt, aber dann kehrt sie in die Lüge zurück und bekommt ein Kind von dem Säufer. Sie bleibt und verdeckt seine Laster und ihr Elend, aber das Kind tut sie fort, daß es über seinen Vater nur Gutes, Lügen, hören kann, nicht etwa, weil er im Blumenzimmer nach der Dienstmagd tappt. Auch die

Dienstmagd kriegt ein Kind von ihm, und die Frau zieht es auf und lügt die Schmach tot und kauft dem Kind einen falschen Vater: das mit dem Lügen geht nun so weiter. Aber jetzt sind zwanzig Jahre um wie im Nebel, und das große Asyl wird gebaut zu Ehren des toten Säufers, der einstmals geliebte Pastor soll es einweihen, der niegesehene Sohn kehrt zurück, der gekaufte falsche Vater ist Zimmermann im Asyl. Zwanzig Jahre war es schlimm, aber jetzt soll die Sonne kommen und auf glückliche Menschen scheinen. Der Kampf der Frau mit den dunklen Mächten ist ausgekämpft, siegreich, der Mann ist tot, es beginnt der Kampf mit den Gespenstern. Der Sohn hat etwas Kopfweh, eine wurmstichige Stelle, er trinkt und er tappt nach der Halbschwester im Blumenzimmer. Das Asyl brennt ab, der falsche Vater nimmt das verkommene Dienstmagdskind mit in die Matrosenkneipe, der einst geliebte Pastor gibt ihm das Geld der Frau dazu, das sie im Kampfe mit den dunklen Mächten gerettet hat. Der Sohn wird vollends schwachsinnig, es ist alles aus. Jetzt kommt die Sonne und scheint: auf einen Verrückten und eine Verzweifelte. Sie hat viel gekostet, die Lüge, aber es war nichts mit der Lüge. Es kam alles an die Sonne, und es war viel schlimmer geworden. Fräulein Stoff als Frau Alving spielte vornehm, aber zuwenig beseelt. Diese Frau muß im Kampf mit all den Schiebern über das Maß einer gewöhnlichen älteren Dame hinauswachsen. Merz hatte als Pastor darstellerisch die besten Momente, als er in der Auseinandersetzung mit Engstrand ganz natürlich wurde. Er wurde sofort interessant. Hartls Engstrand war eine gute, anständige Leistung; der Mann ist ziemlich wandlungsfähig. Fräulein Schäfer zeigte besonders einmal, daß sie Talent hat, als sie bei ihrem Abschied die Worte »Kammerherrn Alvings Asyl« sagte, als hätte sie schon den goldenen, fetten Kognak in der Gurgel, den sie lieben wird, wie ihn ihr Vater, der Kammerherr, geliebt hat. Das war alles. Aichers Oswald war eine Überraschung. Der lief wirklich herum wie eine höchst schauerliche Tatsache in diesem Saal aus dem

Ritterschauspiel »Elsa von Tannenburg«. Wie er schwatzte auf dem Plüschsofa, wie er die Halbschwester angrinste; wie er in sich hineinhorchte, in den Abgrund hineinhorchte, das Syphilit aus der Tertiärzeit! Wie er auf die Mutter zustapfte, um Morphium zu erpressen, und dann einmal in den Sessel hopste und liegenblieb, das war höchst überraschend und, einige Unsicherheiten abgerechnet, eine durchaus imponierende Leistung.
21. Oktober 1919

Aus dem Theaterleben

Wenn die Kinos weiterhin solche Schweinereien wie eben jetzt spielen dürfen, dann geht bald kein Mensch mehr in die Theater rein. In dem Moment, wo den Kinomenschen republikanische Freiheit erblühte, entdeckten sie ihr Mitleid mit armen Mädchen und ihre Pflicht, der Republik die Augen zu öffnen: Es wurde Aufklärung gefilmt. Neu war die Ware nicht, weil sie einträglich sein mußte. Nur hatte die Polizei, die mit den Puffs auch nicht gerade befreundet war, diese Art Aufklärung bisher verboten. Aber nun verdiente sie massig Geld, und alle Leute ließen sich darüber aufklären, daß das Los der Gefallenen ein zwar bemitleidenswertes, aber desto glänzenderes ist. Die Laufbahn einer Verlorenen führt im Kino aus einer engen, schlecht möblierten Nähstube durch schimmernde Nachtlokale, wo die durch Tanz ermüdeten armen Gefallenen sektsaufend auf den Knien berauschter, zahlender und verderbter Kavaliere schaukeln, unmittelbar in pompöse Freudenhäuser mit der Ausstattung aus dem Film »Die Brillanten der Herzogin«. Auf diesem Weg gibt es keinen Halt. Von Mitmensch und Polizei werden die armen Opfer der männlichen Begierde abwärts gestoßen – in die lustigen Spiegelsäle. Die jungen Mädchen, die im Kino sitzen, meistens den jungen Mann neben sich, der das Billett bezahlt hat, werden darüber aufgeklärt, daß jedes Sträuben einer einmal

Gefallenen weiter nach unten führt und jeder noch so verzweifelte Kampf, wieder nach oben zu kommen, nutzlos ist und nur noch tiefer ins Elend hineinführt. Alle Chefs sind mit der männlichen Begierde behaftet und schenken ihren Stenotypistinnen Wein ein; es *gibt* keine Widerrede. Bekommt die Entgleiste ein Kind, dann hungert das arme Wurm, und um es zu retten, kommt es nicht etwa in ein Findelhaus, sondern die unglückliche Mutter zieht unter Harmoniumbegleitung, sich selbst aufopfernd, ins Freudenhaus, wobei man das Harmonium vor dem gerührten Schluchzen im Zuschauerraum Gott sei Dank kaum hört. Die jungen Mädchen sind gekitzelt von den phantastischen Genüssen, die es doch auf der Welt gibt, und ahnen schauernd hinter den Mauern der schlechten Häuser die Spiegelsäle aus den »Brillanten der Herzogin«. Die jungen Männer aber sehen erfreut, wie »leicht es geht«, was für vornehme Herren das sogar machen, wie gering das Risiko ist, wenn man so verteufelt schlau wie der Kavalier auf der Leinwand ist. So kommt jeder auf seine Rechnung, die Geschäfte blühen, die »Prostitution« wird vielfach »auf Wunsch« verlängert, und die Freiheit ist der beste aller Zustände.
7. *November 1919*

Schmidtbonns »Graf von Gleichen« im Stadttheater

Der Graf von Gleichen, der sich in sein Bett
zwei Fraun (in braun und weiß) zusammenpackt,
wird doch nicht fett:
denn sie zerfleischen sich im zweiten Akt.
In breiter Linde flüstert Vogellaut,
wenn seine weiße seine braune Braut
nach einem Zweikampf wie von Katz und Ratte
vom Felsen stürzt in Schlucht und Katarakt –
worauf der schwergeprüfte Doppelgatte
verzweifelt abgeht noch im dritten Akt.

Der Graf legt Wert drauf, daß man ihn verstände
(und daß man klatscht). Der Mann hat schrecklich Angst,
daß man sein Seelenleben gar am Ende
vom dritten Rang aus übersehen könnte –
er gibt mehr Schmerz, als du von ihm verlangst.
Schad, daß die süße Südfrucht, die der Graf sich greift,
so zwischen Dämmerung und letztem Schlaf
im warmen deutschen Märzwind nicht recht reift.
Statt lieblich wild halt noch ein bißchen brav:
Noch nicht das Asien, das der deutsche Graf
aus Sonnenglut in Lindenschatten schleift.
Die treue Gräfin, seine weiße Fraue,
zu lang allein und dann zu dritt im Bette,
zuletzt das braune Weib in ihrer Klaue
und ganz zuletzt erwürgt von ihrer Kette
die weiße Fraue, aus Verzweiflung schön,
blond und verzweifelt dieses deutsche Weib,
gebeugt in Scham, tief über ihren Leib
mit einer Liebe wie Novemberföhn.
Das Ganze diesmal trefflich inszeniert,
drum auf zur Kassa und hereinspaziert!
Ihr seht im Stück, daß nur ein toter Mann
noch mehr als eine Frau ertragen kann.

Was die Regie des Herrn Merz betrifft, so ist zu sagen, daß sie den dichterischen Gehalt des Werkes voll ausschöpfte.

6. Januar 1920

Georg Kaisers »Gas« im Stadttheater

Das Stück ist visionär. Es stellt dar die soziale Entwicklung der Menschheit oder wenigstens die geistigen Gesetze, nach denen sie sich vollzieht. Der Sinn des Stückes ist vielleicht der:

Ein Mann läuft. Er läuft wundervoll. Es ist ein Kunstläufer. Ein Turnlehrer hat ihm das Laufen beigebracht. Wenn der Mann eine Stunde gelaufen hat, fällt er um und schnappt nach Luft. Er schnappt durchaus kunstgerecht nach Luft, er fällt durchaus einwandfrei zu Boden. Der Turnlehrer hat es ihm beigebracht. Da kommt ein dritter Mann und sagt: »Sie haben ein Herzleiden. Sie müßten stillsitzen, statt laufen. Sie sehen doch: Sie leiden unter Luftmangel und Atemnot!« Da erhebt sich der Mann und gibt seinem Turnlehrer eine Ohrfeige. Weil ihm der nicht das richtige Laufen beigebracht hat. Da verteidigt der zweite Mann den Turnlehrer. Da sagt der Turnlehrer: »Geben Sie mir noch eine Ohrfeige, laufen Sie anders, aber laufen Sie.« Da sieht der Mann, daß der Turnlehrer sein Mann ist und Schlechtlaufen besser als Garnichtlaufen ist, und läuft wieder. Das Stück ist sehr interessant. Merz inszenierte es für Augsburg. Es war eine sehr gute Leistung, die geistiges Format hatte, die beste Arbeit des Winters, im ganzen ziemlich hoch über der des Münchener Schauspielhauses stehend. Kritisch wurde die Situation nur, wo er sich von Kaiser zu sehr beeinflussen ließ, etwa im dritten Akt. (Völlig verfehlt der letzte Akt, der ganz unklar blieb, noch unklarer als im Buch!) Merzens Milliardärsohn überragte, fand ausgezeichnete Nuancen und ermattete nur gegen Ende zu. Geffers als Ingenieur war peinlicher Durchschnitt, das Ensemble arbeitete zusammen. Die Aufführung des Stückes bedeutet eine wirkliche Tat für Augsburg. Das Publikum und ein Teil der Presse fiel durch.
26. März 1920

»Don Carlos«

Ich habe den »Don Carlos«, weiß Gott, je und je geliebt. Aber in diesen Tagen lese ich in Sinclairs »Sumpf« die Geschichte eines Arbeiters, der in den Schlachthöfen Chicagos zu Tod gehungert wird. Es handelt sich um einfachen Hunger, Kälte, Krankheit, die einen Mann unterkriegen, so sicher, als ob sie von Gott eingesetzt seien. Dieser Mann hat einmal eine kleine Vision von Freiheit, wird dann mit Gummiknüppeln niedergeschlagen. Seine Freiheit hat mit Carlos' Freiheit nicht das mindeste zu tun, ich weiß es: aber ich kann Carlos' Knechtschaft nicht mehr recht ernst nehmen. (Auch ist die Freiheit beim Schiller immer nur gefordert, in anerkannt schönen Arien, zugegeben, aber sie könnte vielleicht auch dasein, in irgendeinem Menschen, aber Posa und Carlos und Philipp: Opernsänger, gratis für Beifall.) Aber sonst ist »Don Carlos« eine schöne Oper. Sie wurde hier vor Vorhängen gespielt, und das ist nicht nur deshalb gut, weil unsere Gärten von Aranjuez so miserabel sind. Leider blieb man stilistisch im alten Zwiespalt: Man wollte zweierlei Vorzüge vereinen und war zu einem nicht imstande. Man wollte menschlich sprechen (und tat es nicht ganz, konnte es teilweise nicht) und auch nicht verzichten auf himmlisches Singen (»Reiche mir den Mantel der christlichen Liebe, Amanda!«). Merz spielte keinen Philipp, sondern einen Oberbürgermeister mit viel Klugheit und Überlegenheit. Posa Geffers schwamm in seinem Element, er schwamm vorzüglich, und ich bin mir selber gram, daß ich als Kind, kein Engel ist so rein, deklamierte: »Sire, geben Sie einen freien Schulnachmittag, entschuldigt, herstellt euch: Gedankenfreiheit«; dachte: Blamiert hat er sich! Und dazwischen herum lief unser lieber seliger Prinzregent, der alte Alba, Gott hab sie selig, die gute alte Haut! Aicher als Carlos hatte gute Momente (hätte als Posa aber wohl bessere gehabt – Reinhardt läßt Moissi längst den Posa!), so im Dialog mit Posa zweimal, er war überhaupt besser auf der absteigenden Linie, wo Pathologie dem klugen Darsteller zu Hilfe kommt. Leider leistete er Mosaikarbeit. Es gibt erschreckend Ungleichwertiges dabei, Hohles und Unerlebtes – dicht neben starken Szenen, wie der Kerker mit Posa, wo der Bankerotteur bei dem Licht hockt und der andere das große Geschenk bringt – dem schon

Verfaulenden! – An eine Kurve aber war nicht zu denken. Trotzdem war seine Arbeit zusammen mit der Merzens und der der van Draaz das Beste des Abends. Diese Elisabeth, mit einem Gesichtchen wie von Zuloaga, einer kleinen, bangen, aber keineswegs schwankenden Stimme, etwas pflanzenhaft und doch selbstbewußt, im ganzen der einzige Mensch dieses Hofes, *ein* Gesicht unter dem starren Brokat dieses Zeremoniells (dem hier leider, leider alle Dämonie fehlte, wofür ich allerdings Merz nicht verantwortlich zu machen wage), eine außerordentliche Leistung, trotz der Unsicherheit der Linienführung gegen Ende zu und der nicht ausgereiften, noch etwas unterlegenen Festhaltung gewisser erregter Auftritte! Hartl (Domingo) und V. M. Eberle (Eboli) spielten flott und nicht unschillerisch. V. M. Eberle wird zuwenig herausgestellt. – Die Aufführung ist sehr interessant, sie ist auf Merzens Verdienstkonto zu schreiben, meine kleinen Einwände beweisen nur, daß man die hier geleistete Arbeit ernst nehmen muß. Seht euch also den »Don Carlos« an, er ist ebenso spannend wie der Film »Le pain«, glaubt mir! (Aber lest auch gelegentlich Sinclairs Roman »Der Sumpf«.)
15. April 1920

Crommelyncks »Maskenschnitzer« im Stadttheater

Dieses Stück hat ein mildes Licht um seine Schauerlichkeiten und wäre liebliche Leibhaftigkeit in seinen Menschen. Der Maskenschnitzer, der die Schwester seiner Frau küßt, hat etwas Genialisches in sich, er ist bei großen Schwächen ein starker Mensch. Sie spielen ihm übel mit: Die Frau, die seine Untreue weiß und davon krank wird, aber sprechen tut sie kein Wort, das ist das allerschlimmste, ihre Schwester, die ihn liebt, aber zuviel Gewissen hat, die Nachbarn, die böse Späße mit ihm treiben. Er möchte wohl gern Kunst machen aus seinen Sünden, wozu sonst schnitzt er die Masken seiner Frau, die

Gesichter, die ihn immerfort ansehen? Das soll er teuer bezahlen. Er ist nicht so stark, um seine Fehler auszuhalten. Er stirbt daran. – [Aicher] spielte expressionistisch, einen reinen Toren, der in seiner eigenen Haut nicht recht daheim ist, einen kindlichen Menschen mit einer kleinen Blutleere im Gehirn, einen neuen Typ auf jeden Fall. Es war viel Junges drinnen, wieder Ungleichmäßiges, Halbechtes und Äußerliches, aber unbefangen, diesmal auch in der Kurve, eine prachtvolle Leistung, die beste, die ich seit langer Zeit auf dieser Bühne sah. Gerade das Ungleichwertige, das starke Ringen in diesem Künstler zeigt seine starken Möglichkeiten. Frau Aicher spielte die Frau mit schöner Innerlichkeit. Sie hatte, besonders stimmlich, sehr starke Momente, dagegen bot sie nicht immer ein gleich gutes Bild. Erika van Draaz in der ungleich schwierigen Rolle gab nicht ihr Letztes. Jedoch bleibt dieser jungen Schauspielerin stets ein gewisses Format, sie hat etwas Starkes in sich, sie hat Atmosphäre. Sie wird noch zu lernen haben, ist aber etwas. W. Gehlen war ausgezeichnet als Tischler, er gab eine seiner besten Typen der Spielzeit. Überhaupt war die Aufführung von Merz klug und temperamentvoll geleitet, mehr als durchschnittliches Niveau. Für den miserablen Fundus kann Merz nicht, seine unermüdliche Arbeit an den einzelnen Darstellern zeitigt immer bessere Resultate. Ich habe sie oft unterschätzt.
27. April 1920

Eine Abrechnung

Die Hauptschwierigkeit für einen Mann, der dem Schauspiel unseres Stadttheaters auf den Leib rücken will, was er doch tun muß, wenn er eine Saison lang hineingehen und darüber schreiben mußte und seine Sache wenigstens so lang ernst nimmt, als er schreibt, – die Hauptschwierigkeit besteht darin, daß es sich hier nicht darum handeln kann, ein Geheimnis zu enthüllen. Er kann nicht mit dickem Finger auf den Schauspielbetrieb hinzeigen und sagen: Ihr habt immer gemeint, das sei was, aber ich sage euch: Es ist nichts als ein Skandal, das, was ihr hier seht, ist euer vollkommener Bankerott, eure Dummheit ist es, die hier öffentlich demonstriert wird, eure Denkfaulheit und eure Verkommenheit. Nein, das kann der Mann nicht sagen, damit seid ihr nicht zu verblüffen, das wißt ihr schon lang, daran ist nichts zu ändern. Daß es schlimm ist, das ist schon richtig, aber daß es so schlimm ist, das ist Übertreibung, Wichtigtuerei, Skandalsucht. Der Liberalismus gibt euch recht. Leben und leben lassen, das ist die Devise, anders gelesen, sittlich beurteilt zum Beispiel heißt sie: Kaputtgehen und kaputtgehen lassen, Maul halten, wo es sich um Aufrechterhaltung der Ruhe handelt, der königlich bayerischen, weiland. Wenn man zu den Intelligenteren aber sagt: Ihr müßt versuchen, euer Schauspiel zu bessern, da kann man nicht hineingehen –, dann sagen sie ruhig: Ach, für Augsburg ist es gut genug. Und dabei betrachten sie sich natürlich als Ausnahme. Aber ich sage euch, meine Lieben: Mit den Ausnahmen kann man ganz gut ein Theater füllen. Denn dazu kämen noch alle jene, die gern Ausnahmen wären. Freilich, der Theaterdirektor kann immerzu mit gramvollem Achselzucken sagen: Ins Schauspiel geht ja doch niemand rein. Es ist andauernd halb leer. Dafür kann ich doch kein Geld ausgeben. Und niemand kommt auf den Gedanken, daß es deshalb halb leer sein könnte, weil er kein Geld dafür ausgibt. Wäre das Schauspiel hier besser, arbeitete es mit ebenso großer Reklame wie die Oper, schüfe man ihm ebenso gute Tradition, erzöge man, etwa durch Abonnement, einen Kern von Schauspielbesuchern, dann gingen auch mehr Leute rein, und man bekäme mehr Geld herein. So aber wird für die Oper vergleichsweise eine Masse Geld ausgeworfen, man bezahlt teure Gäste und lockt dadurch die Snobs ins Theater, man inszeniert die Modenovitäten und verweigert dem Schauspiel die kleinste Neuanschaffung. Außerdem arbeitet man mit lauter blutjungen Leuten und benützt als Hauptakteur einen Durchschnittler, der als Valentin nicht übel, aber als Faust unerträglich ist. In den jungen Leuten steckt mitunter allerlei Talent, aber sie werden nur verdorben, wenn das Ganze auf sie gestellt ist. Ein Darsteller, der gewiß befähigt ist, bekommt eine so eminent schwierige Rolle wie den Don Carlos und ist, mangelnder Proben halber und weil er zu unausgesetzt benötigt wird, gezwungen, große Partien nach der Schablone zu spielen. Eine Darstellerin, die gutes Material hat, ist, zu früh in die Mitte großer Stücke gestellt, darauf angewiesen, als Elisabeth oder Magdalena mangelndes Erlebnis durch Äußerlichkeiten zu ersetzen, und lernt so bestenfalls die Kunst, sich aus der Affäre zu ziehen. So wird auch hier Raubbau getrieben. Der Regisseur, der fleißig und tüchtig ist, dazu eine Seltenheit! Von literarischem Ehrgeiz erfüllt, zwingt [er] das Spiel der Anfänger und der Gewohnheitsspieler mühsam auf ein gewisses Niveau des Erträglichen, unter unmöglichen Dekorationen, denen man die äußerste Sparsamkeit ansieht, und vor einem Parterre, das absolut unerzogen ist. Er ist selbst ein intelligenter Schauspieler, nicht ohne Format, aber doch keine Attraktion, weder für die Masse noch für die Ausnahmen.

Nach einer ganzen Saison voll ehrlicher Arbeit an diesem Theater, die nicht ohne Talent und Idealismus war, muß man fragen, ob nicht die früheren Spielzeiten mit ihren Kammerspiel-Gastspielen vorzuziehen waren. Man wird mir sagen: Das ist übertrieben, aber im ganzen mag es stimmen, es sind vielleicht sogar die Gründe, warum wir uns aus dem Schauspiel nichts machen, aber in Augsburg zieht eben nur die Oper, auch ein gutes Schauspiel wird leere Häuser haben. Dagegen ist zu sagen: Es mag sein, daß die Masse zum größeren Tamtam läuft. (Aber man kann auch für das Schauspiel und im Schauspiel Tamtam machen.) Aber die Vorliebe für Musik allein ist daran nicht schuld, eher die für Prunk und dann die Gewohnheit. In anderen Städten, deren Publikum nicht viel intelligenter ist als das hiesige, hat die Oper keineswegs mehr

Zulauf als das Schauspiel. Und mit dem Geld, womit man eine so mäßige Oper zustande bringt wie die Augsburger, bringt man ein sehr gutes Schauspiel zustande – dies für die Ausnahmen! Daher, meine ich, sollten die Augsburger mit ihrer lieben Gewohnheit, ein schlechtes Schauspiel zu haben, gelegentlich brechen.

14. Mai 1920

Offener Brief an die Augsburger Zeitungen

Es ist eine beschämende Tatsache, daß die Beschränktheit des Könnens und Willens auch da fast immer siegt, wo sie die öffentliche Meinung wirklich einmal gegen sich hat, und der Grund ihres Triumphes ist einzig und allein ihre fabelhafte Tradition. Es gibt so wenig Leute, die an das Bessere glauben, und von den wenigen sind die meisten müd und gleichgültig geworden. Sogar auf den wenigen Gebieten des öffentlichen Lebens, die gewissen idealen Bedürfnissen dienen sollen und dafür von der Stadt mit Geld unterstützt werden, haben gerissene Geschäftsleute Oberwasser. Wenn jetzt Hermann Merz vom Stadttheater weggeht, weil er mit der Direktion, die dem Schauspiel anscheinend völlig verständnislos grinsend gegenübersteht, nicht zusammenarbeiten kann und außerdem von ihr nicht mehr gewünscht wird, dann geschieht das in genauem Gegensatz zu der öffentlichen Meinung, die eben doch die Presse repräsentiert. Merz hat in gewaltiger Arbeit eine lieblos zusammengepferchte Schar blutjunger Darsteller so weit diszipliniert, daß in einem einzigen Winter ein literarisch verblüffend gutes Repertoire durchgeführt werden konnte. Die Presse, die seine Tätigkeit würdigte und die Dankbarkeit des gutgesinnten Publikums zum Ausdruck zu bringen hat, hat durchaus unzulängliche Versuche, ihn Augsburg zu erhalten, unternommen, nur ein einziges Blatt hat sich für ihn bei der Stadt verwendet, der andere Teil der Presse behält es sich vor, eine Würdigung des Künstlers nach seinem Abgang abzudrucken. Ich fordere Sie hiermit auf, zu dieser Angelegenheit Stellung zu nehmen. Ich verkenne die Verdienste der jetzigen Direktion um die Oper nicht, aber kein Mensch mit künstlerischem Gewissen wird behaupten, daß sie je Verständnis für das Schauspiel bewies. Die geschäftliche Lage des Theaters mag gerade jetzt vordringlich einen gewandten Geschäftsmann heischen, aber zumindest für das Schauspiel ist daneben ein Mann mit literarischer Bildung und idealistischer Tendenz nötig. Deshalb muß gegen die Entlassung von Hermann Merz aus dem Verband unseres Stadttheaters schärfster Protest erhoben werden.

Die Steirer im Metropol

Die Aufführung des Schwanks »Bruder Martin« war das Beste, was ich diesen Winter im Theater an der Schießgrabenstraße gesehen habe. Der Schwank selbst ist sehr mäßig, aber in der Darstellung ist Schwung, die Steirer haben gute Kräfte und zumindest einen sehr guten Schauspieler, nämlich Groß. Solche Schauspieler sieht man hier im Jahre höchstens zwei. (Der letzte war Terofal.) Sein Schneider Würmel, im Technischen virtuos, wies eine fast ergreifende Kindlichkeit [auf], die Figur bringt man nicht mehr aus dem Kopf. Der Bruder Martin Orterers, natürlich, würdig und niemals schwankhaft derb, ebenfalls eine gute, solide Leistung! Frau Frankl als Schneiderin frisch und humorig, in der Umwandlung sehr glaubhaft, Fräulein Reicher als Müllerin ebenfalls reinlich spielend, ohne die übliche Schmierensentimentalität, mit frischem Gefühl und gesundem Humor. Der Darsteller des Müllers, dessen Namen ich nicht weiß, hielt sich wacker auf der Höhe des Ensembles und traf den richtigen »graden« Ton. Der Eindruck des Ganzen war ausgezeichnet, und man bedauert ehrlich das Theater, das hier viel zuwenig Popularität hat, obwohl die

Direktion sich ehrlich Mühe gibt für die Augsburger, die hier wirkliche Genüsse versäumen.
8. Juni 1920

»Kabale und Liebe«

Ein unvergleichliches Stück. Zwischen Erzengeln und Teufeln eine wilde Balgerei, bis über dem Liebestod mit Limonade die bezwungenen Teufel den zerfleischten Engeln Beifall klatschen (und in die Binsen gehen...).
Die Regie ausgezeichnet. Tempo. Realistisches, lieblich Krasses und dann wieder Arien. Nirgends zersägt die Reflexion diese blühenden Bäume, die kindlich in den Himmel wachsen. Es klappt wie in der Dichtung. Gliederung und Zusammenbildung der Akte stark (noch in der Auflockerung des Hintergrundes im letzten Akt, wo die Nacht hereinschlägt: es geht Windhauch über löschende Kerzenlichter).
Im übrigen: das Beste von den ganz jungen Leuten. Ziegler das Beste, was ich von jugendlichen Helden hier zu Gesicht kriegte. Aus dem Vollen gestaltet, mit natürlicher Gerissenheit; noch nicht ganz durch, im fünften Akt versagend, trotz starker Beweise. Das Pathologische, Gerissenheit und Hohn schwach (Gott sei Dank!). Der eigentliche Tod wieder stark. Frl. Wagner als Luise lieblich, unbewußt, kindlich. – Hier ist gutes Material. Es gibt Unsicherheiten, man spürt noch das Fehlen der vierten Wand, aber wie anmutig ist alles und wie natürlich schön ist die Anlage der Figur. Das Pathos der Verzweiflung gelingt ihr noch nicht (im fünften Akt muß sie, im Lehnstuhl verhüllt, den Arm herunterlassen), aber wie sie zu ihrem Vater hingeht, ihn umschlingt: das ist was.
Geffers spielt den Präsidenten nach bestem Vermögen (ich habe den Satz sorgfältig für ihn ausgesucht). Allerdings zittert bei seinem Auftreten kein Herzogtum, *ich* zittere. Er ist halt ein verhinderter Familienvater.

Frl. Eberle als Lady Milford, das geht nicht. Es war einfach nichts. Viel zu verheiratet, viel zu belanglos, viel zu theatralisch. Sie ist die Geliebte des Fürsten, bei dem Geffers Präsident wird.

Rösners Miller mittelmäßig. Er muß aber seine Schuhe mit Zement füllen lassen, er läuft wie ein Kinderballon. Gehlens Hofmarschall blieb farblos, ohne Format. Der Wurm Hoffmanns hatte gute Momente, war flott gespielt und enthüllt sich der gefürchteten Lakaiendämonie.

Das Haus war schlecht besucht. Wie trostlos muß die Versumpfung einer Großstadt sein, wenn das einzige Theater, das nur im Winter spielt, immer halb leer bleibt!

29. September 1920

»Rose Bernd«

Das Stück ist stark, es konnte gut auf »Kabale und Liebe« folgen, es hat etwas Stiernackiges. Es ist nicht so schön wie jenes, nicht so hell aufschreiend, es hat eine dickere Luft, es spielt viel tiefer unten, es hat etwas Drohendes in sich. Nicht in dieser Handlung liegt Aktion, nicht darin, daß ein Mädchen ein Kind kriegt, alleingelassen wird, es erwürgt – sondern: wie dieser dumpfe, starke Mensch davon verwirrt wird, dies alles schluckt, dran kaputtgeht hinterm Strauch wie ein Stück Vieh und dabei bös wird und zu schreien anfängt, sich beschwert, Rebellion macht, kaputtgeht. Das ist unvergeßlich: es ist wahr.

Philippina Schäfer als Rose Bernd. Zunächst hat man den Eindruck: es geht nicht. Sie ist so heftig, so eng, so gehetzt, so koboldhaft. Fleisch fehlt. Sie verpulvert schon in den ersten beiden Akten alle äußeren Steigerungen. Aber dann geschieht etwas. Sie steigert nach innen weiter. Es wird eine starke Leistung. Sie bekommt etwas Griechisches in die letzten Akte hinein, sie bleibt unerhört stark. Das Eckige, Unfertige vom

Anfang bekommt Sinn und wird Wirkung. Auf dieser Bühne, zwischen schlechter Dekoration, inmitten muffiger Luft, wird eine ganz junge Anfängerin zu einem Erlebnis. Sie kann sich das ausschneiden. – Es ist auch sonst Niveau in der Aufführung, die ausgezeichnet geleitet ist, Atmosphäre hat und Tempo, überhaupt endlich einmal nach Jahren von Geist zeugt. Rösner als Bernd hat diesmal mehr Gewicht und steht fest an seinem Platz. Geffers als Flamm gut, eine saubere Leistung, man bittet diesem Künstler einiges ab, wenn er natürlich ist: Er ist fleißig und kann etwas. Hoffmanns Streckmann hat Schwung und wird lebendig, die Frau Flamm Irene Prandaus trotz einiger Deklamation eindrucksvoll und sicher gestaltet. Daß Sentimentalität vermieden wird, zeugt von Geschmack. Aicher als Keil eine gute Type, etwas enttäuschend in der Anlage, zu unbeteiligt im letzten Akt.

1. Oktober 1920

»Tasso«

Der Mann, der das Augsburger Stadttheater als zu melkende Kuh gepachtet hat, versteht heute, nach vielen Jahren, von Literatur anscheinend soviel wie ein Lokomotivführer von Geographie. Voriges Jahr hat ihm Herr Merz einiges gesagt, heuer pfuscht er das Repertoire anscheinend selbst zusammen nach dem Prinzip: Kosten darf es nichts, ziehen muß es! Er hat einen angsterfüllten Blick in das leere Haus geworfen und schreiend die Parole ausgegeben: Jetzt die alten Pfundstücke herausgeschmissen, nacheinander! (Ziehen muß es!)

Gestern haben wir den »Tasso« gehabt, eine gute Aufführung mitten in einer Schmierendekoration (kosten darf es nichts!). Ein ruppiges Roßhaarsofa aus unserm Venusbergchen mit schmierigen Kisselchen mitten in den Papiergärten von Aranjuez vor einem abgestellten Springbrunnen (ziehen muß es!). Und dann, das Zimmer des Tasso! Ein chambre garnie mit

rotem Plüsch und gemalten Möbeln und unserer Uhr. Daß der Direktor nicht eigenhändig auch noch den Tasso einfach an die Wand malt (kosten darf es nichts!), kommt nur daher, weil er mit der Literatur nichts zu tun haben will.
Die Regie ausgezeichnet. Auf das leichte Genre hin gespielt, lieblich als Charaktergemälde hingelegt, nicht tragisch genommen, aber mit Gewicht, nicht ohne Untertöne. Sogar Geffers gebändigt. Sein Herzog, ein lieber Mensch, ein ausgezeichneter Tarockspieler und Schiller-Rezitator, durchaus vegetarisch. Sie, da können Sie ihm nichts nachweisen! K. Hoffmanns Antonio eine absolut befriedigende, reife Leistung. Ein guter Schauspieler! Die van Draaz in gutem Kostüm, sehenswert, sie räkelt sich hübsch auf dem Sofachen, schmollt aber schon reizend, wissen Sie! Ausgezeichnet, fast ohne Einschränkung, mit glänzender Verstechnik V. M. Eberle, geistvoll und poetisch. Ihre Unterredung mit Antonio im Garten ein Kabinettstück! Aicher als Tasso ungleichmäßig, schwach im ersten Akt, farblos, manieriert, in miserabler Maske, dann viel stärker werdend, aber nicht ganz stark, packend in der Szene, wo er dem hilflosen Geffers den Degen zu Füßen legt, mit guten Momenten in der Gestik, einmal ergreifend im Abgehen, einmal erschütternd in der Unterredung mit Leonore (fünfter Akt), aber dann gleich darauf wieder [un]interessantes oder gar farbloses Theater. – Das Haus halb leer. (Ziehen soll es!)
Und man hatte ihm doch gesagt, daß es ein klassisches Stück ist!
13. Oktober 1920

»Alt-Heidelberg«

In diesem Saustück steht eine Szene, die unerhört grauenhaft ist. Ein alter Mann kommt zu einem prinzlichen Deppen, um eine Position zu erbetteln, und der Depp läßt ihm ein Abendmahl bringen. Der alte Mann ist Korpsdiener, deutsche Jüng-

linge haben ihn gedrillt, so daß er nimmer gerad gehen, nimmer ruhig reden, nimmer anständig denken kann. Und deutsche Mütter und zukünftige Mütter beklatschen gerührt das alte, widerliche, würdelose, verhunzte Wesen und lachen über seine Anhänglichkeit, freuen sich, wenn es sich auf den Bauch schmeißt, die Hände des Deppen küßt. Und dann schlurft der sympathische alte Mann hinaus, und an der Tür, merken Sie auf, an der Tür, sucht er in seiner weißen Weste nach einem Trinkgeld für den Kammerdiener, findet keines und gibt ihm – die Hand. Und da lacht das ganze Haus aus vollem Herzen; denn wie unglaublich lächerlich ist es, wenn ein kleiner Korpsdiener einem herzoglichen Kammerdiener ein Trinkgeld geben will, und wie geradezu zum Wälzen komisch ist es, überhaupt einem Diener die Hand zu geben!
Die deutschen Jünglinge, die sich gegen den alten Mann wie Schweine, gegen den Deppen wie Hunde benehmen, haben den Erfolg von »Alt-Heidelberg« ausgemacht.
Das Stück ist von Kurt Hartl sauber und geschickt inszeniert, dieser Regisseur hat Geschmack und Disziplin in allem drinnen, was er macht. Seine Leistung an den Schauspielern ist absolut anzuerkennen. Sein Kammerdiener hatte Haltung. Gut war Rösners Dr. Jüttner, eine farbige, glaubhafte Type, ausgezeichnet wieder K. Hoffmann als Minister. Dieser Schauspieler hat bis jetzt als Wurm, Streckmann, Antonio so vorzügliche Gestaltungen gegeben, daß man ihn jetzt bald in einer tragenden Rolle sehen muß. Prinz gut, etwas zu schmalzig und schwächlich. Frl. Schäfer gut. Das Haus war voll.
15. Oktober 1920

Schillers »Räuber« im Stadttheater

Die Geschmacklosigkeiten der »Tasso«-Dekoration wiederholen sich in den »Räubern«, bekamen aber diesmal einen deutlichen Stich ins Skandalöse. Man scheint sich, was die dekorative Inszenierung betrifft, auf das Schmierenniveau endgültig festlegen zu wollen. Wieder wackeln Pappendeckelwälder, gemaltes Gebälk, unser liebes altes Sofa, Abendrosa und Geffers. Ich protestiere dagegen, daß Schiller unserer Jugend so übermittelt wird.

Die Regie, geschickt in der Behandlung der Waffe, sympathisch dämpfend im einzelnen, versagte völlig im Großen. Kein Stil, kein Geist, kein Geschmack. Gebrüll statt Gesang, Bramarbaserie statt Kraft und absolutes Fehlen jeder eigenen Art, jeder zwingenden Einheitlichkeit. Ich beantrage ein Mißtrauensvotum.

Völlig unmöglich (völlig unmöglich) Geffers' Karl. Ich habe den besten Willen, diesem unglücklichen Mann Recht widerfahren zu lassen. Aber das geht nicht. Leere, dumme Deklamation! Der Bonvivant als Räuberhauptmann! Steht da und macht den Mund auf, daß man meint, es würden Eier herauskullern. Es geht nicht, daß ein Mensch immer wieder auf Mitleid zählt, wenn er selber keins hat. Er muß einsehen lernen, was er nicht kann. – Unmöglich, einfach langweilig auch V. M. Eberle, rein äußerlich. Makart, kaltes griechisches Feuer aus Marmor (der aus Papiermaché ist).

Bleiben: Hoffmann, Aicher, Hartl.

Hoffmann ist so gut, daß man das Schmierenhafte um ihn herum vergißt. Die Vitalität dieser Gestalt, der geistige Impetus und die leibhafte Menschlichkeit: es reißt einen hin. Ich liebe den Mann schon: er hat ein Gesicht. Er hat einen Ton in der Kehle und etwas Einmaliges in der Geste: Anmut der Wildheit. Er muß den Wallenstein spielen.

Aichers Spiegelberg prachtvoll, eine reife Type. Hier ist Jugend. Dieser Darsteller muß ganz von der Geste ausgehen, die Routine im Wort überwinden. Er hat Kindlichkeit und ist ein Mensch. Hartls Rolle innerlich gestaltet und echt.

Da ist ein großes bequemes Haus mit einer Menge schöner Dinge drinnen, jungen Leuten, die etwas sind oder wer-

den, Vorhängen, Lichtmaschinen, Musik – und was wird daraus gemacht? Es ärgert einen.
23. Oktober 1920

»Rose Bernd« von Gerhart Hauptmann

Zur Einführung in die Vorstellung des Gewerkschaftsvereins am Montag, 25. Oktober

Auch die nachsichtigsten Opportunisten werden nicht die Stirn haben zu behaupten, daß das Augsburger Stadttheater ein Kulturfaktor ist – nicht einmal für Augsburg. Zweifellos ist es das Geld nicht wert, das die Stadt dran hinhängt. Geführt von einem Geschäftsmann, einem ehemaligen Provinzschauspieler, dem jedes geistige Format abgeht, hat es mit seinem üblen Laviersystem, seinen Ausflüchten, Hinweisen auf die Stupidität des hiesigen Publikums alle die Jahre her nicht vermocht, auch nur die selbstverständlichsten Pflichten einer städtischen Bühne zu erfüllen. Schielend nach den Einsprüchen von rechts und links, aber niemals den Ansprüchen von rechts oder links gerecht werdend, wurde der Spielplan ohne jede Absicht, etwas wie das Abbild der geistigen Bewegungen zu geben, die das deutsche Theater beschäftigen, von Tag zu Tag systemlos zusammengepfuscht. Die einzige Entschuldigung, die der Theaterleitung blieb: Interesselosigkeit ihres Publikums, wächst sich von Jahr zu Jahr mehr zu einer schweren Schuld des Theaters aus: ihrer eigenen Interesselosigkeit, Faulheit, Stupidität, Unbildung.

Außerhalb jeden Zusammenhangs, ohne geistige Tendenz, wirft die Theaterleitung heuer ein Stück des repräsentativen deutschen Dramatikers Gerhart Hauptmann heraus, von dessen gesamtem Schaffensgebiet das Publikum keine Ahnung hat. Es bleibt ohne Nachwirkung. Obwohl es gut gespielt wird. Es ist schade. Nun sollen die Arbeiter hinein.

Das Stück hat nicht viele Voraussetzungen. Es ist ein Stück Menschenleben: Jeder kann es begreifen. Es scheint keine Sache für die schleckigen Genießer, die nur Fünfe verstehen. Es handelt von einem einfachen Bauernmädel, das von den Männern mißbraucht wird, gehetzt wird, niedergeknüppelt, kaputtgemacht, revolutioniert wird. Sie läuft herum und will es schlucken, sie macht kein großes Geschrei von dem, was ihr angetan ist, sie versteckt ihre Schande. Sie würgt und würgt dran, sie arbeitet sich dran zu Tod, sie bringt ihr Kind um und schweigt, sie schwört einen Meineid und verteidigt sich nicht, und dann geht es nimmer, und sie weiß sich in keiner Weise mehr zu helfen, sie birst von alldem und schreit es heraus. Sie ist kein ganz guter Mensch, sie ist kein schlechter, aber ihr wurde übel getan; sie hat viel getan, aber sie hat mehr gelitten: Schmeißt keine Steine auf sie!
Das ist ungefähr der Inhalt, er geht nicht über Bühnenkaiser, Prinzessinnen singen nicht darin, es kommt kein Lohengrin zu dieser Beschimpften, aber wir müssen hineingehen, es ist unsere Sache, die in dem Stück verhandelt wird, unser Elend, das gezeigt wird. Es ist ein revolutionäres Stück.
23. Oktober 1920

Bernard Shaws »Pygmalion«

Shaws Stück vom Blumenmädchen in der Gosse, das gewaschen, frisiert, mit einer, sagen wir: gereinigten Sprache versehen, kraft des ihr von Gott verliehenen Urbesitzes an gewaltigen Urlauten zum (Gesellschafts-) Menschen umgestempelt wird, wobei von einer Diskussion des kleinen verwirrenden Umstandes, ob sich der Gesellschaftsmensch mit dem Menschen schlechthin deckt, im Interesse des Publikums abgesehen wird, ist ein phonetischer Ulk mit viel Perspektiven. Zweifellos fehlt Shaw sowohl die Kraft des Dichters, aus seiner Sache den Triumph des Menschlichen, als auch die des Satirikers, den Bankerott der Gesellschaft zu gestalten. Dafür aber gelingen ihm beiläufige Bemerkungen, die ihm nicht vergessen sein sollen. Die Regie Kurt Hoffmanns hatte ein geistiges Gesicht. Zugleich ausgehend von dem geistigen Gehalt des Stückes und dem geringen menschlichen Gehalt seiner Darsteller, entschied sich der Regisseur für eine Art Expressionismus. (Wobei die innige Verwandtschaft des Expressionismus mit dem ältesten Schwank, die ersteren durchaus ehrt, gelegentlich sichtbar wurde.) Es gab infolgedessen ein sehr belustigendes Tohuwabohu. Im Interesse des Theaters sowie des Publikums liegt es, diesen Regisseur nach Möglichkeit auszunutzen.

Von den Darstellern folgte Rösner am willigsten der Regie. Er gab mit seinem Doolittle das Beste des Abends, obwohl darin verflucht wenig von Shaw steckte. Wenn sich nicht zugleich mit der Leistung des Künstlers auch meine Ansprüche steigerten, würde ich einfach schreiben: Er war ausgezeichnet.

Hartl enttäuschte. Er hat doch zuwenig Vitalität, Persönlichkeit, Resonanz in sich. Da er nicht einfache physische Überlegenheit, Brummigkeit, Humorigkeit, Rasse geben konnte, hätte er das Kindliche, Skurrile, Besessene, das Spezialistentum haben müssen. Er ahnt es selber: Wenn er die Eliza anguckt, versonnen, den Kopf geneigt, die Hände reibt oder, auf dem Sofa turnend, ihr zuwinkt. Gewöhnlich aber ist er viel zu sehr Windhund, Schwankfigur. Pathos, aber ohne Ironie. Viel zu doktrinär ohne Blinzeln. Zu geradlinig, ohne Entwicklung (wie der Schöpfer vom Geschöpf besiegt wird, von der Eitelkeit zur Bewunderung, von Selbstliebe zu Liebe kommt). Das Beste machte er mit den Füßen. Er stand dem Simplizissimus Modell. (Hierin der Regie folgend, etwas zu blind.)

Die Anschauspielerin van Draaz gab eine Toilettenschau. Ohne jedes Stilgefühl spielt sie eine gemeine Straßendirne statt eines armen Mädels. Etwas Gemeines darin stieß wirklich einfach ab. Die Rolle verlangt ein geradezu wildes Übermaß von Naturlauten, Phonetischem, Menschlichem, aber die Darstellerin zeigte Fleisch statt Geist, gibt (bei gelegentlicher guter

plastischer Wirkung) lauter äußerliches Zeug. Sie ist auch technisch völlig unreif, oft qualvoll für den Zuschauer, finsterste Provinz. Keine geistige Entwicklung (der Hauptreiz der Rolle, den sie ganz mißverstand). Ebenso wie Hartl völlig versagend im vierten Akt, der der beste wäre, hier der schwächste blieb. Statt Bockigkeit, Wut, Menschlichkeit, natürlicher Rhetorik: tragischer Unterton, Bauchwehgesicht, Toilette, Theater, lauter Plumpheiten, keine Nuancen. Eine beschämende Fehlbesetzung. (So richtet man die junge Darstellerin nur zugrunde. Sie hätte und hat noch gute Momente im körperlichen Ausdruck, leichte und wie zufällige körperliche Einfälle. Es ist schad um sie.)
Dem Spielplan fehlt nach wie vor jeder Orientierungssinn. Die Schauspieler werden durch die Wahllosigkeit, Interesselosigkeit und Bequemlichkeit der Dramaturgie in ihrer Entwicklung gehemmt, das Publikum dem Theater immer weiter entfremdet.
30. Oktober 1920

Hofmannsthals »Jedermann« im Stadttheater

Die Aufführung beweist, daß die Bühne für »Wallenstein« da ist. Auch eine mittelmäßig begabte Regie kann auf dieser nicht üblen Stilbühne den unbestimmten Sternenglanz und die starre Größe dieser winterlichen Tragödie zum Leben bringen. Man wird also sehen.
Die »Jedermann«-Regie lehnt sich bis auf die bengalische Verkitschung des Schlusses eng an die des Münchener Nationaltheaters an. Die unbeschreiblich schmierenhafte Geschmacklosigkeit der Mutterszene verleidet einem das Lob für gelungene Dinge am Beginn.
Aichers Jedermann ist eine gute Leistung, freilich wieder keineswegs gleichwertig. Sein Organ, langweilig, spröd, viel zu routiniert, oft zu einem krampfhaften Deklamatorium miß-

braucht – wird stark und ergreift, wo es aus der Körperlichkeit wächst, wo es breit und mächtig werden kann. Das Beste ist das Mimische, die bleiche, aufgeschwemmte Völlerphysiognomie an der Tafel und so weiter. Das jugendliche Heldentum ist nichts für Aicher. Die Mutter der Prandau: eine gute, gotische Figur, nicht völlig menschlich. Glänzend der Mammon Hoffmanns, fett, süffisant, mächtig. Hoffmann wird viel zuwenig herausgestellt!
6. November 1920

Tanzabend Rita Sacchetto

Ein herbstliches Fest: Tanz der Matrone. Zum Teufel ist der Spiritus: das Phlegma ist geblieben. Eine gewisse Ruhe noch, manchmal ein sanfter Einfall der Hüften, Reife ohne Beseeltheit, einmal ein kleiner Ausbruch von einst: wie sie, sinkend, die Arme zurückwarf wie fliegend: aber, im ganzen langweilig, nie gelöst in Musik, immer nur Tanz zelebrierend. Es ist nichts dabei gewonnen, wenn man, alt geworden, weiß der Teufel, der Provinz, etwas nachlässig markierend, was vortanzt. Sie ruhe und lasse uns in Frieden!
6. November 1920

»Die Räuber«

(Zur Gewerkschaftsvorstellung am Mittwoch)

Schillers Jugendwerk zeigt in bunten, wilden Bildern die rührende Leidensgeschichte eines hoffnungsvollen Jünglings, der durch die verbrecherischen Machenschaften seines eigenen Bruders Franz, einer schurkischen Kanaille, bei seinem armen alten Vater verdächtigt, aus wildem Trotz auf die schiefe Ebene gerät, als Räuberhauptmann in die böhmischen Wälder zieht,

dort edle Taten begeht, einmal in seine Heimat zurückkehrt, seinen Vater im Hungerturm findet (nachdem ihn seine edle Geliebte beziehungsweise Braut Amalia nicht einmal erkannt hat), ihn befreit und als Rächer seinen Bruder erschlagen läßt, worauf er sich der Polizei stellt.
16. November 1920

»Zwangseinquartierung« im Stadttheater

Die übrige Kritik war, um einmal wirklich gutes Theater zu sehen, in den Ludwigsbau gegangen, mich aber zog es zum Stadttheater, ich bin anhänglich. Es gab einen Schwank, und das Spiel war nicht übel, man hat keinen Dichter in Schutz zu nehmen und sitzt in Hemdärmeln da, und Hoffmann sagt: »Anton, zieh die Bremse an!« Und da lacht man. Hoffmann, der flotte Regie führte, schmiß eine ausgezeichnete vitale Type hin. Ich freute mich, daß dieser Künstler so viel Brettersinn hat, so mit Haut und Haar spielte, auf das Was pfiff und Theater machte, vitales, unliterarisches Theater. Er machte den ganzen Quark irgendwie erträglich. Die weibliche Hauptrolle gab die van Draaz, die plastische Dekoration des Stadttheaters. Um einen Wink des Betriebsrates zu beherzigen, halt ich mich an *das Positive* der Leistung: Die Kostüme waren nicht ohne Geschmack ausgesucht, bis etwa auf einen Kimono, der aber dafür zwei Handbreit Oberschenkel in weißen Trikots zeigte. Man muß das gesehen haben. Stetten war etwas erträglicher als sonst, er sollte nur im Schwank und auch da nur in weniger hervorragenden Rollen verwendet werden, da er stark »verschmiert« scheint. Er hat ein schreckliches Pathos und einen katastrophalen Hang zur Vergröberung. Gehlens Gerichtsvollzieher, eine bunte schwungvolle Karikatur, durchaus gut, zeigt seine Verwendbarkeit ebenso wie im vorigen Jahr als Kaplan und als Tischler im »Maskenschnitzer«. Er wird vielfach falsch verwendet. Reichardts Diener eben-

falls ergötzlich, gute Zeichnung, dabei farbig und mit Feinheiten. Ranft gab den Neffen mit Natürlichkeit und Wärme. Er hat etwas Ehrliches und Echtes, ich sehe ihn gern auf der Bühne. Rosen als Dr. Soundso ist absolut abzulehnen. Steif und unsicher, ohne jeden Schwung, ohne jede Eleganz, scheint der junge Herr der Theaterschule noch kaum entwachsen. Die übrigen Darsteller spielten nett, wenn auch ohne besondere Nuancen. Der Beifall war heftig. Ich selbst sehe diese »Zwangseinquartierung« jedenfalls mit ungleich höherem Vergnügen als gewisse andere Zwangseinquartierungen unseres Stadttheaters.
17. November 1920

Strindbergs »Rausch«

Da der vielgelästerte Fundus unseres Stadttheaters leider einen Kronleuchter, einen Grabstein, einige Tagwerk Pappendeckelwaldung aus der Juraformation, einen Silberschrank, vier braune Parapluies und eine unschätzbare Zahl von Trommeln zuviel hat, ist es auf dieser Bühne natürlich sehr schwer, in dem vielen Zeug Strindberg zu spielen. Trotz der rührenden Fürsorge der Theaterleitung, die mir einen raffiniert schlechten Platz ausgesucht hat, daß ich die Dekorationen nicht sehen muß, sah ich immer noch zuviel.
Die Aufführung, auf zwei unserer besten Könner gestellt, war alles in allem die beste der Spielzeit. Es war Spannung da, Elektrizität, manchmal sogar Strindberg, da, wo das Wort stärker wurde als die Umgebung. In der Regie war ein geistiger Wille fühlbar, bei fleißiger Arbeit. Aichers Maurice hatte geistiges Format und innere Linie. Gestus und Wort kamen zu einer starken rhythmischen Einheit, die Leistung war und wurde Erlebnis. In der zweiten Hälfte des Stückes, besonders in der vorletzten Szene, stand man unmittelbar unter dem Eindruck großer Kunst (ich erwäge dieses starke Wort!). Hier kam auch Frau Aicher-Simson, in den ersten Szenen fast

etwas zu eindeutig und nuancelos, zu erstaunlicher Kraft des Ausdrucks, und in der Umkehr der letzten Szene war bei ihr, die viel zuwenig auf die Bühne kommt, einfach Theaterblut und Bretterinstinkt. Hartl gestaltete sicher und einfach den Freund, nur etwas zu pathetisch und nach dem Parterre hin spielend. Das Haus war voll, und man muß deshalb von der Theaterleitung unbedingt weitere Versuche in dieser Richtung erwarten. Etwa für »Totentanz« haben wir eine ausgezeichnete Besetzung.
23. November 1920

Erwiderung auf den
offenen Brief des Personals des Stadttheaters

Da die Augsburger Pressekritik nachgerade fast einstimmig dartut, daß die Leistungen des Stadttheaters das Maß des Erträglichen überschreiten und das Geschäft des Stadttheaters (das das der Stadt ist) bedrohen, hat das Personal des Stadttheaters es für seine Pflicht gehalten, diese Kritik abzulehnen. (Weil sie das Maß des Erträglichen überschreitet und das Geschäft des Stadttheaters bedroht.)

1

Das Personal verlangt, daß die Kritik nur die »lodernde Begeisterung« feststellt, die etwa Schillers »Räuber« trotz ihrer Darstellung durch das Theater den Galerien entlockte. Das Personal stellt fest, daß »Alt-Heidelberg« des deutschen Volkes Lieblingsstück ist. Gleichzeitig stellt es fest, daß die Stimme des Volkes die Stimme Gottes sei, und also ist »Alt-Heidelberg« das Lieblingsstück Gottes.
Das Personal verspricht, die »Waffen zu strecken«, wenn ihm der Nachweis erbracht wird, daß auch das Publikum seine Vorstellungen ablehnt. Ich möchte wissen, wer dem Personal an-

gesichts des zu zwei Dritteln leeren Theaters die Waffen in die Hand gedrückt hat? Meine Herren: auf den leeren Bänken sitzen die ablehnenden Zuschauer!

Das harte Wort Provinz, das sich, wie das Personal ganz richtig gemerkt hat, fast in keiner unserer Kritiken mehr vermeiden läßt, brauchen sich die Schauspieler, die sich hier ein Asyl für ihr Alter zu gründen wünschen, die nicht mehr wollen als ihre Ruhe, nicht zu Herzen zu nehmen. Allerdings meint ein Provinzler, wenn er über die Provinz schimpft, immer nur das Theater. Hier ist es einem doch eigentlich wirklich im Stadttheater am unangenehmsten, daß man eben doch in der Provinz ist – in einer Stadt von 150 000 Einwohnern!

Aber antworten wir:

2 Prinzipielles

1. Unsere Klassiker haben ihre Werke nicht dazu geschrieben, daß der Betrieb des Augsburger Stadttheaters fortgeführt werden kann.
2. Sachlichkeit in Kunstfragen bedeutet: innerste Teilnahme, Wahrhaftigkeit, Intoleranz gegen Schädigungen. Das Interesse der Kunst steht über dem Interesse der Künstler. Das persönliche Interesse der Künstler, soweit es mit der Kunst nichts zu tun hat, geht die Kritik nichts an.
3. Im Ausdruck können Zugeständnisse gemacht werden. Statt Saustück kann Schweinstückchen geschrieben werden.
4. Die Kritik muß den Künstler unter Berücksichtigung des Materials, das ihm zur Verfügung steht, zwingen, aus diesem Material so viel zu machen, als er kann. Die Kritik muß ihn aber auch selbst als Material betrachten im Sinne des Kunstwerkes, und sie muß seine Eignung für das Kunstwerk untersuchen.
5. Werden die Künstler zu unkünstlerischen Leistungen gezwungen, haben sie dagegen selbst aufzutreten. Ihre Leistung wird als Leistung gewertet.

6. Es ist die Unverschämtheit der Unfähigkeit, der Kritik bloße »Berichterstatterdienste« zuzumuten. Man heilt den Hustenden nicht dadurch, daß man ihm den Mund zubindet.

3 Winke

1. Die Kritik ist gezwungen, von der Regie den Geist der Dichtung und die große Linie ihrer Struktur (eventuell in roh behauenen Blöcken) zu verlangen. Die bloße Andeutung der Nuancen ist sie bereit, für voll zu nehmen, wo sie nicht den Wert des Werkes ausmachen. Sie anerkennt die Bestrebungen der Bühne in diesem Sinn in »Pygmalion«, »Rose Bernd«, »Kabale und Liebe«. (Der Stadt die »so gut es geht« aufgewärmten Leichen der Klassiker vorzuwerfen, ist eine Roheit.)
2. Die Kritik hat nie die Forderung nach plastischer Dekoration aufgestellt. Sie bekämpft aber die Naturkarikaturen unseres Fundus als unkünstlerisch, weil sie die freie Mitarbeit der Phantasie des Zuschauers hemmen. Die Kritik ist zufrieden mit Dekorationen, wie sie in »Jedermann« und »Don Carlos« verwendet wurden.
(Bekämpft werden die kitschigen Effekte, die als Dreingabe die »Jedermann«-Aufführung verunzieren, sowie etwa der direkt bösartige Springbrunnen im »Tasso«.)
3. Die Kritik ist zu ihrem Bedauern auch noch damit geplagt, sich um richtige Besetzung der Rollen zu kümmern, was doch durchaus Sache des Theaters sein müßte! Die Besetzung erfolgt nach so sinnlosen Gesichtspunkten (die die Individualität des Schauspielers völlig verkennen), daß es vorkam, daß ein Kritiker [...] ganz fassungslos, weil er trotz schärfsten Nachdenkens nicht herausbringen konnte, warum ein Schauspieler eine für ihn ganz ungeeignete Rolle bekam und dadurch geschädigt wurde, sogar nach der Mutmaßung griff, er habe sie wegen seiner politischen Gesinnung bekommen. Er hätte natürlich auch fragen können, ob er sie wegen seiner Nase oder

wegen der Nase seiner Großmutter bekommen habe. Die Kritik lehnt Verwendung nach dem Fach als unrationell und unkünstlerisch ab, wenn der Darsteller eben tatsächlich sein Fach nicht ausfüllt. Weibliche Rollen werden nicht nach Talent oder Eignung, sondern nach der finanziellen Bereitwilligkeit der Schauspielerinnen, sich Kostüme, die niemand sehen will, zu kaufen, ausgeteilt. Ein Darsteller, dessen Begabung auf das Fach des Bonvivant hinweist, der in jedem Schwank Gutes leisten würde, wird gezwungen oder ermächtigt, als Karl Moor einem »Die Räuber« zu verleiden, dadurch das ernsthafte Publikum aus dem Theater zu scheuchen und dadurch das Geschäft des Theaters zu bedrohen. Die diesbezüglichen Winke der dem Theater wohlmeinenden Presse werden nicht beachtet.

4. Die unfähige und faule Dramaturgie des Theaters schädigt die Schauspieler durch Raubbau. Auch dem wohlmeinendsten Kritiker ist es nicht immer möglich, die Leistung des Schauspielers aus der des Regisseurs herauszuschälen und diesen gegen die dilettantischen Zumutungen des Direktors in Schutz zu nehmen.

5. Die Kritik hat die Überzeugung, daß das Personal des Stadttheaters so viel künstlerisches Wollen und künstlerische Kraft birgt, daß es bei kluger künstlerischer Ökonomie durchaus möglich ist, auch im Rahmen unseres Fundus gute künstlerische Leistungen herauszustellen.

4

Die Form des Memorandums weise ich als eitel und anmaßend scharf zurück. Ich bemühe mich vergebens, in ihm etwas anderes als die strikte Dokumentierung des unbeirrbaren Willens, bei den ungenügenden Leistungen des Theaters unter nichtigen Ausflüchten zu beharren, zu sehen. Meine eigenen kritischen Äußerungen sind das Maßvollste, was sich über die betreffenden Leistungen sagen ließ. Man kann aus ihnen allein keineswegs den künstlerischen Stand der Bühne erkennen. Das kann man erst aus dieser meiner Feststellung, daß sie, wie gesagt, das Maßvollste und Zarteste, die äußerste Grenze der Toleranz, die künstlerisch verantwortbar ist, darstellen.

Gegen die Behauptung des Betriebsrates, ich mischte mich in das Fach meiner Kollegen von Oper und Operette: Ich habe nie über anderes als Schauspiel geschrieben. Die Initialen sind, schlecht gedruckt, leicht zu verwechseln.

27. November 1920

Dramatisches Papier und anderes[1]

Kiepenheuer gibt, in Essayform gedruckt, Dramen aus der Zeit heraus. Es ist repräsentatives Gefüllsel dabei.

1

Der Inhalt von Rubiners »Gewaltlosen« etwa hätte in einem Essay deutlicher, lieblicher und bequemer lesbar, also wirkungsvoller ausgedrückt werden können. Ein durch Dramatisierung verdorbener Essay ist es ja doch.

Trautners »Haft« hat einen Gehalt, der vielleicht für ein Gedicht langt, es entlehnt seinen Mut zur Bühne etwa Goering, der von Maeterlincks »Blinden« technisch gelernt hat.

Tollers »Wandlung«, bis jetzt das deutlichste, nimmt Anregung vielleicht nirgends so wie von Reinhardt, es arbeitet mit gepflegten Gefühlen, sonderbarerweise. Gedichtete Zeitung, bestenfalls. Flache Visionen, sofort zu vergessen. Kosmos dünn. Der Mensch als Objekt, Proklamation statt: als Mensch. Der

---

[1] »Der dramatische Wille«, bei Kiepenheuer.

abstrahierte Mensch, der Singular von Menschheit. Seine Sache liegt in schwachen Händen.

2

Wesentlicher für das Theater: Ivan Golls »Possen«. Die Emanzipation der Regie. Spukhaft deutliche Einfälle. Zeitung, Bänkelsängerlyrik, Photographie: höchst lebendige Maschinerien, Plakat: »Der expressionistische Courteline«. Es ist Gutes drinnen, Kindhaftes. Es steckt mehr Menschlichkeit drin als bei Toller.
Groß angelegt, mit tiefgehender Technik, die Skizze reiner Gesinnungstragödie: Kaisers »Hölle, Weg, Erde«. Eines der besten Werke Kaisers. (Die Entwicklung, unaufhaltsam, läuft zum Film hin.) Eine Orgie der Ethik. Mit einer unvergleichlichen Linie. Hier ist ein Dichter, der Entwicklung hat, noch in der schweren Elefantiasis des Gewissens.
Unerhört schön aber André Gides »Bathseba«, eine zarte Elfenbeinmalerei mit bestürzend tiefer seelischer Fundierung. Hier ergeben Kultur, Dichtung, Gewissen eine wundervoll reine harmonische Einheit.
Zusammenfassend: Bücher, die man lesen muß wie die Zeitung. Alle zusammen (ausgenommen nur »Bathseba«) Proklamationen des Menschen ohne Menschen, alle zusammen (ausgenommen vielleicht »Hölle, Weg, Erde«) ein dramatischer Wille ohne Drama.

14. Dezember 1920

Querulanterei oder Ein Lauf gegen die Wand

Ich weiß nicht, ob der Leiter unseres Stadttheaters jemals ein anderes Theater von innen gesehen hat (das Innere des seinigen spricht gegen die Annahme); und ich bezweifle, daß er jemals eines betreten wird (er hat vollauf damit zu tun, die Schwierigkeiten zu überwinden, die es macht, ohne Bildung, Talent und Fleiß ein Theater zu leiten), aber ich möchte ihn bitten, sich das eigene Theater einmal flüchtig von außen anzusehen. Da ein Mann, sofern er kein Hochstapler ist, unbedingt Einfälle gehabt haben muß, um, ohne dafür geeignet zu sein, ein Stadttheater in die Hände zu bekommen (besonders in einer Stadt, deren Väter keinesfalls Bretter vor den Köpfen haben), kann man von ihm vielleicht auch erwarten, daß ihm plötzlich einfällt, welch ungeheuren Apparat, ein wie großes Haus, wieviel Pappe, Lichtanlagen, Leute, Gelder und so weiter er dazu benötigt, ein kleines und immer kleiner werdendes Publikum zu langweilen. Er wird sich allerdings mit dem Erfolg trösten, der ein bedeutender ist. Dennoch erhebt sich eine Frage: War es eigentlich nicht auch eine Art Kunst, durch so viele Jahre in dem stillen, hartnäckigen Kampf mit dem intelligenten Zuschauer Sieger zu bleiben, so daß jener immer wieder leise weinend und völlig gebrochen das Feld räumen mußte? Nun, der Sieg ist groß, aber nicht schwer. Solang genügend Dumme auf Lager sind, die in ein solches Theater hineinlaufen oder die es bezahlen, obwohl sie *nicht* hineingehen oder weil sie nicht hineingehen, wird der Direktor immer Wein im Glas haben. Denn die paar Leute, die beruflich gezwungen sind, hineinzugehen und zu schreiben, werden es immer bald müde sein, gegen eine Mauer anzurennen, das heißt einem Mann, der, auch wenn er wollte, nicht könnte, auf seine albernen Ausreden, die Leute seien zu dumm, um etwas Besseres zu würdigen, zu antworten, diese Leute seien so wenige, daß sie nicht einmal das Theater füllten. Der Mann kann sich nicht anders entschuldigen als mit der Dummheit seines Publikums, aber er lebt einzig von ihr. Es ist durchaus möglich, daß ein Theater ohne einen gerissenen Geschäftsmann in seinen Büros nicht existieren kann, aber es ist durchaus fraglich, ob es notwendig ist, daß ein Theater ohne künstlerischen Geist hinter der Bühne existiert. Was nützt es,

wenn ein Berg unter ungeheurem Kreißen zwei kleine Kieselsteine gebiert? Wenn es schwer ist, einen Quatsch zu machen, warum ihn dann machen? Sollen hunderttausend bezahlen, daß ein Mann was verdient? Sollen tausend ohne Theater leben, daß ein Mann, der nichts davon versteht, ein Dach über dem Kopf hat? Immer wieder unterstützen unsere Stadtväter diesen Schädling, als seien sie schon dankbar dafür, daß in diesem Haus und in ihrer Stadt dennoch jeden Abend der Vorhang hochgeht, einmal über »Rausch«, das nächste Mal über dem »Vierten Gebot«, daß Leute singen und Leute gähnen, daß Leute klatschen und Leute, die pfeifen würden, nicht gekommen sind, als freuten sie sich schon innig darüber, daß der ganze Betrieb nicht stillsteht, da weder Talent noch Fleiß drinsteckt, daß es keine Schererei gibt? Aber woher sollten sie, die kaum wissen, was hier geschieht, ahnen, was hier *nicht* geschieht?
22. Dezember 1920

Hebbels »Judith« im Stadttheater

Es war klar, daß auf »Das vierte Gebot« die »Judith« folgen würde. Unsere Dramaturgie ist doch nicht meschugge. Es ist eines der schwächsten und albernsten Stücke unseres klassischen deutschen Repertoires. Aber das gleiche Schwein, das die Lulu für eine Beschimpfung der Frau hält, schwärmt für die Judith. – Oberländer inszenierte für Augsburg eine (mißlungene) Karikatur dieses Stückes. Dem zweifellos fleißigen und gutwilligen, aber anscheinend völlig willensschwachen Mann gelingt es nicht, sich hier durchzusetzen. Sein Mangel an Intuition und künstlerischer Einfühlung kann ihm weniger zum Vorwurf gemacht werden als sein Mangel an Ehrfurcht vor dem Kunstwerk, der ihm gestattet, dieses den unverschämten Ambitionen kleiner, streberhafter Darsteller auszuliefern, die ihm nie gewachsen sind. Wenn die Judith von

Fräulein Eberle, wiewohl kalt, akademisch, hausbacken und im Menschlichen geradezu peinlich langweilig, doch nicht gerade der Lächerlichkeit verfiel, so steigerte Geffers die Lächerlichkeit seines Holofernes zur unerträglichen Qual für den Zuschauer. Der Eberle, die fleißig und keineswegs talentlos ist und hart arbeitet, sich auch durchaus »entwickelt«, fehlte (was ihr nicht gegeben ist) das erotische Fluidum, das Fleisch, die Besessenheit und »der pathologische Einschlag«, aber schließlich war ihr Spiel keine Dilettanterie. Aber was soll man mit diesem gruselig angemalten Topf anfangen, der grunzend, wiehernd und blökend von Erotik die Auffassung eines neurasthenischen Sekundaners in Pubertätsnöten hat? Der Topf poltert: seine Seele fühlt [Grimm]. Der Topf säuft Bier, und dann tanzt er und dann klirrte der Topf und erzittert und gebar krachend unreine Komik. Die Null als Gott! Der Spießer als Gottesgeißel! Der Bonvivant als Holofernes! Wie lange noch, Edgar? Er begräbt uns alle! Im übrigen drei, vier menschliche Töne: Aicher als Hauptmann, wie immer hell, klug, menschlich, rein (wenn auch etwas dünn). Rösner mit gutem Theater. Hoffmann, niedergehalten durch die Fadheit der Volksszene, dennoch mit großer Linie und stark anspringend. Dann die Schäfer mit einem ganz starken merkwürdigen Ton, der lang nachschwingt. Sie wächst immer mehr, und an jedem vernünftig geleiteten Theater hätte *sie* die Judith gespielt. Die wäre nicht im Dekorativen steckengeblieben! Die Regie, die sich diesmal erstaunlich guter Bühnenbilder bediente, [ließ] weder die Geistigkeit Hebbels, die allein die gehirnliche Konstruktion dieser Dichtung rettete, durchschimmern, noch zeigte sie irgendwelche Durchblutung ihrer Leiblichkeit. Wie ich hörte, waren die Darsteller während ihrer Arbeit an »Judith« gleichzeitig mit der Einstudierung der »Kindertragödie« beschäftigt – wie es ja nicht anders zu erwarten war.

12. Januar 1921

Karl Valentin

Wenn Karl Valentin in irgendeinem lärmenden Bierrestaurant todernst zwischen die zweifelhaften Geräusche der Bierdeckel, Sängerinnen, Stuhlbeine trat, hatte man sofort das scharfe Gefühl, daß dieser Mensch keine Witze machen würde. Er ist selbst ein Witz.
Dieser Mensch ist ein durchaus komplizierter, blutiger Witz. Er ist von einer ganz trockenen, innerlichen Komik, bei der man rauchen und trinken kann und unaufhörlich von einem innerlichen Gelächter geschüttelt wird, das nichts besonders Gutartiges hat. Denn es handelt sich um die Trägheit der Materie und um die feinsten Genüsse, die durchaus zu holen sind. Hier wird gezeigt die *Unzulänglichkeit aller Dinge*, einschließlich uns selber. Wenn dieser Mensch, eine der eindringlichsten geistigen Figuren der Zeit, den *Einfältigen* die Zusammenhänge zwischen Gelassenheit, Dummheit und *Lebensgenuß* leibhaftig vor Augen führt, lachen die Gäule und merken es tief innen.
Es ist nicht einzusehen, inwiefern Karl Valentin dem großen Charlie, mit dem er mehr als den fast völligen Verzicht auf Mimik und billige Psychologismen gemein hat, nicht gleichgestellt werden sollte, es sei denn, man legte allzuviel Gewicht darauf, daß er Deutscher ist.
Oktober 1922

Aus Notizbüchern
1920 bis 1926

1920

Über das Unterhaltungsdrama

Ihr könnt mich steinigen, aber ich sage doch nicht, daß Kaiser das Unterhaltungsdrama, das ihm vorschwebt, gestalten konnte. Es gibt Stücke, die einen auf ihre Art darin unterstützen, mit dem Leben fertig zu werden, schlimmstenfalls durch schwindelhafte Vortäuschungen (von denen die leichtfertigsten die einer tragischen Perspektive sind). Sie regen den Nachahmungstrieb an oder vermitteln gewisse (oder vielmehr ungewisse) Kenntnisse praktischer Art oder Erkenntnisse. Handelt es sich um das letztere, dann sind diese Erkenntnisse nur lohnend, wenn sie dem Zuschauer eingeimpft werden, das heißt, sie müssen ihm so leiblich geboten werden, daß sie ihn ganz durchbluten wie Blut bei einer Transfusion. Die Erkenntnisse müssen seinem Instinkt einverleibt werden. Ich habe bisher von den Bedarfsstücken gesprochen: aber hier, in dem letzten Punkt, berühren sie sich mit den Unterhaltungsstücken. Unterhaltungsstücke sind solche Stücke, die irgendwie Ideen verleiblichen: also höhere Allegorien, Spielereien, Luxusstücke. Zweifellos bilden diese Unterhaltungsstücke eine höhere Gattung als die Bedarfsstücke, und sie verlangen auch ein besseres Publikum. Sie sind in noch sehr wenigen Exemplaren vertreten, und zum Beispiel Georg Kaisers Stücke sind (sehr schlechte) Stücke einer sehr hohen Gattung. Sie entsprechen der (fast uninteressierten) Freude an der reinen Dialektik, an der Eleganz der Kurve und dem Spieltrieb. Leider ist Kaisers dichterische Potenz zu schwach, um den Ideen, an denen sie sich sozusagen angeilt, leibhaftige Kinder zu machen. Seine Ideen schweifen aus, sie haben keine Grenzen, sie haben kein Gesicht, sie sind gestaltlos wie treibende Wolken, aber sie sind zu wenig für einen ganzen Himmel, und das schlimmste ist:

Es sind Wolken mit Propellern und Steuervorrichtung. Gerade die Ideen unterliegen leicht, besonders wenn sie hereditär schwächlich sind, der außerordentlichen Verführung, zuviel Wesens aus sich zu machen: Dem Georg Kaiser passieren alle Augenblicke Tendenzen. Die Sucht, gefallen zu wollen, verträgt sich besser mit dem sublimen Genre des Unterhaltungsdramas als die Sucht, Einfluß zu gewinnen. Ist das letztere aber das Ziel eines Dramatikers, dann muß er alles tun, um seine Ideen zu verbergen, um sie zusammen mit leibhaftigen Menschen einzuschmuggeln. Da es für Georg Kaiser aber noch andere triftigere Gründe gibt, seine Ideen zu verbergen, sollte er sich lieber dem weniger hohen, weil nützlicheren Genre des Bedarfsdramas zuwenden. Er landet sonst bei einer Mesalliance, und die ist das schlechteste Genre.
9. Januar

Über den Expressionismus

Expressionismus bedeutet: Vergröberung. Dort, wo es sich nicht um eine Allegorie handelt (wie im »Geretteten Alkibiades«, in »Gas«, im »Sohn«), handelt es sich um Heraus- oder Übertreibung des Geistes, des Ideellen, und da es hier (zufällig) in der Literatur ging wie in der Politik, wo es ein neues Parlament, aber keine neuen Parlamentarier gab, gab es hier die Freude an der Idee, aber keine Ideen, und daher wurde es eine Bewegung statt einer Erscheinung, und man hielt sich ans Äußere; das heißt, statt Leiber mit Geist zu füllen, kaufte man (möglichst bunte) Häute für Geister auf, und statt in den Leibern die (wie man argwöhnte: verkannte) Seele aufzuzeigen, machte man die Seelen zu Leibern, vergröberte sie, materialisierte sogar noch den Geist. Als der Geist noch in Höhlen hauste, war er unbeachtet, aber frei. Der Verlag Wolff hielt ihn noch nicht aus, aber er verbeugte sich auch nicht kokett vor Schiebern und gehamsterten Huren. Wenn ein Jüngling Philosoph wird (und sonst nichts), weil er enorme Einfälle hat, dann ist das angenehm. Aber wenn er sonst nichts wird (und Philosoph), weil es angenehm ist, enorme Einfälle zu haben, dann ist es unangenehm. Das heißt, wenn der Verlag Wolff verkracht.

So zu schreiben, daß möglichst wenige zu behaupten wagen, sie verstehen einen, ist keine Kunst, wenn man tüchtig Sternheim und Kaiser studiert hat.

Über das Rhetorische

Bezeichnend für unsere Zeit ist die Renaissance der Rhetorik, das heißt der pathetischen Rhetorik. Gut zu sein ist modern, wie es zeitweise modern war, diabolisch zu sein. Sinn für Nützlichkeit wird als nützlich erklärt. Er gebiert unter Geschrei Leitartikel. Dem Hasenclever geht jeden Mittag einer ab. G. Kaiser lernt gegenwärtig öffentlich das Reden. Er ist der redselige Wilhelm des deutschen Dramas. Er hat dessen Pathos, dessen Gedankenarmut, dessen Geschmacklosigkeit, dessen Sinn für Prägnanz, dessen Liebe am Theatralischen und dessen Freude daran, daß was »klappt«. Irgendwie ist er auch »schlicht«, »militärisch schlicht« (in Generalsuniform...). Im übrigen ist er rührend. Sein Eifer ist geradezu lobenswert. Darin gleicht er Demosthenes. Wie jener lernt er das Reden nur sehr schwer, stottert, sagt alles zwei-, dreimal und ist bemüht, möglichst laut zu schreien. Nur geht er statt ans einsame Meer ins Theater (der Einsamen). Darin ist er bösartiger. Er sagt, er hat bei Platon gelernt, daß Reden schön ist. Bei sich könnte er das Gegenteil lernen. (Aber er hat keine Zeit, das Schreiben zu lernen, da er zu sehr mit Stückeschreiben beschäftigt ist.)

Folgen der Kritik

Die Folgen davon, daß sich die Wissenschaft mit dem Theater befaßt, sind schwere Schädigungen der Genußfähigkeit des wissenschaftlich Geschulten. Wir haben in unsern Schädeln ganz bestimmte Vorstellungen vom Drama, gewisse Vergleiche, Maßstäbe, Forderungen – anstatt Augen, Ohren, und unsere Lust, bestätigt zu werden, ist größer als die, mit Neuem gespeist zu werden.

Bei Hebbel, der große gedankliche Massen auftischt, verlangen wir Natürlichkeit und lebendige Willkür, sind also unbefriedigt. Bei Hauptmann verlangen wir Ideen, und die ungestüme, uns eingepflanzte Forderung nach der Synthese verdirbt uns das natürliche Vergnügen an dem Einseitigen. Zweifellos [wird] das Stoffliche einer Dichtung am ehesten die einfachsten der Zuschauer interessieren. Der fortgeschrittenere Zuschauer (das heißt derjenige, der aus der Kunst mehr Kapital schlägt) wird sich auf die Optik des Künstlers stürzen und sich ein Bild von dessen Geistigkeit zu verschaffen suchen. Der niedrigste (weil unrentabelste) Standpunkt dem Kunstwerk gegenüber aber ist der prokrustische. Immer darauf zu lauern, inwieweit der Künstler das, was er zeigen *wollte*, zeigen *konnte*, das verdirbt jeden Genuß (soweit nicht nur Eitelkeit befriedigt werden soll!). Es ist der Standpunkt eines literarisch gemachten Spießers, der seine Genüsse immer aus dritter Hand nehmen muß. Es ist der Standpunkt unserer meisten Kritiker.

Ich im Theater

Ich bin ein Raubtier und benehme mich auf dem Theater wie im Dschungel. Ich muß etwas kaputtmachen, ich bin nicht gewohnt, Pflanzen zu fressen. Deshalb roch es oft nach frischem

Fleisch im Gras, und die Seelen meiner Helden waren sehr farbige Landschaften mit reinem Kontur und starker Luft. Das Gestampf Kämpfender beruhigt mich, die sich zerfleischen, stoßen Verwünschungen aus, die mich sättigen, und die kleinen bösen Schreie der Verdammten schaffen mir Erleichterungen. Der große Knall erregt mich musikalisch, die endgültige und unvergleichliche Geste befriedigt meinen Ehrgeiz und stillt zugleich mein Lachbedürfnis. Und das Beste an meinen Opfern ist das tiefe, unendliche Grunzen, das stark und satt aus dem Dschungel bricht und ewig andauernd die starken Seelen erschauern läßt.

Das Theater als sportliche Anstalt

Es ist wahr, daß ich im Theater, wenn ich schon hineingehe, keinen rechten Spaß habe, aber ich möchte nicht sagen, daß es schlecht ist. Es arbeiten auch viele sehr ernsthafte Leute dafür, und viele Leute, die tagsüber mit viel ernsthafteren Dingen beschäftigt sind, geben sich alle Mühe, an den richtigen Stellen zu klatschen und die gleiche Meinung zu haben wie ihre Zeitungen – eine Meinung, die nicht immer klug, aber meistens pflichtbewußt und von hoher Warte aus gefaßt ist. Ich glaube nur: Ich habe keinen rechten Spaß im Theater, wie diese Leute alle einen falschen Begriff vom Theater haben.
Es ist eine unserer eigentümlichsten Krankheiten, daß wir, wenn wir einmal erkannt haben, daß etwas so oder so gut wäre, alle erdenklichen Torheiten begehen, um es so oder so zu machen, auch wenn etwas ganz anderes herauskommt: Und das ganz andere halten wir dann, nur weil es das Beste ist, was wir leisten können, und weil es auch das Beste ist, was wir wollen können, für das ganz Gute, was wir angestrebt haben. Das ist eine unserer eigentümlichsten Krankheiten, sie kommt überall vor bei uns.
Unsere neuen Besserer, die die Herrschaft über das (literari-

sche) Theater in die Hände bekamen, nicht weil sie besser als die vor ihnen, sondern weil sie neu waren, haben das Theater aus einem Hörsaal für Biologie oder Psychologie in einen Tempel umbauen wollen. Sie bauten Kanzeln und schlugen rote Plakate an, man solle in die Tempel kommen, sie seien eben im Tempel. Und dann kamen die guten Leute aus ihren Geschäften, ihren Kämpfen um Eier, Geliebte und Ehren, in ihren besten Anzügen, und dann standen sie selber auf den Kanzeln und schrien, der Mensch müsse sich erneuern, gut sei gut, Tyrannei äußerst unangenehm, dazu verabscheuungswürdig, und einige von ihnen stachen sich mit Messern durch die Arme oder verschluckten Frösche oder spien Feuer oder balancierten 800 Elefanten oder zeigten ihre Krampfadern. Und die Leute unten verhielten sich ruhig und würdig, denn sie verstanden zum Glück wenigstens die Sprache der Neuerer nicht genau und sperrten die Mäuler auf, daß man hinabsehen konnte bis in ihre Mägen, und da war nichts drinnen. Dann aber, als die Leute wußten, daß Tyrannei unangenehm, dazu verabscheuungswürdig und gut sei, gingen sie beruhigt fort und kamen nie mehr.
Und doch befanden sie sich nur in einem Irrtum. Ganz dieselben Leute, die da Feuer spien und sich stachen, hätten sie ganz wunderbar unterhalten, wenn sie woanders aufgetreten wären, nämlich im Zirkus.
Ganz dieselben Leute wie die, welche weggingen, hätten dort die Röcke ausgezogen und Wetten abgeschlossen und mitgepfiffen und sich ganz wundervoll gut unterhalten.
Aber das konnten sie nicht in der Kirche.
In der Kirche haben wir keinen Spaß an so was.
Die Leute, die die Plakate entwarfen (und dabei ging schon viel zuviel Genie drauf!), hatten die richtige Erkenntnis, daß in die Kirche ein andrer Betrieb hineinkommen müsse, aber ihr Betrieb, das war nicht der richtige. Und daß es gut ist, erschüttert zu werden von seelischen Einsichten und zum Bruder zu werden (obwohl das kein Beruf ist, Bruder, nicht wahr!?);

aber, nicht wahr, ohne die seelischen Einsichten ging es nicht, und die konnten sie nicht verschaffen. Also: es ist nichts mit der Tempelidee!
Also, ich schlage vor, ihr seht es ein und druckt neue Plakate! Ihr ladet die Leute in den Zirkus ein! Und da dürfen sie in Hemdärmeln dasitzen und Wetten abschließen. Und sie müssen nicht auf seelische Erschütterungen lauern und mit den Zeitungen übereinstimmen, sondern sie schauen zu, wie es mit einem Mann gut geht oder abwärts, wie er unterdrückt wird oder wie er Triumphe feiert, und sie erinnern sich an ihre Kämpfe vom Vormittag [...]
Fragmentarisch

[Notizen ohne Titel]

Ich habe Shakespeares »Antonius und Kleopatra« gelesen, ein prachtvolles Drama, das mich sogar ergriff. Je mehr die Handlung im Mittelpunkt scheint, desto reicher und kräftiger können sich die Träger entwickeln. Sie haben kein Gesicht, sie haben nur Stimme. Sie reden nicht immer, sie antworten nur, sie haben die Handlung nicht wie eine Gummihaut, sondern wie ein weites faltiges Gewand um sich. Wo die Handlung kräftig ist, da müssen diese Männer nicht wandelnde Museen sein, man muß sich nicht an *ihnen* satt fressen können, es ist auch noch das Stück da. Das Medium zwischen Zuschauer und Bühne ist: die Sehnsucht, zu sehen. Je deutlicher eine Gestalt in den Einzelheiten, desto geringer die Verbindung mit dem Sehenden. Ich liebe dieses Stück und seine Menschen.
17. August

Ich lese in Hebbels Tagebüchern, es ist immer fesselnde Lektüre, wenn auch viel Dekoration und die Gefühle überinszeniert. Das Pflichtgefühl drin ist mir widerlich, auch die

Ordnung, die einer ungeheuren Einbildung gleichkommt: Im Grund ist Hebbel eben Sammler. Er hat eine beschränkte Teleologie in allen Gedankengängen, es scheint, er ist eitel darauf, überall da noch einen Sinn zu entdecken, wo die Dümmeren keinen mehr entdecken, und Leute, die es weit gebracht haben, sind selten dazu zu bringen, es noch weiter bringen zu wollen. Aber es gibt nicht viele Dinge, die nun wirklich einen Sinn haben, wie Hebbel meint. Vieles ist einfach da und in seiner Wirkung so oder soweit unterstützt oder beeinträchtigt. Dies geht bis in die Beziehungen seiner Menschen hinein. Er kommt vermittels einer scholastischen Dialektik fast immer bis zur äußersten Formulierung der beiderseitigen Rechte und Pflichten. Aber es ist dann noch ein ungeheurer Schritt zu jener eiskühlen und unbewegten Umluft höchster Geistigkeit – wo Recht und Pflicht aufhören und das Individuum einsam wird und die Welt ausfüllt und Beziehungen unmöglich und unnötig werden. Immer mehr scheint mir jener Weg, den Hebbel einschlug, eine Sackgasse. Nicht die Großartigkeit der Geste, mit der das Schicksal den großen Menschen zerschmettert, ergreift uns, sondern allein der Mensch, dessen Schicksal ihn nur zeigt. Sein Schicksal ist seine Chance. Es gilt also nicht, große ideelle Prinzipiendramen zu schaffen, die das Getriebe der Welt und die Gewohnheiten des Schicksals darstellen, sondern einfache Stücke, die die Schicksale von Menschen schildern, Menschen, die die Gewinne der Stücke sein sollen. Beispiel: Daß Burschen von einer gewissen eigentümlichen Struktur die Schaufel aufs Genick kriegen, ist nicht das, was das Stück zeigen soll. Sondern: Wie sie sich dabei benehmen, was sie dazu sagen und was für ein Gesicht sie dabei machen.

21. August

Wenn ich ein Theater in die Klauen kriege, engagiere ich zwei Clowns. Sie treten im Zwischenakt auf und machen Publikum. Sie tauschen ihre Ansichten über das Stück und die Zuschauer

aus. Schließen Wetten ab über den Ausgang. Alle Samstag ist Deuxière im Theater. Der Schlager der Woche wird persifliert. (Auch »Hamlet«, auch »Faust«.) In der Tragödie wird die Szenerie auf offener Bühne umgebaut. Clowns gehen über die Bühne, ordnen an: »Er geht jetzt unter, ja. Machen Sie das Licht düsterer! Die Treppe macht einen tragischen Eindruck. Die Karyatiden erlauben nur mehr Bankerott. Er wird Fliegen fangen müssen. Er hatte eine gute Art, die Hände in die Hosentaschen zu stecken. Wie er sagte: ›Man muß faul sein wie eine Wachtel.‹ – das war gut! Hier findet die Hauptszene statt. Es wird sogar geweint. Die Heldin hat Taschentücher zugesteckt. O, wär es zu Ende!« (Sie sagen das alles traurig, wirklich ernsthaft, es sind grünbelichtete traurige Burschen, die grünen Engel, die den Untergang herrichten ...) Die Clowns reden über die Helden wie über Privatpersonen. Lächerlichkeiten, Anekdoten, Witze. Sie sagen von David: »Er wäscht sich zuwenig« und von Baal, in der letzten Zeit: »Er ist verliebt in den Schmutzfinken.« – Dadurch sollen die Dinge auf der Bühne wieder real werden. Zum Teufel, die *Dinge* sollen kritisiert werden, die Handlung, die Worte, die Gesten, nicht die Ausführung.
1. September

Das deutsche Drama geht unter, anscheinend, schnell, gern, willfährig. Die Berliner Theaterkapitalisten übernehmen die Konkursmasse, vertrusten die Sache, der Film zieht den Boden weg, immerzu, zieht aus Leibeskräften seit Monden, der Krach sitzt auf den Galerien, auf den Sperrsitzen, in der Proszeniumsloge zuletzt und sieht sich die Sache mit an. Jetzt verlassen die Ratten das Schiff: Der Reinhardt zieht ab, der Kerr igelt sich in der Walhalla ein und findet das alles »so schön ...«. Aber wir wollen uns in ihm einquartieren und die Beine gegen die Planken spreizen und sehen, wie wir das Schiff vorwärtsbringen. Vielleicht saufen wir das Wasser auf, das durchs Leck

quillt, vielleicht hängen wir unsre letzten Hemden an den Mast als Segel und blasen dagegen, das ist der Wind, und furzen dagegen, das ist der Sturm. Und fahren singend hinunter, daß das Schiff einen Inhalt hat, wenn es auf den Grund kommt.
24. September

Versuchen, einen neuen Charakter für die Mission des Posa im »Don Carlos« zu erfinden! Etwa einen unheilbaren Magister; breit, bucklig, schwerfällig, mit bleichem, gedunsenem Gesicht, der vor dem Spiegel steht und, wie eine Spinne Fäden, idealistische Gebilde aus seiner Brust hervorzieht. Voll tiefer Verachtung für die Menschen, nicht ohne Diplomatie, feig im Physischen, kühn im Geistigen, schwerfällig, aber in längerer Rede entzündbar, mit einer Neigung zu schönen Worten und Paradoxen, verführerisch für die Jugend, etwas unmännlich und mit wunden Stellen (auch zwischen den Beinen eine solche!). Großer Wahrnehmungen fähig, der Lehrer großer Männer! Objektivierte große Empfindungen, die nicht eigene sind, Posen, die er nie selbst ausführen könnte infolge der Unzulänglichkeit seiner Gliedmaßen (da die Herrschaft sich leider nicht bis auf die Extremitäten durchgesetzt hat ... Die Extremitäten machen den Erfolg, Liebe!). Deshalb auch hat er ein philosophisches System zur Verfügung, das ihm gestattet, seine Schüler zu verachten, und Schüler sind für ihn alle jene, die das tun, was er je gedacht hat oder je hätte denken können!

Aus einer Dramaturgie

1

Krieche in deinen Mann hinein und mache dir's bequem drinnen. Versuche, ob du seine Haut spüren kannst und wie sie sich benimmt gegen die Unterschiede der Luft. Probiere sein

Aus Notizbüchern 53

Darmsystem, und sieh nach, was sein Herz aushält. Auch mußt du ihn anstrengen und dann auf das Herz aufpassen. Laß seine Stimme trompeten, und vergiß nicht den Flüsterton! Iß mit ihm, klatsche seinen kleinen Gedanken Beifall, schaue aus seinen Augen heraus! Wenn er Bier trinken soll in deinem Stück, mußt du wissen, wie er Eier ißt und Zeitung liest, wie er bei seiner Frau schläft und wie er in die Grube fährt. Du mußt ihm gewogen sein wie er selbst, und deine Ansichten über seine Ansichten sind erst in zweiter Linie wichtig. Jedenfalls gehören sie nicht in die Charakteristik!

2

Wenn er spricht: Untersuche die Worte, die sie gegeneinander spucken. Sieh nach, ob Blutklümpchen drinnen sind! Das ist bei manchen meiner Dialoge so schauerlich, daß sich zwei immerfort anspucken, mit dünnen Würfen, aber es sind Blutklümpchen drinnen, von ihrem Blut, sie sterben daran. Auch muß man wie ein Sportschiedsrichter immer auswägen, wer den Vorsprung hat, und scharf aufpassen, daß keiner mogelt, ohne daß man es merkt. Die Argumente aber müssen aus dem täglichen Leben der Kämpfer genommen werden, und niemals darf einer Klügeres sagen, als sein sonstiger Verstand zuläßt. Der innere Ausgang eines Zweikampfes darf niemals vorausbestimmt sein, der äußere muß es, der Fabel wegen. Die Worte sind die Kinder der Gehirne: Sie sind lebensfähig oder kränklich oder gar nur dekorative Puppen.

3

Das wichtigste Gesetz für den Dichter ist, daß er innerhalb seines Stoffes die Merkwürdigkeiten herausfindet (die sonst Fehler von ihm sind). Auf je mehr Wunder er den Zuschauer hinweist, desto reicher ist sein Werk. In einer lieblichbleichen Szene ein Orchestrion spielen zu lassen, ist ein Fehler, wenn es kein Clou ist. Die Unbegreiflichkeiten des Lebens und die Unüberlegtheiten des Schicksals werden deshalb nicht von den Menschen als Fehler durchschaut, weil sie von Gott als Clous in Szene gesetzt werden und wir eher versuchen, ihnen einen Sinn beizulegen, als ihren Unsinn zu entlarven. Kommt ein Mann auf die Bühne, der nicht kommen *kann*, kann es statt eines Fehlers ein Effekt werden, falls sich der Dichter nicht feig darüber ausschweigt, warum er *doch* kommt oder wenigstens: wie merkwürdig er (und wir alle) es findet (und finden), daß der Mann kommt. Kühnheit ist besser als Findigkeit, stummes Staunen besser als Ausreden.

4

Die Farbe einer Szene muß durch das Wort hervorgebracht werden. Ist die Szene bleich, dann darf kein Satz rotbäckig sein, ohne aufzufallen. Es gibt andere Verschärfungen genug. Jede Skala hat ihre äußersten Steigerungen in sich selbst, Kraft und Schwäche gibt es auf einer Linie. Natürlich paßt jedes Wort in jede Szene, aber die Wirkung, die dadurch entsteht, daß es sich an sich im Widerspruch mit der Gesamtfarbe befindet, muß vollauf berücksichtigt werden, und man muß gerade sie für die Herausarbeitung des Gesamteindrucks verwenden. Unter Wörtern und Wortfamilien gibt es Feindschaften wie unter andern Lebewesen. Die Szene eines Stückes wird um so interessanter, je mehr Feindseligkeit darinnen latent verborgen liegt. Aber der Dichter muß die Gedanken seiner Worte kennen und ihre Gefühle.

5

Die Führung der Fabel ist eine Sache der Politik. Sie beruht in der Balance der Kompromisse. Ist die Richtung der Geschehnisse im allgemeinen übersichtlich und vorausbestimmbar, was kommt, ist Klarheit (sofern der Clou des Stückes in der

Handlung besteht) eher schädlich. Geschieht jedoch Unvermutetes, muß zuvor absolute Klarheit herrschen über das Gegenwärtige wie die Folgen des erregenden Momentes. Absolute Klarheit wie völlige Regelmäßigkeit zerstören die Lust am Beschauen. Das Vergnügen am Rätselraten hängt mit dem Element der Ästhetik, der »Be-Wunderung« innig zusammen.

6

Unerläßlich für künstlerische Wirkung ist die Ruhe des Materials. Rein äußerlich gesprochen: Eine erregte [Person], deren einzelne Sätze ohne Vorgänger und Nachfolger nicht leben können, wird wie eine aufgeregte Person eine (völlig grundlose) Erregung des Zuschauers hervorbringen, aber Nervosität stört jeden Genuß, ist also verwerflich. Das Wort selbst darf nie erregt sein.

Zur Ästhetik des Dramas

So widerlich die Mischung von zwei Stilarten in einem Kunstwerk sein kann, es bedarf doch nur der Häufung des Fehlers, daß eine echte Wirkung entsteht: Man mischt mehr Stile. Das kolossale Format entschuldigt alles. Ich weiß nicht, warum die Jüngsten so krampfhaft an ihrem Material herumneuern und mit der Reform bei der Sprache anfangen, die doch recht eigentlich das Unbedachteste, Leichtwiegendste, Schwebendste sein soll und deren ganzer Reiz verblaßt, wenn sie absichtlich wirkt und willkürlich, ja schon da, wo sie überhaupt Objekt scheint. Das sind Bemühungen eines kleinen Geschlechts. Wozu neue Steine wählen, wo die Architektur so unendlich viel Platz für neue Ideen hat! Ich könnte mir eine himmlische Posse im Stil des Greco vorstellen, worin es sich um idealische Vorkommnisse handelt, eine Ideendichtung voll Leiblichkeit und Bosheit. Aber wo ist die politische Komödie großen Ausmaßes?

Kaum die Grundlagen des Bürgertums sind untersucht, weite Bezirke menschlicher Angelegenheiten liegen verödet, die Phantasie dieses Volkes ist erstarrt, seine Erfindungsgabe versiegt. Sie erfinden kaum noch neue Krawattenmuster. Es gibt im großen ganzen da, wo es überhaupt noch Profil gibt, zum Beispiel nur zwei Arten der Betrachtung bürgerlicher Probleme: eine satirische und eine pathetische. Sonst gibt es keine. Auch ist ein und derselbe Stil schon zu oft angewendet und abgehandelt worden, als daß er nicht längst eine ganz eigenartige Isolierschicht über den dargestellten Gehalt gebreitet hätte. Die Darstellung des Todes ist nicht mehr erschreckend, sondern eher interessant (im besten Fall). Der Tod passiert auf verschiedene Arten, von denen es aber nur eine bestimmte Anzahl gibt. Wie in der Oper der oder jener Auftritt aus »Aida« auf dem Podest aus »Lohengrin« stattfindet, so findet im Drama der Tod aus dem und dem Stück in diesem und jenem Stück statt. Hierher, Revolutionäre!

1921

[Notizen ohne Titel]

Die Tragödie basiert auf bürgerlichen Tugenden, zieht daraus ihre Kraft und geht ein mit ihnen. Es hat keinen Sinn, einen Heiligen zu räuchern, ohne an irgendwelche Götter zu glauben. (Judas, der andere Gott des *Heiligen*, glaubte: Das ist ein Happen!) Und die Komödie, wo sie tief und ernst zu nehmen [ist], läuft womöglich hinaus auf eine Anbetung der Henker oder der Ärzte. Die Schlachtung eines Schweins kann durch ein winziges heroisches Moment tragische Erschütterungen auslösen, die Opferung eines makellosen Rindviehs ohne diese (vielleicht betrügerische Manipulation) nicht. Pro domo: Ich weiß nicht, ob die ungeheuerliche Mischung von Tragik und Komik im »Galgei« überhaupt zu gestalten ist, welche darin besteht, daß ein Mann ausgestellt wird, der nach *solchen* Manipulationen an ihm noch lebt!
(Der unsterbliche aus Unfähigkeit, der lebende Mensch ohne Herz!)
Der Vorwurf des »Galgei« hat etwas Barbarisches an sich. Es ist die Vision vom Fleischklotz, der maßlos wuchert, der, nur weil ihm der Mittelpunkt fehlt, jede Veränderung aushält, wie Wasser in jede Form fließt. Der barbarische und schamlose Triumph des sinnlosen Lebens, das in jeder Richtung wuchert, jede Form benützt, keinen Vorbehalt macht noch duldet. Hier lebt der Esel, der gewillt ist, als Schwein weiterzuleben.
Die Frage: Lebt er denn?
Er wird gelebt.
28. Mai

Abends in der Neuen Bühne sehe ich Granach in »Von Morgens bis Mitternachts«. Ich beobachte, daß ich anfange, ein

Klassiker zu werden. Diese äußersten Kraftanstrengungen, gewisse (banale oder rasch banal werdende) Inhalte mit allen Mitteln herauszuschleudern! Man rügt den Formendienst der Klassik und übersieht, daß es die Form ist, die dort Dienste leistet. Jene, ich sagte am liebsten: journalistische Tendenz dieser Leute à la Kaiser, jedem Gefühlchen eine ihm allein angemessene, ganz auf es eingestellte, rücksichtslose Formulierung zu geben, führt doch nur zu seiner Isolierung. Allerdings stößt mir jede Glätte auf, aber Vollendetes ist nicht glatt. Man muß loskommen von der großen Geste des Hinschmeißens einer Idee, des »Noch-nicht-Fertigen«, und sollte hinkommen zu dem Hinschmeißen des Kunstwerkes, der gestalteten Idee, der größeren Geste des »Mehr-als-Fertigen«. Schon wieder abbröckelnd, schon wieder verblassend, hingehend, lieblich ausweichend, leicht gefügt, nicht sorgfältigst gesammelt, gepreßt, erschwitzt, versichert!

Kaiser, mit seiner erstaunlichen Betonung des Wortes als Mittel, stellt zweifellos die letzte und äußerste Anstrengung des Wortes dar, das zu erreichen, was der Film *ohne* es erreicht.
Typisch die Heilsarmee-Szene! Alles gruppiert um einen Witz (wobei die Wirkung von dem Verspotteten ausgeht!). Daß die Bekehrten auf das Geld stürzen wie Verhungerte, das ist ein Einfall wie viele, er sagt noch nichts gegen Kaiser, so billig er an sich ist. Aber jeder Künstler hätte hier sich nicht begnügt, das Faktum zu geben. Hätte Kunst hineingearbeitet (selbst auf Kosten der äußern Wahrscheinlichkeit!), also retardiert, die Angelegenheit zu der des Wortes gemacht, das Ganze zu einer scheußlichen Offenbarung von Menschlichkeit mit allen ihren Nuancen und Steigerungen. Kaiser macht eine Filmaufnahme!
17. Juni

Ich schlage mich herum mit den Mitteln der Poesie. Die Bühne hat für den »Ausbruch« die Steigerung und kann deshalb die

Sprache rein ornamental lassen, blumenhaft und grausam, eine kalte Bekleidung! Das Interessante und das Poetische ist verschiedener Natur. Die Farbe der Szene hat mit ihrer Spannung wenig zu tun. Dem Kind sieht man nicht an, ob die Muse angeilend aussah oder nicht. Das Fressen bleibt die Dynamik!
27. August

Auf jeden Fall sollte man sich nicht allzuweit von den einfachen Zielen losseilen. Seit zum ersten Male billige Bretter über Schnapsfässer gelegt wurden und zwei Burschen öffentlich irgendeinen Handel austrugen, war die Unterhaltung der Zuschauer das bezahlte Ziel. Immer ruhten diese glotzenden Bierbrauer, Steuerpächter, Küfer hier aus, und erst ein wenig später befriedigten sie hier am billigsten ihre unterirdischen, aber sehr irdischen Triebe und auch die himmlischen und schufen sich so einen Ersatz für jede gefährliche Ausschweifung mitten hinein in ihre umfriedete, gesicherte Bauchperipherie. Die naiven Abenteuer mußten bald durch lebenskluge, praktische Maximen gewürzt, durch leicht eingehende Stimmungen verdaulich gemacht, durch halbverhüllten oder frech platzenden Witz gepfeffert werden. Jetzt, am Endpunkt einer Entwicklung, befriedigt nur mehr die Eitelkeit der Akteure jene eines Parterres von Köchen und Topfguckern.
13. September

Ich denke, daß es von einem dramatischen Dichter vielleicht nichts Unsittlicheres gibt als eine gewisse Schamlosigkeit in bezug auf die gewisse Schwäche des Menschengeschlechts, mit einem Herdentrieb geboren zu sein, ohne die zur Bildung einer Herde erforderlichen Eigenschaften aufzuweisen. Fast alle bürgerlichen Institutionen, fast die ganze Moral, beinahe die gesamte christliche Legende gründen sich auf die Angst des Menschen, allein zu sein, und ziehen seine Aufmerksamkeit von seiner unsäglichen Verlassenheit auf dem Planeten, seiner winzigen Bedeutung und kaum wahrnehmbaren Verwurzelung ab. Beinahe alle denkbaren Tragödien, die sich im Bezirk der Familie abspielen, alle Verbrechen darin sind gutzuheißen (dramatisch zu verwerten), da sie den Bestand der Familie festigen, indem sie ihre Möglichkeit zur Voraussetzung machen und sich lediglich mit der Blutzeugenschaft für sie befassen. Wehe aber dem Dramatiker, der auf die Voraussetzung das Augenmerk lenken wollte! Er ist die Krähe, die sich mit Krähenaugen füttert. Qui mange du pape en meurt.

28. September

Dann sehe ich einen kleinen Einakter mit Charlie Chaplin. Er heißt »Alkohol und Liebe«, ist das Erschütterndste, was ich je im Kino sah, und ganz einfach. Es handelt sich um einen Maler, der in eine Schenke kommt, trinkt und den Leuten, »weil ihr so freundlich zu mir wart«, die Geschichte seines Ruins erzählt, die die Geschichte eines Mädchens ist, das mit einem reichen Fettwanst abrückte. Er sieht sie wieder, schon vertrunken und recht abgerissen, und »das Ideal ist beschmutzt«, sie ist dick und hat Kinder, und da setzt er den Hut schief auf und geht nach hinten ab, ins Dunkle, schwankend wie ein auf den Kopf Geschlagener, ganz schief, großer Gott, ganz schief, wie vom Wind umgeblasen, ganz windschief, wie kein Mensch geht. Und dann wird der Erzählende immer betrunkener und sein Mitteilungsbedürfnis immer stärker und verzehrender, und er bittet um »ein Stück der Kreide, mit der ihr die Queues eurer Billards einreibt«, und malt auf den Fußboden das Bild seiner Geliebten, aber es werden nur Kreise. Er rutscht so darauf herum, er gerät in Streit mit allen, er wird hinausgeworfen und zeichnet auf dem Asphalt weiter, immer Kreise, und wird hineingeworfen und zeichnet drinnen weiter und wirft alle hinaus, und sie strecken ihre Köpfe zum Fenster herein, und er zeichnet am Fußboden, und das letzte ist: da, mit

einem Male, mit einem schrecklichen Schrei, als er gerade seiner Geliebten eine kunstvolle Locke andrehen wollte, fiel er hin über sein Bild, betrunken ... tot ... (ivre ... mort ...). – Chaplins Gesicht ist immer unbewegt, wie gewachst, eine einzige mimische Zuckung zerreißt es, ganz einfach, stark, mühevoll. Ein bleiches Clowngesicht mit einem dicken Schnurrbart, Künstlerlocken und Clowntricks: Er beschmiert seine Weste, er setzt sich auf die Palette, er stolpert in seinem Schmerz, er zeichnet an einem Porträt ausgerechnet die Hinterteillinie aus. Aber er ist das Erschütterndste, was es gibt, es ist eine ganz reine Kunst. Die Kinder und die Erwachsenen lachen über den Unglücklichen, er weiß es: Dieses fortwährende Gelächter im Zuschauerraum gehört zu dem Film, der todernst ist und von erschreckender Sachlichkeit und Trauer. Der Film zieht seine Wirkung (mit) aus der Roheit seiner Beschauer.
29. Oktober

1922

[Notizen ohne Titel]

Einen großen Fehler sonstiger Kunst hoffe ich im »Baal« und »Dickicht« vermieden zu haben: ihre Bemühung, mitzureißen. Instinktiv lasse ich hier Abstände und sorge, daß meine Effekte (poetischer und philosophischer Art) auf die Bühne begrenzt bleiben. Die »splendid isolation« des Zuschauers wird nicht angetastet, es ist nicht sua res, quae agitur, er wird nicht beruhigt dadurch, daß er eingeladen wird, mitzuempfinden, sich im Helden zu inkarnieren und, indem er sich gleichzeitig betrachtet in zwei Exemplaren, unausrottbar und bedeutsam aufzutreten. Es gibt eine höhere Art von Interesse: das am Gleichnis, das am andern, Unübersehbaren, Verwunderlichen.
10. Februar

Es ist üblich, daß die Dichter in den Trauerspielen gegen Ende zu (wie überhaupt) die Partei ihres Helden nehmen. Es ist ein Unfug. Sie müssen die Partei der Natur nehmen. Ja, aus Furcht davor, ihren Helden herabzusetzen, wagen sie es dann nicht einmal, die Natur zu verhöhnen, dies widerliche Gemuhe der albernen Kuh wiederzugeben, die den Heuschreck verschlungen hat! Das ist die Bourgeoisie der Schaubühne!
11. Februar

Über die Zukunft des Theaters

Die Betriebe haben sich heißgelaufen. Sie wurden mit Ernst zu schwer belastet. Was unter den (bebrillten) Augen der Nation »sich« entwickelt, also Verpflichtungen hat, wird vom

Unternehmungsgeist verlassen werden. Was sich auf vierhundert Jahre einzurichten hat, das muß langweilig werden. Das Theater fängt an, ein *Beruf* der Nation zu werden. Die Zeitung, die pedantische Instruktion vom Leben für eine nicht mehr lebende Gesellschaft, ein unersättlicher und absolut geschmackloser Vielfraß, eröffnete die Treibjagd auf die Kunst. Seitdem werden tagtäglich Meisterwerke in die Welt gesetzt, und die Hebammen nehmen die Hauptverdienste in Anspruch. Aber auch die kritisierenden Nachbarn, die die Nasen der Kinder vergleichen, beginnen, am Zustandekommen der Kinder interessiert, mit eigens gewachsenen Organen zu verkünden, sie hätten Einfluß auf die Zeugungen. In Glashäusern brüten die großen Biester aus, und amphitheatralisch geordnet wohnen die 8000 Sklaven ihrer Operngläser dem »Erlebnis« bei. Die darstellenden Künstler fangen an, sich selbst ernst zu nehmen, und übersehen, daß das »alles«, das für die Kunst sich opfern läßt, verdammt wenig sein muß. Sie sind wahnsinnig geworden, als sie zum erstenmal in den illustrierten Zeitungen die graphischen Darstellungen ihres Verdauungstraktus »erlebten«. Die »unverschämten« Tiere kommen in Mode. Die geschäftstüchtigen Inhaber geschmeidiger Hälse ersetzen die Fürstlichkeiten, der Kastrat den Papst, der Eunuch das Bologneserhündchen. In der Zeiteinheit werden die Lorbeerhaine des Planeten aufgefressen, und 700 Hähne bemühen sich unter Beifallssalven, auf 699 originelle Arten den Eindruck zu erwecken, als sei das einzige Misthäufchen ihr Erzeugnis. Das Theater wird langsam zu einem Puff für die Befriedigung von Huren.

Etwa 1926

Zu »Baal«

Ich suchte, als ich den Typ Baal auf der Bühne sichtbar machte, umsonst die Gegnerschaft der Bourgeoisie »jener« Zeit. Diese war schon so unrettbar verkommen, daß sie entweder nur die Form – die nur als Form ganz gleichgültig, nur eben nächstliegend war – kritisierte oder dem gewissen »je ne sais pas quoi« der Formulierung erlag. Den wirklichen Gegner kann ich mir nur im Proletarier erhoffen. Ohne *diese* von mir gefühlte Gegnerschaft hätte dieser Typ von mir nicht gestaltet werden können.

Aus: Über Kunst und Sozialismus
Bruchstücke einer Vorrede zu dem Lustspiel »Mann ist Mann«

1 Sorgen der Bourgeoisie

Man gab mir zum Beispiel, ohne es selber so ganz genau zu wissen, zu verstehen, daß man mir gern erlauben würde, etwa einmal im Jahr das eine oder andere meiner Stücke durchfallen zu lassen. Ich brauchte mich um nichts zu kümmern als um die Herstellung der Stücke. Das kam nicht, weil man die Stücke fürchtete, dazu verstand man sie zuwenig, sondern weil man diese Sorte von Theater nicht preisgeben wollte. Man hätte sie tatsächlich schließen müssen, um mein Stück aufführen zu können; die Situation, die geschützt werden mußte, war sehr eigenartig: Es sollte einem Haufen Leute im Parkett nicht die Gelegenheit genommen werden, Maulaffen feilzuhalten (ebenso wie Ohraffen), und einem andern Haufen – auf der Bühne – sollte die Gelegenheit erhalten bleiben, nicht durch seinen Mangel an Kunst brotlos zu werden. Es war schwer, etwas dagegen zu sagen; es war naheliegend, ihre Sorgen haben zu wollen.

2 Wo blieben die Leute von links?

Die Leute von links hatten wirkliche Sorgen, sie kannten dieselben und machten keinerlei Theater. Was bis auf einige Nutzrevuen von links gemacht wurde, war, künstlerisch betrachtet, ziemlich alter Plempel von auffällig sklavischer Mentalität. Ein paar nach links oder rechts furchtsame Literaten stellten Texte her, die auf der Berechnung basierten, daß für Stücke ein einfacher Mangel an Intelligenz genüge, um sie verständlich zu machen. Der typische Literat stellte sich den Proleten als das Neue vor, als sich selber, oder glaubte, daß das »literarische Gefühl« jenes Gefühl sei, das die Revolutionen erzeuge. Ein natürlich harmloser Irrtum. Überhaupt ist das Kennzeichen dieser ganzen Bemühungen von rechts bis links eine jeden natürlichen Menschen verstimmende Harmlosigkeit. (Selbst die hier nicht hergehörenden Rüpeleien ältlicher Feuilletonisten tragen dieses Gepräge: Sie entsprangen einer harmlosen Furcht, in gewissen weitschweifenden, oft fünf bis zehn Bände füllenden Erörterungen über das eigene Wohlbefinden durch irgendwelche Produktion gestört zu werden. Was doch nicht die Absicht dieser Produktion sein konnte.) Die brüske Stellung des Proletariats und vor allem seiner intellektuellen Führer der Kunst gegenüber ist angesichts von dem, was links und rechts als Kunst etabliert wurde, mehr als verständlich. Das Proletariat steht auf dem schreckeneinflößenden Standpunkt, Kunst sei schädlich, da sie die Massen vom Kampf ablenke. Aber sie hat die Bourgeoisie von deren Kampf auch nicht abgelenkt, keine Minute. Das ist geradezu ein Vorwurf, den man ihr als Proletarier machen kann. Sie hat die Bourgeoisie mitunter hingelenkt zu diesem Kampf. Es ist verständlich, aber nicht angenehm, daß das Proletariat jetzt der Kunst den Befehl zu erteilen wünscht, die Masse auf ihren Kampf hinzulenken. Der

Vorwurf, den zum Beispiel Barbusse den Künstlern aller Zeiten im Namen des Proletariats machte, ... stützt sich auf wahre Tatsachen, ist aber unberechtigt. Es ist kein Vorwurf gegen Gott, daß er in die stärkeren Bataillone versetzt wird. Er ist wirklich dort. Eine proletarische Kunst ist ebenso Kunst wie irgendeine andere: mehr Kunst als proletarisch. Sie mag unnützlich sein, und während eines Kampfes *ist* sie es sogar bestimmt, aber das ist ihr gleich. Man könnte mit einer geringfügigen Übertreibung sagen, daß der Kunst die Ansichten der Künstler gleichgültig sind. Sie ist keine Sache der Ansichten. Das Getreide ist übrigens auch keine Sache der Ansichten, insofern als es wächst. Wäre Kunst etwas, das mit Ansichten zu schaffen hätte, so wäre sie etwas durch und durch Individuelles, und dies haben ja auch viele Bourgeois und Proletarier zuweilen geäußert. Aber das ist nicht so. Kunst ist nichts Individuelles. Kunst ist, sowohl was ihre Entstehung als auch was ihre Wirkung betrifft, etwas Kollektivistisches. Das Schlimmste, was durch eine solche Ansicht passieren könnte, wäre höchstens: daß ein ganzer Haufen bisher Kunst genannten Krempels von jetzt ab nicht mehr Kunst genannt würde. Ein einleuchtender Vorteil! Ich behaupte also, daß eine bei uns links geläufige Ansicht über Kunst falsch ist. Ich will bei dieser Gelegenheit noch erwähnen, daß links ungeheuer viele Ansichten falsch sind, es macht nur dort nicht so viel wie rechts. Die verzweifelten Bemühungen der Literaten, die Ansichten der Proletarier zu treffen, sind unsäglich komisch. Es sind in neun von zehn Fällen durchaus bourgeoise Ansichten. Man versteht deshalb überhaupt nicht, warum die Herren sich so bemühen: Es sind einfach ihre eigenen Ansichten.

3 Resumé

Nach meiner Ansicht ist es sicher, daß der Sozialismus, und zwar der revolutionäre, das Gesicht unseres Landes noch zu unseren Lebzeiten verändern wird. Unser Leben wird mit

Kämpfen gerade dieser Art ausgefüllt sein. Was die Künstler betrifft, so halte ich es für sie am besten, wenn sie unbekümmert darum machen, was ihnen Spaß macht: Sie können sonst nicht gute Arbeit liefern. Für Leute freilich, in deren Kopf gerade diese Spannungen fehlen, wird es sehr schwer sein, Kunst zu machen. Zu erhoffen von unserer Zeit haben nur diejenigen etwas, denen besseres Publikum nützt und denen bessere Instinkte zustatten kommen: Das sind wenige.

Neu und alt

Vorrede zu »Dickicht«

Neu war ein Typus Mensch, der einen Kampf ohne Feindschaft mit bisher unerhörten, das heißt noch nicht gestalteten Methoden führte, und seine Stellung gegen die Familie, zur Ehe, überhaupt zum Mitmenschen und vieles mehr; im Grund natürlich *zu* viel. Aber das war es nicht, was sie neu finden. Neu finden sie zum Beispiel die Maschine, das heißt ein Ding, das sie, ohne es zu verstehen oder gemacht zu haben, benützen können. Das Letzte, was sie in der Literatur neu finden, war etwa die Behauptung, der Mann solle die Frau nicht als Puppe behandeln, oder: heiraten sei gefährlich, oder: ein Fuhrmann sei im Grund etwas ebenso Tragisches wie ein höhergestellter Mensch, um so tragischer, als er sich noch weniger auskenne.
Formal neu kann in den Augen dieser Kulinarier nur die alleräußerlichste Aufmachung sein. Da man uns in der ältesten der äußerlichsten Aufmachungen gab, waren wir nicht neu genug. »Valencia« mit Jazz ist neu. Ohne Jazz ist es nicht besonders neu. Der Jazz allerdings ist neu.

[Notizen ohne Titel]

Das Theater ist der Spiegel der Kultur eines Volkes.

Das Theater sei die Kultstätte des Gottes der Dinge, wie sie sind.

Infolge der gewöhnlichen Unterschätzung der Quantität glaubt man nur schwer, wie sehr es beim Schreiben auf die Quantität ankommt. Praktischen Anweisungen zum Beispiel kann man, wenn man sich nicht entschließt, einen ganzen Schmöker drum herum zu schreiben, nur ungeheuer schwer einiges Gewicht verleihen. Daß man etwa ein Theater darauf einrichten müßte (in Spiel, Dramaturgie und so weiter), daß man drin rauchen könnte, ist ein einfacher und starker Gedanke von unabsehbaren Folgen. Aber in dieser Form vorgebracht, würde er gar keinen Erfolg haben. Wie würde er es?

Es ist eine verdummende und brutalisierende Begierde, die unter Umständen zum faulsten Kompromiß greift und vor der Entstellung nicht zurückschreckt. Es ist die gleiche Begierde, die einen Dramatiker [...] noch nach einem über Bierfässer gestülpten Brett als Schaubühne greifen läßt und mich zwingt, mich mit der entsetzlichen Prunkbühne der Bourgeoisie zu begnügen. Man verweist auf die Probebühne. Aber ein normales Maß an Sauberkeit und Unverdorbenheit entschädigt ja nicht für einen anomalen Mangel an Talent. Und was heute nur genug Talent hat, eine Skatgesellschaft durch Grimassen zu unterhalten, das strömt sofort zum Theater, weil dort die Löhne zu hoch sind. Und, noch einmal, der schmierigste, letzte, versauteste Komödiant befriedigt mehr meine atavistische Neigung als der ehrlichste und vernünftigste »Laie«. Ich mag diese literarischen Papierschemen nicht ausstehen, und dieses verrottete, hoffnungslose und für Dreck bezahlte Pack von Komödianten spielt uns erst, wenn uns der Stein drückt!

Meine ganze Jugend war mir jede Musik eine Qual, und jetzt, wo die Jazzbands endlich da sind, fühle ich mich wohl dabei. Kann es mit dem Theater nicht so sein? Ob es große Dinge sind, die wir sagen, das könnt ihr nicht herausbringen, aber was ihr könnt, ist zu sorgen, daß die Theater, auf denen die großen und kleinen Dinge gesagt werden, angenehm sind!

Ich schwanke sehr, mich der Literatur zu verschreiben. Bisher habe ich alles mit der linken Hand gemacht. Ich schrieb, wenn mir etwas einfiel oder wenn die Langeweile zu stark wurde. »Baal«, das entstand, um ein schwaches Erfolgsstück in den Grund zu bohren mit einer lächerlichen Auffassung des Genies und des Amoralen. »Trommeln«, um Geld zu machen (es ist danach, hat aber kein Geld gemacht). Mit »Dickicht« wollte ich die »Räuber« verbessern (und beweisen, daß Kampf unmöglich sei wegen der Unzulänglichkeit der Sprache). Und »Edward«, weil ich den Marlowe inszenieren wollte und er nicht ausreichte. Die Balladen, um George und Otto in Schwung zu bringen für einige Stunden des Abends, der in Augsburg sehr trocken verläuft, und die Sonette aus purer Langeweile. »Mann ist Mann« nur für das Theater, aber das Theater ist nichts, wo keine Appetite sind. Würde ich mich entscheiden, es mit der Literatur zu versuchen, so müßte ich aus dem Spiel Arbeit machen, aus den Exzessen ein Laster. Ich müßte einen Plan aufstellen und ihn ausführen, um Tradition zu bekommen in der Arbeit, die Inspiration durch manuelle Gewohnheit und die Lust des Abarbeitens. Ich müßte Mühe daran setzen, einen Stil zu wählen, der mir ermöglicht, das Abzuwickelnde auf die mir leichteste Weise zu formulieren. Meine Appetite müßten geregelt werden, so daß die wilden Anfälle ausgemerzt und die Interessen auf lange Dauer ziehbar wären, so etwa, daß ich Stücke sehr rasch schreiben könnte, aber nicht müßte. Dieses letztere ist die Fähigkeit der Klassiker. Sie erzielt Plastik. Lionardo konnte sein Interesse beliebig lang erhalten. Was den Stoff betrifft, so habe ich genug, um die vierzig zulässigen und nötigen Stücke zu schreiben, die den Spielplan eines Theaters für eine Generation bestreiten (aber ich glaube immer noch, daß man die Form ohne das Theater nicht festlegen sollte). Als heroische Landschaft habe ich die Stadt, als Gesichtspunkt die Relativität, als Situation den Einzug der Menschheit in die großen Städte zu Beginn des dritten Jahrtausends, als Inhalt die Appetite (zu groß oder zu klein), als Training des Publikums die sozialen Riesenkämpfe. (Die amerikanischen Historien allein ergeben im Minimum acht Stücke, der Weltkrieg ebensoviel, und was für ein Stoff und Ideenreservoir für Lustspiele ist die Produktion der deutschen Klassiker von »Faust« bis »Nibelungen«! Aber welche Fülle des Stoffes bietet überhaupt die Bearbeitung, ermöglicht durch die neuen Gesichtspunkte!)

Über den Untergang des alten Theaters
1924 bis 1928

Ich habe im folgenden nicht vor, meine Ausführungen literarisch schmackhaft zu machen, denn der herrschende literarische Geschmack ist von dem meinen so unselig verschieden, daß ich, in einer beklagenswerten Opposition, den jeweilig besseren Ausdruck gegen den schlechteren tausche, wenn er nur gewisse (literarische) Erinnerungen *nicht* wachruft. Ich habe mich auch in etlichen fünf Jahren Literatur, die ich in nachlässiger Kampfstellung zugebracht habe, davon überzeugt, *daß es das beste, was man mit gewissen Banalitäten, die wahr sind, machen kann, ist: sie auszusprechen.* Außerdem aber bin ich gesonnen, jede Begründung meiner Ansichten zu vermeiden, da ich herausgefunden habe, daß sie dann aufreizender wirken. Und ich werde schon verstanden werden, wenn ich nur tüchtig angreife.
Wir sind oft gefragt worden, welches eigentlich der vielbesprochene Unterschied zwischen Alten und Jungen ist. Im Grund weiß jedermann in jedem Fall zu entscheiden, ob ein Mann jung oder alt ist, und aus dem, was ein alter Mensch über unsere Arbeiten zum Beispiel schreibt, können wir Jungen deutlich ersehen, daß er weiß, wir sind jung. Was wir aber den Alten vorwerfen, ist, daß ihnen ihre Arbeit nicht genug Spaß macht. Wobei gleich gesagt werden muß (siehe oben: über Banales), daß Spaß am Erfolg nicht Spaß an der Arbeit und Späßchen überhaupt nicht Spaß ist. Alt ist zum Beispiel auch einer, der Spaß und Ernst als Gegensätze empfindet. Diese beiden Empfindungen sind ohne einander ebensowenig möglich wie ein Regenschirm ohne Dach. Nun, man weiß es.

(Über das alte und neue Theater)

[Die Operette]

Ich liebe die Operette, das Orange der käuflichen Musik, gemixt mit der Flachköpfigkeit des papierenen Zeitalters.
Nach dem Mittagessen das Fabeln. Eine Viertelstunde. Zwischen Börse und Kontor. Unter dem Dach des Vierzigstockhauses.
Man raucht. Man singt. Man hat die Sängerinnen mit dem Eintrittsgeld vergewaltigt.
Was man sieht, ist nicht die große antikische Kunst des Filmes. Nicht das Venenbad des Boxkampfes. Aber man hat die Songs selbst gemacht, man ist unschuldig. Die Lifts der leichten Musik massieren die Hälse dieser dummen Tiere. Im Weggehen hört man noch an den Rachengeräuschen des Auditoriums den Clou: eine ungepuderte Dame entkleidet sich.

Maria Stuart

Sie pudert sich vor dem Spiegel, während sie die Arien singt.
Das letzte sind ihre schönen Hände, die sehr weiß sind. Ihretwegen trägt sie die schwarzen Kleider.
Die katholische Riechwasserschwemme, die alternde Kokotte, die sich auskennt. Heftig, eitel, mit Haltung. Allein sinkt sie zusammen.
Burleigh, die Bulldogge, die derlei Weiber kennt. Mit ihr redend, macht er ein Toilettenschränkchen auf, er riecht an einem Fläschchen, was sie rasend macht und zu einer schönen Arie begeistert.
Letzter Akt.
Was sie mit ihren letzten fünf Minuten anfängt.

Während sie ihren seit Wochen einstudierten Abschied von den Mädchen nimmt mit einer leisen, etwas verschleierten Stimme – in der Musik ist, daß sie weinen sollen. Aber etwas entfernt und nicht beir Sache blickt sie beinahe unentwegt auf eine weiße große Wanduhr hinten, denn es sind die letzten fünf Minuten.

[Die Probleme des heutigen Theaters]

[Antwort auf eine Rundfrage]

Lieber Herr Doktor! Ich hoffe Sie nicht zu verstimmen, wenn ich meine unerschütterliche Überzeugung offen ausspreche, daß die Probleme des heutigen Theaters mit Leichtigkeit gelöst werden können. Da es um nichts schad ist, was, um die Probleme zu lösen, über Bord geworfen werden müßte, und es vollkommen gleichgültig ist, was durch die glücklich erfolgte Lösung erreicht werden wird, würde ich mir meine Hoffnung, daß die Probleme zur absoluten Zufriedenheit des Publikums sicher schon diesen Winter gelöst sein werden, jedenfalls aber bevor das dritte Jahrtausend um ist, durch keinen auch noch so schweren Schicksalsschlag rauben lassen.

Herzlich Ihr Bert Brecht

Augsburg, August 1925

An den Herrn im Parkett

Ich denke mir, Sie wollen für Ihr Geld bei mir etwas vom Leben sehen. Sie wollen die Menschen dieses Jahrhunderts in Sicht kriegen, hauptsächlich ihre Phänomene, deren Maßregeln gegen ihre Nebenmenschen, ihre Aussprüche in den Stunden der Gefahr, ihre Ansichten und ihre Späße. Sie wollen teilnehmen an ihrem Aufstieg, und Sie wollen Ihren Profit

haben von ihrem Untergang. Und natürlich wollen Sie auch guten Sport haben. Als *Menschen dieser Zeit* haben Sie das Bedürfnis, Ihre Kombinationsgabe spielen zu lassen, und sind steif und fest gesonnen, Ihr Organisationstalent gegenüber dem Leben, nicht minder auch meinem Bild davon, Triumphe feiern zu lassen. Deshalb waren Sie auch für das Stück »Dikkicht«. Ich wußte, Sie wollen ruhig unten sitzen und Ihr Urteil über die Welt abgeben sowie Ihre Menschenkenntnis dadurch kontrollieren, daß Sie auf diesen oder jenen der Leute oben setzten. Sie waren erfreut, daß das kalte Chicago so angenehm anzusehen ist, denn es gehört durchaus zu unserem Plan, daß die Welt angenehm sei. Sie legen Wert darauf, an gewissen *sinnlosen* Begeisterungs- und Entmutigungsgefühlen beteiligt zu werden, die zum Spaß am Leben gehören. Alles in allem habe ich mein Augenmerk darauf zu richten, daß in meinem Theater ihr Appetit gekräftigt wird. Sollte ich es so weit bringen, daß Sie Lust bekommen, eine Zigarre zu rauchen, und mich selbst dadurch übertreffen, daß Sie Ihnen an bestimmten, von mir vorgesehenen Punkten ausgeht, werden ich und Sie mit mir zufrieden sein. Was von allem immer die Hauptsache bleibt.
25. Dezember 1925

[Notizen] Über das Theater der großen Städte

Es scheint, daß der außerordentliche Glückszufall, durch den wenigstens zwei der Länder Europas zur Betrachtung der Schwierigkeiten angeregt wurden, in die ihre rapide Übersiedlung in die Städte die Menschheit verwickeln mußte, sich im Theater dieser Länder schon fruchtbar zeigt. Es gibt schon heute in diesen Ländern (Deutschland und Rußland) Anstrengungen, der großen Stadt ihr Theater zu schaffen. Eine der kraftvollsten ist die Erich Engels in München.

Eine der wunderbarsten geistigen Erscheinungen dieser Zeit ist die Meinung der meisten, daß die großen Städte in ihrem Wachstum kaum mehr einhalten würden. Wir betrachten sie, wie der erste Mensch den ersten Regenguß betrachtete: Er glaubte an eine Sintflut. Diese Naivität beweist besser als sonst etwas die Potenz und Frische unseres Zeitalters. Natürlich werden die großen Städte ebenso mit ihrem Wachstum einhalten, [wie] ein Elefant damit einhält. Dieser Vergleich ist nur jenen unverständlich, die unsere Städte nicht als organische Lebewesen betrachten können. Aber ich glaube, daß noch zu unseren Lebzeiten der Punkt erreicht wird, wo ein Überblick über die Entwicklung der großen Städte möglich ist. (Ich glaube, sie werden verfallen, wenn sie aufhören zu wachsen.)
Ich habe eine Photographie vom Eingang des Broadway in New York gesehen (das Tor dieser Zementschlucht, über dem »Danger!« steht) und mir Mühe gegeben, herauszubringen, was man, wenn ihre Zeit um ist, über die Circenses dieser Städte wird sagen können. Und indem ich zusammensuchte, was das ist, und überlegte, was möglich ist, kam ich zu der Überzeugung, daß es kaum Veranstaltungen sein würden, die man bei der Betrachtung solch imposanter Fotos in fünfzig Jahren sich vorstellen wollen würde. Sondern etwas Überraschendes: Dinge, die hauptsächlich Spaß in sich hatten. Das einzige, was diese Städte bisher als Kunst produzierten, war Spaß: die Filme Charlie Chaplins und den Jazz. Davon ist der Jazz das einzige Theater, das ich erblicke.

Es gibt kein Großstadttheater. Alle Aufführungen haben den Charakter von Provinztheateraufführungen. Man kann die neuen Sachen nicht spielen, wie man Shakespeare spielt und nicht spielen kann. Man hat uns oft genug gesagt, daß den Leuten die Aufführungen nicht gefallen haben. Man hat uns aber nicht sagen hören, daß sie uns auch nicht gefallen haben. Das Theater hat die große Chance, die es gehabt hat, aus unseren Stücken einen neuen Stil für ihr gewohntes klassisches

Repertoire zu finden, nicht benutzt. Es hat lediglich seinen alten Stil benutzt, unsere Stücke zu verderben. Wer im Sportpalast war, der weiß, daß das Publikum jung genug ist für ein scharfes und naives Theater, und wer nicht im Theater war, der wird es mir glauben, daß es auch junge Schauspieler gibt. (Etwa mit Homolka, Weigel, Neher, Forster, Müthel, Legal, Wäscher, Valeska Gert, Wiemann könnte man jedes Stück der Weltliteratur spielen, weil man jedes unserer Stücke mit ihnen spielen kann.) Ich habe gehört, daß ich im Norden Berlins in einem Bierlokal »Antonius und Kleopatra« inszenieren werde. Das wäre bestimmt sehr nett von mir. Auf das Bier würde ich am wenigsten Wert legen. Trotzdem glaube ich, daß der Ausschank von Getränken in irgendeinem renommierten Berliner Theater, nicht aber bei mir jede Aufführung eines ernsthaften Stückes vollkommen unmöglich machen würde. Ich behaupte sogar, daß ein einziger Mann mit einer Zigarre im Parkett einer Shakespeare-Aufführung den Untergang der abendländischen Kunst herbeiführen könnte. Er könnte ebenso eine Bombe als seine Zigarre in Brand setzen. Ich würde gern sehen, wenn das Publikum bei unseren Aufführungen rauchen dürfte. Und ich möchte es hauptsächlich der Schauspieler wegen. Es ist dem Schauspieler nach meiner Meinung gänzlich unmöglich, dem rauchenden Mann im Parkett ein unnatürliches, krampfhaftes und veraltetes Theater vorzumachen.

Etwa 1924 und 1926

[Prinzipielles]

1

Für einen Mann, der ein akutes Gallenleiden hat, ist »Der Kaufmann von Venedig« nicht spannend genug.

2

Damit sich jemand im Theater amüsiert, muß ihn das Theater überhaupt amüsieren.

3

Für das Publikum gilt einem Stück gegenüber: Jeder sein eigener Kolumbus.

4

Die Ethnographie der Bühne ist relativ einfach: Auf dem Theater kennt man einen Chinesen daran, daß er gelb geschminkt [ist].

5

Ein Amerikaner wird mühelos daran erkannt, daß die Mitspieler zu ihm nicht »Georg«, sondern »Tschortsch« sagen. Einen amerikanischen Säufer charakterisiere ich zum Beispiel dadurch, daß er oft zu sagen pflegt: »George, reich mir den Whisky!« Ein Deutscher würde bei mir sagen: »Georg, das Bier!«, das heißt, vorausgesetzt, er ist eben ein Säufer.

6

Es würde mir nicht einfallen, einem Vorfall auf der Straße gegenüber, den ich nicht begreife, zu behaupten, er sei falsch. Auf dem Theater muß ein Vorgang nicht dadurch sich von einem Vorgang auf der Straße unterscheiden, daß er verständlicher ist, sondern er muß ihm dadurch gleichen, daß er richtig ist.

7

Temperament ist erlernbar. Einfälle sind zu kaufen. Technik darf nicht bemerkt werden.

Dekoration

Es ist heute wichtiger, daß die Dekoration dem Zuschauer sagt, daß er im Theater ist, als daß er etwa in Aulis ist. Das Theater muß als Theater jene faszinierende Realität bekommen, [die] der Sportpalast hat, in dem geboxt wird. Am besten ist es, die Maschinerie zu zeigen, die Flaschenzüge und den Schnürboden.

Die Dekoration muß so aussehen, als sei sie, wenn sie etwa eine Stadt darstellt, eine Stadt, die nur für zwei Stunden erbaut wurde; es muß die Realität der Zeit hergestellt werden.

Alles muß provisorisch und doch höflich sein. Es genügt einem Raum die Glaubhaftigkeit eines im Traum geschauten Raums.

Die Dekoration muß ein Ergebnis der Arrangierprobe sein, also praktisch. Sie muß mitspielen.

Der Raum muß in der Höhendimension lebendig gemacht werden. Das kann durch Treppen geschehen, aber nicht dadurch, daß die Treppen dann mit Menschen bemalt werden.

Die Dekoration muß sich, zeitlich betrachtet, steigern. Sie braucht ihren Clou und ihren Privatapplaus.

Das Material der Dekoration muß sichtbar sein. Ein Stück kann in Pappe allein oder in Pappe und Holz oder in Leinwand und so fort gespielt werden. Aber man darf nichts verschmieren.

[Prospekte]

Was die Landschaft (den Prospekt) betrifft, so muß ihr eine gewisse Ruhe zu eigen sein. Sie darf nicht von den Vorgängen bewegt, wenn auch durch sie erhellt sein. Sie muß überblickbar sein, und zwar mit einem einzigen Blick.
Im übrigen muß sie historisch empfunden sein. Hauptmann erschafft für seinen »Kramer« etwa gewiß typische Restaurant-Interieurs, aber Shakespeare zeigt historische Schenken. Diese wären heute noch zu sehen, wenn sie nicht eingerissen worden sind. Jene sind lediglich für den Typus Kramer aufgebaut worden. Es ist dabei gleichgültig, ob ihm ein bestimmtes Restaurant vorgeschwebt hat oder nicht.

Über das Theater, das wir meinen

Unser Publikum

Im allgemeinen interessiert es unsere Theater nicht, daß die jungen Leute [nicht] hereinkommen, weil sie kein Geld haben. Aber die jungen Leute gehen nicht deshalb nicht in die Theater, weil sie kein Geld haben. Es gibt keinen Grund für sie, nicht hineinzugehen, sondern es gibt eher keinen, hineinzugehen. Wenn die jungen Leute einen Grund fänden, das Theater zu besuchen, würden sie das Geld dafür haben. Es gibt nichts, was so billig ist wie Theater. Denn jenes Theater, in das hineinzugehen sich lohnt, neigt von Natur dazu, seinem Publikum noch etwas herauszuzahlen, wenn es nur hereinkommt.
Warum die älteren Leute ins Theater gehen, ist etwas, was ein jüngerer Mensch nur schwer begreifen kann. Ich denke aber, es ist, weil sie sonst nichts zu tun haben. (Motorradfahren ist schwieriger – auch haben dazu im allgemeinen nur die jüngeren Leute genug Geld.) Zweitens ist das, was den Alten am meisten

schmeckt: Erinnerungen. Im Alter nimmt das Gedächtnis zu. Dieses Organ ist eines der wenigen, die besser werden, und es ist das letzte, das dem Menschen noch so etwas wie erotische Vergnügungen verschafft. Das alte Theater pflegt nun teils hauptsächlich Erinnerungen, teils verlockt es selber durch solche an Zeiten, wo es vielleicht gut gewesen ist. Die Zeit der jüngeren Leute reicht nicht soweit zurück.
Es ist die genußvolle Anstrengung der jungen Männer, sich Laster anzueignen (und die grauenvolle Bemühung der Alten, Gewohnheiten nicht zu verlieren). Das Laster ist das Neue, Starke, Überraschende, Fremde. Das Theater müßte für die Laster sorgen, damit die jungen Leute hineingehen können. Einige von uns haben, als sie anfingen, Theater zu machen, wenig Wert auf die Verständlichkeit gelegt. Ältere Leute als wir hatten keine andere Möglichkeit, zu genießen, als zu verstehen. Wir konnten natürlich auch genießen, ohne zu verstehen. Ja, das Fremde und Unverständliche eines Vorgangs gefiel uns viel besser. Das »Chaotische«, das unseren einfacheren Verstand reizte, Ordnung hineinzubringen, war unser eigentliches Element. [...]
Fragmentarisch

Mehr guten Sport

Unsere Hoffnung gründet sich auf das Sportpublikum.
Unser Auge schielt, verbergen wir es nicht, nach diesen ungeheuren Zementtöpfen, gefüllt mit 15 000 Menschen aller Klassen und Gesichtsschnitte, dem klügsten und fairsten Publikum der Welt. Hier finden Sie die 15 000 Leute, die die großen Preise bezahlen und auf ihre Rechnung kommen, auf Grund einer gesunden Regelung von Angebot und Nachfrage. Sie können kein faires Verhalten erwarten auf absteigenden Ästen. Die Verderbtheit unseres Theaterpublikums rührt daher, daß weder Theater noch Publikum eine Vorstellung davon

haben, was hier vor sich gehen soll. In den Sportpalästen wissen die Leute, wenn sie ihre Billette einkaufen, genau, was sich begeben wird; und genau das begibt sich dann, wenn sie auf ihren Plätzen sitzen: nämlich, daß trainierte Leute mit feinstem Verantwortungsgefühl, aber doch so, daß man glauben muß, sie machten es hauptsächlich zu ihrem eigenen Spaß, in der ihnen angenehmsten Weise ihre besonderen Kräfte entfalten. *Das alte Theater hingegen hat heute kein Gesicht mehr.*

Es ist nicht einzusehen, warum das Theater nicht auch seinen »guten Sport« haben sollte. Wenn man die für Theaterzwecke gebauten Häuser, die ja nun einmal stehen und Zinsen fressen, nur einfach als mehr oder minder leerstehende Räume ansehen würde, in denen man »guten Sport« machen kann, würde man zweifellos auch aus ihnen etwas herausholen können, was einem Publikum, das wirklich heute heutiges Geld verdient und heute heutiges Rindfleisch ißt, etwas geben kann.

Man könnte natürlich sagen, daß es auch noch Publikum gäbe, das im Theater was anderes als »Sport« wolle. Wir haben aber einfach in keinem einzigen Falle bemerkt, daß das Publikum, das heute die Theater füllt, *irgend etwas will*. Das sanfte Widerstreben des Publikums, seine alten, vom Großvater vererbten Theatersitze aufzugeben, sollte man nicht zu einer frischen Willenskundgebung umschminken wollen.

Man ist gewohnt, von uns zu verlangen, daß wir nicht ausschließlich nach der Nachfrage produzieren. Aber ich glaube doch, daß ein Künstler, selbst wenn er in der berüchtigten Dachkammer unter Ausschluß der Öffentlichkeit für kommende Geschlechter arbeitet, ohne daß er Wind in seinen Segeln hat, nichts zustande bringen kann. Und dieser Wind muß eben derjenige sein, der zu seiner Zeit gerade weht, also kein zukünftiger Wind. Es ist keineswegs ausgemacht, zu welcher Fahrtrichtung man diesen Wind benutzt (wenn man Wind hat, kann man bekanntlich auch gegen den Wind segeln, nur ohne Wind oder mit dem Wind von morgen kann man niemals segeln), und es ist durchaus wahrscheinlich, daß ein

Über den Untergang des alten Theaters 83

Künstler noch lange nicht seine Maximalwirkung heute erzielt, wenn er mit heutigem Wind segelt. Es wäre ganz falsch, wenn man etwa aus der heutigen Wirkung irgendeines Theaterstückes seinen Kontakt oder Nichtkontakt beweisen wollte. Ganz etwas anderes ist es mit den Theatern.
Ein Theater ohne Kontakt mit dem Publikum ist ein Nonsens.
Unser Theater ist also ein Nonsens. Daß das Theater heute noch keinen Kontakt mit dem Publikum hat, das kommt daher, daß es nicht weiß, was man von ihm will. Das, was es einmal gekonnt hat, kann es nicht mehr, und wenn es das noch könnte, würde man es nicht mehr wollen. Aber das Theater macht immer noch unentwegt, was es nicht mehr kann und was man nicht mehr will. In den ganzen gut heizbaren, hübsch beleuchteten, eine Menge Geld verschlingenden, imposant aussehenden Häusern und in dem ganzen Zeug, das drinnen angestellt wird, ist nicht mehr für fünf Pfennige *Spaß*. Kein Theater heute könnte einige Leute, die im Geruch stehen, Spaß darin zu finden, Stücke anzufertigen, einladen, eine seiner Vorstellungen anzusehen in der Erwartung, daß diese Leute dann ein Verlangen spürten, für dieses Theater ein Stück zu schreiben. Sie sehen gleich: Es ist hier auf keine Weise *Spaß* herauszuholen. Es geht hier kein Wind in kein Segel. Es gibt hier keinen »guten Sport«.
Nehmen Sie zum Beispiel den Schauspieler. Ich will nicht sagen, daß wir weniger Talente hätten, als andere Zeiten wohl gehabt haben, aber ich glaube nicht, daß es jemals eine so abgehetzte, mißbrauchte, von Angst getriebene, künstlich aufgepeitschte Truppe von Schauspielern gab wie die unsere. *Und kein Mann, dem seine Sache nicht Spaß macht, darf erwarten, daß sie irgend sonst jemandem Spaß macht.*
Natürlich, die Leute oben schieben es auf die Leute unten, und am liebsten wird gegen die harmlosen Dachkammern vorgegangen. Die Volkswut richtet sich gegen die Dachkammern: die Stücke sind nichts. Dazu ist zu erwähnen, daß sie, falls sie zum Beispiel nur einfach mit Spaß geschrieben wurden, schon

besser sein müssen als das Theater, das sie aufführt, und das Publikum, das sie betrachtet. Sie können einfach kein Theaterstück mehr erkennen, wenn es durch diese Fleischmühle gegangen ist. Wenn wir kommen und sagen: »Das haben sowohl wir als das Publikum uns anders gedacht, wir sind zum Beispiel für Eleganz, Leichtigkeit, Trockenheit, Gegenständlichkeit«, dann sagt das Theater naiv: »Die von Ihnen bevorzugten Leidenschaften, lieber Herr, wohnen in keines Smokings Brust.« Als ob man nicht auch einen »Vatermord« elegant, sachlich, sozusagen in klassisch vollendeter Weise begehen könnte!

Aber statt wirklichen Könnens wird unter der Vortäuschung von Intensität einfacher Krampf geboten. Sie können keine besonderen, also sehenswerte Angelegenheiten mehr auf die Bühne bringen. Der Schauspieler ist von Anfang an, in dem dunklen Drang, sein Publikum nicht weglaufen zu lassen, in einem solchen unnatürlichen Schwung, daß es aussieht, als sei es die gewöhnlichste Sache von der Welt, seinem Vater nahezutreten. Gleichzeitig sieht man aber, daß ihn das Theaterspielen ungeheuer mitnimmt. *Und ein Mann, der sich auf der Bühne anstrengt, strengt, wenn er nur einigermaßen gut ist, auch alle Leute im Parkett an.*

Ich teile nicht die Ansicht jener Leute, die klagen, den rapiden Untergang des Abendlandes fast nicht mehr aufhalten zu können. Ich glaube, daß es eine solche Menge von Stoffen, die sehenswert, Typen, die der Bewunderung würdig sind, und Erkenntnissen, die zu erfahren sich lohnt, gibt, daß man, wenn nur ein guter Sportgeist anhebt, Theater bauen müßte, wenn nicht welche da wären. Aber das Hoffnungsvollste, was es an den heutigen Theatern gibt, sind die Leute, die das Theater vorn und hinten nach der Vorstellung verlassen: sie sind mißvergnügt.

6. Februar 1926

[Schwerfällige Apparate]

Ich denke einen langen Schlaf zu tun, ohne Sorge, daß man irgend jemand zu zeitig wecken könnte. Und das alles zu der Zeit, wo klar zutage lag, daß die modische Art, Theater zu spielen, nicht einen einzigen Mann fand, der so weit angeregt wurde, Texte für dieses Theater zu schreiben, und daß das Theater völlig außerstande war, die Texte, die da waren, zu spielen. Selbstverständlich hat es gar keinen praktischen Sinn, sich in irgendeiner Weise (etwa dadurch, daß man sich über sie beschwert) [...] mit den großen Theatern zu beschäftigen. Es sind schwerfällige Apparate mit Häusern, die von einem unbrauchbaren, weil nicht mehr reaktionsfähigen Publikum gefüllt sind und von Leuten geleitet, die tun, was sie können. Aber es wäre wünschenswert, den Pachtvertrag zu lösen, den sie über die moderne Literatur zu haben vorgeben, und sie ihren Treppenauktionen zu überlassen. Tatsächlich hat das moderne Theater, außer daß es durch sie klug wurde und, indem es ihnen seine Texte überließ, von dem Stand ihrer Aufnahmefähigkeit Kenntnis nahm, nahezu nichts mit den großen Theatern zu tun. Was die Dramatiker zu tun haben, ist, ihre Erfahrungen mit diesen Theatern lediglich in ihren Geschäftsbüros und nicht etwa bei der Arbeit zu verwenden.

Über den »Untergang des Theaters«

Alles in allem ist die Situation am Theater heute zufriedenstellend, wenn man bedenkt, daß sie sich in wenigen Jahren doch gebessert hat. Vor etwa fünf Jahren, als ich hineinkam, sah es doch ungeheuer übel aus. Sie hatten einen pompösen Ausverkauf mit fünf bis sechs Stilen angesetzt und verarbeiteten bereits die tiefsten Probleme der Menschheit. Sie hatten, der Not gehorchend, nach eigenen Trieben gesucht und einige

hübsche Tricks gefunden, vermittels derer man Papier spielen konnte. Das Publikum, in einer unerklärlichen Scheu, dem Theater fernzubleiben, hielt alle Wendungen für Richtungen, fühlte viel, begriff wenig und zahlte alles. Eine kleine Klasse von intellektuell Höherstehenden sicherte sich Freikarten auf alle Fälle und ermöglichte so das immense Risiko eines Theaterbesuchs, indem sie wenigstens das finanzielle Risiko abbaute. Immerfort war ein ungesundes Leben in der Bude, und von dem Bestehen einer Weltkatastrophe war am Theater sowie höheren Orts nichts bekannt. Dann plötzlich, etwa zur Zeit der Sanierung und verschärften Reaktion, fing es an, sich herumzusprechen, daß alles auf dem Theater leider Bofel sei (Anwesendes ausgenommen). Das Theater habe zwar ungeheure Spitzenleistungen, die Schauspieler seien unübertrefflich, die Stücke herrlich und ungeahnt neu, fast jede dritte Aufführung ein historisches Ereignis. Aber es lohne sich nicht mehr, deswegen hinzugehen. Ungefähr zu der Zeit, wo die Droschkenführer fanden, die Beförderung von Menschen sei kein Geschäft mehr, fanden die Theaterleute, mit dem Theater sei es aus. Dabei hatten sie beste Empfehlungen.
Es hat sich ungeheuer verbessert. Es fängt an durchzusickern, daß es sich nicht lohnt, die große B. und den unvergleichlichen K. anzuschauen, daß es unvergleichlich Wurst ist, was der unsterbliche H. schreibt.
Etwa 1926, fragmentarisch

Ausblicke

Die Baisse, die gegenwärtig das Theater beherrscht und die nach der allgemeinen Ansicht vom Untergang des Abendlandes kommt, erfüllt uns, einige jüngere Stückeschreiber, mit einer leisen Hoffnung. Zweifellos sind wir an der Degeneration der Theater nachdrücklicher interessiert als etwa die Romanschreiber an der Degeneration der Verlage oder der

Druckereien. Aber, wie gesagt, wir glauben nicht, daß das Abendland noch diesen Winter untergehen wird.
Der tragikomische Zusammenbruch des Mittelstandes, der unser Volk heimsucht, kam auf eine außerordentliche Blüteperiode während des großen Krieges überraschend, angenehm überraschend.
Nimmt man dazu die nahezu geschlossene Abwanderung der besseren Elemente zum Kino und die der besten zum Boxkampf, so kann man im Hinblick darauf, daß die bourgeoisen Ensembles zerfallen und die Stars von den Aufgaben, die ihnen von »Alt-Heidelberg« gestellt werden, vollkommen ausgefüllt sind, und unter der Berücksichtigung des absolut tröstlichen Umstandes, daß der Stücke schreibende Mittelstand seine alten Weideplätze abgegrast hat, mit etwas Tabak noch immer hoffen, daß man noch einige Male wird überwintern können.

[Bühne ohne Kredit]

Die fortschreitende Demokratisierung steht in einer Wechselwirkung zu der Entkreditisierung vieler Dinge, zum Beispiel des Theaters. Zu gewissen Zeiten gab es Politiker, deren Politik von denen, die sie bezahlen mußten, keineswegs nachgeprüft wurde, weil diese Politiker zum Beispiel Adelige waren. Ein Bürgerlicher mußte seinen Namen nennen, wenn er etwas machte, außerdem: woher er kam, wieviel Geld er hatte und wieso er überhaupt da war, und: [was für] ein Interesse man überhaupt hatte, daß er da war. Es war sehr schwierig für ihn, sich bei der Beantwortung nicht hineinzureden. Ein Adeliger nannte nur seinen Namen. Heute ist es nicht so, daß etwa auch die Nichtadeligen nur ihren Namen zu nennen brauchen, sondern die Sache hat sich nur insoweit geändert, daß auch die Adeligen sich dem Gefrage aussetzen müssen. Das lähmt natürlich kolossal.

Über den Untergang des alten Theaters

Die Bühne hat keinen Kredit mehr. Wenn heute eine Figur auf die Bühne tritt, dann ist es nicht so, daß man das Publikum nur informieren muß, wer das ist, und dann hat er das Wort, sondern jedes Wort muß ganz genau begründet werden. Irgendwelche eigenen Instinkte traut man ihm keineswegs zu. Man traut sie höchstens noch dem Autor zu. Nehmen wir eine kleine Szene an:

Es sind zwei Männer auf der Bühne. Der Dicke von ihnen bietet dem Dünnen von ihnen eine Orange an. Der Dünne schlägt das Geschenk höhnisch aus. Man hört ihn sagen, er pfeife auf die Orange, hei! Das Publikum könnte nun sagen: »Ich an der Stelle des Dünnen würde die Orange annehmen« oder: »Ich würde sie auch ausschlagen«. Es könnte fragen: »Warum nimmt der Dünne die Orange nicht?« Aber das Publikum sagt in Wirklichkeit nur: »Erstens bietet keiner einem andern ohne Grund eine Orange an, zweitens schlägt keiner ohne Grund eine Orange aus.« Ich als Autor der Szene würde diese beiden Fragen mit Vergnügen erlauben, wenn ich annehmen könnte, daß das Interesse des Publikums gerade durch diese beiden Rätsel gesteigert wird. Aber das Publikum hat das Interesse bereits völlig verloren, denn es beschäftigt sich jetzt schon nur mehr mit der Frage: »Ist das nicht ganz unwahrscheinlich? Warum zeigt man uns diesen Vorgang?« Jetzt geht die Szene weiter. Der dicke Mann bietet dem dünnen Mann zum zweitenmal die Orange an (das Publikum könnte sagen: »Er hat keinen Charakter«, aber es sagt: »Das ist noch unwahrscheinlicher«), und der Dünne schlägt sie nicht nur zum zweiten Male aus, sondern er zieht sogar einen Revolver und schießt den dicken Mann tot (das Publikum sagt nicht etwa: »Das ist häßlich von dem Dünnen« oder: »Dieser Dünne hat es in sich«, sondern das Publikum sagt: »Das ist der Gipfel« und verläßt das Theater). Freunde hatten es dem Autor gleich gesagt, sie hatten ihm nahegelegt, verbreiten zu lassen, die beiden oben hätten früher schon einmal etwas miteinander gehabt. Aber wollte er hören? Wollte er seinen Gustav Freytag lesen? Als die Rechnung präsentiert wurde, redete er sich lediglich verwirrt darauf hinaus, seiner Ansicht nach sei es so im Leben.

Unsterblich kann man nur werden, wenn man einen Namen hat.
Wie bekommt man den Namen?
Durch die Fehler, die man macht.

[Theater für Weiber]

Das heutige Theater ist natürlich gar nicht für ein Publikum von Männern gedacht. Es ist gedacht für Weiber, und da es seit zwanzig Jahren an genau die nämlichen appelliert, für alte Weiber. Das schlimmste aber ist, daß diese Weiber an der Sache gar keinen Spaß haben, so daß heute unterhalb der Bühne ein schnatternder Haufen von fachsimpelnden Dilettanten, oberhalb aber einer von dilettantenhaften Fachsimpeln an der Arbeit ist. Unter der Führung eines wegen seiner Reiseschilderungen geschätzten Bubikopfes, eines gewiegten Männerimitators, der kleine Stimmungsbilder herstellt, nachdem er jedesmal vorher sorgfältig Bart geklebt hat, ist dieses ganze Publikum eifrig bemüht, Eindrücke zu sammeln. Eine Art verfallender Stockfisch, der Bubikopf, der bei öffentlichen Vorlesungen aus Schüchternheit und Weltfremdheit kaum sein Konzept ablesen kann, gefällt sich seit Jahrzehnten darin, in gedrucktem Zustande wie ein vitaler Naturbursche von überströmender Saftigkeit und sprudelnder Laune zu erscheinen. Und seine Gefolgschaft, durch ihre arbeitsamen Männer in die Lage versetzt, Theaterbillette zu kaufen, wendet jene Eigenschaft ihrer Männer, die ihnen sonst am wenigsten imponiert, nämlich den »gesunden Menschenverstand«, auf Kunstdinge an in der Art etwa: »Das ist halt was« (Grund: weil es halt etwas ist) »und das ist halt nichts« (Grund: weil es halt nichts ist).

Die Sucht nach Neuem

Das Publikum gewährt keine Kontrolle. Es ist, soziologisch gesehen, völlig amorph, ästhetisch aber erstaunlich einhellig. Das heißt, im Theater etwa kommen die natürlichen Gegensätze überhaupt nicht zu Wort, sie sind ausgeschaltet. Der neue Zuschauertyp, den die neue Dramatik erfordert, ist natürlich kein utopischer, er ist vorhanden, wenn auch bisher nicht im Theater. Im Theater wird, mit anderen Worten, der Mensch von heute zum Fossil, ein Dummkopf und abergläubischer Bursche, der seine eigenen Interessen nicht von denen seiner Gegner unterscheiden kann und darin einwilligt, in einen ihm fremden und keinem wirklichen Menschen mehr eigenen Jargon zu fühlen. Das Theater einigt die Klassen, Generationen und Geister dadurch, daß es jeden Ernst einfach opfert und nichts mehr berührt, was an wahrhaftigen Interessen vorhanden ist. Es ist nichts Befremdendes in der Forderung der neuen Dramatik nach einem neuen Zuschauer, wenn anders man nicht eben unsere ganze Situation befremdend finden will des Umstandes wegen, daß sie eine Ursituation ist: Die Grundfragen müssen neu gestellt werden. Saßen jemals etwa sechs Troglodyten auf einem Ast und fragten: »Wo bleibt das Kunstwerk?« Eher doch war es einer von ihnen, der eines Tages sagte: »Hier ist es«, und sich Zuschauer suchte. Die Frage unserer Mitmenschen nach Neuem ist eine trügerische Sache. Hier bittet das Radio um Stoff, die Oper möchte bei der Belieferung nicht vergessen werden, der Film brüllt um Berücksichtigung: höchstens Beweise, daß das Alte nicht mehr sättigt, nicht einmal mehr die alten Leute, die korrumpierten, durch Enttäuschungen verstummten, künstlich an Unterernährung gewöhnten Gewohnheitsabnehmer. In Wirklichkeit liegt da ein ungeheurer Haufen von Produktionsmitteln, der Abnehmer organisiert, aber keine Lieferanten mehr hat. Diese Haufen darf man nicht beliefern, man darf, soll der Kunst noch eine Chance bleiben, nicht einmal mehr an sie denken. Ihre Frage nach etwas Neuem ist nicht zu beantworten, sie wollen nichts Neues, sondern lediglich das Alte von neuem. Sie führen mit ihren Bestellungen völlig irre, sie sind nicht die Künder neuer Appetite, sondern alter Übersättigung.

Über die Eignung zum Zuschauer

1

Eine der Grundlagen unserer Kunstbetrachtung ist die Meinung, große Kunst wirke unmittelbar, direkt, von Gefühl zu Gefühl; sie überspringe die Unterschiede der Menschen, sie bringe die Menschen im Gegenteil zusammen, indem sie, selber interesselos, die Interessen der Genießenden ausschaltet. Da nun diese Wirkung gegenwärtig nicht mehr erreicht wird, weder mit alter noch mit neuer Kunst, kommt man entweder zu dem Schluß, es gibt heute keine große Kunst (und dies ist tatsächlich die allgemeine Ansicht), oder man ist gezwungen oder – sagen wir – ermächtigt, diesen Anspruch an die große Kunst fallenzulassen. Was hiermit geschieht.

2

Große Kunst dient großen Interessen. Wollen Sie die Größe eines Kunstwerkes feststellen, fragen Sie: Welchen großen Interessen dient es? Zeitläufte ohne große Interessen haben keine große Kunst.

3

Welche Interessen? Geistige Interessen (soweit sie auf materielle Interessen zurückgeführt werden können).

4

In unserer Epoche gibt es mehrere Schichten von Menschen, die ganz verschiedene Interessen haben und dementsprechend ganz verschieden geistig reagieren. Würde heute also große Kunst gemacht, könnte sie von vornherein nur für *eine* dieser Schichten gemacht werden; sie würde dann die Interessen dieser Schicht fördern, und nur diese Schicht würde auf sie reagieren. Aber würde diese Schicht unter allen Umständen auf sie reagieren?

5

Nein.

Über die Operette

Zweifellos gibt es zuwenig Theorien. Die Zeiten ohne Instinkte haben das Mißtrauen gegen den Kopf. Die weibischen Epochen sind es, die sich stammelnd dem Gefühl hingeben, und es sind die Leute ohne Leiber, die sich etwas erwarten von der Unterbindung des Kopfes. Es gibt eine Phantasie des Körpers und eine Phantasie des Geistes (das heißt, es gibt eher zweierlei Art von Phantasie als die Grenze von Körper und Geist), beide aber sind mehr wert als die dunklen Mischungen in den Venen, die man Gefühle nennt.

Es ist aber auch noch deshalb schwer, dem Theater seine natürlichen Wirkungen zurückzuholen, weil ein großer Teil davon nicht aus dem Verhalten des Theaters gegen das Publikum, sondern aus der Einstellung des Publikums gegen das Theater kommt. Gewisse Dinge scheinen von der Bühne aus erst in einem gewissen Alter auf das Rückenmark zu wirken. Es kann ein starker Reiz davon ausgehen, daß auf einem deutlich vom Publikum abgetrennten Podium bemalte Menschen gewisse Szenen vorspielen. Ich meine, die Empfindung des Zuschauers für die Bemalung zum Beispiel kann im Verein mit der Natürlichkeit der betreffenden Szene aus dem Leben (die Vorgänge, die sich in Köpfen abspielen, gehören nicht weniger dem Leben an als diejenigen, die sich auf irgendwelchen Trottoirs abspielen) eine spaßhafte sein. Das Bemaltsein der Leute allein braucht gar nichts zu bewirken, und schon wenn zum Beispiel das Gewicht nicht auf dem Vorgang, sondern auf der Bemalung läge, könnte die Wirkung der Bemalung ausbleiben.

Es fragt sich, ob die Forderung der Demokratie, man solle die Breite des Volkes niederwerfen wie einen Stier, von der Kunst angenommen werden soll. Jedenfalls ist das Volk mit Bibelsprüchen und Aktien leichter auf den Bauch zu bringen, aber im Theaterraum ist es angenehm, sich etwas dümmer oder etwas klüger stellen zu können, als man ist. Es verschafft Genuß, mitten im Volk, und es verschafft Genuß, hoch über dem Volk zu sitzen. Ohne das Volk ist die Sache langweilig.

Die produktiven Hindernisse

Was ich von Arnolt Bronnen halte, ist bekannt: nämlich viel. Was ich von den Stücken des jungen Emil Burri halte, ist nicht bekannt: ich will es also gleich sagen. Ich halte außerordentlich viel von ihnen. Allerhand Kämpfe, die diesen Winter fällig schienen, wurden vorbeigelassen, weil sie nicht viel mehr als den Unwert des zu Bekämpfenden zum Grund gehabt hätten. Ich halte nichts von der Bekämpfung eines Mannes, den man für ungleichwertig hält (daß das übrigens verdächtigerweise jedesmal heißt »für minderwertig«, ist nur »Kämpfernaturen« unbekannt). Ich kann nur einen Mann bekämpfen, dessen Art, also dessen Nasenform, Parfüm, Einkommen, literarischer Geschmack, Ansicht über Hautana und Eskimo-Eis mir entgegen, also zuwider, also anrüchig erscheint. Ich habe mit Wonne Arnolt Bronnen im Tank die Beuthstraße hinauffahren sehen.

Es erhitzt mein Blut, daß Bronnens Theorie anders ist als die meinige. Das kann man schon jetzt herauslesen, nicht ganz und gar anders, nicht: blau contra spitzig, aber doch etwa: weiß contra schwarz.

Burri hat natürlich den Vorteil, daß man seine Theorie nicht an seinen Stücken erkennen kann. (Bronnens Aufsatz scheint mir meine alte gute Meinung zu bestätigen, daß Theorien über Theorien unverständlich sind.) Ich will also gleich vorweg sagen, daß meiner Ansicht nach seine Stücke außerordentlich temperamentvoll, einfallsreich, unamerikanisch, ethnopolitisch, zeitbejahend und so weiter sind. Außerdem sind menschliche Erlebnisse drin, soviel man will. Er scheint nur wenig Wert darauf zu legen.

Was Bronnen betrifft, so werden Sie es begreifen, wenn ich es absurd und abstoßend finde, daß Bronnen seine Stücke (obwohl es mir auf einige Kognaks mehr oder weniger bei Gott nicht ankommen [würde]) nicht genau ebenso schreibt wie ich. Es ist schwer für mich, die böse Absicht seinerseits zu übersehen, wenn ich erleben muß, daß er seine Art, Dramen zu schreiben, fort und fort verstockt für richtig hält. Man kann durch ein Hühnerauge sehen, daß Herr Bronnen in seiner Antwort seine Bereitwilligkeit erklärt, Herrn Burri nicht daran zu hindern, technisch vollendete Stücke zu studieren. Auch wenn er unter technisch vollendeten Stücken nicht seine eigenen versteht, mißversteht er die Ansicht Herrn Burris von technisch vollendeten Stücken. (Das Vergnügen darüber, daß das Publikum, nachdem es eine Zeitlang die Stücke Hauptmanns und Sudermanns gesehen hat, auch die Stücke Bronnens mit Vergnügen sieht, sollte Bronnen nicht darüber hinwegtäuschen, daß zum Beispiel sein eigener Mangel an Technik nicht der Grund für das Vergnügen des Publikums ist.) Es ist natürlich keine Technik, wenn ein Mann bei seiner Arbeit sich darauf versteht, alles, was das Klappen hindern würde, einfach weg-

zulassen. Schon eher ist Technik die Fertigkeit, nicht merken zu lassen, daß es klappt oder was für Hindernisse da waren.
Übrigens ist etwa »Woyzeck« technisch beinahe vollkommen. Es ist ein schwerer und lehrreicher Irrtum, daß »Woyzeck« durch Anwendung von Technik vollendeter hätte gemacht werden können. Es geht aus Burris Aufsatz deutlich genug hervor, daß er von Technik wenig hält. Er hält sie für erlernbar. (Ich halte sogar Temperament, ich meine Theatertemperament, für erlernbar.) Was mich betrifft, so wäre ich auch zu jedem Opfer bereit, wenn ich für irgend sonst etwas ein wenig Tradition eintauschen könnte oder etwas, was Tradition werden könnte.
Es gibt ausgezeichnete Stücke, deren Einfälle sämtlich von andern Leuten als den Verfassern herrühren.

[Objektives Theater]

Ich habe das neue Drama von Burri gelesen, das »Das mangelhafte Mahl« heißen wird, und sein Mangel an Technik (wenn man darunter die Fertigkeit verstehen will, gewisse Vorgänge dem Publikum während einer Dauer von zwei bis drei Stunden in Kontakt zu bringen) in Zusammenfall mit seiner erstaunlichen Fortgeschrittenheit, was Auswahl der Gesichtspunkte, Großzügigkeit des Aufziehens und Wahrhaftigkeit der Geschehnisse betrifft, bringt mich auf die Sie gewiß interessierende Frage, ob etwas vielleicht auf unserem Theater dem Publikum nur nahegebracht werden kann unter Aufopferung der genannten Vorzüge. Das, was bei Burri Technik ist oder als solche gedacht ist (denn er denkt über dergleichen nach), ist schon deswegen nicht einfach Unzulänglichkeit, weil es so ungeheuer deutlich und ausbaufähig ist. Es ist objektives Theater. So rund die Dinge da sind, über ihnen schwebt das Imperfekt. Es wird nicht mehr möglich sein, den Kampf ums Theater fortzuführen, solang nicht Farbe bekannt sein wird, welches Theater gemeint ist. Die pure Existenz dieses jungen Menschen beweist die Richtung, die die Generation nehmen wird. Die alte Technik ist überhaupt nicht mehr verwendbar, die neue Technik steckt noch in solchen Anfängen, aber sie verschmäht jeden Kunstgriff der alten, sie kann nichts, aber auch gar nichts davon brauchen, und ihre Aufgabe ist eine so ungeheure! Sie fängt damit an, den positiven Typus zu kreieren, ja das harmonische Sichere und Ruhende!

[Dem siebzigjährigen Bernard Shaw]

Das Mißtrauen einiger jüngerer Leute in Deutschland gegen ein ganzes Geschlecht von Schreibenden entstand durch den Anblick allzu unbedenklich gebrauchten Ernstes. Heute, wo wir mit der schönen und großzügigen Verallgemeinerung ungefährdeter Leute den Grad unseres Vertrauens vom einfachen Fehlen dieses Ernstes abhängig zu machen in der Lage sind, beurteilen wir einen Mann, der etwas schreibt, entschlossen nach der Kraft des Spaßes, den ihm seine Arbeit macht. Es ist mir ein Vergnügen, G. B. Shaw angesichts des auch für uns wirklich erfreulichen Erfolgs seiner Arbeit zu dem Spaß zu beglückwünschen, den ihm seine Arbeit anscheinend immer gemacht hat.
22. Juli 1926

Ovation für Shaw

1 Shaws Terror

Shaw selber hat es erfahren und empfohlen, daß man, um sich über irgendeine Sache wirklich freimütig äußern zu können, zuerst unbedingt eine gewisse angeborene Furcht zu überwinden habe, die, anmaßend zu sein. Er hat sich früh davor gesichert, daß ihm selber zu irgendeiner Zeit seines Lebens von irgendwelchen Leuten Weihrauch gestreut würde. (Und er hat es ohne Furcht vor Berühmtheit getan. Er ist sich klar, daß unter dem Arbeitsgerät eines ehrlichen Mannes auf keinen Fall ein so wichtiges Utensil wie die Reklametrommel fehlen dürfe. Er hat es stolz unterlassen, sein Pfund zu vergraben.) Shaw hat einen großen Teil seines Talentes dazu verwendet, die Leute so einzuschüchtern, daß sie schon eine eiserne Stirne besitzen müßten, um vor ihm auf dem Bauche kriechend zu erscheinen.

Man wird es schon gemerkt haben, daß Shaw Terrorist ist. Der Shawsche Terror ist ungewöhnlich, und er bedient sich einer ungewöhnlichen Waffe, nämlich des Humors. Dieser ungewöhnliche Mann scheint der Ansicht zu sein, daß nichts in der Welt zu fürchten sei als das ruhige und unbestechliche Auge eines gewöhnlichen Menschen, daß aber dieses zu fürchten unbedingt nötig sei. Diese Theorie verleiht ihm eine große natürliche Überlegenheit, und tatsächlich hat er durch ihre konsequente Anwendung erreicht, daß es für jedermann, der ihm je in Wirklichkeit, in einem Buch oder auf dem Theater, begegnete, völlig unvorstellbar ist, dieser Mann könne eine Handlung begangen oder einen Satz ausgesprochen haben, ohne dieses unbestechliche Auge zu fürchten. Tatsächlich werden auch jüngere Leute, deren Qualifikation doch nicht zum geringsten Teil in ihrer Angriffslust besteht, durch eine Ahnung auf das Mindestmaß von Angriff zurückgestoppt werden, daß jeder Angriff auf eine von Shaws Gewohnheiten, und sei es die, eine besondere Leibwäsche zu tragen, mit einer fürchterlichen Niederlage ihrer eigenen unüberlegten Wäsche enden müßte. Wenn man dazunimmt, daß gerade er mit der gedankenlosen Gewohnheit aufgeräumt hat, in allem, was einem Tempel ähnlich sieht, nur mit gedämpfter Stimme statt laut und fröhlich zu sprechen, und daß gerade er bewiesen hat, daß wirklich wichtigen Erscheinungen gegenüber nur eine *lässige* (schnoddrige) Haltung die richtige ist, da sie allein eine wirkliche Aufmerksamkeit und völlige Konzentration ermöglicht, so wird man begreifen, zu was für einer persönlichen Freiheit er es gebracht hat.

Der Shawsche Terror besteht darin, daß Shaw es für das Recht jedes Menschen erklärt, in jedem Fall anständig, logisch und humorvoll zu handeln, und für die Pflicht, dies auch zu tun, wenn es Anstoß erregt. Er weiß genau, was für ein Mut dazu gehört, über das Lustige zu lachen, und wieviel Ernst nötig ist, um das Lustige herauszufinden. Und wie alle Leute, die ein Ziel verfolgen, weiß er, daß das Zeitraubendste und Ablenkendste, was es gibt, andererseits eine gewisse Sorte von Ernst ist, die in der Literatur populär ist, sonst aber nirgends. (Als Theaterschriftsteller scheint es ihm ebenso naiv wie uns Jungen, für das Theater zu schreiben, und er bezeugt keine Spur von Lust, sich zu stellen, als wisse er das nicht: Er macht ausgiebigen Gebrauch von dieser Naivität. Er gibt dem Theater Spaß, soviel es verträgt. Und es verträgt *sehr* viel. Das, weswegen die Leute ins Theater gehen, ist strenggenommen lauter Zeug, das eine ungeheure Belastungsprobe für jene wirklichen Angelegenheiten bedeutet, die den fortgeschrittenen Theaterschreiber wirklich interessieren und den eigentlichen Wert seiner Stücke ausmachen. Die Folgerung davon ist: Seine Probleme müssen so gut sein, daß er unbedenklich darauf sündigen kann, und die Sünde ist es dann, die die Leute haben wollen.)

2 Shaw wird gegen seine eigenen
trüben Vorahnungen in Schutz genommen.

Ich glaube mich zu erinnern, daß Shaw kürzlich selber seine Ansicht über die Zukunft des Dramas formuliert hat. Er sagte, die Leute würden in Zukunft nicht mehr ins Theater gehen, um etwas zu verstehen. Er meinte wohl: Die bloße Wiedergabe der Wirklichkeit vermittle merkwürdigerweise nicht den Eindruck von Wahrhaftigkeit. Die jüngeren Leute werden Shaw

darin nicht widersprechen, aber ich muß sagen, daß Shaws eigene dramatische Arbeiten die seiner Generation gerade deshalb in den Schatten stellen konnten, weil sie so unerschrocken an den Verstand appellierten. Seine Welt ist eine Welt, die durch Ansichten zustande kommt. Die Schicksale seiner Figuren sind ihre Ansichten. Shaw erfindet, damit ein Stück zustande kommt, einige Verwicklungen, die seinen Figuren Gelegenheit geben, möglichst ausgiebig ihre Ansichten zu äußern und den unseren entgegenzutreten. (Diese Verwicklungen können Shaw nicht alt und bekannt genug sein, er hat darin gar keinen Ehrgeiz, ein wirklich gewöhnlicher Wucherer ist für ihn Gold wert, ein patriotisches Mädchen findet sich in der Geschichte, und es ist ihm nur wichtig, daß uns die Geschichte dieses Mädchens möglichst vertraut und das trübe Ende jenes Wucherers möglichst geläufig und erwünscht ist, um desto gründlicher unsere veralteten Ansichten über diese Typen und vor allem über *deren* Ansichten herzunehmen.)
Wahrscheinlich verdanken alle seine Figuren ihre sämtlichen Züge Shaws Vergnügen, unsere Gewohnheitsassoziationen in Unordnung zu bringen. Er weiß, wir haben eine entsetzliche Angewohnheit, die Eigenschaften eines bestimmten Typus unter einen Hut zu bringen. Ein Wucherer lebt in unserer Phantasie als feig, schleicherisch und brutal. Wir denken nicht daran, es einem Wucherer zu erlauben, etwa mutig zu sein. Oder elegisch oder weichherzig. Shaw erlaubt es ihm.
Was den Helden betrifft, so haben Shaws minderbemittelte Nachfahren Shaws erfrischende Ansicht, daß Helden keine Musterschüler seien und Heldentum ein sehr undurchsichtiges, aber höchst lebendiges Sammelsurium höchst widerspruchsvoller Eigenschaften, sehr unglücklich dahin ergänzt, daß es kein Heldentum und keine Helden gäbe. Aber auch das macht wohl nach Shaws Ansicht wenig. Es scheint, er hält es für zuträglicher, unter gewöhnlichen Leuten zu leben als unter Helden.
Bei der Abfassung seiner Arbeiten geht Shaw mit größter Offenheit vor. Es steht nicht an, unter der unablässigen

Kontrolle der Öffentlichkeit zu schreiben. Um seinem Urteil Nachdruck zu geben, ermöglicht er seine Kontrolle: Er betont selber unablässig seine eigenen Eigentümlichkeiten, seinen speziellen Geschmack, ja sogar seine (kleinen) Schwächen. Der Dank darf nicht ausbleiben. Er wird, auch wo seine Ansichten denjenigen der heute jungen Generation sehr widerstreben, von ihnen mit Vergnügen angehört werden: Er ist, und was könnte man von einem Mann viel mehr sagen, ein guter Mann. Außerdem konserviert seine Zeit anscheinend Ansichten besser als Gefühle und Stimmungen. Es scheint, daß Ansichten von dem, was in dieser Epoche niedergelegt wurde, noch das Dauerhafteste sind.

3 Was sich eben überträgt: Spaß

Es ist bezeichnenderweise sehr schwer, über die Meinungen anderer europäischer Schriftsteller etwas in Erfahrung zu bringen. Aber ich nehme an, sie haben zum Beispiel über die Literatur so ziemlich ein und dieselbe Meinung, nämlich, daß Schreiben ein melancholisches Geschäft sei. Shaw, dessen Meinung über nichts in der Welt unbekannt geblieben ist, unterscheidet sich auch in dieser Meinung von der seiner Kollegen. (Es ist nicht seine Schuld, höchstens der Pfahl in seinem Fleisch, daß sich eine ungeheure, auf beinahe alle Dinge der Welt erstreckende Meinungsverschiedenheit mit dem übrigen schreibenden Europa nicht klar genug abhebt, weil die anderen ihre Meinung nicht einmal dort äußern, wo sie sie haben.) Jedenfalls würde Shaw mit mir wenigstens darin, daß Shaw *gern* schreibt, einer Meinung sein. Er hat nicht einmal *auf* seinem Kopf Platz für Märtyrerdornen. Er wird dem Leben durch literarische Tätigkeit keineswegs entzogen. Im Gegenteil. Ich weiß nicht, ob das ein Begabungskriterium ist, aber ich kann nur sagen, daß die Wirkung dieser unnachahmlichen Heiterkeit und dieser ansteckend guten Laune eine ganz außerordentliche ist. Tatsächlich gelingt es Shaw, die Vor-

stellung auszulösen, daß seine geistige und körperliche Gesundheit durch jeden Satz, den er schreibt, zunehmen muß. Es ist vielleicht nicht dionysisch berauschend, seine Schriften zu lesen, aber es ist unleugbar außerordentlich gesund. Und seine einzigen Gegner, um auch über diese etwas zu sagen, könnten nur solche Leute sein, denen Gesundheit weniger bedeutet.
Was Shaws eigentliche Ideen betrifft, so könnte ich im Augenblick keine einzige aus dem Gedächtnis nennen, die für ihn bezeichnend wäre, obgleich ich natürlich weiß, daß er solcher eine Menge hat, dagegen vieles, was er als für andere Leute bezeichnend entdeckt hat. Wohl auch seiner eigenen Meinung nach ist in jedem Falle seine Anschauungsweise wichtiger als seine Anschauung. Das spricht sehr für einen Mann, wie er es ist.
Ich habe das Gefühl, daß sich bei ihm viel um eine bestimmte Evolutionstheorie dreht, die sich nach seiner Ansicht außerordentlich und entscheidend von einer anderen Evolutionstheorie wesentlich minderer Art unterscheidet. Jedenfalls spielt sein Glaube, die Menschheit sei unendlich verbesserungsfähig, eine ausschlaggebende Rolle in seinen Arbeiten. Man wird verstehen, daß es einer aufrichtigen Ovation für Bernard Shaw gleichkommt, wenn ich unumwunden zugebe, daß ich, obwohl mir keine dieser beiden Theorien genug geläufig ist, mich blindlings und unbedingt der Shawschen Theorie anschließe. Denn: mir scheint ein Mann von solcher Verstandesschärfe und unerschrockener Beredsamkeit absolut vertrauenswürdig. Wie mir denn überhaupt zu jeder Zeit und in jeder Situation die Kraft einer Äußerung immer wichtiger erscheint als ihre Verwendbarkeit und ein Mann von Format wichtiger als die Richtung seiner Betätigung.

25. Juli 1926

[Über die Volksbühne]

1 [Antwort auf eine Rundfrage]

Spricht man mit einem Menschen der Volksbühne, dann hört man zuerst von x-tausend Mitgliedern, von soundso viel Vorstellungen eines Werkes, und man glaubt, damit schon etwas getan zu haben. Nichts dergleichen könnte als Rechtfertigung gelten. Die Volksbühne hat niemals angefangen. Und sie hätte anfangen müssen. Sie hat nur den alten, überholten Theaterbetrieb auf andere Weise weitergeschleppt und ist heute nichts weiter als ein nichtsnutziger Verschleiß von Theaterkarten an ihre Mitglieder, die auf Gnade und Ungnade einer Kommission verfallen sind. Was kann eine Kommission schon leisten? Nichts! Wenn die Volksbühne heute etwas anfangen, neu beginnen wollte, dann könnte es zum Beispiel die Einrichtung eines Theaterlaboratoriums sein, in dem Schauspieler, Autoren und Regisseure so arbeiten, wie es ihnen Spaß macht, ohne besondere Absicht. Und jeder, der herein möchte, kann sich das Laboratorium und Vorstellungen auf der Experimentierbühne ansehen. Die erfolgreichsten und besten Resultate werden dann auf die große Bühne übernommen. Dabei würde die Volksbühne rein gar nichts riskieren. Durch ihre Mitglieder ist das Unternehmen gesichert. Aber sie wagt nichts, sie hat keinen Mut.
Juni 1926

2 Tendenz der Volksbühne: reine Kunst

Dieser Tage sind an der Volksbühne anläßlich der großen Theaterwirkung einer revolutionären Inszenierung wieder einmal *Tendenzen zur reinen Kunst* hervorgetreten. Die Volksbühne kann an sich ebensoviel Anspruch darauf erheben, für ein Theater gehalten zu werden, wie etwa das Völkerkundemuseum. Immerhin ist es ein Aschingerbetrieb, der bisher etwas guten Willen zeigte. Dieser gute Wille allein würde nicht genügt haben, aber jetzt wird es auch noch ein schlechter Wille. Daß die Herren Nestriepke oder Neft gegen Revolution sind, ist völlig begreiflich, aber wenn sie behaupten wollen, daß sie für reine Kunst sind, so ist das ganz unbeschreiblich lächerlich. Wenn diese Persönlichkeiten für die Kunst oder für die Revolution wären, so müßte man nicht nur die Kunst, sondern sogar die Revolution an den Nagel hängen. Immer wenn jener Idealzustand eintritt, den wir eben jetzt haben, wo oben auf der Bühne das Talent und unten im Zuschauerraum das Interesse fehlt, sehen wir das üble Geschäftstheater mit der Tendenz zur reinen Kunst.

Man sagt Piscator nach, er habe Tendenz gezeigt. Und die anderen Leute, die dort inszenierten? Haben sie keine Tendenz gezeigt? Man könnte ruhig sagen, daß sie gar nichts gezeigt haben, wenn man nicht eben sagen müßte, daß sie eine Tendenz gezeigt haben. Sie haben die klare Tendenz zur Verdummung des Publikums, zur Verflachung der Jugend, zur Unterdrückung freier Gedanken gezeigt. Wollen sie behaupten, daß sie keine Partei vertreten? Sie vertreten doch die Partei der Faulen und Dummköpfe! Es ist dies eine sehr mächtige Partei. Sie kann, gestützt auf einen Haufen von Klassikern und geführt von ein paar Beamten, machen, was sie will. Sie halten Kunst für etwas, was nichts schaden kann. Nach ihrer Ansicht kann man eine Theateraufführung dadurch verbessern, daß man ein Stück Film herausschneidet (was dem einen Kunst ist, ist dem andern billig). Ich halte etwas von Piscators Inszenierungen. Aber wenn in ihnen selbst nur die einzige Tendenz wäre, die Herren, die die Volksbühne leiten und die der Ansicht sind, daß Löffelerbsen und Kunstwerke keine Tendenz zu haben brauchen, aus diesem Haus zu vertreiben, so wären sie schon dadurch Zeugnisse eines künstlerischen Willens. Mit allem, was ich sage, meine ich aber, daß man das Verhalten der Volksbühne jedem lebendigen Theater gegenüber nicht etwa erstaunlich finden darf. Natürlich ist die

Volksbühne gegen Kunst und Revolution, und da sie die Produktionsmittel in der Hand hat, wird sie das lebendige Theater mit Leichtigkeit in ihrem Hause an die Wand drücken. Aber alle Leute, die *für* lebendiges Theater sind, werden nicht mehr für die Volksbühne sein. Das große epische und dokumentarische Theater, das wir erwarten, kann von der Volksbühne nicht gemacht und von der Volksbühne nicht verhindert werden.

[Stirbt das Drama?]

[Antwort auf eine Rundfrage]

Wenn Sie einen Hundertzwanzigjährigen fragen, ob das Leben überhaupt einen Sinn habe, dann wird er Ihnen, besonders wenn er schlecht gelebt hat, sagen: wenig.
Zeiten, die sich mit so schrecklichem Gerümpel wie »Kunstformen« (aus wieder anderen Zeiten) herumschleppen, können weder ein Drama noch sonst etwas Künstlerisches zuwege bringen. Es muß ziemlich beschämend für eine Generation sein, wenn an ihrem Ende die Frage sich erhebt, ob eine Arbeit wie die ihrige sich überhaupt rentieren könne. Und wir, die wir doch viel gesunden Appetit auf Theater haben, müssen gestehen (und uns dadurch unbeliebt machen), daß zum Beispiel so billiges und gestammeltes Zeug wie dieses Gipsrelief »Herodes und Mariamne« uns nicht mehr befriedigen kann. Daß aber Leute jüngeren Datums sich das ganze Theater überhaupt wegnehmen oder verekeln lassen, ist wenig wahrscheinlich.
4. April 1926

[Materialwert]

1 Zufriedenheit

Es ist ein großes allseitiges Interesse dafür vorhanden, daß nichts direkt Neues gemacht wird. Dieses Interesse herrscht auf allen Gebieten und ist dasjenige der Leute, die sich bei den alten Dingen und Verläufen wohl fühlen. Es ist verständlich, daß bei jenen, die etwas Altes nicht mehr haben wollen, die Meinung vorherrscht, ihr schlimmster Anblick seien jene, die sich wohl fühlen.

2 Der Materialwert

Da die alten Römer des Schreibens kundig waren, die alten Vandalen aber nicht, gibt es über die Unternehmungen der letzteren ausschließlich römische Berichte. Wenn man nach diesen geht, kommt man zu der Ansicht, diese Vandalen wären von einem ungeheuren ästhetischen Fanatismus erfüllt gewesen. Sie hätten gegen eine bestimmte Kunstrichtung opponiert oder zumindest gegen Kunst im allgemeinen eine unüberwindliche Abneigung verspürt. Ich glaube nicht, daß das so gewesen ist. Meiner Ansicht nach war es im schlimmsten Fall Übermut. Teilweise aber nahmen sie die alten Dinge hauptsächlich als Material. Holz zum Beispiel gibt Feuer; für das Geschnitzte daran hatten sie keine Augen. (Der Kunstverstand, der bei den Deutschen etwa dazu nötig war, für eine Beschießung die Kathedrale von Reims herauszufinden, ging jenen Leuten bestimmt ab.) Ich will mit dem Obigen sagen, daß die Vandalen sich gegen die alten Kulturgüter lediglich schnoddrig benahmen.

Es mag in einem höheren Sinn gegen uns sprechen (wie wir überhaupt von höherer Warte zunächst schlecht abschneiden), daß wir den Vandalismus nicht vom ethischen Standpunkt aus beurteilen, sondern daß wir lediglich daraus eine

Lehre ziehen wollen. Sie ist: daß man nur durch Schnoddrigkeit zum Materialwert einer Sache kommen kann.
Werden wir endlich deutlicher und bleiben wir unangenehm! Ich habe neulich mit drei Worten Hebbels Monumentalwerk »Herodes und Mariamne« zum alten Gerümpel geworfen. (Selbstverständlich hat altes Gerümpel auf mich eine große Anziehungskraft. Eine auseinandergenommene, teilweise vernichtete Droschke ist mir viel lieber, weil sie Material ist.) Unmittelbar [danach] hat in einer literarischen Zeitschrift jemand sorgfältig literarische Argumente gegen Hebbel in würdiger Form ins Feld geführt. Ich möchte betonen, daß das in seriöser Weise geschah und daß der Mann erschossen werden müßte. Ich selber wollte längst einmal »Herodes und Mariamne« aufführen. Selbstverständlich dachte ich dabei nur an den reinen Materialwert, also etwa die grobe Handlung, übrigens wahrscheinlich ohne die des letzten Aktes. Meine Schnoddrigkeit kam von dieser meiner positiven Einstellung. Es ist völlig gleichgültig und nützt niemandem, wenn über den gleichgültigen Friedrich Hebbel die nächsten fünfzig Jahre eine andere Ansicht herrscht als die vorigen fünfzig Jahre. Wichtig dagegen ist höchstens, daß eine gewisse schädliche Ehrfurcht, eine rücksichtslose und brutale Pietät das Publikum hindert, sich den Materialwert seiner doch nun schon einmal gemachten Arbeiten zunutze zu machen. Das Stück »Wallenstein« zum Beispiel, um auch an einigen bisher unberührten Lesern nicht spurlos vorüberzugehen, enthält neben seiner Brauchbarkeit für Museumszwecke auch noch einen gar nicht geringen Materialwert; die historische Handlung ist nicht übel eingeteilt, der Text auf ganze Strecken hinaus, richtig zusammengestrichen und mit anderem Sinn versehen, schließlich verwendbar. Ähnlich ist es mit »Faust«. Wie soll man denn ein Repertoire aufbauen können, wenn man diese Sachen durch Argumente zerstört und als Ganzes ablehnt? Andrerseits, wie kommen wir dazu, diese für andere Theater geschriebenen und mit uns unbekannten Argumenten verteidigbaren, aber

sicher talentvollen Monumente vergangener Kunstanschauungen, jede Verantwortung vor unseren Zeitgenossen schlicht ablehnend, einfach wie Katzen in Säcken zu übernehmen?

3

Übrigens hat das Bürgertum, das so vielseitige Verpflichtungen übernommen hat, daß es meist eines sehr sicheren Griffes bedarf, um die seinen Taten entsprechenden jeweiligen Ansichten herauszufischen, in der Praxis dieses Vandalentum jederzeit gedeckt. Der von der Presse gefeierte Anführer des derzeitigen Vandalentums auf dem Theater ist der Regisseur L. Jessner. Durch wohlüberlegte Amputationen und effektvolle Kombinationen mehrerer Szenen gibt er klassischen Werken oder wenigstens ihren Teilen, deren alten Sinn das Theater nicht mehr herausbringt, einen neuen Sinn. Er hält sich dabei also an den Materialwert der Stücke. Die Besitzfrage, die in der Bourgeoisie, sogar was geistige Dinge betrifft, eine (überaus komische) Rolle spielt, wird in dem erwähnten Fall dadurch geregelt, daß das Stück dann durch den genetivus possessivus jenem zugesprochen wird, der die Verantwortung als Gegenleistung für das Prädikat »kühn« gern übernommen hat. So wird Goethes »Faust« zu Jessners »Faust«, und dies entspricht etwa in moralischer Beziehung dem literarischen Plagiat. Denn wenn man schon nicht wahrhaben will, daß zu den Inszenierungen unserer besten deutschen Bühne in der Art eines Plagiats Stellen aus unseren Klassikern verwendet werden, so ist natürlich auch das Heraushacken von organischen Teilen aus Dichtungen, bürgerlich betrachtet, ein Raub, [ganz gleich,] ob die herausgehackten oder die übriggebliebenen Teile verwendet werden. Diese unbedenkliche praktische Anwendung eines neuen kollektivistischen Besitzbegriffs ist einer der wenigen, aber entschiedenen Vorzüge, die das bürgerliche Theater seiner Literatur voraushat. (Über die unbestreitbaren Verdienste auf dem Gebiet des Plagiats einiger

Schriftsteller möchte ich am liebsten erst reden, wenn meine eigenen etwas bedeutender geworden sein werden.)

Weniger Gips!!!

Wir Deutschen sind im Ertragen von Langeweile ungemein stark und äußerst abgehärtet gegen Humorlosigkeit. Natürlich kommt ein ausgesprochener Sinn für Mittelmäßiges dem deutschen Theater sehr zugute. Ein Theater ist ein Unternehmen, das Abendunterhaltung verkauft. Aber damit ist im Grund niemand zufrieden bei uns. Es gibt eine Reihe von Dingen, die höher gewertet werden als eine Unterhaltung. Was das Theater betrifft, so besorgt es die einfache Unterhaltung bei uns durchaus anständig und ausreichend, das mittlere Genre ist weitaus am besten bestellt, aber was wirklich ernst genommen werden will und soll, das ist die Unterhaltung mit monumentalem Einschlag. Für fünf Mark kann man heute noch in jeder Stadt mit mehr als 50 000 Einwohnern genügend Monumentalitäten kaufen.

Es ist ein wirkliches Bedürfnis, und man muß es befriedigen. Es sind sehr wenige Bedürfnisse vorhanden, und die wenigen muß man natürlich wie rohe Eier behandeln. Aber es ist sehr schwierig, Monumentalitäten herzustellen. Ich spreche davon, weil der monumentale Stil heute tatsächlich der einzige ist, der ernst genommen wird, obgleich viele andere, also besonders das mittlere Genre, in der Ausführung viel besser sind. In diesem mittleren Genre, also der Operette, der Gesellschaftskomödie, den Starstücken, wird scharf gearbeitet, es ist ein internationales Gewerbe, das beim Publikum einzig und allein auf die Qualität seiner Ausführung angewiesen ist, und es gibt hier auch einen internationalen Stil, den man in der Berliner Aufführung des Stückes »Die Gefangene« und in der Hollywooder Inszenierung des Films »Die Großfürstin und ihr Kellner«, in Reinhardts »Regen« und in Kings

»Sterne im Spiegel des Sumpfes« sieht. Das monumentale Genre aber wird vielleicht gerade deshalb, weil es vom Publikum viel ernster genommen wird, von seinen Herstellern viel leichter genommen und ist viel schlechter. Sie verlassen sich (übrigens mit Erfolg) völlig auf die Ideologie und die verheerenden Folgen der Mittelschulbildung und verwenden zur Herstellung hübsch großer Monumentalitäten tüchtig Gips.

Es ist verständlich, daß das Publikum, wenn es sich in dem Stück »Macbeth« die Beseitigung eines Duodezkönigs ansehen soll, verlangt, dabei die gleiche Großzügigkeit wahrzunehmen, die es aus der Zeitung in der Behandlung der großen Existenzkämpfe in den Menschenzentralen der alten und neuen Welt gewohnt ist. Aber die gewünschte Monumentalität entsteht nicht durch die Weglassung von kleinen Zügen, die die Zeitung allein lesbar machen, sondern eher etwa in ihrer Auswahl nach Typischem. Es nützt nichts, wenn man zwischen Macbeth und seine Frau eine Entfernung von sieben Metern legt und ihnen Megaphone einhändigt. Es ist verspätet, sich zu einer Zeit auf den kostspieligen Bau von Sprachbögen zu verlegen, wo die internationalen Sprecher alle Mittel der psychologischen Beredsamkeit untereinander austauschen: Die Lamentationen des dritten Richard, die Lamentationen des Wallenstein auf deklamatorische Art verpuffen in Jahren, die Lloyd Georges Rede vom letzten Penny gehört haben. *Auf dem dreimal gestuften blutroten Tribunal dieser übermenschlichen Aktionen macht sich die Harmlosigkeit breit.* Während das Getriebe der Zeit ausschließlich auf einer Gefährlichkeit steht, von der man in jedem mittleren amerikanischen Film genug abbekommt, während der Sport die *Gefahr* schon der Passion der Liebhaber überantwortet, ist gerade das monumentale Theater heute *einfach harmlos*.

Es ist gar nicht leicht, unter der Überfülle von Beispielen das richtige herauszuwählen. Man darf natürlich nicht die freundlichen Versuche der kleineren Leute das ganze Genre büßen lassen. Über die Monumentalisierung meines schönen Stückes »Leben Eduards des Zweiten von England« nil nisi bene; angebracht ist es, etwa über »Hannibal« zu sprechen.

Wenn man diesem Stücke beigewohnt hat, dann hat man als Essenz etwa die bourgeoise Gerührtheit darüber, daß ein Berufssoldat (nicht ohne Denkerstirn) immerfort Krieg führen muß und ihn dann auch noch verliert. Man sieht es natürlich immer wieder gerührt: Das Größte, wo der Soldat hat, ist die Fahne. Es ist nicht gut, sich über etwas lustig zu machen, worüber andere Leute sich ernst machen, aber wenn der gute alte Hannibal etwa den Tod (heute schon weiteren Kreisen als absolut wichtige biologische Erscheinung bekannt) mit Salutieren durch Hand-an-die-Mütze-Legen empfängt, so ist das auch nicht *viel* anders, als wenn S. M. verlangte, daß die Mannschaften untergehender Schiffe mit einem »Hipp, hipp, hurra – Seine Majestät!« das Wasser schluckten, auf dem S. M.'s Zukunft lag. *Es ist harmlos.* Es ist Weltanschauung als Kunstgewerbe, und es ist nicht monumental.

Bei der ganzen Sache ist das Schlimmste etwas Praktisches: Der Schauspieler verkommt. Die Gipsverbände, die er andauernd bekommt, sind höchst ungesund. Mit einem geschienten Bein kann man keinen natürlichen Gang zuwege bringen, und es ist für einen Mann von 1,50 m Größe auf die Dauer nicht zuträglich, sich so emporzurecken, daß er ein Größenminimum von 3 m hält. Mit dem absolut falschen Ton am Leibe, der durch beständige krankhafte Steigerung gezüchtet wird, kann er weder intime Vorgänge noch monumentale Vorgänge zuwege bringen. Er wird in der Tat immer ungeeigneter, die großen und wirklich monumentalen Stoffe bewältigen zu können. Ich glaube nicht, daß sich irgend jemand besonders [...] des schöpferischen Nachwuchses der Provinz annehmen kann, ohne zuvor die Gefahr dieses Gipses erkannt zu haben. Es wird immer so sein, daß die jungen Leute, denen Theaterspielen Spaß macht, damit anfangen, die letzten Dinge darstellen zu wollen und lieber auf der Bühne sterben als ein

Glas Wasser über die Bühne tragen wollen. Aber sie werden weder das eine noch das andere lernen, wenn das Minimum der Fahrgeschwindigkeit 80 km/h beträgt und das erste, was von ihnen verlangt wird, Intensität ist. In der ganzen Provinz beginnen die Arrangierproben nicht damit, daß die Schauspieler sich über die Vorgänge, die sie darzustellen haben, zu orientieren suchen, sondern damit, daß sie sich (geistig) einen ansaufen. Im weiteren Verlauf der Proben wird dann ausschließlich gesteigert. Dieser heranwachsende Typus Schauspieler besitzt nichts, was ihn sehenswert macht. Mit so wenig Menschenkenntnis wie diese Jungens Theater spielen, können sie keine Partie Poker spielen, mit so geringer Kühnheit keine Partie Coon-can. Ihre einzige Kühnheit ist es, daß sie vor das Publikum treten, und dies dünkt ihnen selber so tollkühn, daß sie mit nicht weniger klopfendem Herzen in eine Aufführung gehen als Richard III. in eine Schlacht. Sie können Richards Herzklopfen nicht mehr begreifen.
Es ist vielleicht frivol, unsere letzte Aussicht auf eine Art Glauben daran anzusägen, daß etwas Kühneres möglich sein müßte, etwas Radikales, Scharfes, Angenehmes. Denn noch erzählen wir uns im Theater der Internationale der Verkalkung, während sie oben ihren Entschluß verkünden, einen langen Schlaf tun zu wollen, und uns bitten zu sorgen, daß man sie nicht zu zeitig wecke, von kommenden Abenteuern, von freieren, sachlicheren, schärferen Künsten.

[Wie soll man heute Klassiker spielen?]

[Antwort auf eine Rundfrage]

Wenn in einer nicht allzu faulen Zeit irgendeine, einstmals nicht allzu faule Sache anfängt, faul zu werden, dann wird man alle lebendigen Leute, die dabeistehen, darauf versessen sehen, die Sache möglichst noch fauler zu machen, um sie möglichst rasch unter die Erde zu bringen. Tatsächlich sind heute die lebendigeren Leute, die mit dem Theater zu tun haben, in ihrer Tätigkeit beinahe ausschließlich darauf beschränkt, das Theater schlecht zu machen. Ich denke, wenn man nach den Leuten fahnden würde, die außer dem Zahn der Zeit schuld am (unaufhaltsamen!) Untergang dieses Theaters sind, so würden sich doch nur sehr wenige freiwillig stellen – außer uns. Wir halten uns für an diesem Untergang in prominenter Weise beteiligt. Allein durch die Aufführung unserer paar Stücke wurde viel geleistet. Ganze Stoffkomplexe des vorrevolutionären Theaters, dazu eine ganze fertige Psychologie und beinahe alles Weltanschauliche wurden einem großen Teil der Schauspieler und einem kleineren des Publikums einfach ungenießbar gemacht. (Nach seiner »Räuber«-Inszenierung sagte mir Piscator, er habe erreichen wollen, daß die Leute, die das Theater verließen, gemerkt hätten, daß 150 Jahre keine Kleinigkeit seien.) Ganz abgesehen von ihrer durch die faulen Verhältnisse sabotierten produktiven Tätigkeit, durch die eine das alte Theater empfindlich treffende gefährliche Lust an neueren und abenteuerlicheren Gedankengängen geweckt wurde, wirkte schon die bloße Anwesenheit einiger jüngerer Leute im Zuschauerraum einfach irritierend auf das alte Theater. Angesichts dieser unsympathischen und unzufriedenen Gesichter, die den Widerwillen eines ganzen Geschlechtes gegen veraltetes Denken ausdrückten, geriet das Theater bei der Darstellung seines gewohnten erfolgsicheren Repertoires in eine unsäglich erfreuliche Unsicherheit, die sich in einem ganz sinnlosen Experimentieren Luft machte, in einer bei älteren Institutionen ganz unziemlichen Waghalsigkeit. Es wurden Erfindungen gemacht, und ich denke, sie werden noch weiter Erfindungen machen. Aber es ist eine interessante Sache um die Erfindungen, die auf absteigenden Ästen gemacht werden. Leute auf absteigenden Ästen erfinden nämlich nur mehr Sägen. Sie mögen sich ausdenken, was sie wollen, am Schluß ist es doch immer eine Säge geworden, und sie mögen sich beherrschen, wie sie wollen, ihre geheime Lust ist zu übermächtig: Plötzlich merken sie, sie haben wieder an ihrem Ast herumgesägt. Jede Aufführung eines doch ganz alten und also schon seit endloser Zeit, nämlich seit es noch nicht alt war, nie mehr durchgefallenen Stückes war ein unter atemloser Spannung des Publikums inszenierter Todessprung. Bei alledem hat sich das alte klassische Repertoire, abgesehen von dem, was man mit ihm trieb, um es ein wenig aufzufrischen, wodurch man es vollends verdarb, doch als hinreichend brüchig und vermottet herausgestellt. Man konnte es tatsächlich nicht mehr wagen, es in seiner alten Form erwachsenen Zeitungslesern anzubieten. Wirklich brauchen davon konnte man nur mehr den Stoff. (Gewisse klassische Stücke, deren reiner Materialwert nicht ausreicht, sind für unsere Epoche ungenießbar.) Was man zur Anordnung und zum Wirksammachen dieses Stoffes dann aber brauchte, das waren neue Gesichtspunkte. Und die konnte man nur aus der zeitgenössischen Produktion beziehen. Durch Anwendung eines politischen Gesichtspunktes konnte man irgendein klassisches Stück zu mehr machen als einem Schwelgen in Erinnerungen. Es gibt noch andere Gesichtspunkte: Sie sind in der zeitgenössischen Produktion zu finden. Ganz unumwunden: Ich meine, daß es nicht den geringsten Sinn hat, ein Stück von Shakespeare aufzuführen, bevor das Theater imstande ist, die zeitgenössische Produktion zur Wirkung zu bringen. Hier nützen keine Umgehungsversuche. Man darf sich auch nichts davon versprechen, aus den neueren Stücken schlicht die Gesichtspunkte herauszuklauben, um sie auf ältere anzuwenden, man wird sie so nicht finden. Ich sehe die Zukunft jener in trübem Lichte, die den harten Forderungen einer ungeduldigen Zeit ausweichen wollen.

25. Dezember 1926

[Kein Interesse am Stoff]

Was die über den Haufen zu rennende Konkurrenz betrifft, ist die Zeit nicht ungünstig, aber im Hinblick auf die Nachfrage ist sie schlecht. Stoff gibt es massenhaft. Das Schlimme ist, daß die Zeit für Experimente vorüber ist und schlecht ausgenutzt wurde. Das Publikum hat das Interesse am Stoff verloren und hält sich an die Neuheit der Verpackung. Wir haben unsere gute Zeit gehabt, wo wir tun konnten, was wir nicht konnten, und haben sie benützt, den Theatern beizubringen, Papier zu spielen, und zu allem dazu sind wir in die große Baisse hineingeraten. Es ist eine Baisse der Stoffe wie der Formungen. Davon ist das Problem Stoff wichtiger schon deswegen, weil Stoff mehr da ist als seit langer Zeit.

Ein längst fälliger Einwand gegen uns ist, daß man uns ungeheuer gefördert hat. Zu diesem Zweck hat man uns die vorhandenen, völlig eingerichteten alten Theater überlassen, die uns schlankweg erledigten. Und die vorhandenen, völlig eingerichteten alten Kritiker wiesen belustigt auf die Resultate hin, und siehe da, es war Wischiwaschi. Und völlig gleichzeitig fiel von hüben und drüben das befreiende Wort: Langweilig! Die Entwicklung hatte kaum eingesetzt, der in Angriff zu nehmende Stoff war eben sichtbar geworden, die Theater hatten jenes kahle und humorlose Aussehen bekommen, das entstand, als sie auf das zurückgingen, was wirklich noch da war (nämlich wenig), und schon wurden die Leute, die aus ihrer Note eine Tugend gemacht hatten, größenwahnsinnig, und die Leute, die nichts mehr lernen konnten, wurden Professoren, und was erreicht war, war das Avancement. Niemand glaubte an die Zeit und niemand sah sie, aber allenthalben zwischen zur Auktion aufgestellten Treppen gingen Leute mit seligem Lächeln und dicken Uhrketten herum, die mit allem zufrieden waren. Es war der Ehrlichkeit des Prinzips wegen anerkennungswert, zum Beispiel von Shakespeare das aufzuführen, was das zeitgenössische Theater erfassen

konnte, aber es wäre nötig gewesen, das sich anzusehen, was das Theater also erfassen konnte, und zuzugeben, daß es beinahe nichts war. Auf die Dauer war es dann natürlich nicht durchzuführen, daß man völlig gesunde Schweine nur zur Gewinnung von Kleiderbürsten schlachtete und alles übrige in die Senkgrube schmiß. Man ging also wieder zu einer ruhigeren, lockeren Form über und verließ sich auf Paradeschritte und gute alte Meiningerei [...]
Fragmentarisch

Vorrede zu »Macbeth«

Einige meiner Freunde haben mir offenherzig und rückhaltlos versichert, daß sie sich für das Stück »Macbeth« auf keinen Fall interessieren würden. Sie sagten, sie könnten sich bei diesem Gerede der Hexen nichts denken, poetische Stimmungen seien schädlich, weil sie ihren Mann davon abhielten, Ordnung in die Welt zu bringen, und eine mehr allgemeine Verherrlichung unbebauter Landstriche, wie es Heiden sind, käme unbedingt zu spät in einem Zeitpunkt, wo die ganze Energie der Menschheit darauf gerichtet sein müsse, diese Heiden zu überreden, zur Produktion von Getreide überzugehen. Übrigens sei ein solcher Versuch, aus Heiden Äcker und aus Königsmördern Sozialisten zu machen, sowohl nützlicher als auch poetischer. Diese Einwände muß man sehr ernsthaft anhören, denn sie kommen von den frischesten Leuten, die nach meiner Ansicht durchaus zum Theaterbesuch angehalten werden müssen. Diesen Leuten kann man auch nicht mit Ästhetik kommen, obwohl wir davon genügend auf Lager haben. Wir haben es heute auf mindestens fünf bis zehn Ästhetiken gebracht.

Bei einer Durchsicht des Stückes »Macbeth« muß es jedem auffallen, daß dieses Stück der zeitgenössischen Theaterkritik, mit nur eineinhalb Ausnahmen, nicht standhält. Wir wollen noch nicht einmal darüber ein Wort verlieren, daß zum Beispiel unsere Mordpsychologie denn doch schon mit viel feineren und subtileren Werkzeugen zu arbeiten gelernt hat. Über die Psychologie eines Mörders hat dieses Stück einer Zeit, die die naturalistischen Standardwerke des vorigen Jahrhunderts und das Aufblühen der Wissenschaft erleben durfte, nichts mehr zu sagen.

Aber sogar als Theaterstück ist das Stück wenig gestuft und überhaupt nicht geballt. Ich bin gern bereit, Ihnen das, zehn Minuten bevor die Aufführung des Stückes beginnt, noch rasch zu beweisen.

Vor allem möchte ich Ihre Aufmerksamkeit auf die erschrekkende Unlogik richten, die anscheinend schon den Entwurf des Stückes ausgezeichnet hat.

Wenn dem General Banquo zum Beispiel zu Beginn des Stückes geweissagt wird, daß seine Nachkommen Könige werden würden, so hat das nichts zu sagen, wenn sie das [...] einmal in der Geschichte wirklich wurden. Im Stück werden sie es nicht. Man könnte es durchgehen lassen, wenn nicht das ganze Stück darauf beruhte, daß der andere Teil derselben Prophezeiung, nämlich, daß Macbeth König wird, in Erfüllung geht. Wenn je Ästhetik eine Rolle gespielt hat beim Verfassen eines Dramas, dann müßte der Zuschauer verlangen können, daß er, wenn er sich darauf einrichten soll, daß Prophezeiungen, die in diesem Stück ausgesprochen werden, in Erfüllung gehen – und das tun sie im Falle Macbeth, der ja König wird –, Aussicht hat und darauf warten kann, daß der Sohn Banquos König wird, vor der Vorhang zum letztenmal fällt. Statt dessen wird aber Malcolm, des ermordeten Königs Duncan Sohn, König, und der Zuschauer mit der nun doch einmal in ihm erweckten Hoffnung, Banquos Sohn den Thron besteigen zu sehen, sitzt schmählich auf. Banquos Sohn ist Fleance. Als Banquo ermordet wird, entflieht er, und Macbeth beklagt sich bitter darüber, daß er nun erst recht sich Sorgen machen müsse dieses Fleance wegen. Er scheint genau ebenso von dem Eintreffen der Prophezeiung überzeugt zu sein wie der Zuschauer. Aber Fleance, aus dessen Entkommen ein großes Wesen gemacht wird, kommt dann nie wieder vor. Man kann nur annehmen, daß der Verfasser ihn vergessen hat oder daß dieser Schauspieler, der den Fleance spielte, nicht gut genug war, um bei der Verbeugung am Schluß dabei zu sein. Ja, sollen wir gezwungen sein, die Früchte solcher Schlamperei dreihundert Jahre lang vor unseren Freunden zu verbergen? Wie Sie sehen, gebe ich meinen Freunden recht: Wir sind nicht gezwungen.

Das Stück »Macbeth« hält den mit eineinhalb Ausnahmen üblichen Anforderungen der zeitgenössischen Theaterkritik sicherlich nicht stand. Ich glaube, es ist nicht zuviel behauptet, wenn ich behaupte, daß es auch dem zeitgenössischen Theater nicht standhält. Ich bin nicht genau orientiert, aber ich glaube nicht, daß dieses Stück, zumindest in den letzten fünfzig Jahren, in irgendeinem unserer Theater in irgendeiner Übersetzung und in irgendeiner Regieauffassung Erfolg haben konnte. Besonders die mittleren Partien des Stückes, jene Szenenfolge, die den Macbeth in blutige, aber aussichtslose Unternehmungen verwickelt, können auf dem Theater, wie es jetzt ist, nicht dargestellt werden. Und dies sind ohne Frage die wichtigsten Partien. Ich kann hier die Frage, warum sie nicht dargestellt [werden] können, auch nicht annähernd komplett behandeln, ich kann aus diesem Komplex nur herausheben, was mir als der Hauptgrund erscheint.

Wir haben gesehen, daß es sich hier um eine gewisse Unlogik, um eine wilde Willkür handelt, die alle technischen Folgen szenischer Dezentralisierung ruhig auf sich nimmt. Jene gewisse Unlogik der Vorgänge, jener immer wieder gestörte Ablauf eines tragischen Geschehnisses ist unserm Theater nicht eigen, er ist nur dem Leben eigen.

Wenn wir die Stücke Shakespeares betrachten, dem wir ruhig einen gewissen Kredit gewähren können, so müssen wir zu dem Schluß kommen, daß es irgendwann ein Theater gegeben hat, das mit dem Leben in einem ganz anderen Kontakt stand.

In einem Gespräch erhob der große Epiker Alfred Döblin gegen das Drama den vernichtenden Einwand, diese Kunstgattung könne das Leben überhaupt nicht wahr darstellen. Das Drama sei ein mehr künstliches als künstlerisches Erzeugnis, es stecke keine unmittelbare Wahrheit darin, und man könne aus einem Drama niemals das Leben, sondern nur den Geisteszustand des Dramatikers erfahren. Auf eine Theateraufführung gemünzt, trifft dies unbedingt zu, besonders, wenn es sich um ein Stück handelt, das sich auf einem gewissen geistigen Niveau abspielt. Und es trifft vielleicht auch jenen Teil der deutschen Dramatik, von dem das deutsche Theater seinen Stil ableitete. Das Drama Shakespeares jedoch und wohl auch sein Theater war der Form zumindest sehr nahe, die jene Wahrheit des Lebens selbst konservieren kann. Durch jenes epische Element, das in den Stücken des Shakespeare steckt und das die theatralische Wiedergabe dieser Stücke so erschwert, war Shakespeare imstande, diese Wahrheit einzufangen. Es gibt einen einzigen Stil für das heutige Theater, der den wirklichen, nämlich den philosophischen Gehalt Shakespeares zur Wirkung bringt, das ist der epische Stil.

Das Shakespearische Theater, Angriffen anscheinend überhaupt nicht ausgesetzt und dadurch in unberührter Naivität, konnte bei seinem Publikum ohne weiteres voraussetzen, daß es sich keinerlei Gedanken über das Stück, wohl aber Gedanken über das Leben machen würde.

Wir wollen von der Dramatik einer fast hundertjährigen Ebbezeit gar nicht reden. Der philosophische Gehalt ist gleich null. Aber auch die Dramenschreiber der letzten Flut, die Klassiker, können weit eher auf ihre philosophische Vorbildung hinweisen als auf einen philosophischen Gehalt ihrer Stücke. Das Unglück zumindest unserer dramatischen Literatur ist der ungeheure Unterschied zwischen Intelligenz und Weisheit. Wo die deutschen Dramenschreiber, wie etwa im Fall Hebbel und früher schon im Fall Schiller, zu denken anfingen, fingen sie an zu konstruieren. Shakespeare etwa hat das Denken nicht nötig. Er hat auch das Konstruieren nicht nötig. Bei ihm konstruiert der Zuschauer. Shakespeare biegt keineswegs den Verlauf eines Menschenschicksals im zweiten Akt etwas zurecht, um einen fünften Akt zu ermöglichen. Alle Dinge laufen bei ihm natürlich aus. In der Zusammenhanglosigkeit seiner Akte erkennt man wieder die Zusammenhanglosigkeit eines menschlichen Schicksals, wenn es von jemand berichtet wird, der kein Interesse daran hat, es zu ordnen, um eine Idee, die nur ein Vorurteil sein kann, mit einem Argument zu versehen, das nicht aus dem Leben gegriffen ist. Es gibt nichts Dümmeres, [als] Shakespeare so aufzuführen, daß er klar ist. Er ist von Natur unklar. Er ist absoluter Stoff.

Ich habe zu erklären versucht, daß gerade das Beste bei Shakespeare, im Widerspruch stehend zu unserer herrschenden Ästhetik und unsern Theatern nicht faßbar, heute nicht aufgeführt werden kann, und dies ist um so bedauernswerter, als gerade eine Generation, die gut getan hat, die ganze Klassik aus ihrem Gedächtnis auszutilgen, da sie ohne eine Umwertung der wesentlichsten Ideenkomplexe gar keine Existenzmöglichkeit hat, hier in der Dramatik des Shakespeare das tröstliche Beispiel für die Möglichkeit reinen Stoffes fände.

14. Oktober 1927

Jiu Jitsu (= die leichte, die fröhliche Kunst)

Im Gespräch mit einem der zwei Leute, die vom Drama etwas verstehen, sagte mir der Mann, er sei der Überzeugung, Shakespeares Sprache sei lediglich eine Art Gewohnheit von ihm gewesen. Es blieb mir nur übrig hinzuzufügen, daß es jedenfalls eine ausgezeichnete Gewohnheit Wilhelms gewesen sei. Aber es ist ganz richtig: sie hat viel Schematisches an sich.

Wenn jemand dreißig Stücke lang sich immerfort desselben Ausdrucks bedient und jeweils immer dieselben Quellen der Volkssprache benutzt, dann kann ihn nur ein Schema davor gerettet haben, daß ihm nicht seine eigene Zunge zum Hals heraushing. Tatsächlich behandelt Shakespeare die Sprache sehr en canaille. Gewisse Stellen, wo fast alle andern Stückeschreiber mit einem »Nu aber mal los, Junge!« sich selber unter die Arme gegriffen hätten, übersieht er geflissentlich, zum Beispiel wenn im »Coriolan« die Mutter spricht. Allerdings hat er für den Coriolan dann nur den Satz »Ich saß zu lang« zur Verfügung, und es ist ein großartiger Beweis für Wilhelms Scharfblick und Einsicht, daß er selbst diesen einzigartigen Satz für nicht ausreichend genug hält, eine bessere und wahrere Mutterarie, als die er schrieb, vergessen zu machen. Ich meine natürlich nicht, daß ein Dramatiker sich hindern sollte, an gewissen Stellen so gut zu dichten, als es ihm möglich ist, aber ich meine, daß ein großer Mann dieses fragwürdigen Kunstfaches eine allzu gelungene Stelle wieder streichen würde. Aber eines solchen Mannes Interesse verteilt sich von vornherein richtig.

[Heiterkeit der Kunst]

Keine *Situation* darf uns vergessen lassen, daß die Kunst heiter ist. Schlechte Rasse verwechselt Stimmungen mit Gefühlen. Ein Künstler ist derjenige, bei dem der Augenblick der größten Leidenschaft mit dem der größten Klarheit zusammenfällt. Die Dilettanten ermessen die Gewalt eines Eindrucks daran, daß ihnen die Tabakspfeife ausgeht. Der Mut des Künstlers besteht darin, daß er denkt. Dieses Denken ist bei dem Grad leidenschaftlichen Gefühls, dem er ausgesetzt ist, gefährlicher als alles. Was die Reinheit der Kunst betrifft, so hat sie mit der Sauberkeit ihres Materials nichts zu tun, und die Unschuld hat wie beim Weib viele Grade und ist nichts, was man verlieren, sondern eher etwas, was man gewinnen kann. Ein gutes Stück braucht viele Untiefen, undurchsichtige Stellen, eine Menge Kies und erstaunlich viel Unvernunft, und es muß lebendig sein, vor es etwas anderes sein will. Wilhelms Mittel zum Beispiel, von all dem genügend hineinzubringen, war, möglichst viel von andern zu nehmen. Ich denke mir, daß an dem Punkt, wo im »Hamlet« alle Kunst umsonst schien, Wilhelms Kunstverstand eminent triumphierte. Es galt ein altes, rohes Stück mit dem Thema »Reinigung eines Augiasstalls durch einen Jüngling«, das seine fulminante, aber schon abgebrauchte Wirkung aus dem rasanten Furioso seines Hamlet zog, für einen Darsteller umzukrempeln, der dick und asthmatisch war und den dritten Richard kreiert hatte. Drei Akte lang halfen sie sich mit Zögern, und dann fingen sie mit Nuancen an, und dann war das Stück toter als ein aus Holz geschnitzter Hund. Aber der Augiasstall mußte natürlich gereinigt werden, und Wilhelm brachte eine kleine Szene mit, die er zu Haus geschrieben hatte und die einigen anderen, schon ausprobierten, wie ein Ei dem andern glich (die übrigens stehenblieben, denn doppelt genäht, hält besser), aber eine veritable Eselsbrücke darstellte – und der Asthmatiker war gerettet. Das ist die bei uns mit schöner Konsequenz gestrichene Szene, wo Hamlet die Armee des Fortinbras vorbeimarschieren sieht und die Idee, daß Kampf keinen Sinn haben müsse, um höchst blutig zu werden, im richtigen Augenblick (nämlich eine halbe Stunde vor Aufbruch des Publikums aus dem Theater) frißt. Es ist ein wahrhaft großer Moment in der Geschichte des germanischen Dramas und ein höchst grausamer. Und es ist außerdem das, was wir unter Heiterkeit zu verstehen die Ehre haben.

Der Weg zum zeitgenössischen Theater
1927 bis 1931

Theatersituation 1917–1927

Das Theater von heute ist ein reines Provisorium. Man würde es schon ungerecht beurteilen, wenn man etwa unterstellte, daß es mit geistigen Dingen, also mit Kunst, irgend etwas zu tun haben wollte. Es will tatsächlich nur mit einem von ihm ziemlich vage gesehenen *Publikum* zu tun haben, das sich zusammensetzt aus Leuten, die entweder ihre Naivität verlieren, wenn sie das Theater betreten oder nie Naivität besaßen. Die verzweifelte Hoffnung des Theaters ist es nun, dieses Publikum zu halten, indem es ihm immer weiter entgegenkommt, was sehr schwierig ist, weil man nicht wissen kann, worin man diesem Publikum entgegenkommen soll, denn es hat *keinerlei Appetite.* Es ist möglich, daß man außerdem hofft, auf diesem Wege dem Publikum entgegen nebenbei einen *Stil* zu finden. Das heißt: Stil wäre in diesem Falle eine Art übertragbare *Routine* in der Behandlung des Publikums. Ohne das Publikum, das für die Theater diese große Rolle spielt, klassenmäßig betrachten zu wollen, muß man das Publikum als Fundgrube eines neuen Stils natürlich *ablehnen.*
Ich gebe zu, daß ein Mensch, der für das Theater eine Passion hat, heute den alten Typus des Theaterbesuchers nicht mehr ernst nehmen kann. Aber wenn man einen neuen Typus erwartet, so darf man keinen Augenblick vergessen, daß dieser Typus das Theaterbesuchen erst zu lernen haben wird, daß also auf seine ersten Forderungen einzugehen keinen Sinn hätte, da es einfach mißverständliche Forderungen sein werden. (Es ist zwar eine neue Verwendungsart für Rasierapparate, von Negern um den Hals gehängt zu werden, aber diese Verwendungsart wird nicht zu einer wesentlichen Verbesserung der Rasierapparate führen können.)

Ich glaube nicht, daß die Behauptung einiger neuerer Regisseure, sie nähmen gewisse Veränderungen an klassischen Stücken auf Wunsch des Publikums vor, sich aufrechterhalten lasse angesichts der Tatsache, daß das Publikum durchaus Wert darauf legt, *neuere Stücke* in möglichst *alter Form* zu sehen. Trotzdem hat der Regisseur im Verfolg seiner Verpflichtung das Publikum, das er als wunschlos erkannt hat, nicht weiter zu beachten, die weitere Verpflichtung, die alten Werke des alten Theaters rein als Material zu behandeln, ihre Stile zu ignorieren, ihre Verfasser vergessen zu machen und allen diesen für andere Epochen gemachten Werken den Stil unserer Epoche aufzudrücken.

Diesen Stil hat der *Regisseur*, da er selber gezeigt hat, daß er einen neuen Stil und neue große Gesichtspunkte nicht hat, fernerhin nicht aus seinem Köpfchen, sondern *aus der dramatischen Produktion* dieser Zeit zu gewinnen. Er hat die Verpflichtung, die Versuche ständig zu erneuern, die zur Schaffung des großen epischen und dokumentarischen Theaters führen müssen, das unserer Zeit gemäß ist.

16. Mai 1927

Sollten wir nicht die Ästhetik liquidieren?

Lieber Herr X:

Wenn ich Sie bat, das Drama vom Standpunkt der Soziologie aus zu beurteilen, so geschah dies, weil ich von der Soziologie erwartete, daß sie das heutige Drama liquidiert. Die Soziologie sollte, wie Sie sofort begriffen, eine einfache und radikale Funktion verrichten: Sie hatte den Nachweis zu erbringen, daß dieses Drama keine Existenzberechtigung mehr hat und alles, was heute oder in Zukunft noch auf Voraussetzungen aufgebaut wäre, die einstmals ein großes Drama ermöglichten, ohne Zukunft ist. Es hat, wie ein Soziologe, in dessen Wertschätzung wir hoffentlich übereinstimmen, sagen würde, keinen soziologischen Raum mehr. Keine andere Wissenschaft als die Ihre besitzt genügend Freiheit des Denkens, jede andere ist allzusehr interessiert und beteiligt an der Verewigung des allgemeinen zivilisatorischen Niveaus unserer Epoche.

Ihnen konnte es nicht beifallen, dem allgemeinen Aberglauben zu huldigen, irgendein Drama habe *ewige* menschliche Appetite zu befriedigen unternommen, wo es doch immer nur einen ewigen Appetit zu befriedigen versuchte, den Appetit, ein Drama zu sehen. Sie wissen, daß die anderen Appetite wechseln, Sie wissen warum. Sie, der Soziologe, allein also sind, ohne Furcht, den Niedergang der Menschheit schon in der Aufgabe eines ihrer Appetite sehen zu müssen, bereit zuzugeben, daß die großen Shakespearischen Dramen, die Basis unseres Dramas, heute nicht mehr wirken. Diese Shakespearischen Dramen nahmen 300 Jahre vorweg, in denen das Individuum sich zum Kapitalisten entwickelte, und sie werden überwunden nicht durch das, was auf den Kapitalismus folgt, sondern durch den Kapitalismus selber. Es hat wenig Sinn, über das nachshakespearische Drama zu sprechen, da es ausnahmslos viel schwächer ist, in Deutschland durch lateinische Einflüsse schließlich völlig entartete. Nur der Lokalpatriot verteidigt es noch.

Wenn wir den soziologischen Standpunkt wählen, können wir begreifen, daß wir uns, was unsere Literatur betrifft, in einem Sumpfe befinden. Wir werden den Ästheten unter Umständen dazu bringen können, zuzugeben, was der Soziologe behauptet, nämlich, daß das heutige Drama schlecht sei. Aber wir werden ihm seine Hoffnung, es sei zu bessern, nicht rauben können. (Es wird dem Ästheten nichts ausmachen, etwa zugeben zu müssen, er könne sich eine solche »Besserung« des Dramas nur durch Übernahme ganz alter Handwerkskniffe vorstellen, »besseren« Bau im alten Sinne, »bessere« Motivierung für diejenigen Zuschauer, die gute alte Motivierungen gewohnt sind und so weiter.) Wir werden anscheinend nur den

Soziologen auf unserer Seite haben, wenn wir sagen, dies Drama sei nie mehr zu bessern, und wenn wir verlangen, es sei zu liquidieren. Der Soziologe weiß, daß es Situationen gibt, wo Verbesserungen nichts mehr helfen. Die Skala seiner Schätzungen liegt nicht zwischen »gut« und »schlecht«, sondern zwischen »richtig« und »falsch«. Er wird ein Drama, wenn es »falsch« ist, nicht loben, weil es »gut« (oder »schön«) ist, und er allein wird taub sein gegen die ästhetischen Reize einer Aufführung, die falsch ist. Er allein weiß, was falsch ist, er ist kein Relativist, er hält sich an Interessen vitaler Art, er hat keinen Spaß daran, alles beweisen zu können, sondern er will nur das einzige herausfinden, was zu beweisen sich lohnt, er übernimmt keineswegs die Verantwortung für alles, sondern nur die für eines. Der Soziologe ist unser Mann.

Der ästhetische Standpunkt wird der neuen Produktion, auch wo er lobende Äußerungen ergibt, nicht gerecht. Dies wird bewiesen durch einen kurzen Blick auf nahezu sämtliche Aktionen zugunsten der neuen Dramatik. Auch wo der Instinkt die Kritik richtig leitete, konnte sie aus dem ästhetischen Vokabularium nur wenige überzeugende Belege für ihre positive Einstellung erbringen und das Publikum nur ganz ungenügend informieren. Vor allem aber ließ sie das Theater, das sie zur Aufführung dieser Stücke ermutigte, ganz ohne Gebrauchsanweisung. So dienten die neuen Stücke letzten Endes immer nur dem alten Theater, dessen Untergang, auf den sie doch angewiesen sind, sie hinausschoben. Die Situation der neuen Produktion ist für denjenigen unverständlich, der von der aktiven Feindschaft zwischen dieser Generation und allem Vorangegangenen nichts weiß, sondern mit der Allgemeinheit glaubt, diese Generation wolle nur ebenfalls hereinkommen und beachtet werden. Diese Generation hat weder den Willen noch die Möglichkeit, das Theater mit seinem Publikum zu erobern und auf diesem Theater und vor diesem Publikum bessere oder nur zeitgemäßere Stücke vorzuführen, sondern sie hat die Verpflichtung und die Möglichkeit, das Theater einem *anderen* Publikum zu erobern. Die neue Produktion, die mehr und mehr das große epische Theater heraufführt, das der soziologischen Situation entspricht, kann zunächst ihrem Inhalt wie ihrer Form nach nur von denjenigen verstanden werden, die diese Situation verstehen. Sie wird die alte Ästhetik nicht befriedigen, sondern sie wird sie vernichten.

Ihr Ihnen in dieser Hoffnung verbundener Brecht.

2. *Juni 1927*

[Der einzige Zuschauer für meine Stücke]

Als ich »Das Kapital« von Marx las, verstand ich meine Stücke. Man wird verstehen, daß ich eine ausgiebige Verbreitung dieses Buches wünsche. Ich entdeckte natürlich nicht, daß ich einen ganzen Haufen marxistischer Stücke geschrieben hatte, ohne eine Ahnung zu haben. Aber dieser Marx war der einzige Zuschauer für meine Stücke, den ich je gesehen hatte. Denn einen Mann mit solchen Interessen mußten gerade diese Stücke interessieren. Nicht wegen ihrer Intelligenz, sondern wegen der seinigen. Es war Anschauungsmaterial für ihn. Das kam, weil ich so wenig Ansichten besaß wie Geld und weil ich über Ansichten dieselbe Ansicht hatte wie über Geld: Man muß sie haben zum Ausgeben, nicht zum Behalten.

[Über die Kreierung eines zeitgemäßen Theaters]

Allem Anschein nach wird die Kreierung eines zeitgemäßen Theaters noch viel Kraft aufbrauchen. Um zu positiver Arbeit zu kommen, müssen die Schriftsteller von jeder Sorge für das Theater selber verschont werden. Ihre Erfindungen dürfen nicht an die Form des Theaters verschwendet werden. Seit Jahrzehnten ist niemand mehr recht mit der jetzigen Form des Theaters zufrieden. In wenigen Jahren dient es ganz verschiedenen Zwecken, wechselt seine Darstellungsart fortwährend. Die zweite oder dritte Generation der Theaterdichter beginnt sich plötzlich für den Stil von Werken zu interessieren, die vergangene Epochen herstellten. Diese produktive Unzufriedenheit mehrerer Generationen darf nicht durch die Müdigkeit und (durch außerhalb des Theaters liegende Erlebnisse begründete) Abspannung einer in ihrem Suchen erfolglosen Generation aufgehalten werden. Generationen dieser Art, die durch Altern verbraucht, statt weise wurden, verwechseln in der Erinnerung das, was ihnen schon in ihrer Jugend fehlte und immer noch fehlt, erstaunlicher- und verwirrenderweise in ihrem Alter mit dem, was damals da war. Obwohl niemals eine Erfüllung ihrer Wünsche zustande kam, fehlt ihnen heute nichts mehr in der alten Zeit. So kommt es, daß wir immer wieder den Rat bekommen, Dinge uralter Konstruktion herzustellen, obwohl man uns kein einziges noch bewegungsfähiges Modell dieser Konstruktion zeigen kann. Der Gebrauch, den wir von dem Theater zu machen gedenken, gefällt wahrscheinlich den Alten nicht, aber was gedenken sie zu antworten, wenn wir sie fragen, ob das, was sie uns als Theater überlassen haben, diese heruntergewirtschaftete, ihrer Magie beraubte alte Schindmährenmanege mit ihren weiblichen Tenören und männlichen Primadonnen, mit ihren durchwaschenen Dessous und ausgeorgelten Röhren, alles ist??? Ist das »Macbeth«, den wir einst gelesen haben? Was habt ihr daraus gemacht?? Was soll man mit euch machen?? Mit ungläubigem Staunen betrachten wir die armseligen Mätzchen, mit denen ihr unsere Texte unter den schmierigen Jargonwitzen eurer kessen Kritiker zusammen mit der Jauche eines Jahrhunderts herunterspült.

Betrachtung über die
Schwierigkeiten des epischen Theaters

Ein Theater, das ernsthaft den Versuch unternimmt, eines der neueren Stücke aufzuführen, nimmt das Risiko einer totalen Umstellung auf sich. Das Publikum wohnt also lediglich einem Kampf zwischen Theater und Stück bei, einem fast akademischen Unternehmen, bei dem es, soweit es an dem Erneuerungsprozeß des Theaters überhaupt interessiert ist, nur festzustellen hat, ob das Theater aus diesem mörderischen Kampf als Sieger oder als Besiegter hervorgeht. (Als Sieger über das Stück kann das Theater heute fast nur dann hervorgehen, wenn es ihm gelingt, das Risiko überhaupt zu vermeiden, sich durch das Stück möglichst umändern zu lassen – was ihm vorderhand beinahe immer gelingt.) Nicht ob das Stück auf das Publikum, sondern einzig und allein, ob es auf dem Theater wirkt, ist vorläufig entscheidend.

Diese Situation wird so lange dauern, bis die Theater den von unseren Stücken geforderten und ermöglichten Aufführungsstil sich erarbeitet haben. Dabei genügt es nicht, daß die Theater für unsere Stücke eine Art Sonderstil erfinden, etwa, wie es die Erfindung der sogenannten Münchener Shakespearebühne gewesen ist, die nur für Shakespeare zu verwenden war, sondern es muß ein Stil sein, der den ganzen heute noch lebenskräftigen Teil des Theaterrepertoires zu neuer Wirkung bringt.

Die *totale Umstellung des Theaters* darf natürlich nicht einer artistischen Laune folgen, sie muß einfach der totalen geistigen Umstellung unserer Zeit entsprechen.

Die bekannten Symptome dieser geistigen Umstellung wurden bisher einfach als Krankheitssymptome angesehen. Dies geschieht mit einem gewissen Recht, denn natürlich werden zunächst nur die Verfallserscheinungen des *Alten* sichtbar. Es wäre aber verfehlt, diese Erscheinungen, etwa den sogenannten Amerikanismus, für etwas anderes als jene krankhaften

Veränderungen zu halten, die wirkliche geistige Einflüsse neuer Art in dem alten Körper unserer Kultur veranlaßt haben. Und es wäre verfehlt, die neuen Ideen überhaupt nicht als Ideen und überhaupt nicht als *geistige* Erscheinungen zu betrachten und etwa das Theater als Bollwerk des Geistes ihnen gegenüber ausbauen zu wollen. Das Theater, die Literatur, die Kunst müssen im Gegenteil gerade den »ideologischen Überbau« für die effektiven realen Umschichtungen in der Lebensweise unserer Zeit schaffen.

Die neue Dramatik bezeichnet nun in ihren Werken als Theaterstil unserer Zeit *das epische Theater*. Die Prinzipien des epischen Theaters in wenigen Schlagworten zu entwickeln ist nicht möglich. Sie betreffen, im einzelnen noch größtenteils unentwickelt, Darstellung durch den Schauspieler, Bühnentechnik, Dramaturgie, Theatermusik, Filmverwendung und so weiter. Das Wesentliche am epischen Theater ist es vielleicht, daß es nicht so sehr an das Gefühl, sondern mehr an die Ratio des Zuschauers appelliert. Nicht miterleben soll der Zuschauer, sondern sich auseinandersetzen. Dabei wäre es ganz und gar unrichtig, diesem Theater das Gefühl absprechen zu wollen. Dies käme nur darauf hinaus, heute noch etwa der Wissenschaft das Gefühl absprechen zu wollen.

27. November 1927

[Basis der Kunst]

Es ist durchaus nötig, die gesamte Situation, in der sich nicht nur die Dramatik gegenwärtig befindet, zu untersuchen, nicht um die Handicaps für sie festzustellen, sondern deswegen, weil ihre Chance davon abhängt, wie tief [...] in den Unterbau (Zustand der Gesellschaft) sie hinabkommen kann. Nicht wieweit sie sich bewahren kann von den großen irdischen Strömungen, sondern wieweit sie hineingehen kann: das ist ihre Existenzfrage.

Hier gilt es, eine Vorstellung zu bekämpfen, nach der die Kunst wie die Philosophie erst über den Wassern anfängt. Dies ist eine statische Vorstellung, die auf der Verallgemeinerungssucht der bürgerlichen Geschichtsforschung beruht. Man sieht hinterher die Kunst und die Philosophie ziemlich hoch über ihrem (unbekannteren und – uninteressanteren, weil weniger zum Verallgemeinern geeigneten) Unterbau in der Luft schweben. Man sieht außerdem eine ganze Reihe solcher Überbaufossile, und man kann sie sich geradezu herauswählen. Dadurch entsteht dann in den zu sehr spezialisierten Nachfahren die trügerische Hoffnung, sie könnten auch ihrerseits einfach überspringen und an Stelle der einen Ideologie einfach eine andere setzen. Die Philosophie etwa, soweit sie heute zu einer Totalität zu gelangen sucht, beobachtet in der Geschichte den ungeheuren Einfluß von Ideologien auf den Unterbau, sieht aber nicht, daß dies der Einfluß von Dokumenten ist, die in revolutionärer Weise direkt aus den Umschichtungen im Unterbau gewonnen wurden. Sicher beginnt die Bedeutung einer Kunst für die Nachfolgenden erst an dem Punkt, wo sie »über den Unterbau hinauskommt«, aber sicher auch erst da, wo sie ihn auf natürliche Weise in sich trägt. Oder sagen wir »unter sich«.

Der Piscatorsche Versuch

1

Außer in Engels entscheidend wichtiger »Coriolan«-Inszenierung wurden die Versuche zum epischen Theater nur vom Drama her unternommen. (Das erste dieses epische Theater aufbauende Drama war Brechts dramatische Biographie »Baal«, das einfachste Emil Burris »Amerikanische Jugend« und das bisher exponierteste – weil von einem Autor gänzlich anderer Richtung stammend – Bronnens »Ostpolzug«.)

Nun kommt auch vom Theater her wieder Wasser auf die Mühle: der Piscatorsche Versuch.

Das Wesentliche dieses Versuchs besteht in folgendem:

Durch das Vorwegnehmen jener Teile der Handlung, in denen kein Gegenspiel steckt, im einkomponierten Film, ist das gesprochene Wort entlastet und wird absolut entscheidend. Der Zuschauer hat Gelegenheit, gewisse Vorgänge, die die Voraussetzungen für die Entscheidungen der handelnden Personen bilden, selbst in Augenschein zu nehmen und sie selbst zu beurteilen, ohne sie durch die von ihnen bewegten Personen sehen zu müssen. Die Figuren können sich, da sie den Zuschauer nicht mehr objektiv informieren müssen, frei äußern: ihre Äußerung wird auffällig. Außerdem kann der Kontrast zwischen der flachen photographierten Wirklichkeit und dem plastisch vor dem Film hingestellten Wort beim Überspringen trickartig gleich noch zu einer unkontrollierbaren Steigerung des sprachlichen Ausdrucks benützt werden. Das pathetische und gleichzeitig vieldeutige Wort bekommt durch das ruhige photographische Zurschaustellen eines wirklichen Hintergrundes Kredit. Der Film macht dem Drama das Bett.

Die sprechenden Figuren werden dadurch, daß das Milieu in seiner ganzen Weite photographiert wird, unverhältnismäßig groß. Während das Milieu auf immer gleicher Fläche, nämlich die der Leinwand, zusammengedrängt oder erweitert werden muß, also zum Beispiel der Mount Everest in immer verschiedenem Format erscheint, bleiben die Figuren stets gleich groß.

2

Hier hat Engel für das epische Theater Punkte gesammelt. Er gab die Geschichte des Coriolan so, daß jede Szene für sich stand und nur ihr Ergebnis für das Ganze benützt wurde. Im Gegensatz zum dramatischen Theater, wo alles auf eine Katastrophe hinsaust, also fast das Ganze einleitenden Charakter hat, stand hier die Totalität unbewegt in jeder Szene. Der Pis-

catorsche Versuch schließt damit ab, wenn noch eine Reihe entscheidender Unzulänglichkeiten behoben sind. (Zum Beispiel wird durch den unausgenützten Übergang vom Wort zum Bild, der noch gänzlich abrupt stattfindet, die Zahl der im Theater befindlichen Zuschauer einfach um die Zahl der eben noch auf der Bühne beschäftigten, vor der Projektionsleinwand stehenden Schauspieler vermehrt, zum Beispiel der heute noch übliche pathetische Opernstil scheinbar aus mangelnder Vorsicht durch die schöne Naivität photographierter Maschinen schrecklich entlarvt, technische Fehler, die dem Piscatorschen Versuch einen Teil jenes Aromas verschaffen, ohne das ein naives Theater nicht denkbar ist.)
Die Verwendung des Filmes als reines Dokument der photographierten Wirklichkeit, als Gewissen, hat das epische Theater noch zu erproben.

1926

Primat des Apparates

In einem Sonderabdruck der »Frankfurter Zeitung« hat der Theaterkritiker Diebold über das »Piscatordrama« geschrieben. Er weist in diesem Aufsatz, der ein bemerkenswertes, in diesen Jahren seltenes Interesse an neuem Theater zeigt, auf eine neue Möglichkeit für die Dramatik hin. Er behauptet nämlich, daß die Piscatorbühne eine neue Art von Drama ermögliche. Diese Auffassung beweist wieder die außerordentliche Verwirrung, in die die bürgerliche Ästhetik geraten ist.
Man kann vorwegnehmen, daß Piscators Regieversuche darauf hinzielen, das Theater zu elektrifizieren und es auf den technischen Standard zu bringen, den die meisten Einrichtungen heute erreicht haben. Der Film ermöglicht es, den Prospekt realistischer zu machen und die Kulisse mitspielen zu lassen. Das laufende Band macht den Bühnenboden beweglich

und so weiter. Damit ist also das Theater auf dem besten Weg, die Aufführung moderner Stücke oder eine moderne Aufführung älterer Stücke zu ermöglichen. Ermöglicht diese Bühne *und nur diese Bühne* aber das Zustandekommen neuer Stücke? Müssen für diese Bühne neue Stücke geschrieben werden?

Man kann vorwegnehmen, daß neue Stücke geschrieben werden müssen. Es war eine revolutionäre Entscheidung der neuen Dramatik, unter allen Umständen neue Stücke zu schreiben. Diese Stücke waren nicht aufführbar. Daß sie nicht aufführbar waren, das war niemand klarzumachen. Warum es niemand klarzumachen war, das wußte die Ästhetik nicht zu sagen. Wer von unsern nur ästhetisch geschulten Kritikern wäre imstande, zu begreifen, daß die selbstverständliche Praktik der bürgerlichen Kritik, in ästhetischen Fragen in jedem einzigen Fall den Theatern gegen die Produktion Recht zu geben, eine *politische* Ursache hat? Der Unternehmer, hier wie überall, bekommt die Vorhand gegen den Arbeiter, der Besitzer der Produktionsmittel wird eo ipso als produktiv angenommen. Die dramatische Produktion erhebt seit Jahren die Behauptung, sie werde falsch aufgeführt, der herrschende Theaterstil sei nicht imstande, sie zu bewältigen, sie selber aber verlange und ermögliche einen völlig neuen Theaterstil. Schweigen im Walde. Nach wie vor, da ja nichts vorgefallen ist, da keine Produktionsmittel dahinterstehen, da hier kein Einfluß zu erlangen, keine Macht zu fürchten ist, beurteilt der Kritiker die neuen Dramen nach ihrer Eignung für das zeitgenössische Theater, schüttelt den Charakterkopf über alles, womit ein überalterter, ausgepumpter und phantasieloser Bühnenstil nicht fertig wird, und nimmt im besten Fall an, der Dramatik fehle es an wirklich geistiger Tendenz, sie kenne nicht ihre Aufgabe. Wer soll ihm begreiflich machen, daß er als Aufgabe wahrscheinlich unbewußt die Aufgabe im Auge hat, die bestehenden Institute und Produktionsmittel mit Stoff zu versorgen? Taucht nun ein neueres Institut auf, das eben ange-

fangen hat, die Petroleumfunzeln durch elektrisches Licht zu ersetzen, so hat die Dramatik eine »Aufgabe«, nämlich die, dieses Institut zu versorgen. Sicher kommt dann die Elektrizität endlich in den Stücken vor! Dabei ist mit dem bescheidenen technischen Vorstoß noch wenig erreicht, Piscator hat alle Hände voll zu arbeiten, um weiterzukommen, die schon vorliegende neue Dramatik ist immer noch nicht aufführbar.
Was Piscator ermöglicht, ist das Erfassen neuer Stoffe. Er hat die Aufgabe, die neuen Stoffe alt zu machen. Vor sie alt sind, können sie vom Drama nicht erfaßt werden.

Das neue Theater und die neue Dramatik

Als die neue Dramatik nach dem Krieg auftauchte, fand sie ein von Publikum überfülltes, aber unsäglich überanstrengtes Theater vor. Dieses Theater griff nach ihr ziemlich begierig, versuchte sie zu einer Art Verjüngung zu benutzen, konnte aber trotz einiger Anstrengungen nur wenig aus ihr herausholen. Es unternahm dann von sich aus ein paar krampfhafte Anstrengungen, die aber, da sie von den besseren Dramenschreibern nicht durch Protektion unterstützt wurden, rasch zusammenbrachen und bald ganz aufhörten. Den Überredungskünsten der ruhig weiterarbeitenden Dramatik [gegenüber], sich vollständig und von Grund auf umzustellen, verhielt sich dieses Theater absolut ablehnend. Die Behauptungen der Dramenschreiber, es lasse sich aus ihren Stücken, wenn man sie nur daraufhin untersuchen wolle, ein großer Theaterstil gewinnen, der nicht nur für diese neueren, sondern auch für sehr viel ältere Stücke in Betracht käme, wurde nicht beachtet, ja nicht einmal von Freunden gedruckt. Soweit sich in dieser Zeit auf künstlerischem Gebiet überhaupt noch geistige Kämpfe abspielen, kann man eine interessante Überschätzung aller Produktionsmittel wahrnehmen. Jeder Immobilie wird ein entscheidener Einfluß auf geistige Dinge zugesprochen. Der Besitzende erhält vor dem Produzierenden das Wort. In keinem einzigen Fall würde ein einzelner Mann in einem Streitfall gegen ein Institut, und wäre es das verrufenste, recht bekommen. Die Stellung der Presse etwa ist so festgelegt, daß die Frage, ob [...] sich, um auf das Gebiet des Dramas zu kommen, das Theater oder die dramatische Produktion ändern müsse, überhaupt nicht gestellt werden kann. Diese Frage würde, wo sie überhaupt verstanden würde, unter Gelächter begraben werden. Und doch ist diese Grundfrage die nackte Existenzfrage der neuen Dramatik.

Nun ist es klar, daß es für das Theater unendlich schwieriger ist, sich radikal umzustellen, als es dies für die Dramatik war. Ein einzelner Dramenschreiber kann sich leichter auf neues und gefährliches Gebiet begeben als ein großer Menschen- und Materialienkomplex. Das Theater entwickelt sich viel langsamer, es hinkt mühsam hinterher. Es ist keineswegs leichter, die neuen Begriffe im Drama zu schaffen, als eine alte Bühne zu elektrifizieren. Aber es ist billiger und auch notwendiger, und zudem hängt es von wenigen Leuten ab, die zu ihrem eignen Spaß arbeiten, und vor allem ist es eine Sache reiner Produktion. Immerhin hat das Theater in allerletzter Zeit einen technischen Vorstoß unternommen, um einigermaßen auf den technischen Standard zu kommen, den andre Betriebe schon seit geraumer Zeit erreicht haben. Im Brennpunkt des öffentlichen Interesses steht die Bemühung des Regisseurs Piscator, die Bühne von den schlimmsten Rückständigkeiten zu befreien. Nach auswärtigen Mustern und unter Benutzung einiger wirklicher Talente wurde das Projektionsverfahren an Stelle der altmodischen fixierten Kulisse gesetzt. Der Bühnenboden wurde beweglich und so weiter. Die neue Dramatik findet hier, wenn sie einer Neigung dieses Regisseurs, die Technik zu gewissen billigen Symbolismen zu mißbrauchen, keine weitere Bedeutung beimißt, die Elemente einer Bühne vor, die jedenfalls keine direkten Handicaps mehr für sie bedeutet. Das Theater hat sich hiermit zu einer unbedingt nötigen Umstellung entschlossen. Diese Umstellung genügt aber noch lange nicht.

[Notiz über das] Piscatortheater

Nicht der Versuch der Politik, sich des Theaters zu bemächtigen, sondern des Theaters, sich der Politik [zu bemächtigen].
Man neigt gegenwärtig dazu, den Piscatorschen Versuch der Theatererneuerung als einen revolutionären zu betrachten. Er ist es aber weder in bezug auf die Produktion noch in bezug auf die Politik, sondern lediglich in bezug auf das Theater. Dies wird klar, wenn man die Geschichte des Theaters während der letzten hundert Jahre betrachtet. In dieser Zeit hat sich das bürgerliche Theater nicht wesentlich geändert. Ein Beispiel: Man betrachtete vor dreißig Jahren den Naturalismus für eine revolutionäre Umgestaltung. Und es war lediglich eine leichte und im Grund folgenlose, also unverbindliche Beeinflussung des Dramas durch den internationalen bürgerlichen Roman. Heute kann ich, der ich nichts davon sah (als die Folgen), diesen Bühnenstil nicht unterscheiden von jenem des Burgtheaters noch von früherer Zeit und so weiter. Vom Expressionismus ganz zu schweigen, der eine bloße Inflationserscheinung war und überhaupt nichts veränderte.

[Das Theater und die neue Produktion]

Würde das Theater sich der neuen Produktion anvertrauen können, nehmen wir an, es gäbe keine alte, oder sie würde nicht anerkannt, dann würde sicher die Zahl der Theaterbesucher zeitweise, sagen wir ruhig, auf eine unbestimmte Zeit hin, zusammenschrumpfen, mindestens auf ein Zehntel.

Sie dürfen nicht vergessen, und auch ich darf es nicht vergessen, daß für uns keine genießenden Zuschauer in Betracht kommen können, sondern nur eine Art von Zuschauern, die wir etwa spekulative Zuschauer nennen können. Dies entspricht unserer Situation, die nicht einmal so sehr dadurch charakterisiert ist, daß unsere Stücke nicht endgültig oder, sagen wir ruhig, unfertig sind, sondern weit mehr dadurch, daß ganze Vorstellungskomplexe, die die Voraussetzung für ihr Verständnis bilden würden, noch durchaus unfertig sind und unfertig sein müssen, bis der ganze Unterbau dieser Ideologien gewaltsam umgeändert sein wird.

Ein solches Theater, das sich der neuen Dramatik auslieferte, würde natürlich ebensogut Konzessionen machen können als ein anderes. Es würde sie sogar unter allen Umständen besser machen können als ein Theater, für das es eine Konzession bedeutet, wenn es uns aufführt, denn dabei kommt unter keinen Umständen etwas heraus. Wenn Sie einen Vergleich mit der Politik zulassen wollen: Es kann revolutionäre Politik sein, wenn eine kommunistische Partei in einer nichtrevolutionären Situation Konzessionen an den Kapitalismus macht. Aber die Wirkungen einer Politik des Kapitalismus, Konzessionen an den Kommunismus zu machen, ist unter allen Umständen konterrevolutionär.

Ein Beispiel: »Baal«. Wie soll die Vorstellungswelt etwa des Stückes »Baal« zur Wirkung gebracht werden können in einer Welt, in deren Vorstellung das Individuum keineswegs ein Phänomen, sondern das Selbstverständliche ist. Vor einem Publikum, das etwas gegen Sozialisierung hat und vor allem nicht daran glaubt, ist es fast unmöglich, aus dem Typus Baal, der absolut unsozialisierbar und dessen Produktionsweise ganz unverwertbar ist, die Wirkung eines Dokuments herauszuholen.

Der Mann am Regiepult

Was wir gegenwärtig an Regie haben, ist wahrscheinlich zu gut, als daß wir richtige Aufführungen der guten alten Stücke bekommen könnten. Aber bestimmt reicht sie nicht aus, die neuen Stücke aufzuführen. Es wäre natürlich ihre Aufgabe, die alten Stücke so herauszustellen, als ob sie neu wären, tatsächlich aber läßt es das Theater heute bei der Mühe bewenden, unsere neuen Stücke so zu bringen, als ob sie alt wären. Selbst die besten Leute unter den Regisseuren gehen immer noch davon aus, daß der gute alte Theaterstil (von wunderbaren neuen Köpfen angewandt) für unsere Stücke ausreiche. Sie denken nicht daran, umzulernen. Dabei steht vor ihnen die ungeheure Schwierigkeit, das Theater auf das Niveau der Wissenschaft zu bringen und das Repertoire einem Publikum vorzuführen, das es in *besserer* Umgebung gewöhnt ist, daß ihm gegenüber auf das pure Erzeugen von Illusionen verzichtet wird.

Allerdings gibt es heute eine Spezies Regisseur, welche angesichts der Unfähigkeit dramatischer Produktion dazu übergegangen ist, nunmehr aus eigenen Kräften, das heißt so gut, als es eben ging, jene Stoffe vor das Publikum zu bringen, zu denen die Dramatiker nichts zu sagen haben. Diese Art Regie kann in ihren Mitteln nicht wählerisch sein, sie verbraucht vor allem naturgemäß ein ganz immenses Quantum von Mitteln. Wenn sie aus diesem Grunde auch wahrscheinlich unfähig wäre, neue Stücke größeren Formates wirklich groß zu inszenieren, leistet sie dennoch bestimmt am meisten für die junge Dramatik. Sie kaut die Stoffe vor, sie bringt die mittleren Leute von ihrer öffentlichen Selbstbetrachtung los, sie trainiert den Zuschauer, und vor allem: sie vernichtet den alten reaktionären Theaterstil, der heute im direkten Zusammenhang mit der politischen Reaktion das Theater unumschränkt beherrscht.

Januar 1928

Die Not des Theaters

[Notizen zu einem] Dreigespräch zwischen
Dichter, Theaterleiter und Kritiker

WEICHERT Also, Sie, verehrter Herr Brecht, sehen natürlich wieder stolz und unzufrieden aus. Wissen Sie, was mich diese Aufführung heute abend gekostet hat an Nerven, an Arbeit, an Ärger, an Geld und so weiter? Meinen Sie, es macht mir Spaß, mich nun auch wieder von der Presse vermöbeln zu lassen? Und so weiter. Lackschuhe zum Füßeküssen.

BRECHT Es scheint ja fast, wenn man Sie hört, als gefalle Ihnen etwas an Ihrem Laden nicht. Wieso sind Sie denn plötzlich in einer Krise?

WEICHERT Was heißt *plötzliche* Krise? Dauerkrise, lieber Herr, wie alle meine Kollegen. Manche sind allerdings diplomatisch genug, nichts davon merken zu lassen. Deren Krise merkt man erst, wenn der Nachfolger ernannt ist. Übrigens ist das alles gar keine Personenfrage. Es ist die Krise des Theaters.

BRECHT Sie sind also der Ansicht, daß das Theater in einer Krise ist! Das ist ja merkwürdig. Ich dachte, die Theater gingen glänzend, wenigstens laufen die Leute hinein. Herr Doktor Kerr vermißt zwar ein paar gute neue Stücke, aber nicht wahr, Herr Doktor, *Sie* glauben doch nicht an eine wirkliche Theaterkrise?

DR. KERR ...

BRECHT Das ist mir sehr interessant. Ich muß Ihnen wirklich dankbar sein, daß Sie sich so offen zu mir äußern. Da ich Sie nun beide schon nicht aufhängen kann, was ich als Dichter natürlich am liebsten möchte, lassen Sie mich wenigstens auch einmal ganz unverhohlen und offen meine Meinung sagen. Brechtsche Hinrichtung des jetzigen Theaters. [...]

Wenn das Theater in einer Krise ist, dann habe ich da einen Vorschlag: Sie schließen einfach das Theater. Das Theater ist viel zu wichtig geworden und nimmt einen Platz im öffentlichen Interesse ein, den es nicht halten kann. Gut, geben Sie den Platz auf. Verstehen Sie mich recht: Alle Vorschläge zur Erneuerung des Theaters haben zur (natürlichen) Voraussetzung, daß sich die Zahl der Zuschauer vermindert. Dies kann, wie gesagt, bis zur Schließung der Theater nötig sein. Sollten Sie da ein wenig erschrecken, so kann ich Ihnen versichern, daß Sie Ihres nach einer Schließung sofort wieder eröffnen können. Natürlich mit einem neuen Artikel. Das ist natürlich sehr schwierig, solang der alte Artikel noch geht, aber Sie sprechen ja davon, daß Ihre Arbeit Ihnen unbefriedigend vorkommt.

BRECHT In diesem bourgeoisen Amüsiertheater wird nach Erfindung des Salvarsans das Stück »Gespenster« immer noch genossen. Die Zuschauer genießen den Menschenschmerz rein als Amüsement, sie haben eine rein kulinarische Auffassung. Also: für ein zeitgenössisches Theater ist wichtig die Auswahl des Wichtigen, was einem Menschen zustoßen kann. Wenn es einem Menschen von heute zustoßen kann, daß er die Syphilis bekommt, so scheint uns das heute nicht so wichtig. Wenn er sich auch noch so schön darüber beklagt, wir genießen seinen Schmerz nicht mit, er braucht ihn nicht zu haben.

WEICHERT Wenn Sie, lieber Brecht, das derzeitige Theater radikal ablehnen müssen, so darf ich Sie fragen: Glauben Sie etwa, daß wir mit dem halben Dutzend zeitgenössischer Werke, die Sie gelten lassen, einen Spielplan aufbauen können? Und glauben Sie weiterhin, daß wir ein ausreichendes Publikum, das heißt einen Konsumentenkreis finden können, damit das Theater weiterexistiert? Eine kleine boshafte Zwischenfrage: Sagen Sie, wieviel Leute, glauben Sie, interessieren sich eigentlich für dieses Ihr neues Theater, lieber Brecht?

BRECHT Ja, das kann ich nicht wissen, wieviel Interessenten es für geistige Dinge gibt. Aber selbst, wenn es sehr viele gäbe, würden sie durch eure Schuld nicht darauf kommen, etwas Geistiges im Theater zu suchen. Ihr müßt ihnen also erst mitteilen, daß ihr jetzt Geistiges im Theater vorführt, daß ihr jetzt die großen oder kleinen geistigen Kämpfe der Gegenwart in euren Theatern vorführt. Oder mit anderen Worten, daß ihr nunmehr auf euren Theatern vorführen wollt: das typische Verhalten der Menschen unserer Zeit, so wie es zu Zeiten, wo das Theater eine kulturelle Bedeutung hatte, der Fall war.

WEICHERT Wenn ich Sie also recht verstehe, lieber Brecht, und wenn wir also in Ihren Stücken das geistige Verhalten der Menschen gestaltet finden und dieses Verhalten das typische Verhalten der Zeitgenossen ist, wieso kommt das nicht heraus? Nehmen wir also einmal Ihr Stück »Mann ist Mann«. Dieses Stück ist vielen Leuten bekannt, da es in der Provinz und kürzlich erst hier an der Volksbühne gespielt wurde und auch durch den Rundfunk einer Menge Leute bekannt gemacht wurde. Sie sagen, Sie zeigen in diesem Stück also das typische Verhalten eines Menschen unserer Zeit. Na, wie ist also dieses Verhalten des Packers Galy Gay in diesem Stück »Mann ist Mann«, dem es von seinen Mitmenschen zugemutet wird, seinen Beruf, seinen Namen, ja sogar seinen Charakter zu ändern, nur, damit er für gerade diese Mitmenschen brauchbar wird?

BRECHT Ich glaube, lieber Herr Intendant, daß das Verhalten dieses Packers (vielleicht nicht für einen wirklich modernen Menschen, wohl aber für einen Theaterliebhaber älterer Gattung) sehr überraschend ist. Dieser Zeitgenosse Galy Gay wehrt sich überraschenderweise durchaus dagegen, daß aus seinem Fall eine Tragödie gemacht wird, er gewinnt etwas durch den mechanischen Eingriff in seine seelische Substanz und meldet sich nach der Operation strahlend gesund.

WEICHERT Sehen Sie, lieber Brecht, das empfindet das Publikum, das heute vor Ihren Stücken sitzt, eben als völlig unglaubwürdig und ist so konsterniert von diesem Verhalten des Galy Gay, daß auf dem Theater jede Wirkung ausbleibt, wenn nicht sogar aus Unbefriedigtheit heraus strikte Ablehnung erfolgt, in die Praxis des Theaterleiters umgesetzt: Abonnentenflucht, Intendantenkrise, Vorwurf der falschen Auswahl der Stücke und so weiter, während das gleiche Publikum bei dem für seinen Standpunkt ebenso modernen »Besseren Herrn« Hasenclevers und dem »Fröhlichen Weinberg« Zuckmayers glatt mitgeht, weil es eben in solchen Stücken in der in der Welt des Theaters üblichen Form zugeht. Hans kriegt seine Grete. Es ist mir weiter klar, lieber Brecht, daß wir bei der Darstellung Ihrer Stücke eben auch schauspielerisch und was den Darstellungsstil anbetrifft einen ganz anderen Weg gehen müssen, wenn wir das Verhalten dieses Packers Galy Gay als selbstverständlich, typisch und zeitgemäß glaubhaft machen wollen.

BRECHT Sehr richtig, lieber Weichert. Sie ahnen also, daß unsere Stücke für Sie [und] das ganze zeitgenössische Theater ein Stilproblem darstellen, das nicht ohne Arbeit und Intuition gelöst werden kann. Diese Gewißheit des Sichumstellenmüssens haben heute leider erst wenige Theaterleiter. Die meisten führten unsere Stücke wohl auf, da sie ja neue Zufuhr brauchten und ihr Theater nicht zur bloßen Amüsierbude erniedrigen wollten, aber sie führten sie falsch auf, im alten Stil. Wenn Sie auf ein Auto mit einer alten Droschkenkutscherpeitsche einhauen, dann läuft es noch lang nicht. Zur Rettung des alten Theaters sind unsere Stücke völlig ungeeignet. Sie verlangen selber gebieterisch ein neues Theater, und sie ermöglichen es auch.

WEICHERT Also, lieber Brecht, Sie lehnen nicht nur ab, was wir augenblicklich spielen, sondern auch, wie wir spielen. Können Sie irgendwie greifbar sagen, wie Sie sich den Darstellungsstil der neuen Stücke denken?

[WEICHERT ...] Dazu brauchen wir aber auch die Unterstützung der Leute, die geistig interessiert sind, das heißt den phantasievollen Kritiker –

BRECHT – aber nicht den kulinarischen Kritiker, den auf ästhetische Reize aller Art fliegenden Genußmenschen, der nur etwas erleben will und nur seine Empfindungen bei seinen Erlebnissen schildern will, sondern den für die geistigen Kämpfe der Zeit interessierten Menschen, der wenig mit Erinnerungen belastet und mehr mit Appetiten gesegnet ist.

WEICHERT Ironische Aufforderung, das Florett zu ziehen.

April 1928, fragmentarisch

[Kölner Rundfunkgespräch]

HARDT ... Warum Soziologie?

BRECHT Lieber Herr Hardt. Wenn Sie heute in einem Theater sitzen, und es hat um 8 Uhr angefangen, so haben Sie – ob nun »Ödipus« oder »Othello« oder »Fuhrmann Henschel« oder »Trommeln in der Nacht« gespielt werden – etwa um halb 9 Uhr das Gefühl einer gewissen Bedrückung seelischer Art, aber spätestens um 9 Uhr das Gefühl: Unbedingt und sofort hinausgehen. Dieses Gefühl haben Sie nicht etwa deswegen, weil, was da gemacht wird, nicht ganz schön ist, sondern obwohl es ganz schön ist. Es ist nur nicht das Richtige. Trotzdem gehen Sie aber praktisch nicht hinaus, Sie nicht und ich nicht und niemand; und auch theoretisch ist es sehr schwer, etwas gegen dieses Theater einzuwenden, denn die ganze Ästhetik, also unsere Lehre vom Schönen, hilft uns da gar nicht. Wir können mit Hilfe der Ästhetik allein nichts gegen das bestehende Theater ausrichten. Um dieses Theater zu liquidieren, das heißt abzubauen, wegzukriegen, unter dem Preis loszuschlagen, müssen wir schon die Wissenschaft heranziehen, so wie wir auch, um allerhand anderen Aberglauben zu liquidieren, die Wissenschaft herangezogen haben. Und zwar in unserem Fall die Soziologie, das heißt die Lehre von den Beziehungen der Menschen zu den Menschen, also die Lehre vom Unschönen. Die Soziologie soll Ihnen und uns, Herr Jhering, helfen, möglichst alles, was wir an Dramatik und Theater heute haben, möglichst vollständig unter den Boden zu schaufeln.

JHERING Sie wollen also, wenn ich Sie recht verstehe, damit sagen, daß das sogenannte moderne Drama im Grunde nichts anderes sei als das alte und deshalb ebenso erledigt werden müsse. Aus welchem Grunde? Wollen Sie, daß alle Dramen, die Schicksale des Individuums behandeln, die also Privattragödien sind, abgebaut werden sollen? Das würde übrigens bedeuten, daß Sie auch Shakespeare, auf dem unsere ganze heutige Dramatik beruht, nicht mehr für gültig halten. Denn auch Shakespeare hat Dramen des Individuums geschrieben: Einzeltragödien wie »König Lear«, Schauspiele, die den Menschen geradezu in die Vereinsamung hinaustreiben, am Ende in der tragischen Isolierung zeigen. Sie würden also dem Drama jeden *ewigen Wert* abstreiten?

BRECHT Ewigen Wert! Um auch den ewigen Wert hinunterzuschaufeln, brauchen wir ebenfalls nur die Wissenschaft zu Hilfe zu rufen. Sternberg, wie ist das mit dem ewigen Wert?

STERNBERG Es gibt keine ewigen Werte in der Kunst. Das Drama, das in einem bestimmten Kulturkreis geboren ist, hat ebensowenig ewige Werte wie die Epoche, in der es geschaffen wurde, nicht ewig dauert. Den Inhalt des Dramas bilden Konflikte von Menschen untereinander, Konflikte von Menschen in ihren Beziehungen zu Institutionen. Konflikte von Menschen untereinander, das sind zum Beispiel alle die, die sich aus der Liebe eines Mannes zu einer Frau ergeben. Aber diese Konflikte sind nicht ewig, so gewiß nicht, so gewiß in jeder Kulturepoche die Beziehungen von Mann und Frau grundverschieden sind. Andere Konflikte sind die der Menschen in ihren Beziehungen zu Institutionen zum Beispiel zum Staate. Aber diese Konflikte sind wieder nicht ewig; sie sind davon abhängig, welchen Radius der Mensch als einzelner jeweils hat, welchen Radius die staatliche Gewalt. Und so sind die Beziehungen des Staates zu den Menschen und damit der Menschen untereinander wiederum in den verschiedenen Kulturepochen absolut verschieden. Sie sind anders im Altertum, dessen Wirtschaft auf der Sklaverei basierte – darum ist auch das antike Drama in diesem Punkte für uns nicht ewig –, sie sind anders in einer modernen, in einer kapitalistischen Wirtschaft, anders natürlich auch in einer kommenden Epoche, die keine Klassen, keine Klassenunterschiede mehr kennt. Von ewigen Werten sollte man daher gerade heute nicht sprechen, wo wir am Wendepunkt zweier Epochen stehen.

JHERING Könnten Sie das, was Sie hier so allgemein gesagt haben, besonders auf Shakespeare anwenden?

STERNBERG Das europäische Drama ist keinen Schritt über Shakespeare hinausgegangen. Der stand am Wendepunkt zweier Epochen. Was wir mit dem Namen Mittelalter umgreifen, wirkte sich in ihm aus, aber schon war der mittelalterliche Mensch aus seinen Bindungen herausgebrochen worden durch die Dynamik der Epoche; das Individuum war geboren worden als Individuum, als ein Nichtteilbares, Nichtvertauschbares. Und so wurde das Shakespearische Drama zum Drama des mittelalterlichen Menschen wie des Menschen, der sich immer mehr als Individuum zu entdecken begann und als solches in dramatische Situationen zu seinesgleichen wie zu übergeordneten Gewalten geriet. Es ist in diesem Zusammenhang bedeutsam, welche Stoffe sich Shakespeare für seine großen Römerdramen gewählt hat. Er hat uns kein Drama geschenkt über die großen republikanischen Zeiten Roms, in denen der einzelne Name noch nichts bedeutete, in denen der Kollektivwille schlechthin entscheidend ist, Senatus Populusque Romanus, sondern er hat die Zeiten vor und hinter dem gewählt. Die große Mythenzeit, als der einzelne sich noch der Masse entgegensetzte, im »Coriolan«, und die Zeit des sich auflösenden Reiches, das in seiner Expansion schon die Keime des Zerfalls trug (und dabei die großen Einzelnen hervorbrachte), im »Julius Cäsar« und »Antonius und Kleopatra«.

BRECHT Ja, die großen Einzelnen! Die großen Einzelnen waren der Stoff, und dieser Stoff ergab die Form dieser Dramen. Es war die sogenannte dramatische Form, und dramatisch bedeutet dabei: wild bewegt, leidenschaftlich, kontradiktorisch, dynamisch. Wie war diese dramatische Form? Was war ihr Zweck? Bei Shakespeare sehen Sie es genau. Shakespeare treibt durch vier Akte den großen Einzelnen, den Lear, den Othello, den Macbeth, aus allen seinen menschlichen Bindungen mit der Familie und mit dem Staat heraus in die Heide, in die vollständige Vereinsamung, wo er im Untergang sich groß zu zeigen hat. Dies ergibt die Form, sagen wir, eines Haferfeldtreibens. Der erste Satz der Tragödie ist nur da für den zweiten, und alle Sätze sind nur da für den letzten Satz. Die Leidenschaft ist es, die dieses Getriebe im Gang hält, und der Zweck des Getriebes ist das große individuelle Erlebnis. Spätere Zeiten werden dieses Drama ein Drama für Menschenfresser nennen und werden sagen, daß der Mensch am Anfang als Dritter Richard mit Behagen und am Ende als Fuhrmann Henschel mit Mitleid gefressen, aber immer gefressen wurde.

STERNBERG Aber Shakespeare verkörperte noch die heroische Zeit des Dramas und damit das Zeitalter des heroischen Erlebnisses. Das Heroische verging und die Erlebnissucht blieb. Je mehr wir uns dem 19. Jahrhundert und in diesem seiner zweiten Hälfte nähern, desto gleichförmiger wurde das bürgerliche Drama; der ganze Erlebniskreis des Bürgers drehte sich – im Drama! – im wesentlichen um die Beziehungen Mann – Frau, Frau – Mann. Sämtliche Möglichkeiten, die sich aus diesem Problem ergeben, sind einmal bürgerliches Drama geworden: ob die Frau zu ihrem Mann geht, zum dritten, zu beiden oder zu keinem, ob die Männer sich schießen sollen und wer wen töten soll: Der größte Teil des Dramas des 19. Jahrhunderts ist mit dieser Persiflage erledigt. Was aber geschieht nun weiter, da doch nun einmal in der Wirklichkeit das Individuum als Individuum, als Individualität, als Unteilbares, als Unvertauschbares immer mehr schwindet, da im Ausgang des kapitalistischen Zeitalters wieder das Kollektive bestimmend ist.

JHERING Da muß man eben die ganze Technik des Dramas preisgeben. Die Theaterleute und Kritiker haben unrecht, die behaupten, daß man nur bei Pariser Dramatikern in die Schule gehen müßte, nur den Dialog feilen, den Szenenaufbau verbessern, die Technik verfeinern müsse, um in Deutschland wieder zu einem Drama zu kommen. Als ob diese Art von Ibsen und den Franzosen nicht längst zu Ende geführt worden wäre, als ob es darüber hinaus überhaupt eine Entwicklung gäbe. Nein, es handelt sich nicht um Verfeinerung einer bestehenden handlichen Technik, nicht um Verbesserung, nicht um die Pariser Schule. Das ist der unbegreifliche Irrtum etwa auch von Hasenclever und seiner Komödie »Ehen werden im Himmel geschlossen«. Nein, es handelt sich um eine grundsätzlich andere Art von Drama.

BRECHT Ja, eben das epische Drama.

JHERING Ja, Brecht, Sie haben hier eine ganz bestimmte Theorie entwickelt, Ihre Theorie des epischen Dramas.

BRECHT Ja, diese Theorie vom epischen Drama ist allerdings von uns. Wir haben auch versucht, einige epische Dramen herzustellen. Ich habe »Mann ist Mann«, Bronnen hat den »Ostpolzug« und die Fleisser hat ihre Ingolstädter Dramen in epischer Technik verfaßt. Aber die Versuche, episches Drama herzustellen, sind schon viel früher dagewesen. Wann begannen sie? Sie begannen zu der Zeit, wo die Wissenschaft ihren großen Start hatte, im vorigen Jahrhundert. Die Anfänge des Naturalismus waren die Anfänge des epischen Dramas in Europa. Andere Kulturkreise, China und Indien, hatten diese fortgeschrittenere Form schon vor zweitausend Jahren. Das naturalistische Drama entstand aus dem bürgerlichen Roman der Zola und Dostojewski, der seinerseits wieder das Eindringen der Wissenschaft in Kunstbezirke anzeigte. Die Naturalisten (Ibsen, Hauptmann) suchten die neuen Stoffe der neuen Romane auf die Bühne zu bringen und fanden keine andere Form dafür als eben die dieser Romane: eine epische. Als ihnen nun sofort vorgeworfen wurde, sie seien undramatisch, ließen sie mit der Form sofort auch die Stoffe wieder fallen, und der Vorstoß kam ins Stocken, anscheinend der Vorstoß in neue Stoffgebiete, in Wirklichkeit aber der Vorstoß in die epische Form.

JHERING Sie sagen also, daß das epische Drama eine Tradition hat, von der man im allgemeinen nichts weiß. Sie behaupten, daß die ganze Entwicklung der Literatur seit fünfzig Jahren auf das epische Drama hinausläuft. Wer ist nach Ihrer Meinung der letzte Vertreter dieser Entwicklungstendenz?

BRECHT Georg Kaiser.

JHERING Das verstehe ich aber nicht ganz. Gerade Georg Kaiser scheint mir die letzte Entwicklung des individualistischen Dramas zu bedeuten, also eines Dramas, das im äußersten Gegensatz zum epischen Drama steht. Kaiser gerade ist der Dramatiker auf kürzeste Sicht. Er hat seine Themen durch Stil aufgebraucht, die Wirklichkeit durch Stil überholt. Was ist verwertbar von diesem Stil? Kaisers Stil ist eine persönliche Handschrift, ist ein privater Stil.

BRECHT Ja, Kaiser ist auch Individualist. Aber doch gibt es etwas in seiner Technik, was zu seinem Individualismus nicht paßt und was also für uns paßt. So etwas, daß man technischen Fortschritt bemerkt, wo man sonst keine Fortschritte mehr bemerkt, kommt nicht nur im Drama vor. Die Fordsche Fabrik ist, technisch betrachtet, eine bolschewistische Organisation, paßt nicht zum bürgerlichen Individuum, paßt besser zur bolschewistischen Gesellschaft. So verzichtet Kaiser für seine Technik schon auf das große shakespearische Hilfsmittel der suggestiven Wirkung, der suggestiven Wirkung, die dadurch zustande kommt, wie bei der Epilepsie, wo ein Epileptiker alle zur Epilepsie Disponierten mit in Epilepsie reißt. Kaiser wendet sich schon an die Ratio.

JHERING Ja, an die Ratio, aber mit individualistischen Inhalten und sogar in zugespitzt dramatischer Form wie in »Von Morgens bis Mitternachts«. Aber wie wollen Sie von hier den weiten Weg zum epischen Drama machen?

STERNBERG Dieser Weg von Kaiser zu Brecht ist kurz. Er ist nicht eine Weiterführung, sondern ein dialektischer Umschlag. Die Ratio, die bei Kaiser noch verwendet wurde, um die Erlebniskreise von Einzelschicksalen gegeneinander in dramatische Form zu bringen, diese Ratio wird bei Brecht bewußt dazu verwendet, das Individuum zu entthronen.

BRECHT Natürlich ist für die diskutierende Haltung das reine epische Drama mit seinen kollektivistischen Inhalten besser.

JHERING Wieso? Jetzt wird in Berlin ein aktives, also ein dramatisches Drama aufgeführt, die »Revolte im Erziehungshaus« von P. M. Lampel. Aber dieses dramatische Drama übt eine ähnliche Wirkung aus, es wird im Publikum darüber diskutiert, und nicht über ästhetische Werte, sondern über den Inhalt.

BRECHT Ach! In diesem Stück werden öffentliche Zustände in die Diskussion gezogen, nämlich die unhaltbaren mittelalterlichen Zustände in manchen Erziehungsheimen. Solche Zustände müssen natürlich – in jeder Form berichtet – Empörungen auslösen. Aber Kaiser war doch da schon viel weiter: Er hat schon eine Zeitlang in den Theatern jene ganz neue Haltung des Publikums ermöglicht, jene kühle, forschende, interessierte Haltung, nämlich die Haltung des Publikums des wissenschaftlichen Zeitalters. Bei Lampel handelt es sich natürlich nicht um ein großes transportables dramatisches Prinzip.

JHERING Sie haben nur mit dem letzten Satz recht. Im übrigen behaupten Sie plötzlich, daß das epische Drama ein ewiges Prinzip sei, und wir waren uns doch nach den Ausführungen des Herrn Sternberg darin einig, daß es kein ewiges Prinzip gäbe. Wie stellt Herr Sternberg sich jetzt zu dieser Frage?

STERNBERG Das epische Drama kann nur dann unabhängig von seinen Beziehungen zum Gegenwartsgeschehen sein und dann einige Dauer haben, wenn die zentrale Haltung, die es einnimmt, eine Vorwegnahme der Erlebnisse der zukünftigen Historie ist. So wie der Weg von Kaiser zu Brecht ein kurzer sein konnte, da sich hier ein dialektischer Umschlag vollzog, so kann das epische Drama von Dauer sein, sobald der Umschlag der ökonomischen Verhältnisse die Situation schafft, die ihm entsprechen. Das epische Drama, wie jedes Drama, ist so abhängig von der Entwicklung der Historie.

Fragmentarisch

Offener Brief an Georg Kaiser

Ach, George, warum so originell? Wußten Sie, daß einige Bessere von uns begonnen hatten, sich wieder nach Publikum umzuschauen, dachten Sie, es mache sich schicker, einsam zu starten, wußten Sie nicht, daß Sie selber unter diesen einigen Besseren sind? Haben Sie noch nie bemerkt, daß unten, über der Rampe drüben, noch ein Räumchen an die Bühne angebaut ist und daß da zuweilen etwas saß und klatschte, was auf den Namen Publikum hörte? Ach, George, Sie wissen, daß wir für Sie sind, aber bitte, George, sind Sie auch für uns und glauben Sie uns, mit Augenrollen ist es nicht getan. Wir sind jetzt etwas verstimmt über Sie, weil Sie wieder der Originellste gewesen sind und uns zu blamieren versucht haben, indem Sie taten, als seien Sie von anno dazumal und hätten die »Kolportage« aus Unkenntnis darüber geschrieben, wo Gott wohnt. Ach, George, kommen Sie doch auch mit uns nach Korsika!

[Dem fünfzigjährigen Georg Kaiser]

[Antwort auf eine Rundfrage]

Schon seit geraumer Zeit lösen Geburtstagsfeiern berühmter Leute gemischte Gefühle aus. Daß sie so fast in Verruf geraten sind, kam von der Art derer, die bei uns feierten, und derer, die bei uns gefeiert wurden. Außerdem werden sie durch die brutale Absicht der Ehrung völlig entwertet. *Dabei sollte doch jede Gelegenheit zur Sichtung unbedingt wahrgenommen werden.* Unsere ganze geistige Entwicklung hängt davon ab, ob wir imstande sein werden, uns selbst und unsere Umwelt zu Entscheidungen zu zwingen. Durch die schon krankhafte Unfähigkeit einer Gesellschaftsschicht, sich noch zu entscheiden, durch ihre harmlose Findigkeit, tausend Wege zurückzufinden, gerät der geistig Produzierende auf den trostlosen Ausweg, nur mehr seine Privatangelegenheiten zu bearbeiten. Bei der etwas grausamen Art jener Feiern, die mir nützlich schiene, muß jede Rücksicht auf den Gefeierten selbstverständlich unterdrückt werden. Ich beklage die Zehe des großen Gentleman Kaiser, auf die ich trete, wenn ich mich ihn betreffend für gefragt halte. Ich entschuldige mich

damit, daß ich eben vor allem antworten will. Gefragt nämlich, ob ich die Dramatik Georg Kaisers für entscheidend wichtig, die Situation des europäischen Theaters für durch ihn verändert halte, habe ich mit Ja zu antworten. *Ohne die Kenntnis seiner Neuerungen ist die Bemühung um ein Drama fruchtlos, sein »Stil« ist keineswegs nur »Handschrift« (also die übrigen Schreibenden nichts angehend), und vor allem muß seine durchaus kühne Grundthese, der Idealismus, unbedingt diskutiert und die Diskussion darüber zur Entscheidung geführt werden.*
24. November 1928

[Theater als geistige Angelegenheit]

Ich weiß: Ein Teil unserer jüngeren Leute wird Georg Kaisers entscheidende Leistung, seinen Idealismus, erstaunt ablehnen. Sie werden sagen, daß hier eine Generation (Klasse, Schule) jene technischen Mittel ausgebildet habe, welche die ihr folgende für ihre (anderen) Zwecke brauchen wird. Für diese (anderen) Zwecke werde jene Technik noch besser geeignet sein. Tatsächlich wurde das Theater durch Kaiser schon einem neuen Zwecke zugeführt: indem er es zu einer geistigen Angelegenheit machte, Kontrolle ermöglichte, ja sogar benützte und selbst dort, wo er vom Zuschauer noch Erlebnisse verlangt, doch schon bloßes Interesse gestattet. Das Stück »Der gerettete Alkibiades« bedeutet eine Revolutionierung des Theaters.
(Was übrigens die Entwicklung der Dramatik betrifft: die ersten Arbeiten der jüngeren Dramatik – »Vatermord«, »Trommeln in der Nacht« – bedeuteten zunächst eine Reaktion. Der war allerdings eine Marneschlacht vorausgegangen. Die jüngere Dramatik sah keine Möglichkeit, die mit solchem Elan genommenen und allzu unbedenklich vorgeschobenen Positionen mit Erfolg zu besetzen. Sie rückte erst langsam nach. Dann erfolgte etwa mit »Mann ist Mann« und »Ostpolzug« der (nur

zwei Leute) überraschende Generalangriff mit einer anderen Waffe und einem anderen Ziel.)
Von der grauenvollen Situation, in der sich der geistig Produzierende heute befindet, kann Kaiser ein Lied singen. Er begegnete auf seinem Weg einem völlig verrotteten Bürgertum, dessen Unfähigkeit, noch Entscheidungen zu treffen, schon krankhaft geworden ist. Weit schlimmer als der Zustand, in dem nur das Schlechte gefressen wird, ist der Zustand, in dem schon alles gefressen wird.

[Über Hermann Sudermann]

Ich habe allerhand über Hermann Sudermann gehört, ich kenne gar nichts von ihm. Einmal habe ich ein Theaterstück, ich glaube »Die Raschhoffs«, gesehen und kann mich heute an nicht das geringste von dem, was es enthielt, erinnern. Das ist natürlich kein Zufall. Die Werke Hermann Sudermanns, so schätzenswert sie vermutlich sind, liegen außerhalb des Vorstellungskreises, in dem wir leben.
1928

Neue Sachlichkeit

1 Situationskomik

Selbst von Wohlmeinenden sind wir oft gefragt worden, warum wir uns beharrlich mit der Rolle vergnügter Punchingbälle ältlicher Feuilletonisten begnügen. Diese Frage sah uns sofort in jene unkleidsame Schlaffheit versinken, die durch Überfülle von Gedanken erzeugt wird. Nichts ermüdet so sehr wie Mißverständnisse. Selbst das für einen Gentleman, der zu seinem Vergnügen boxt, unangenehme Gefühl, mit einem Berufsboxer antreten zu sollen, wäre für uns zu ertragen gewesen;

aber was *zu* hart ist, das ist: zu boxen, um Mißverständnisse aufzuklären. Ich schleudere, wie man sieht, gegen gewisse ältere Leute den Vorwurf, ihre Gegnerschaft sei über einige ungemein seichte Mißverständnisse nicht hinausgekommen. Diese Generation betrachtete sich als Konkurrenz statt als Abnehmer (Mißverständnis), und dann bemächtigten sie sich unserer Musterproben und aßen sie vor allem Volk auf, um zu beweisen, daß einem davon schlecht wird. Aber (Mißverständnis) sie waren von uns ausersehen, geraucht zu werden, nicht gegessen. Es waren Zigarren. Selbst überlegene Gegner, um wieder zu unserm ersten hübschen Vergleich zurückzukehren, können in Gefahr kommen, wenn sie über den Gegner lachen müssen. Sie werden unter Umständen niedergeschlagen, aber ich denke, sie halten sich nicht für besiegt, und sie treten nicht einmal ein zweites Mal an, um das Urteil zu revidieren. Von Natur kampflustig, durch bitteres Schicksal ohne Gegner, entbehrt meine Generation der Gegner.

2 Der pokerfaced man

Auf einem andern Gebiete, dem rein künstlerischen, entspricht dieser Situation jene verblüffende Undurchdringlichkeit des Publikumsgesichts. Das Theater ist erfüllt mit diesen pokerfaced men, deren Beifalls- oder Mißfallensäußerungen keinen Schluß auf sie selber zulassen. Ich bin gezwungen, meinen nächsten Satz mit einem Relativsatz zu belasten, der ein völlig unbekanntes Hauptelend unserer Situation anführt. Ich habe, wir alle haben das Publikum an Stellen applaudieren sehen, die absoluter und hoffnungsloser Unsinn waren. Es schien unmöglich, dieses Publikum nicht für Claque zu halten. Aber es war keine Claque. Es waren Stellen, wo die Schauspieler spielten, ohne den Sinn der Szene zu begreifen, aber auch ohne den Szenen einen andern Sinn zu unterschieben. Wir erklärten dies verblüfft damit, daß es im Rahmen einer von A bis Z falschen, irrtümlichen, ja böswilligen Darstellung eines Stückes für den Zuschauer eine Erleichterung bedeutet, wenn anstelle des von den Schauspielern willkürlich gewählten falschen und vor allem unerträglich banalen »Sinnes« ein absoluter, ehrlicher, kompakter Unsinn tritt, das heißt, wenn jener quälende »Sinn« überhaupt aufhört. (Diese Zustände auf der Bühne enthielten übrigens nach den etwas verlegenen Erklärungen unserer instinktiven Freunde dann den Sitz der reinen Dynamik.) Tatsächlich ist auch das Publikum unseren Stücken niemals näher als in solchen Augenblicken. Denn sobald der bourgeoise Schauspieler aufhört, den ihm durch Natur unverständlichen Sinn durch einen andern Sinn zu ersetzen, vermag der uns durch Natur nahe Teil des Publikums unseren, den eigentlichen Sinn wieder herauszuschmecken. Es genügt etwas Unordnung auf der Bühne (die moderne Regie läßt sie leider zuwenig zu), um die wirkliche Ordnung, die den Stücken innewohnt, wenigstens für das Ahnungsvermögen wiederherzustellen.

Es gab eine Zeit, wo ein kleiner Teil des Publikums zeitgenössische Theaterstücke verstehen konnte. Heute verstehen sie nicht einmal mehr die Fachleute. (Unter Fachleuten verstehe ich einige Leute, die Theaterstücke schreiben, einen, der solche inszeniert, und zwei, die diesen kritisieren.) Die Kritik, bei uns der nicht zahlende, sondern bezahlte Teil des Publikums, der schreibt, ist völlig auf sein eigenes Gemütsleben angewiesen (jeder sein eigner Seismograph) und nimmt nur zur Kenntnis, was er kennt. Da nun die neuere Produktion lediglich in den Partien in Erscheinung tritt, die den alten Typus Mensch liquidieren, ist das (bezahlende und bezahlte) Publikum natürlich die letzte Instanz, die über das Fortschreiten des Zerstörungswerkes etwas nur einigermaßen Objektives aussagen könnte. Sie befindet sich in der Situation eines Kranken, der (mehr oder weniger langsam und je weniger langsam, desto besser) aufoperiert wird, und jeder wird begreifen, daß gerade der Operierte von allen bei seiner Operation Anwesenden der letzte ist, der [...] über die Güte der Operation etwas aussagen kann, denn ein falscher Schnitt bereitet ihm zwar Schmerz, aber ein richtiger auch. Ihm bleibt also, falls er ein Bedürfnis hat, ihn zu bewundern, nur die ästhetische Seite der Angelegenheit übrig (Schärfe der Messerchen, Süßigkeit des Chloroforms, Fingerspitzengefühl des Chirurgen sowie dessen Sauberkeit). Leider befindet sich aber das Publikum immer noch in dem Wahn, es handele sich höchstens darum, ihm den Bart abzunehmen, eine einfache Operation, bei der ein richtiger Schnitt sich dadurch von einem falschen unterscheidet, daß er den Operierten verschönert. Bei der Auslöffelung eines fauligen Gehirnkastens aber ist die Beurteilung weit schwieriger, besonders eben für den Patienten selber, dessen Gehirn ja auch durch Herausnahme verfaulter Teile geschädigt wird.

3 Küpper taucht auf

Es ist eine mißliche Situation. Ich habe keine Beweismittel in den Händen, man muß mir einfach aus Sympathie glauben, daß unsere Stücke einen Sinn enthalten, weil ich meine Hand aufs Herz lege. Und man muß mir, was viel mehr verlangt ist, sogar glauben, daß sie nicht den Sinn enthalten, den man – bis auf gelegentliche, ganz unsinnige Stellen, die aber schön sind – im Theater wahrnehmen kann. Und nun tritt Küpper hervor. Er bildet sozusagen die Überraschung sowohl des ersten wie des zweiten Absatzes dieser kleinen Skizze. Ich stelle zunächst fest, daß Küpper meines Wissens der Öffentlichkeit ganz unbekannt ist. Das darf nichts schaden, denn Gegner sind, wie mein erster Absatz überzeugend dargetan hat, dünn gesät und äußerst erwünscht. Und dieser Mann Küpper ist ein Gegner, das muß genügen. Ich betone aber auch, daß Küpper sogar mir ziemlich unbekannt ist, denn ich habe nur ein Stück von ihm gelesen und nur seine fürchterlichen Verwünschungen gehört, die er gegen jene ausstößt, die [es] außerdem gelesen haben.

Es führt zu nichts, wenn wir uns mit alten Leuten herumschlagen, um festzustellen, was jung ist. Es ist natürlich nur deswegen wichtig, jung zu sein, weil es ein Vorteil ist. Es darf nicht als Ruhm gelten. Übrigens sind wir nicht bereit, von uns zu schweigen. Wir sind bereit, von uns zu reden. Was also mein Stück »Dickicht« betrifft, so konnte über seine Neuheit nicht nur deswegen wenig in Erfahrung gebracht werden, weil diese Aufführung (von einem zweifellos neuen Regisseur geleitet) nicht besonders neu war. Es fanden sich genug Leute, die klatschten, und genug Leute, die dies einen Tag später weglogen, und beide Teile beriefen sich darauf, daß der andere Teil klatschte oder log, weil das Stück neu sei. Dagegen gab es Gott sei Dank junge Leute genug, die dagegen opponierten, und auf diese kommt es an. Ich denke, daß Küpper darunter ist, genauer gesagt, ich hoffe es. Ich nehme an, er wird hauptsächlich sagen, daß mein Stück uralt sei, und da ich im gleichen Moment über sein Stück reden werde, wird das Wort »uralt« wie aus einem Munde erschallen. Aber worin wir einig sind, das ist in der Forderung, daß die Frage vor Gericht gebracht werden und der Verurteilte im Kerker enden muß. Das ist aber eine zweifellos neue Idee. Sie dokumentiert sich in dem berühmten Affenprozeß zu Dayton, welcher eine große Etappe des Fortschritts genannt werden muß auf den Bolschewismus zu, weil in ihm ein Volk eine starke, gesunde Reaktion auf eine Idee zeigte und sogleich das naive Vertrauen auf seine Gerichtshöfe. Daß ein Volk einen Streitfall zwischen Religion und Wissenschaft durch einen Kriminalgerichtshof entscheiden läßt, ist ein klarer Erfolg des bolschewistischen Atheismus. Was nun den Kampf ums Theater betrifft, der (auf einer kleinen Vorstadtwiese, denn das bürgerliche Theater zu betreten, ist uns beiden untersagt) zwischen Küpper und mir tobt, so ist dies tatsächlich der eigentliche Kampf, und er kann nicht durch ästhetische Erörterungen entschieden werden, da er der Kampf der Ideen ist (nicht einer der Gewohnheiten), obwohl ich zugeben muß, daß ich den Wert der Ideen hauptsächlich ästhetisch beurteile, was übrigens der Grund des Kampfes sein dürfte. Küpper nämlich geht es um die Sache, er ist kollektivistisch eingestellt; und was immer daraus für Unheil kommen mag, wer immer sich als Besitzer dieser Bezeichnung melden mag, ich behaupte jetzt einfach, um weiter zu kommen, Küpper sei für neue Sachlichkeit. Ich aber bin gegen sie.

4 Die neue Sachlichkeit

Wir dürfen keinen Augenblick außer acht lassen, Küpper, daß wir von der herrschenden bürgerlichen Welt durch eine Welt getrennt sind. Daß ich dort erschien und erscheine, kommt von einigen Mißverständnissen und weil ich geldgierig bin. Niemals aber werde ich Sie in dieser Sache verraten. Ich muß Sie bitten, mir ohne weitere Sentimentalitäten zuzubilligen, daß ich natürlich nicht für jene entsetzliche hilflose Unsachlichkeit bin, die das gegenwärtige bürgerliche Theater allein am Leben erhält. Über dieser Leute Unsachlichkeit lache ich, aber über Ihre Sachlichkeit bin ich erbittert. Ich nehme an, daß sie kommen wird, in der Malerei ist sie schon da. Auf dem Theater muß sie kommen. Die Theater können viel zuwenig, als daß sie noch lang etwas anderes machen könnten als etwas rein Sachliches. Die Sachlichkeit wird kommen, und es wird gut sein, wenn sie kommt – ich wünsche es bei Lenin –, vorher kann man gar nichts weiter unternehmen; aber dieser unvermeidliche und absolut nötige Fortschritt wird eine reaktionäre Angelegenheit sein, das ist es, was ich behaupten möchte: Die neue Sachlichkeit ist reaktionär.

Provisorisches für Fachleute

Obwohl das Theater meine besondere Passion ist, sehe ich doch ein, daß man in einem Land mit *solcher* Justiz, *solchem* Schulwesen und *solcher* Politik nicht gerade dem Theater übelnehmen muß, wenn es miserabel ist. Was aber allmählich ärgerlich wirkt, ist das Wesen, das aus dem Theater gemacht wird. Es ist rein komisch, wenn die Inhaber völlig verrotteter Unternehmungen, die sich nur mehr durch die Menge ihrer Gläubiger halten. Es ist komisch, wenn die Leiter der Theater etwa sich als Kulturträger, Pfadfinder und Bahnbrecher etablieren. Das Theater wäre heute vielleicht imstande, mit seinen besten Schauspielern unter bester Regie des besten Stückes (von Shakespeare) ein kleines Kino in der Münzstraße wirklich geistig zu rechtfertigen. In den großen Palästen muß es versagen: Es füllt sie einfach nicht, und allen Anforderungen eines Volkes von Oberlehrern gegenüber, die Besseres gewohnt sind, kann es nur still resignieren.

»Junge Bühne«

1 Sozialrevolutionäre

Diese Leute, mit einer sehr kümmerlichen Phantasie ausgestattet, fürchten die Presse und sonst nichts auf der Welt. Wen auch sollten sie zu fürchten haben außer denen, an die sie sich wenden? Das Publikum macht zwar immerfort Skandal, und die Veranstalter (mich eingerechnet) pflegen nach den Aufführungen bei einem größeren Skandal das große Menu und nach kleinerem das kleine im Restaurant zu bestellen. Dies, ob das große oder das kleine Menu bestellt wird, ist der einzige Anhaltspunkt dafür, ob es ein Erfolg war oder nicht. Die Zeitungen tags darauf vermögen Mutmaßungen in dieser Richtung nicht zu verstärken. Aber hier verschafft einzig ein Mißverständnis eines Mißverständnisses Herrn Breitensträters Schwiegervater größere Einnahmen. Denn wo dieser Skandal nicht davon kommt, daß die Aufführung so schlampig und mißverständlich ist, daß die scheue Bewunderung der bürgerlichen Feuilletonisten für den unerschrockenen und kühnen

Veranstalter stürmische Zustimmung verdient, da kommt er davon, daß einfach ein Teil des Publikums dagegen protestiert, daß ein anderer Teil alle Leute, die hier nicht begeistert sind, für reaktionär hält. Ich habe schon erwähnt, daß die einzige Furcht, die diese kühnen Bahnbrecher kennen, die vor der Presse ist. Hier ist der einzige Punkt, wo sie zu fassen sind. Als ich gelegentlich so leichtsinnig war, ihnen, ohne Sicherheitsmaßregeln zu ergreifen, ein gutes Stück eines unbekannten Autors zu verschaffen, sah ich keine andere Möglichkeit, einige unbedingt nötige Verbesserungen zu erzwingen, die der Autor kategorisch verlangte, als die, den Leuten zu drohen, ich würde über ihre Schlampigkeit und Gleichgültigkeit gegen den Autor der Presse Mitteilung machen. Dies allein konnte sie bewegen, ihre »künstlerische Auffassung« fallenzulassen.
(Ich bereue es nicht, mit diesen Leuten gearbeitet zu haben – als ich »Baal« inszenierte und »Fegefeuer« hinbrachte –, ich tat damit, was alle tun, die zuviel Selbstbewußtsein haben, was den Kampf mit der Reaktion betrifft, indem sie glauben, sie könnten durch Hineingehen etwas erreichen; ich bereue es nicht, weil ich nur dadurch sehen konnte, was Sie alle nicht sehen können.)
Wie alle Bourgeois fühlten natürlich auch sie den Zwang, kühn sein zu müssen, und sie verschafften sich diese Ansicht über sich selber wie alle Bourgeois ohne Risiko. Sie ließen sich von den Linkszeitungen (literarisch gemeint) ihre Kühnheit versichern, die darin bestand, daß sie es wagten, Stücke zu bringen, die der Rechtspresse zuwider sind. Der Gipfel der Komik war, daß die Rechtspresse damit völlig übereinstimmte und sie ebenfalls aus diesem Grunde für kühn erklärte. »Irgendwie« wurde der Veranstalter unentbehrlich.
Bei allseitig sehr entwickeltem Schamgefühl wäre Theater unmöglich. Es ist eine Eigentümlichkeit des Theaters, daß die ausübenden Künstler (bei uns also hauptsächlich die Presse, in zweiter Linie die Schauspieler) vor allem andern unbedingt

Theater brauchen. (Es läßt sich jeder Schmarren spielen, und es läßt sich über jeden Schmarren etwas Kluges oder Farbiges sagen.) Diesen atavistischen Trieb haben sogar die Dramatiker, die ja im Grund am wenigsten mit dem Theater zu tun haben. Ich gebe offen zu, daß ich selbst eine miserable Aufführung eines meiner Stücke lieber sehe als gar keine. Eine solche Aufführung bereitet mir Schmerz, aber ich vergesse ihn. Meine Depression setzt am stärksten ein, wenn ich anderer Stücke sehe. Dann ermesse ich, wie groß die Depression des Publikums sein muß. Auch in meiner Brust wohnt Mitleid. Aber ich bin es nicht, der schuld ist. Ich weiß, daß das Publikum und ich gleichzeitig gewurzt werden, und jetzt meine ich das ganze Publikum, diese ganze verschmockte, hilflose, denkfaule Masse, die in einem merkwürdigen, ganz perversen Bildungsdrang und einem weniger merkwürdigen Klatschbedürfnis hierher floß, die, einer anderen untergehenden Klasse angehörend, niemals etwas mit unseren Dingen wird anfangen können (und die mir doch noch lieber ist als jene Hauptmitwirkenden, die Presseleute, jenes gewerbsmäßige Publikum) und die nicht solches erleiden müßte, denn das Theater könnte auf jeden Fall angenehm sein.

2 Die Liquidierung der »Jungen Bühne«

Die Liquidierung der »Jungen Bühne« wurde eine Zeitlang hinausgezögert durch die Bedenken einiger Freunde der neuen Dramatik, es würde sich angesichts des unaufhaltsamen Niedergangs der stehenden Theater überhaupt niemand mehr finden, der neue Dramenwerke vor das Publikum bringen wollte. Obwohl diese Bedenken berechtigt sind, können sie nicht weiter beachtet werden, da der Schaden, der durch falsche Aufführungen neuer Dramen entsteht, den Schaden auf die Dauer überwiegen muß, der durch Nichtaufführung entstehen kann. Dieser letztere Schaden muß in Kauf genommen werden, ist aber nicht zu verschweigen.

Der Weg zum zeitgenössischen Theater 165

Die Mission der »Jungen Bühne« bestand darin, unter Verzicht auf eine Revolutionierung des bestehenden Theaters die neue Produktion in den Brennpunkt des Interesses zu stoßen. Sie war bewußt nicht ein theatralisches, sondern ein literarisches Unternehmen. Nachdem jetzt diese Mission so weit erfüllt ist, als sie ohne Revolutionierung des Theaters zu erfüllen war, wird jetzt ihre Idee weitergeführt, indem sie wieder der Produktion wegen nunmehr liquidiert wird. Es lag nicht im Bereich ihrer Mission, die Produktion bis zu dem Punkt zu betreuen, wo diese anfangen muß, schon aus Selbsterhaltungstrieb das Theater zu revolutionieren. Sie durfte nicht zum Selbstzweck werden, an einem Punkt, wo sie den Vormarsch der Produktion auf ihr Publikum zu nurmehr aufgehalten haben würde. Heute ist der Produktion mit keiner noch so guten Theateraufführung mehr geholfen, die nicht die unmittelbare Revolutionierung des herrschenden Theaterstils zum Hauptzweck hat.

Es erhebt sich die Frage, ob die »Junge Bühne« nicht auch dann beibehalten werden kann, wenn sie die dringende Hauptaufgabe der neuen Dramatik, die vollständige Umänderung des Theaters und die Kreierung eines neuen, auch für ältere Dramen mit Materialwert nötigen Theaterstils nicht mehr übernehmen kann, etwa zur weiteren Zurschaustellung unbekannter Dramen. Dies ist aber nicht möglich.

Die Gründe hierfür sind: Die Bestände der neuen Dramatik sind nicht unbegrenzt. Das Herausstellen neuer Werke ist nicht ein vorläufiger, bei günstigerer Gelegenheit wiedergutzumachender Notbehelf. Es ist kein Zufall, daß kein einziges der von der »Jungen Bühne« unter Benutzung alter Theaterstile herausgeworfenen Dramen auf einer stehenden Bühne noch einmal festen Fuß fassen konnte.

Die Theater handelten darin folgerichtig: Sie erkannten an, daß die »Junge Bühne« bis an die Grenze der Leistungsfähigkeit des zeitgenössischen Theaters ging, wenn sie die neuen Stücke mit ausgewählten Schauspielern spielte. Wirkten die neuen Stücke, so gespielt, nicht derartig, daß eine Nachfrage entstand, die die Übernahme dieser Stücke in den Spielplan ermöglichte, so konnten sie überhaupt nicht wirken. So brachte die »Junge Bühne« tatsächlich nur den Beweis, daß die Stücke nicht spielbar sind. Würde sie heute sagen, sie habe dies nicht gewollt, so bewiese das, da es glaubhaft ist, nur, daß ihr wirkliches Resultat eben anders war, als sie erwartet hatte. Dies Ins-Blaue-Hineinarbeiten und woanders zu landen, als man wollte, ist das Schicksal vieler Unternehmungen, die im Grunde nichts (Bestimmtes) wollen und nur von dem allgemeinen Vereinsmeierimpuls geleitet, ins Leben gerufen sind, es müsse »etwas« geschehen.

Es wurde dies übrigens auch äußerlich sichtbar in der Bereitwilligkeit der ältesten und zynischsten Geschäftstheater der Herren Klein und Saltenburg, der »Jungen Bühne« in ihren Häusern Unterschlupf zu gewähren. Sie entledigten sich dadurch einer Verpflichtung, die ihnen allerdings nur diejenigen auferlegten, die sie von Anfang an zu ernst nahmen. So wurden die Programme der »Jungen Bühne« zu Ablaßzetteln für das bourgeoise Theater, und die »Junge Bühne« selber wurde der Herbertspfennig. Es war äußerlich de facto so, daß die Theater (als deren der Literatur gewidmetes Teilunternehmen, für das sie jede geistige Verantwortung und finanzielles Risiko ablehnten, [...] die »Junge Bühne« betrachtet werden muß) auf diese Weise die Tantiemen [...] und die Probenkosten sparten, was keineswegs ein zur Verewigung zu empfehlender Zustand sein kann.

So wurde der Impuls der Schauspieler, die sich der »Jungen Bühne« zur Verfügung stellten, da sie glaubten, dort der neuen Produktion dienen zu können, im Grunde nur mißbraucht. Ihre Tätigkeit war nicht nur für diese Produktion schädlich, sondern, was schlimmer ist, für sie selber. Eine ganze Generation der besten Schauspieler ist heute für die neue Produktion beinahe unbrauchbar geworden, da sie ihr nicht mehr naiv gegenübersteht. Ein Schauspieler, der einen neuen Text einmal falsch gespielt hat, hat zumindest die »Chance der Wiedergeburt« verpaßt. Er ist um den produktiven Impuls, der aus der Berührung mit neuen Dingen gewonnen werden kann, betrogen worden.

Die Zeit hat sich gegen die »Junge Bühne« entschieden. Die neue Produktion ist gezwungen, die »Junge Bühne« zu liquidieren. Die Existenzberechtigung der neuen Dramatik wird bewiesen oder wird widerlegt einzig und allein durch die Kraft und Konsequenz ihrer Opposition zu dem verfaulenden Theater ihrer Zeit. In ihrem Kampf mit dem Theater kann sie sich keinerlei Sentimentalität leisten. Sie muß alle Vermittler auf den ihnen zukommenden Platz zurückzwingen. Sie darf sie nur so weit benützen, als sie nützlich sind, und muß sie ohne Rücksicht auf die Zukunft einzelner Personen beseitigen, wenn sie schädlich geworden sind. (Wer in einem Kampf nichts mehr nützt, wird schon schädlich.) Es ist kein Beweis von Schwäche, wenn die neue Produktion zugibt, es sich nicht leisten zu können, in der Nähe einer reaktionären Institution gesehen zu werden.
In diesem Augenblick würde jedermann, sei er Regisseur, Schauspieler oder Dramatiker, der die »Junge Bühne«, die ein Privatunternehmen geworden ist, unterstützt, damit dokumentieren, daß er mit der alten Form des Theaters einverstanden, auf eine neue nicht angewiesen und also in einer neuen nicht denkbar ist.

3 Es wäre falsch, irgend etwas gegen die
»Junge Bühne« zu unternehmen

Heute ist etwas immer schon dann falsch, wenn es unnötig ist. Es genügt ihr gegenüber durchaus schon, recht zu haben. Ich meine: Ihre Liquidierung darf kein Akt sein. Sie muß von selber erfolgen. Es wäre auch keineswegs so leicht, sie gewaltsam zu liquidieren, wie es aussieht. Man nähme vielleicht an, sie sei ein Unternehmen, das nur auf Gemeinnützigkeit erbaut sei, und es genüge also, allen Leuten zu beweisen, sie sei nicht gemeinnützig. Man nähme an, unbezahlte Arbeit würde nicht mehr geleistet werden, wenn es den Arbeitenden bewiesen werden könnte, ihre Arbeit habe nicht nur keinen Geldeswert, sondern auch sonst keinen. Es wäre eine unrichtige Annahme. In diesem Unternehmen sind Künstler an der Arbeit. Selbst wenn man es für Verkommenheit hielte, wenn ein Künstler ein Kunstwerk kaputtmachte, indem er irgendein Kunststück damit ausführt, würde man diese geistige Verantwortungslosigkeit gerade bei einem Künstler nicht bestrafen können. Praktisch: Wenn man keinen Regisseur mehr findet, der willens wäre, die Verantwortung für eine Regie zu übernehmen, die das Stück ruinieren muß, so nimmt man einen Schauspieler, der froh ist, Regie führen zu können. Ein Schauspieler vollends ist eventuell vom Mittagessen abzuhalten, aber nie vom Theaterspielen. Und dann die unbeherrschte Begierde aller Zeitungsausschnittsammler, etwas zu propagieren, was bekämpft wird, und sei es auch, wenn dieses Propagieren vom Propagierten selber bekämpft würde!

[Soll das Drama eine Tendenz haben?]

[Antwort auf eine Rundfrage]

Es ist möglich, daß es nicht soll, aber es ist sicher, daß es hat. Jedes Drama, das nicht nur die Tendenz hat, Geld zu machen, hat irgendeine andere Tendenz. Was das bisherige »Drama« anlangt, so kann es auch durch eine Tendenz nicht vor der ewigen Verdammnis errettet werden. Das jetzige steht in wirklichster Bedeutung außer Diskussion, und vom zukünftigen ist bisher vielleicht nur die Tendenz vorhanden.
November 1928

Über eine neue Dramatik

Im Begriff, Ihrer Bitte folgend etwas über eine neue Dramatik niederzuschreiben, sehe ich schon nach einem kurzen Blick auf meinen Stoff mit Schrecken, auf was für ein häßliches Vokabular ich wieder angewiesen sein werde. Dieser Verzicht auf Charme ist aber nötig, da das Thema »Neue Dramatik« ohne Einbeziehung politischer Begriffe, also in einem rein ästhetischen Vokabular, gar nicht behandelt werden könnte. Beweis dafür: der deutliche Zusammenbruch der heutigen ästhetisch eingestellten Kritik bei der Behandlung dessen, was von neuer Dramatik bereits da ist.

Diese Art von Kritik gerät, auch wo sie aus Instinkt die neue Dramatik fördert, sofort in Schwierigkeiten, wenn es gilt, sie auch nur ihrem Stoff nach zu erklären; wo sie sie ebenso aus Instinkt ablehnt, ist sie gezwungen, diese Werke einfach als unverständlich und deren Verfasser einfach als Dummköpfe oder Schwächlinge hinzustellen. Im besten Fall erklärten diese Leute das Zustandekommen der neuen Dramen durch gewisse unkontrollierte und unkontrollierbare Gefühlsbewegungen in jungen Menschen. Ebenso wie ein gewisser damit beauftragter Teil der schreibenden Bourgeoisie, die doch geradezu unheimlich klaren Ansichten des Proletariats und seiner Führer für den Ausfluß reiner Gemütsbewegungen hält.

Man muß sich klarmachen, wie der Kurs des deutschen Dramas während der letzten Generation aussieht. Gegen Ende des 19. Jahrhunderts gab es die letzte größere Welle. Infiziert von dem großen bürgerlich-zivilisatorischen französischen Roman, infizierten einige Dramatiker das Theater mit Naturalismus. Rein von der Politik her waren völlig neue Stoffe in Sicht gekommen. Man half sich mit Photographie. Da man vermittels der Photographie keine plastischen Wirkungen erzielte, half man sich mit Psychologie. Die kleinwüchsigen Figuren bekamen ein ungewöhnlich reizvolles Innenleben. Diese Bewegung, die mit Dichtung nur insoweit etwas zu tun hatte, als die betreffenden Werke von dichterisch begabten Leuten geschrieben wurden, brachte keine bedeutenden Werke hervor, machte dem Theater keine neuen Stoffe urbar und versackte nach einigen Versuchen völlig: Ihre Intuitoren selber widerriefen ihre Maximen und verbrachten den Rest ihres Lebens damit, ihre Ästhetik in Ordnung zu bringen. In unseren Tagen sieht man nunmehr das Theater selbst eine Initiative ähnlicher Art ergreifen: Wieder versucht man, also diesmal vom Theater her, »an die Stoffe heranzukommen«, und wieder photographiert man (diesmal vom Theater her), und es wird wieder mit Kunst nur insoweit etwas zu tun haben, als darin künstlerisch begabte Leute arbeiten.

Die Wahrheit ist: die alte Dramenform ist kaputtgegangen. Es hat wenig Sinn, Untersuchungen darüber anzustellen, woran, da doch niemand sich bereitfindet, sie jemals wieder zu benützen. Ein für allemal und selbst dann, wenn dadurch eine ganze Generation »erfahrener« Kritiker vor die Notwendigkeit gestellt wird, ein neues Abc zu lernen: die alte Dramenform ist tot, und jeder Versuch einer Erneuerung ist korrupt und wird vereitelt werden. Alle jene jüngeren Leute, die sie immer noch benutzen, müssen ruiniert werden, auch da, wo sie die Theater für sich haben, weil sie deren faulem und unerzogenem Publikum Futter reichen; sie müssen ruiniert werden durch geistigen Boykott, und zwar nicht deshalb, weil ihre Stücke ästhetisch schlecht sind, sondern weil durch ihre Stücke, vielleicht erstmalig in der Geschichte oder auch nicht erstmalig, die alten und korrupten Vorstellungen verewigt werden, die zu beseitigen nicht nur Sache der Genies, sondern auch der einfach nur anständigen Leute ist. (Für harthörige Leute sei ausdrücklich hinzugefügt, daß mit dieser Terrorisierung keineswegs alle jene Stücke bedroht werden sollen, in denen nicht direkt auf die politische Weltrevolution hingearbeitet wird – dies ist nicht nötig –, denn so wird es vielleicht klar, daß auch jene Stücke verschwinden müssen, in denen auf die Weltrevolution hingearbeitet, aber alte Vorstellungen, die ja gerade diese Revolution nötig machen, immer noch enthalten sind.)

Die Kampffront der neuen Dramatik richtet sich im Moment dennoch beinahe weniger gegen die alte Dramatik, die ja lediglich preisgegeben werden muß, als vielmehr gegen das bestehende Theater, worunter tatsächlich die wirklichen Institute zu verstehen sind, ob sie nun von Staatsgeldern leben oder private Handelsunternehmungen sind. Dies ist nicht sofort verständlich. Um es zu verstehen, ist es nötig, etwa die Haltung der Presse zu studieren. Wem ist es aufgefallen, daß es für die Theaterkritik dieser Zeit niemals auch nur eine Minute lang die Möglichkeit gab, die Dramatik getrennt vom Theater (den wirklichen Instituten und so weiter) zu sehen. Von allem Anfang an untersuchten sie diese Dramatik, *gleichsam als wären sie bloße Agenten der Theater*, nur daraufhin, ob sie für die bestehenden Theater, gerade für diese unsäglich von Lastern beschmutzten und schon von allem Anfang an in den unaufhaltsamen geistigen Untergang der herrschenden Klasse hereingezogenen Handelshäuser, eine neue Stützung bedeuteten oder nicht. Jedes Stück, das diesem Theater eine Chance gab, war unerwünscht, und von jedem Stück wurde nur dies hervorgehoben. Systematisch wird heute noch in jedem Zeitungsartikel, der mit Theater zu tun hat, eine Generation neuer Leute angeführt oder beschworen oder durch Drohungen gefügig gemacht, diese alten, von dreckigsten Vorstellungen besudelten Amüsierkästen ernst zu nehmen.

Man kann, auch wenn man ganze Packen von Rezensionen durchsucht, nirgends darin dem Verdacht Ausdruck gegeben finden, irgendwelche neuere Theaterstücke könnten von den Theatern falsch aufgeführt worden sein, das heißt also einem andern Zweck dienstbar gemacht, als den sie angestrebt hatten (und vielleicht erfüllt hätten). Diesen interessanten Umstand kann man sich nur so erklären, daß Presse und Theater als zwei große Industrien, das heißt also: als Besitzerinnen von Produktionsmitteln den Produzenten gegenüber Schulter an

Schulter arbeiten und lediglich und immer noch weniger seine Verwertung als die ihrer Produktionsmittel im Auge haben müssen. Selbst einem Mann, der an diesen beiden Industrien weder finanziell noch ideell beteiligt ist, muß es schwerfallen, den Verdacht zu konzipieren, die Theater könnten die neuere Dramatik völlig falsch aufführen, weil hier ein merkwürdiger Umstand mitwirkt, den man hier nicht sogleich mit diesen Dingen in Verbindung bringt: *Auch die neueren Stücke wirken auf dem Theater*. Dargestellt in alter Weise und zu altem Zweck wirken sie. In Ermangelung eines neuen und dieser Zeit gemäßen Theaterstils haben die Theater die Möglichkeit gefunden, überhaupt alles aufzuführen. In allen möglichen Stilarten, aber in sorgfältiger Herausarbeitung aktueller Effekte. Man kann Äschylus, Kalidasa, Molière und so weiter und man kann also auch Stücke der neuen Dramatik in durchaus effektvoller Weise »herauskitzeln«.

Selbstverständlich liegt es nicht in der Macht einzelner, wenn auch noch so begabter Theaterleiter und Regisseure, hier eine wirkliche Umwandlung zustande zu bringen, da diese Leute keineswegs die Gründe des katastrophalen Niedergangs sind, der sich keineswegs nur im Theater, ja nicht einmal dort am stärksten zeigt. Es steht nicht im Belieben der Herren Rockefeller und Ford, die Verheerung aller geistigen Gebiete durch den Kapitalismus abzuwenden. Es ist fraglich, ob sie sich selber ändern können. Aber es ist sicher, daß sie den Kapitalismus nicht ändern können. Die Standard Oil konnte durch Herrn Rockefeller aufgebaut werden, aber sie kann durch ihn nicht zu einem gemeinnützigen Unternehmen umgebaut werden, ohne daß sie ruiniert wird, das heißt also: Sie kann *nicht* umgebaut werden. Der Schrei nach einem neuen Theater ist der Schrei nach einer neuen Gesellschaftsordnung. Was die besten unter den heutigen Theaterleitern tun können, ist, sich immer wieder zu bemühen, *Ausnahmen* zu konstruieren, das heißt *ausnahmsweise* auf dem Theater geistige Betätigung zu ermöglichen.

Was diese Dinge mit einer neuen Dramatik zu tun haben, wird der fragen, der sich eine neue Dramatik vorstellen kann ohne einen neuen Theaterstil oder der glaubt, daß die Durchsetzung eines neuen Theaterstiles (also nicht irgendeiner in Reichweite liegenden Nuancierung des alten) durch die Dramatik allein ermöglicht werden könnte. Jedoch ist die Untersuchung dieser Dinge und Zusammenhänge schon deswegen nötig, damit wenigstens niemand glaubt, er habe schon etwas von neuer Dramatik gesehen (wenn er neue Dramen auf dem Theater aufgeführt sah).

Da es nun keinen Zweck hat, ins Leere hinein Lehrsätze für eine Dramatik aufzustellen, die aus obigen Gründen kaum sichtbar gemacht werden kann, beschränke ich mich darauf, andeutungsweise anzugeben, was durch die alte Form des Dramas nicht mehr erfaßt werden kann, was aber ein neues Theater, gleichgültig ob es dadurch vielleicht einen ganz anderen Zweck erfüllen würde oder nicht, leisten können müßte.

Die alte Form des Dramas ermöglicht es nicht, die Welt so darzustellen, wie wir sie heute sehen.

Der für uns typische Ablauf eines Menschenschicksals kann in der jetzigen dramatischen Form nicht gezeigt werden.

Da ich für den Moment, wo Sie dies lesen, im Jahre 1928 lebe und nicht in einem Zeitraum zwischen 1600 und 2000, muß ich mich hier wieder jenes häßlichen Vokabulars bedienen, das nicht das Ihre, aber auch nicht nur das meine ist: Das Schicksal der Rose Bernd, der Weber und so weiter kann nicht mehr als tragisch empfunden und also auch nicht als tragisch vorgegeben werden in einer Zeit, welche diese Katastrophen schon auf einen bloßen Mangel der Zivilisation zurückführt, den zu beheben sie schon höchst praktische Vorschläge ausgearbeitet hat. Wie weit die Verwüstung, die durch solche Stücke entsteht oder durch die solche Stücke entstehen, vorgeschritten ist,

beweist etwa die in einigen heute lebende Vorstellung, die Menschheit sei auf dem besten Wege, durch bloße zivilisatorische Maßnahmen das Tragische überhaupt aus der Welt zu schaffen. *Welche* Tragik? Die der Rose Bernd? Sicherlich.
Die Form solcher Dramen ist die der Anekdote.
Die Form der Anekdote scheint nun immer da benützbar, wo eine wirkliche Übereinstimmung zwischen dem Erzähler und dem Zuhörer und auch, wenn es mehrere sind, zwischen den Zuhörern besteht. Dann beleuchtet die Anekdote, wie es sehr schön heißt, blitzartig eine Situation (die dann eben allen bekannt vorkommt). Ich denke mir, daß im französischen Drama eine solche Übereinstimmung bestand, da es auf einer Gesellschaft mit zwingenden und anerkannten Konventionen aufgebaut war. Ich weiß nicht, ob sie im elisabethanischen England bestand, aber dort gab es jene großen Leidenschaften, die alle Unstimmigkeiten überbrückt hätten, die von allen verstanden wurden, selbst da oder gerade da, wo sie alle Konventionen sprengten. Die Shakespearischen Anekdoten erhielten ihre Totalität durch die Leidenschaft.

Da wir ein atheistisches Theater haben, sind wir auf die Darstellung der menschlichen Beziehungen angewiesen. Diese Beziehungen sind heute nicht mehr darstellbar aus folgenden Gründen ... (Politisierung der Beziehungen und so weiter.)

Wir legten uns die Fragen vor, warum die großen Stoffkomplexe heute vom Theater nicht mehr erfaßt werden können.
Fehlt das Genie?
Die bürgerliche Ästhetik wählt diese Antwort.
Die Kämpfe um den Weizen und so weiter sind nicht auf unseren Bühnen zu finden.

Im nachfolgenden soll das Problem des Theaters einer Betrachtungsweise unterzogen werden, die nicht üblich ist: der soziologischen. Eine Lektüre dieses Traktates kann den Kritikern des heutigen Theaters weder Erleuchtung noch Information bringen. Jedoch wäre es ein wünschbares Nebenprodukt, wenn ihnen und allen anderen bourgeoisen Elementen (das heißt, allen von der ästhetischen Seite her kommenden) wenigstens die Hoffnung entzogen würde, jemals das Theater zu erleben, das sie erwarten, das ihnen etwas Neues bringen und das sie doch verstehen könnten. Dieses Theater wird nicht mehr kommen.

Die Forderung einiger Ästheten (unter denen sogenannte Kommunisten übrigens die aktive Mehrheit bilden), alte Stücke überhaupt nicht mehr aufzuführen, ist eine bürgerliche Fluchtidee. Die alten Stücke müssen ihrem Materialwert nach im Stile der neuen Produktion, nicht aber zur Vorführung irgendeiner Tendenz vom neuen Theater verwertet werden.

Die Requirierung des Theaters für Zwecke des Klassenkampfes bietet eine Gefahr für die wirkliche Revolutionierung des Theaters. Es ist kein Zufall, daß diese Requirierung nicht von der Produktion, sondern von der Aufmachung (Regie) her erfolgte. Diese künstlerische Mittel usurpierenden Klassenkämpfer mußten von Anfang an zu neuen Mitteln (Jazz und Film) greifen und konnten zu keiner Revolutionierung des Theaters selbst vordringen. Die politisch verdienstvolle Übertragung revolutionären Geistes durch Bühneneffekte, die lediglich eine aktive Atmosphäre schaffen, kann das Theater nicht revolutionieren und ist etwas Provisorisches, das nicht weitergeführt, sondern nur durch eine wirklich revolutionierte Theaterkunst abgelöst werden kann. Dieses Theater ist ein im Grund antirevolutionäres, weil passives, reproduzierendes. Es ist angewiesen auf die pure Reproduktion schon vorhandener, also herrschender Typen, in unserem Sinne also bürgerlicher Typen, und muß auf die politische Revolution warten, um die Vorbilder zu bekommen. Es ist die letzte Form des bürgerlich-naturalistischen Theaters. Seine Regisseure werden ihren

Schauspielern lediglich eine gewisse, nicht weiter verpflichtende »Natürlichkeit« anempfehlen. [...]

1928, fragmentarisch

Gespräch über Klassiker

BRECHT Lieber Herr Jhering, als ich vor kurzem Ihre Broschüre über die Klassiker »Reinhardt, Jessner, Piscator oder Klassikertod?« in die Hand nahm, dachte ich zuerst, es werde wohl eine Attacke gegen die Klassiker sein, und das ist es wohl auch, was unsere Zuhörer jetzt von uns erwarten werden, eine Attacke, eine Art Klassikermord. Aber als ich Ihre Broschüre dann las, sah ich, daß Sie nicht morden, sondern lediglich feststellten, daß die Klassiker schon gestorben sind. Wenn sie nun gestorben sind, wann sind sie gestorben? Die Wahrheit ist: sie sind im Krieg gestorben. Sie gehören unter unsere Kriegsopfer. Wenn es wahr ist, daß Soldaten, die in den Krieg zogen, den »Faust« im Tornister hatten – die aus dem Krieg zurückkehrten, hatten ihn nicht mehr. Sie schrieben Ihr Buch nicht mehr gegen die Klassiker. Nicht durch Bücher werden oder vielmehr wurden die Klassiker getötet. Sie schrieben Ihr Buch und wir reden über die Klassiker nicht, weil die Klassiker in einer Krise sind, sondern weil unser Theater in der Krise ist.

JHERING Das ist keine arrogante, oberflächliche Modernitätssucht, sondern nur eine Folgerung aus Tatsachen. Die Theaterdirektoren in Berlin und im Reich haben bei der Zusammensetzung ihrer Spielpläne die größten Schwierigkeiten. Bei der Vielzahl der Theater werden neue Stücke schnell abgenutzt. Es ist also selbstverständlich, daß die Theaterdirektoren auf die Klassiker immer wieder und häufiger zurückgreifen würden, wenn das Publikum noch ein Bedürfnis oder eine Beziehung zu ihnen hätte.

BRECHT Richtig, die Klassiker wirken nicht mehr. Ich will gleich zugeben, daß nicht nur die Klassiker daran schuld zu sein brauchen, wenn ihre Wirkung aufhört, daran können wir auch zum Teil schuld haben. Die Lust am Denken ist verkümmert, sogar am Mitdenken.
Aber wir wollen hier weniger von uns, dem Publikum der Klassiker, und mehr von den Klassikern reden, also auch von der Schuld, die die Klassiker am Aufhören ihrer Wirkung haben.
Sie meinen also, die Klassiker sind aus einem geistigen zu einem wirtschaftlichen Problem geworden. Unsere Theater sind an ihm wirtschaftlich interessiert. Aber was ist denn aus den *geistigen* Interessen geworden? Die Freunde der Klassik werden sagen, die sind eben verschwunden, die geistigen Interessen fehlen unserer Zeit eben überhaupt. Das ist auch, wir müssen es zugeben, schwer völlig zu widerlegen. Das Bürgertum mußte seine rein geistigen Bemühungen so ziemlich liquidieren in einer Zeit, wo die Lust am Denken eine direkte Gefährdung seiner wirtschaftlichen Interessen bedeuten konnte. Wo das Denken nicht ganz eingestellt wurde, wurde es immer kulinarischer. Man machte zwar Gebrauch von den Klassikern, aber nur mehr kulinarischen Gebrauch.

JHERING Ja, Mißbrauch. Im Bildungszeitalter, im neunzehnten Jahrhundert, galten die Klassiker als geistiges Mobiliar des gutsituierten Bürgertums. Sie waren Schmuck seiner guten Stube, gehörten zu ihm wie die Plüschmöbel, waren anwendbar und zur Hand in allen Lebenslagen. Das klassische Drama diente zur Bestätigung einer Welt, *gegen* die es entstanden war. Mit klassischen Versen verlobte man sich, erzog man seine Kinder, kannegießerte und kegelte man. »Das ist das Los des Schönen auf der Erde«, rief der Vollbart und zwickte die Kellnerin.

BRECHT Schön, das war ein Mißbrauch, der mit den Klassikern getrieben wurde. Man hätte sie nicht so überanstrengen sollen und sie nicht zu jeder Hochzeit und Kindtaufe zuziehen sollen.

JHERING Man brachte es fertig, revolutionäre Werke wie »Die Räuber« und »Kabale und Liebe« in eine ungefährliche Ideologie umzulügen. Der Spießer entgiftete alle rebellischen Gedanken, indem er sich mit ihnen identifizierte. Der Banause usurpierte die Revolution und konnte deshalb im Leben um so selbstzufriedener auf sie verzichten. Man plünderte den Inhalt und nutzte die Klassiker ab. Es gab keine Tradition, nur Verbrauch. Aber dieser ganze Verbrauch war nur der Ausdruck für eine falsche, geistig unfruchtbare, konservative Verehrung.

BRECHT Diese ehrerbietige Haltung hat sich an den Klassikern sehr gerächt, sie wurden durch Ehrerbietung ramponiert und durch Weihrauch geschwärzt. Es wäre ihnen besser bekommen, wenn man ihnen gegenüber eine freiere Haltung eingenommen hätte, wie die Wissenschaft sie zu den Entdeckungen, auch zu großen, eingenommen hat, die sie doch immerfort korrigierte oder sogar wieder verwarf, nicht aus Oppositionslust, sondern der Notwendigkeit entsprechend.

JHERING Ja, das verhinderte der Besitzkomplex. Fast das ganze neunzehnte Jahrhundert war auf ein geistiges Besitzgefühl eingestellt. Schiller und Goethe gehörten dem einzelnen. Jeder sprach von Barbarei, wenn die Klassiker nicht so aufgeführt wurden, wie er es sich gedacht hatte. Jeder empörte sich, wenn Verse, die er nicht kannte, gestrichen waren. Jeder hielt die Nation für beleidigt, wenn sein Lieblingsautor zurückgesetzt wurde. Niemand identifizierte sich mit dem Volke; jeder das Volk mit sich.

BRECHT Der Besitzfimmel hinderte den Vorstoß zum Materialwert der Klassiker, der doch dazu hätte dienen können, die Klassiker noch einmal nutzbar zu machen, der aber immer verhindert wurde, weil man fürchtete, daß durch ihn die Klassiker vernichtet werden sollten.

JHERING Dieser Hochmut wurde durch Schulen und Universitäten genährt. Der deutsche Unterricht auf den Gymnasien betonte den Besitzerorgiasmus. Die Klassiker wurden als literarischer Naturschutzpark gepflegt. Jede Berührung war verboten; jede Grenzregulierung verpönt; jede Umpflanzung wurde bestraft. Was Goethe und Schiller *sagen* wollten, was in Shakespeare-Stücken vor sich ging, man wußte es kaum noch, [weil man es zu gut wußte, weil man kritiklos nachplärrte, was seit Jahrzehnten gelehrt wurde; weil die Worte ins Ohr und aus dem Mund gingen, dem Klang nach aufgenommen, dem Klang nach zurückgegeben, abgenutzte Tonfolgen, abgegriffene Satzgruppen, wie schlechte Schlagermelodien: »Die schönen Tage von Aranjuez ...«, »Ich küsse Ihre Hand, Madame ...«.]

BRECHT Man hätte sich nicht so sehr vor dem Vorwurf des Vandalismus fürchten sollen. Aus Furcht vor dem Vandalismus geriet man ins Spießertum. Über die Vandalen sollte man überhaupt vorsichtiger urteilen. Sie verbrannten ja die Holzschnitzereien wahrscheinlich auch nicht nur, weil sie mit ihrem Stil künstlerisch nicht einverstanden waren, vielleicht nicht einmal, weil sie überhaupt gegen Holzschnitzereien waren, sondern weil sie Holz für Feuer brauchten. Man hätte unbekümmert an den Materialwert herangehen sollen. Eine Zeitlang versprach unsere vandalistische Bemühung, obwohl sie auf Schritt und Tritt bekämpft wurde, ja auch allerhand. Die Rettung der Klassiker für unser Repertoire stand schon in Aussicht, und zwar nicht der Klassiker wegen, sondern unseres Repertoires wegen.

[JHERING Es war klar, daß von dem großen Umschichtungsprozeß der Kulturwerte auch Schiller nicht unberührt bleiben konnte. Schiller, der immer Instinkt für große, weltgeschichtliche Stoffe hatte, für den objektiven Gehalt des Dramas, Schiller, der diese Haltung unter dem Einfluß Goethes verlor, mußte zurückgeführt, mußte »entgoethet« werden. Nun wurde dieser Versuch gerade an einem Drama gemacht, das nicht unter dem Einfluß Goethes entstanden war, an den

»Räubern«. Aber dieser Versuch deckte doch das Verhältnis der Gegenwart zu Schillers Problematik auf. Erwin Piscator schwächte in den ersten beiden Akten der »Räuber« den Revolutionär aus privatem Sentiment, Karl Moor, zugunsten des systematischen Revolutionärs ab, des Revolutionärs aus Gesinnung, Spiegelberg. Dazu bedurfte es brutalster Textänderungen. Das war gewiß gefährlich und unschillerisch. Aber diese Inszenierung warf eine Grundfrage auf. Diese »Räuber«-Darstellung, die scheinbar die Selbstherrlichkeit des Regisseurs dem dichterischen Werk gegenüber auf der Höhe zeigte, bedeutete in Wahrheit die Überwindung des Auffassungsspielleiters, die Überwindung des formal-experimentierenden Regisseurs. Diese Vorstellung, deren zweiter Teil als Schiller-Darstellung einfach schlecht war, wurde wesentlich, weil sie dem Theater, auch vom Klassiker her, statt ästhetischer Finessen wieder Inhalt zuführte, Substanz, also Material.]

BRECHT Ja, es war ein hoffnungsvoller Versuch. Man sah plötzlich wieder eine Möglichkeit. Schiller blühte ordentlich wieder auf; Piscator sagte zwar: »150 Jahre, das ist keine Kleinigkeit«, aber im Rampenlicht sah die Sache ganz ordentlich aus.

JHERING Die Wirkung war seltsam. Statt sich zu freuen, daß Schillers Stück wieder in den Fluß der Zeit geworfen wurde, entstand ein Wutgeheul der Klassikerfreunde. Immer wieder wollte man das Menschlich-Große. Das Menschlich-Große, einst eine geistig reale Vorstellung, war längst Bezeichnung für alles Verquollene, Unklare, Ideologische geworden. Wenn man keine Bezeichnung für Kitsch und Krampf mehr wußte, sagte man, das ist erhaben. Jeder Scharlatan und jeder Reaktionär lehnte die Ummontierung der Klassiker mit dem Wort ab, daß die Größe der Charaktere vermindert, die Größe der Form zerstört würde. In Wirklichkeit wurde in allen konservativen Aufführungen, in allen pathetischen Darstellungen diese Größe unterminiert, weil sie den menschlichen Inhalt durch eine kolossalische Form diskreditierten. Aus diesem Zwiespalt führte weder ein nuancierender Realismus, der alles detaillierte, noch ein ekstatischer Hymnenstil heraus, der alles aufsteifte. In einer Zeit, in der die Größe des Individuums selbst fraglich geworden war, konnten Postamente nichts helfen. Für Größe mußte ein anderer Begriff gesetzt werden. Sie, lieber Brecht, gingen da voran. Sie setzten für Größe: Distanz. Das ist Ihre theatergeschichtliche Tat. Dieser Dreh- und Wendepunkt war Ihre Aufführung von »Leben Eduards des Zweiten von England« in München. Hier schufen Sie ein Beispiel, wie man das alte Werk von Marlowe als Drama umdichtet, indem man es auskältet, wie man es näherbringt, indem man es entfernt. Sie verkleinerten die Menschen nicht. Sie atomisierten die Figuren nicht. Sie entfernten sie. Sie nahmen dem Schauspieler die Gemütlichkeit, die sich temperamentvoll anbiedert. Sie forderten Rechenschaft über die Vorgänge. Sie verlangten einfache Gesten. Sie zwangen zu klarem, kühlem Sprechen. Keine Gefühlsmogelei wurde geduldet. Das ergab den objektiven, den epischen Stil.

BRECHT Die Bemühungen [um Klassikeraufführungen] sind von mir aufgegeben worden. Wir haben noch einmal, als Erich Engel den »Coriolan« inszenierte, bei einem der großartigsten Werke Shakespeares, den Versuch gemacht.

JHERING Das war der Versuch zu einer methodischen Lösung.

BRECHT Und im letzten Winter haben Piscator, der Soziologe Sternberg und ich das Projekt, den »Julius Cäsar« aufzuführen, abgebrochen. – Wir hatten immer wieder versucht, aus diesen Werken, die wir als reine Materialgrube benützten, das herauszuholen, was wir den gestischen Gehalt nennen.

[JHERING] Warum liquidiert?

BRECHT Die Klassik diente dem Erlebertum. Der Nutzen der Klassiker ist zu gering. Sie zeigen nicht die Welt, sondern sich selber. Persönlichkeiten für den Schaukasten. Worte in der

Art von Schmuckgegenständen. Kleiner Horizont, bürgerlich. Alles mit Maß und *nach* Maß.

JHERING Gut, Sie halten Schmuckgegenstände nicht für nützlich. Aber was müßten die Klassiker denn nach Ihrer Ansicht sein, damit sie nützlich wären? Was sollte ihren Wert ausmachen?

BRECHT Um diesen Wert festzustellen, müssen wir ein geistiges Experiment machen. Wir stellen uns einfach vor, daß irgendein klassisches Werk, nehmen wir den »Faust« oder den »Tell«, von Knaben dargestellt wird, von einer Schulklasse. Meinen Sie nun, daß dies einen Wert für diese Knaben hätte? Würden die Gedanken, die sie aussprechen müßten, eine Schulung für sie darstellen? Würden sie oder andere Menschen von den Bewegungen, die sie auszuführen, von den Haltungen, die sie einzunehmen hätten, einen Nutzen haben? Würden diese Knaben lebensfähiger sein als andere, oder wäre die Gesellschaft lebensfähiger, die sie ausmachten? Antworten Sie im Ernst, was hätten diese Knaben, würde dieses Experiment gemacht, anderes getan als ein paar schöne Worte gesprochen und ein paar edle Gesten vollführt, oder in welchen Situationen hätten sie gestanden, in denen sie im Leben je wieder stehen würden? Unsere klassischen Werke sind nur für das Auge verfertigt, nicht für den Gebrauch.

JHERING Schön, wenn die Inhalte der Klassik also doch letzten Endes nicht benutzbar waren, warum hielten Sie sich nicht an die Form?

BRECHT Die Form unserer Klassiker ist nicht klassisch. Zu frühe Stabilisierung, Prinzip der Ruhe und Abgeklärtheit.

JHERING Hier kommen wir zu Goethe. Es ist ein Unterschied zwischen Form und Abgeklärtheit, zwischen Klarheit und Ruhe. Der Riß zwischen Bühne und Masse, die falsche Einschätzung des Dramas als einer Bildungsangelegenheit – worauf sind sie zurückzuführen, wenn nicht auf die Überbetonung Goethes? Goethe, der privateste aller deutschen Dichter, wurde zum gültigen Maßstab für Kunst und Menschentum. Seinen persönlichen Erlebnissen wurde nachgegangen, seine persönlichen Handlungen wurden verfolgt, seinen Schäferstunden wurden Huldigungen dargebracht. Aber auch, wo es sich nicht nur um Goethes Privaterlebnisse handelte, handelte es sich doch nur um die Privaterlebnisse der heraufkommenden Schicht, der er angehörte, des Bürgertums. Der Goethekult der Scherer-Schule war verhängnisvoll für die Entwicklung der deutschen Dichtung, des deutschen Theaters, der deutschen Kritik. Von hier aus entfaltete sich eine unkontrollierbare Erlebniskunst. Goethe war reich genug, aus seinen Erlebnissen Erkenntnisse zu ziehen, sie dichterisch zu gestalten. Daß aber diese einmalige Kunst als beispielgebend galt, daß eine Ästhetik daraus abgeleitet und kritische Maßstäbe daraus gewonnen wurden, das warf Theater und Kritik um ein Jahrhundert zurück. Es zeigt sich eben, daß gerade in einer kritischen, sich neu orientierenden Zeit immer noch das spielbar oder deutbar ist, was aus einem Jahrhundert mit festen, wenn auch längst nicht mehr gültigen Anschauungen und Formen stammt, jedoch nicht mehr das, was ohne bindende und allgemeingültige Gesetze den Anfang einer gefährlichen Privatkunst und damit den Anfang der Isolierung, der Entfremdung zwischen Theater und Publikum bedeutet, wenn es auch zeitlich uns viel näher liegt. Es wurde immer noch Goethes diskretesten Geheimnissen nachgeforscht, als längst eine industrielle Zeit eine andere Betrachtungsweise und eine andere Weltanschauung heraufgeführt hatte. Die Germanisten schwatzten von Goethes Liebschaften, von Goethes Lebenshaltung, spreizten sich mit unwichtigen Einzelheiten, und draußen bereiteten sich Ereignisse vor, vor denen jedes persönliche Schicksal wesenlos, jede Betonung des Privaten lächerlich wurde. So war das deutsche Drama, das deutsche Theater, die deutsche Kritik unvorbereitet, als der große Umschwung sich vollzog. Gerhart Hauptmann war in Goethes Alterskünsteleien abgeschwenkt. Keine Kritik, keine Ästhetik hatte eine

Aufnahmestellung gebaut. Der Einbruch erfolgte katastrophengleich. [...]
Etwa 1929, fragmentarisch

Letzte Etappe: »Ödipus«

1

Die Entwicklung des großen Dramas und des großen Theaters führt in diesen Jahren Deutschland – das Fachland für Philosophie. Die Zukunft des Theaters ist eine philosophische.

2

Diese Entwicklung verläuft nicht gradlinig, sondern teils dialektisch, in Gegensätzen, teils parallel, aber so rapid, daß in einem einzigen Jahr mehrere Etappen zurückgelegt werden. Die letzte davon scheint »Ödipus« zu sein.

3

Diese Saison beweist die Wirkung Piscators. Vom Theater aus betrachtet, hat Piscator weniger (wie angenommen wurde) die Formfrage (Technik des Theaters) zur Diskussion gestellt als vielmehr die Stofffrage. Er ist damit durchgedrungen. Die mittleren Theater haben sich auf Stoffe geworfen (»Verbrecher«, »Revolte«, »Ton in des Töpfers Hand«). Es gab zwei Ausnahmen: »Die Dreigroschenoper« und »Ödipus«. Hier wurde zweimal die Formfrage angeschnitten.

4

Was die Bemühung um die Stoffe betrifft: Sie war nicht glücklich, es steckte, da Piscator fehlte, keine produktive Kraft dahinter (ausgenommen »Revolte«, eine postume Studioaufführung Piscators). Der Vorstoß des Jahres erfolgte in der Bemühung um die große Form. Letzte Etappe: »Ödipus«.

5

Die Bemühungen im Stofflichen und die Bemühungen im Formalen ergänzen sich. Vom Theater her gesehen: Die Fortschritte der Theatertechnik sind nur Fortschritte, wo sie der Verwertung der Stoffe dienen, die Fortschritte der Dramentechnik sind nur Fortschritte, wo sie der Verwertung der Stoffe dienen.

6

Betrifft große Form. Die großen modernen Stoffe müssen in einer mimischen Perspektive gesehen werden, sie müssen Gestencharakter haben. Sie müssen geordnet werden nach Beziehungen von Menschen oder Menschengruppen zueinander. Aber die bisherige große Form, die dramatische, ist für die jetzigen Stoffe nicht geeignet. Platt gesagt, für Fachleute: Die heutigen Stoffe lassen sich in der alten (großen) Form nicht ausdrücken.

7

Die große Form ist auf die Verwertung der Stoffe für die »Ewigkeit« gerichtet. Es gibt das »Typische« auch in der zeitlichen Ebene. Wer sich der großen Form bedient, erzählt seine Stoffe nachkommenden Zeiten so gut oder besser als seiner eigenen Zeit.

8

Unsere dramatische Form beruht darauf, daß der Zuschauer mitgeht, sich einfühlt, verstehen kann, sich identifizieren kann.

Platt gesagt, für Fachleute: ein Stück, das etwa auf der Weizenbörse spielt, kann in der großen Form, der dramatischen, nicht gemacht werden. Es ist für *uns* schwer, sich eine Zeit vorzustellen und eine Haltung anzunehmen, in der ähnliche Zustände nicht natürlich sind, und die *Nachfolgenden* werden staunend nur diese unverständlichen und unnatürlichen Zustände betrachten. Wie muß also unsere große Form sein?

9

Episch. Sie muß berichten. Sie muß nicht glauben, daß man sich einfühlen kann in unsere Welt, sie muß es auch nicht wollen. Die Stoffe sind ungeheuerlich, unsere Dramatik muß dies berücksichtigen.

10

Betreffend die letzte Etappe: »Ödipus«. Wichtig 1. die große Form. Wichtig 2. die Technik des zweiten Teiles (»Ödipus auf Kolonos«), wo mit großer theatralischer Wirkung erzählt wird. Hier hat bisher als lyrisch Verschrieenes Theaterwirkung. Hier kommt das »Erlebnis«, wenn, dann aus dem philosophischen Bezirk.

1. Februar 1929

Über einen Typus moderne Schauspielerin

Versuch, diesen Typus zu entwickeln

Der vorletzte Typus Frau und Schauspielerin, den das Bürgertum auf seiner Bühne herausstellte, der der Ibsen- und Sudermann-Zeit, war der Typus der »Erleberin«; er trat auf in zwei Ausgaben. Ausgabe eins hatte die Funktion, unter dem

Keulenhieb des Schicksals oder auch auf Veranlassung eines schleichenden Giftes, alles an Gefühlen und Handlungen auf den Tisch des bürgerlichen Hauses zu legen, was in ihr war. Diese Ausgabe eins diente dazu, das Publikum davon zu überzeugen, daß auch in der umfriedeten bürgerlichen Welt, sogar im sogenannten Heim, etwas los sein konnte und daß die Frau, wirtschaftlich längst ein fünftes Rad geworden, doch durch Tiefe des Gemüts und so weiter eine gewisse (wenn auch begrenzte) Rentabilität besäße. Ausgabe zwei war aktiv, drückte den Wunsch der bürgerlichen Frau aus, etwas zu erleben, und hatte, da dies unter Umständen auf Kosten der Männer geschah, deren Geschäft dadurch bedroht wurde, meist einen deutlich diabolischen Anstrich. Ihr Gestus war dem Gestus der Ausgabe eins simplerweise direkt entgegengesetzt, nämlich theatralisch aus- gegen innerlich einlegend (beim Typus zwei). Ausgabe zwei, zusammen betrachtet, zeigte die letzten langen Haare auf eines Weibes Kopf und die Erlebnisarmut der bürgerlichen Welt.

Dieser Typus, etwa von der Duse und der Bernhardt vertreten, wurde erledigt durch den bis jetzt letzten Typus Bühnenschauspielerin: den Girlstyp. Dieser Girlstyp bedeutete einen beträchtlichen Fortschritt: Er war sozusagen klassischer und zeigte statt eines manierierten gar keinen Ausdruck, wenn man den Ausdruck etwa der Gish nicht gerade als Ausdruck, sondern mehr als zufällige Begleiterscheinung zu einem hübschen und schwächlichen Wesen betrachtet, der mit dem (wirklichen) Ausdruck etwa der Bettlerin vom Pont des Arts nichts zu tun hat. Dieser Girlstyp war schon deshalb eine Erholung, weil seine unbestreitbare Verlogenheit eben auch nicht bestritten wurde, sondern mehr auf einer zeitlichen Übereinkunft aller Beteiligten beruhte, *und weil er vor allem sofort bei seinem Erscheinen alles das, was von ernsterem Drama noch da war – wenig, aber zuviel –, einfach abbaute.* Jeder Mensch, der mitgenommen werden will, sieht ein, daß das Weekend sich nicht für Szenen eignet. Es ist unwahrscheinlich, daß das bürgerliche Theater endlich aus seiner Weekendepoche herauskommt, denn für das Bürgertum kommt nach dem Weekend nur mehr das vollständige Ende, und das Bürgertum weiß dies. Dennoch, da man ja über das bürgerliche Drama hinaus noch über ein anderes Drama reden kann, kann man auch über einen andern Typus von Schauspielerin reden, der diesem Drama etwa entspricht.

Dialog über Schauspielkunst

– Die Schauspieler haben in deinen Stücken immer große Erfolge. Bist du selber mit ihnen zufrieden?
– Nein.
– Weil sie schlecht spielen?
– Nein, weil sie falsch spielen.
– Wie sollten sie denn spielen?
– Für ein Publikum des wissenschaftlichen Zeitalters.
– Wie also?
– Ihr Wissen zeigend.
– Welches Wissen?
– Der menschlichen Beziehungen. Der menschlichen Haltungen. Der menschlichen Kräfte.
– Gut, das sollen sie wissen. Aber wie sollen sie es zeigen?
– Bewußt darbietend. Schildernd.
– Wie machen sie es jetzt?
– Mit Zuhilfenahme der Suggestion. Sie versetzen sich selber und das Publikum in Trance.
– Sag ein Beispiel!
– Sie haben etwa den Abschied darzustellen. Was machen sie? Sie versetzen sich in Abschiedsstimmung. Sie wollen, daß das Publikum in Abschiedsstimmung gerät. Niemand sieht zuletzt, wenn die Séance glückt, mehr etwas, niemand lernt etwas kennen, im besten Fall erinnert sich jedermann, kurz: jedermann fühlt.

– Du schilderst einen fast erotischen Vorgang. Wie sollte er aber sein?
– Spirituell. Zeremoniell. Rituell. Nicht nahekommen sollten sich Zuschauer und Schauspieler, sondern entfernen sollten sie sich voneinander. Jeder sollte sich von sich selber entfernen. Sonst fällt der Schrecken weg, der zum Erkennen nötig ist.
– Vorhin gebrauchtest du den Ausdruck »wissenschaftlich«. Du meinst, die Amöbe, wenn sie beobachtet wird, biedert sich dem Menschen nicht an. Er kann sich in sie nicht einfühlen. Aber der wissenschaftliche Mensch versucht sie zu verstehen. Versteht er sie wenigstens am Ende?
– Ich weiß nicht. Er wünscht sie in Zusammenhang zu bringen mit den anderen Dingen, die er gesehen hat.
– Also soll der Schauspieler nicht versuchen, den Menschen, den er darstellt, verständlich zu machen?
– Nicht so sehr den Menschen, mehr vielleicht die Vorgänge. Ich meine: Wenn ich den Dritten Richard sehen will, will ich mich nicht als Dritter Richard fühlen, sondern ich will dieses Phänomen in seiner ganzen Fremdheit und Unverständlichkeit erblicken.
– Sollen wir denn Wissenschaft im Theater sehen?
– Nein, Theater.
– Ich verstehe: Der wissenschaftliche Typus hat auch sein Theater wie jeder andere.
– Ja. Aber heute hat das Theater als Zuschauer den wissenschaftlichen Typus, richtet sich aber nicht danach. Denn dieser Zuschauer gibt seine Vernunft mit dem Mantel in der Garderobe ab.
– Kannst du dem Schauspieler denn nicht sagen, wie er also spielen soll?
– Nein. Er ist heute ganz abhängig vom Zuschauer, ihm blind unterworfen.
– Hast du es nie versucht?
– Doch. Immerfort.

– Hat er es gekonnt?
– Ja, manchmal; wenn er begabt war, noch naiv, und wenn er noch Spaß hatte, aber auch dann nur bei der Probe, solange ich dabeistehe und niemand anders, solange er also diesen Typus des Zuschauers, von dem ich dir sagte, vor sich hatte. Je mehr die Aufführung herannahte, desto mehr entfernte er sich davon, er wurde zusehends anders; denn er fühlte wohl, daß er den nunmehr zu erwartenden anderen Zuschauern so nicht gefallen würde.
– Glaubst du, daß er ihnen wirklich nicht gefallen würde?
– Ich fürchte es. Jedenfalls wäre es ein großes Risiko.
– Könnte es nicht allmählich geschehen?
– Nein. Wenn es allmählich geschähe, würde nicht allmählich etwas Neues für den Zuschauer entstehen, sondern allmählich etwas Altes aufhören! Und der Zuschauer würde allmählich wegbleiben. Denn das Neue, allmählich gebracht, wäre also doch nur halb gebracht, also ohne Kraft und ohne Wirkung. Denn dies ist keine Verbesserung qualitativer Art, sondern es ist eine völlig andere Zwecksetzung, das heißt, das Theater erfüllt nicht ein und denselben Zweck nunmehr besser, sondern es erfüllt einen anderen Zweck, meinetwegen am Anfang sogar schlecht. Wie würde denn solch ein Versuch des Einschmuggelns wirken? Der Schauspieler würde lediglich als »auffällig« bezeichnet werden. Aber nicht etwa seine Schauspielkunst würde auffallen, sondern er selber. Er würde »penetrant«. Und das Auffällige ist doch ein Merkmal dieser neuen Schauspielkunst. Oder dem Schauspieler würde der Vorwurf gemacht werden, er sei zu bewußt, und das Bewußte ist doch ebenfalls solch ein Merkmal.
– Gibt es Versuche dieser Art?
– Ja, einige.
– Sag ein Beispiel!
– Als eine Schauspielerin dieser neuen Art die Magd im »Ödipus« spielte, rief sie, den Tod ihrer Herrin berichtend, ihr »tot, tot« mit ganz gefühlloser, durchdringender Stimme, ihr

»Jokaste ist gestorben« ohne jede Klage, aber so bestimmt und unaufhaltsam, daß die nackte Tatsache ihres Todes gerade in diesem Augenblick mehr Wirkung ausübte, als jeder eigene Schmerz zustande gebracht hätte. Sie überließ also dem Entsetzen nicht ihre Stimme, wohl aber ihr Gesicht; denn durch weiße Schminke zeigte sie die Wirkung an, die der Tod auf den Dabeiseienden ausübt. Ihre Meldung, die Selbstmörderin sei wie unter einem Treiber zusammengestürzt, enthielt weniger Mitleid mit dieser Gestürzten als den Triumph des Treibers, so daß selbst dem gefühlsseligsten Zuschauer klarwerden mußte, daß hier eine Entscheidung erfolgt sei, die sein Einverständnis verlangte. Mit Staunen beschrieb sie in einem klaren Satz das Rasen und die scheinbare Unvernunft der Sterbenden, und in dem unmißverständlichen Ton ihres »Und wie sie endete, wir wissen's nicht« lehnte sie, eine kärgliche, aber unbeeinflußbare Ehrung, jede weitere Mitteilung über diesen Tod ab. Aber herabschreitend die wenigen Stufen, waren ihre Schritte so weit, daß diese kleine Gestalt eine gewaltige Entfernung vom leeren Ort der Greuel zu den Menschen der Unterbühne zurückzulegen schien. Und während sie die Arme mechanisch klagend hochhielt, bat sie gleichsam um Mitleid mit ihr selbst, die das Unglück gesehen hatte, und durch ihr lautes »Jetzt klaget!« bestritt sie wohl die Berechtigung jedes früheren und unbegründeteren Jammers.
– Was für einen Erfolg hatte sie?
– Bescheidenen; außer bei den Kennern. Vertieft in das Sicheinfühlen in die Gefühle der dramatischen Personen, hatte beinahe niemand an den geistigen Entscheidungen der Handlung teilgenommen, und es blieb jene ungeheuerliche Entscheidung, die sie gebracht hatte, fast ohne Wirkung auf diejenigen, die sie nur als Gelegenheit zu neuen Gefühlen betrachteten.
17. Februar 1929

Über die Probenarbeit

Die Probenarbeit wird in unsern Theatern schon dadurch erschwert, daß sie bei künstlichem Licht stattfindet. Die Theater, die Kirchen und die Brauereikeller sind Gebäude ohne Fenster. Das Tageslicht wäre, weil es nüchtern erhält, jedem künstlichen Licht vorzuziehen; wenn man sich jedoch auf den Standpunkt stellt, die Herstellung der Produktion solle beim gleichen Licht erfolgen wie ihre Vorführung, die nachts, also bei künstlichem Licht vorgehen muß, muß man nicht aus Ersparnisgründen bei den Proben schlechter beleuchten als bei den Aufführungen. Selbst wenn die Theater für die Proben volles künstliches Licht liefern, ist es besser, in Zimmern zu probieren, solang die Theater keine Fenster haben.

Fast immer handelt es sich bei den Proben darum, daß der Spielleiter ausprobiert, wie sein Gesamtbild von den Schauspielern zu erreichen ist. Die Schauspieler bekommen auf Leseproben nur eine ganz ungenügende Kenntnis des Stückes. Ihre Rollenauszüge enthalten lediglich die Stichworte für ihre eigenen Texte. Ihre Unkenntnis über den Fortgang der Handlung könnte ausgenutzt werden: Die Besonderheit jeder Figur in jedem ihrer Sätze und jeder ihrer sonstigen Handlungen könnte, in Gegensatz gesetzt zu der allgemeinen Handlung aller Figuren zusammen, diese letztere bereichern. Aber dem steht die »Vision« des Spielleiters entgegen, der selber nicht eigentlich probiert, das heißt selber eine fixierte Vorstellung mitbringt. Fast nie sah ich, daß eine Aufführung von Satz zu Satz und Bewegung zu Bewegung nüchtern und kritisch entwickelt wurde.

Bei einer vollständigeren Kenntnis des Stückes und einer genauen Feststellung seines gesellschaftlichen Zweckes könnte die Aufführung außerordentlich dadurch vervollkommnet werden, daß die Schauspieler nicht nur ihre eigenen Rollen, sondern auch die ihrer Partner probieren. Nicht nur die Szene würde dadurch gewinnen, sondern auch jeder Schauspieler würde gewinnen, wenn er an der Rolle seines Partners produktiv beteiligt wäre. Einige Theater haben versucht, »Ensemblegeist« zu pflegen. Er bestand für gewöhnlich darin, daß jeder Schauspieler seinen Egoismus »zugunsten des Stückes« opfern sollte. Es ist viel besser, gerade den Egoismus jedes Schauspielers zu mobilisieren. In dem vorliegenden Stück tut der Spielleiter gut, etwa für die erste Szene die Schauspieler aufzufordern, irgendeine Darstellung auszuprobieren für das Thema: Zwei Staatsmänner fassen bei Zeitungslektüre und Billardspiel einen entscheidenden politischen Entschluß. Er tut gut, seinen Schauspielern auch die Plazierung des Tisches und so weiter freizustellen und sich solang wie möglich auf fördernde Kritik zu beschränken.

[Situation und Verhalten]

Das epische Theater hat als Inaugurator und Fragesteller keineswegs das große leidenschaftliche Individuum, sondern die Frage wird immer wieder von der jeweiligen Situation gestellt, und die Individuen sind es, die sie durch ihr typisches Verhalten beantworten. Jene Leidenschaft der Figuren, welche im bürgerlichen Drama dem Zuschauer Leidenschaft (in Form von Mitgefühl) erregte, ist überflüssig geworden, wo das Interesse an den Vorgängen nicht mehr vom Interesse an einem besonderen (das heißt in irgendeiner besonderen Eigenschaft stark ausgebauten) Individuum abhängt, sondern den Situationen und ihren Funktionen zugewandt ist. Deshalb wird das epische Drama jenen als uninteressant (kalt) erscheinen, die Situationen nicht als Fragen zu sehen gewohnt sind oder Fragen nicht lieben (oder fürchten).

Menschentypen mögen in vielen Hinsichten gefährlich für andere und sich selbst sein, aber die Kraft ihrer Instinkte und Appetite kann nicht bestritten werden. Es ist natürlich im

Grund gleichgültig, woher die Gestalten großer Dramen stammen. Es kommt nur darauf an, daß sie leben. Trotzdem wäre etwa der Einwand, solche Figuren könnten nicht gelebt haben, äußerst schmerzlich für den Dramatiker. Allerdings bestreite ich im allgemeinen den Leuten, daß sie etwas vom Leben wissen und sich vorstellen können, wie irgendeine Handlung eines Menschen, die sie zum Beispiel in der Zeitung lesen, vorgegangen ist. Ein sehr berühmter und seiner Dämonie wegen gefeierter Schauspieler sagte mir einmal in bezug auf eine meiner Rollen, die er spielen sollte: »Das ist doch keine Figur. Einmal sagt er so, einmal so. Er weiß überhaupt nicht, was er sagt.« Damit meinte der Mann, meine Figur sei nicht »aus dem Leben gegriffen«, aber in Wirklichkeit bestätigte er nur ihre Echtheit. Wer sagt nicht einmal so, einmal so? Wer weiß, was er sagt? Ein ganz mittelmäßiger Mensch. Würden die Dramatiker wirklich dazu übergehen, bekannte Persönlichkeiten auf die Bühne zu bringen, was sehr wünschenswert wäre, so wäre es ihre Hauptaufgabe, klar und ruhig aufzuzeigen, wie sich ihr Leben abgewickelt hat. Niemals dürfte man sie lediglich das sagen lassen, was dazu nötig scheint, daß die (bekannte) Handlung, die sie begingen, zustande kommt, sondern man müßte, der Wahrheit des wirklichen Lebens folgend, alle ihre Umwege, alle ihre Fehler aufzählen und sie so darstellen, daß ihre (den Inhalt der Geschichtsbücher bildenden) Taten um so unbegreiflicher und phänomenaler erschienen. Es ist, wenn der Dramatiker die Figur etwa des dritten Richard darstellt, nicht seine Aufgabe, uns die Taten dieses Menschen möglichst begreiflich zu machen, sondern sie uns als ganz ungeheuerlich, unmenschlich, fremdartig, ihren Täter als bemerkenswertes, aber fast unzugängliches Tier vorzustellen. Dadurch entsteht der Zuwachs im Zuschauer, denn er erlebt die Reichhaltigkeit und durch sein Verständnis keineswegs erschöpfbare Göttlichkeit der Welt.

Nicht seine (eigentümliche) Art soll es sein, die einer Situation ihr Gepräge gibt, sondern der Vorgang soll die Hauptsache sein; er ermöglicht oder modifiziert ihn bloß. Es erfolgt [...] also auch hier eine Aufhebung des Eigentümlichen, des Eigentums, des Privaten, des Privateigentums. Der Schauspieler hat zu ermitteln, wohin die Figur gehört, zu welcher größeren, von einem gemeinsamen Interesse erzeugten Gruppe. So hat er auch hier nicht seine Zugehörigkeit zu größeren, ähnlich reagierenden Gruppen zu verwenden, um seine Absonderlichkeit im Vergleich zu dieser Privatcharakteristik auszuschlachten; sondern diese Zugehörigkeit, wie auch die Betonung des Verhaltens im Gegensatz zum Sein, dienen zum Aufzeigen nicht seiner Person, sondern des Vorgangs; so zeigt er auch sein Denken nicht als Anlaß der Handlungen, sondern eher umgekehrt.

Charakterisierung im Drama

1

Das Geheimnis der großen Dramenfiguren besteht zum Teil darin, daß sie nahezu jeden Körper haben können und Platz für eine Menge privater Züge in ihnen ist. Ebenso wie in den in Betracht kommenden Dramen mehrere Ansichten über den Stoff zugelassen werden vom Dichter, sind die Figuren ganz unfixiert. Eduard II. zum Beispiel kann ebenso ein starker böser Mann wie ein schwacher guter sein. Denn die Art von Schwäche, die Art von Bosheit, die er hat, ist eine ganz tiefe und metaphysische und bei Leuten aller Arten vorhanden.

2

Das große Drama in seinen wichtigsten Typen beruht auf der Gleichartigkeit der Menschen, die zum Beispiel aus einem Vergleich dieser Tierart mit der der Affen sogleich ersichtlich ist.

Über Stoffe und Form

1

Schwierigkeiten werden nicht dadurch überwunden, daß sie verschwiegen werden. In der Praxis muß man einen Schritt nach dem andern machen – die Theorie muß den ganzen Marsch enthalten. Die erste Etappe sind die neuen Stoffe, der Marsch geht allerdings weiter. Die Schwierigkeit liegt darin, daß die Arbeit der ersten Etappe (die neuen Stoffe) schwer zu tun ist, wenn man schon an die zweite denkt (die neuen Beziehungen der Menschen untereinander). Mit der Klarstellung der Rolle des Heliums etwa ist wenig erreicht, wenn man ein großes Weltbild erreichen will; aber die Rolle des Heliums wird nicht festgestellt werden können, wenn man etwas anderes (etwa mehr) als das Helium im Kopf hat. Der reguläre Weg zur Erforschung der neuen Beziehungen der Menschen untereinander geht über die Erforschung der neuen Stoffe (Ehe, Krankheit, Geld, Krieg und so weiter).

2

Das erste ist also: die Erfassung der neuen Stoffe, das zweite: die Gestaltung der neuen Beziehungen. Grund: die Kunst folgt der Wirklichkeit. Ein Beispiel: Die Gewinnung und Verwertung des Petroleums ist ein neuer Stoffkomplex, in dem bei genauer Betrachtung ganz neue Beziehungen zwischen Menschen auffallen. Eine bestimmte Handlungsweise des einzelnen und der Masse wird beobachtet und ist deutlich dem Petroleumkomplex eigentümlich. Aber nicht die neue Handlungsweise hat die besondere Art der Petroleumverwertung geschaffen. Sondern das Primäre war der Petroleumkomplex, das Sekundäre sind die neuen Beziehungen. Die neuen Beziehungen stellen die Antworten dar, die die Menschen auf die Fragen des »Stoffes« geben, die *Lösungen*. Der Stoff (sozusagen die Situation) entwickelt sich nach bestimmten Gesetzen, einfachen Notwendigkeiten, das Petroleum aber schafft neue Beziehungen. Diese sind, wie gesagt, sekundär.

3

Schon die Erfassung der neuen Stoffgebiete kostet eine neue dramatische und theatralische Form. Können wir in der Form des Jambus über Geld sprechen? »Der Kurs der Mark, vorgestern auf 50, heut schon auf 100 Dollar, morgen drüber und so weiter« – geht das? Das Petroleum sträubt sich gegen die fünf Akte, die Katastrophen von heute verlaufen nicht geradlinig, sondern in der Form von Krisenzyklen, die »Helden« wechseln mit den einzelnen Phasen, sind auswechselbar und so weiter, die Kurve der Handlungen wird durch *Fehl*handlungen kompliziert, das Schicksal ist keine einheitliche Macht mehr, eher sind Kraftfelder mit entgegenwirkenden Strömungen zu beobachten, die Mächtegruppen selber zeigen nicht nur Bewegungen gegeneinander, sondern auch in sich selber und so weiter und so weiter. Schon zur Dramatisierung einer simplen Pressenotiz reicht die dramatische Technik der Hebbel und Ibsen bei weitem nicht aus. Dies ist keine triumphierende, sondern eine betrübte Feststellung. Eine Figur von heute durch Züge, eine Handlung von heute durch Motive zu klären, die zur Zeit unserer Väter noch ausgereicht hätten, ist unmöglich. Wir haben uns (provisorisch) damit geholfen, die Motive überhaupt nicht zu untersuchen (Beispiel: »Im Dickicht der Städte«, »Ostpolzug«), um wenigstens nicht falsch anzugeben, und haben die Handlungen als bloße Phänomene dargestellt, wir werden die Figuren wahrscheinlich eine Zeitlang ohne Züge darstellen müssen, ebenfalls provisorisch.

4

All dies, das heißt diese ganzen Fragen betreffen natürlich nur das ernsthafte Bemühen um das *große* Drama, das heute vom mittelmäßigen Unterhaltungsdrama lange nicht sorgfältig genug geschieden wird.

5

Haben wir uns in den Stoffen einigermaßen orientiert, können wir zu den Beziehungen übergehen, die heute ungeheuer kompliziert sind und nur durch *Form* vereinfacht werden können. Diese Form aber kann nur durch eine völlige Änderung der Zwecksetzung der Kunst erlangt werden. Erst der neue Zweck macht die neue Kunst. Der neue Zweck heißt: Pädagogik.

31. März 1929

[Welche Möglichkeiten haben wir im Ausland?]

[Antwort auf eine Rundfrage]

– Was haben Sie mit Ihrem Drama im Ausland für Erfahrungen gemacht?
– Gar keine.
– Schreiben Sie im Gedanken, im Ausland Widerhall zu finden?
– Nein.
– Wurden Sie im Ausland aufgeführt?
– Nein.
– Welchen Eigenschaften Ihres Dramas schreiben Sie es zu, daß sich keine ausländische Bühne dafür interessiert?
– Den besten.
– Wie beurteilen Sie überhaupt das moderne deutsche Drama in Hinsicht auf das Ausland?
– Hoffnungsvoll.
– Nach welcher Richtung müßte es sich entwickeln, um über die deutsche Sprachgrenze hinauszuwirken?

– Nach der Richtung des Kitsches.
– Halten Sie dann überhaupt eine Wirkung im Ausland für wünschenswert?
– Nicht unbedingt.

19. Mai 1929

[Der Weg zum großen zeitgenössischen Theater]

1 Mißtrauischste Musterung

Wenn man den Weg betrachtet, der von unserm jetzigen Theater zu wirklich großem und wirklich zeitgenössischem Theater führen würde, scheint er einem so lang und beschwerlich, daß man die Leute, die ihn zu gehen scheinen, mehr als nach ihrem Kopf nach ihrer Beinmuskulatur fragen möchte. Vor allem werden sie danach ausgeforscht werden müssen, ob sie von der Länge dieses Weges genug überzeugt sind. Man wird leicht finden, daß nur wenige von ihnen dieser dringendsten aller Fragen gewachsen sind. Denn das Bürgertum, das durch seine Produktionsverhältnisse das Theater eindeutig bestimmt, sieht keinen langen Weg mehr vor sich, es hat nichts mehr zu erhoffen von Unternehmungen, die sehr lange dauern. Diese Klasse, die sicher nicht ohne Bosheit, aber ebenso sicher nicht nur aus Bosheit immer außerordentliche Opfer an Menschenkraft bringen muß, um ihren so bedrohten und so künstlichen status quo zu halten (nur um ihre berühmten Maschinen immer wieder auszubessern, rein um zu verhüten, daß sie plötzlich durch irgendeine der täglichen Erfindungen nichts mehr als Alteisenwert haben, muß diese Klasse immerfort akkumulieren, was die schrecklichsten und mit der Zeit ganz unmöglichen Opfer an Menschenmaterial bedeutet) – diese Klasse hat, immerfort ein Loch aufreißend, um das andere zu stopfen, bei so fortgeschrittener Zeit keine Möglichkeit mehr, ganz neue Grundpläne zu entwerfen oder nur zu diskutieren.

Entsprechend ihrem wirtschaftlichen System der Varianten sind ihr auch in ihrem Oberbau nur mehr Varianten willkommen. Dadurch hat »das Neue« ein ganz eigentümliches und zweifellos höchst bedenkliches Charakteristikum bekommen. Als neu werden schon bloße Varianten aufgefaßt und, was schlimmer ist, nur mehr Varianten. Diese Auffassung ermöglicht es am besten, ohne weiteres zur Tagesunordnung überzugehen. In dieser Form – als Variante – wird dann aber auch alles gefressen, und *diese* Folge ist weitaus die unheilvollste für den ideologischen Überbau dieses gesellschaftlichen Zustandes: Diese leichte Verdauung ist kein Zeichen einer kräftigen Konstitution, sie ist der Beweis, daß der Körper nichts mehr ansetzen kann. Mit einer fast schreckhaften Erheiterung liest man die schlechte Presse, die bei uns jene vielleicht letzte Demonstration bürgerlicher Widerstandskraft, der Daytoner Affenprozeß, gefunden hat; diese Leute lachen noch über die Schwierigkeit, die ein etwas gesünderes Volk darin findet, eine seiner vitalen Grundlagen erschüttert zu sehen. Gleichgültig und ahnungslos nahmen sie selber alle jene Entdeckungen auf, die die Veränderung der Welt zeigen, sie sind es nicht mehr, die die Konsequenzen ziehen werden. Aber was kümmert uns dieser übersättigte und appetitlose Körper, er ist sowieso verloren. Uns kümmert zunächst die große Unannehmlichkeit, die darin liegt, daß er für unsere Arbeiten keine Kontrolle mehr bietet oder vielmehr: eine falsche. Denn so schwierig es ist, sich in seinen Arbeiten von der ganzen bürgerlichen Ideologie zu befreien – was einzig und allein durch ständige Kontrolle des Unterbaus geschehen könnte –, schwieriger ist es noch, jenen Verunstaltungen unschuldig zu entrinnen, welche sie unsern schon fertiggestellten Arbeiten zufügt. Die Welt wurde verändert dadurch, daß die Repräsentanten von etwas Neuem leidenschaftlich bestrebt waren, die Konsequenzen zu ziehen. Müssen sie nicht vernichtet werden dadurch, daß keine Konsequenz mehr gezogen werden kann? Die Möglichkeit, ideologisch zu arbeiten, hängt heute von der Erkenntnis ab, daß die Aufnahme unserer Arbeiten, wie immer sie sein mag, nichts mehr besagt, daß der Weg bis zur *Verwirklichung* unserer Arbeiten ungeheuer, ja unübersehbar lang ist und daß die Verwirklichung *organisiert* werden muß.

2 Theorie über eine Tradition

In der Sphäre der Varianten gibt es keine Tradition, gibt es nur Aktion und Reaktion, das heißt gibt es nur Reaktionen. Hin und her springt das Pendel. Was zu führen scheint, ist die Opposition, sie verdankt ihr Dasein der Übersättigung. Klassik und Romantik, Impressionismus und Expressionismus sind Reaktionen.

Handelt es sich jedoch um wirkliche, revolutionäre Fortführung, so ist Tradition nötig. Klassen und Richtungen, die auf dem Marsch sind, müssen versuchen, ihre Geschichte in Ordnung zu bringen; sie haben nichts zu erwarten von Differenzierungen, sie werden gefährdet durch jenen trügerischen Reichtum von Nuancen, den sich die herrschenden Klassen und Richtungen leisten können – wenn sie sonst nichts mehr haben.

Wenn wir, um ein Beispiel in die Hand zu bekommen, aus der dramatischen Literatur des letzten Jahrhunderts (1830 bis 1930) unter ihren vielen Tendenzen etwa die zur epischen Darstellung herausfischen, so tun wir das auf der Suche nach Tradition. Tatsächlich hat der Naturalismus dadurch, daß er die großen bürgerlichen (französischen und russischen) Romane auf die Theater transportierte – übrigens ohne die formalen Konsequenzen zu ziehen wie gewöhnlich –, dem Drama einige epische Elemente einverleibt, dies übrigens sehr gegen seinen Willen. Die Vorwürfe, die sich gerade dagegen (daß er »undramatisch«, »bühnenunwirksam«, »schwach in der Spannung« und so weiter war) richteten, haben ihn rasch dazu gebracht, seine eigentlichen Tendenzen zu verraten und aufzugeben. (Es war nicht schade um sie, wenn wir ihnen auch das Stück »Die Weber« verdanken, das durch seinen Stoff immerhin

eine Ausnahmestellung verdient.) Gerade diese Vorwürfe müßten wir Jüngeren uns wirklich zu verdienen suchen. Die Form des neuen kollektivistischen Theaters kann nur episch sein.
Das alles heißt nicht, daß hier Vorbilder wären. Und dieser Satz wieder will nicht sagen, daß wir jene aus einem anderen Grund ablehnten, als weil sie nichts wert sind, etwa deshalb, weil wir uns der Vorbilder schämten. Wir müssen im Gegenteil auch auf Vorbilder bedacht sein. Sie sind nur schwer zu finden – und bestimmt nicht in unserer räumlichen oder zeitlichen Umgebung.
Man muß sich klarmachen, daß die erbärmliche Angst dieser Epoche, man könnte an ihrer Originalität zweifeln, mit ihrem schäbigen Besitzbegriff zusammenhängt. Gerade ihre Originalität würde diesen Nuancen des Hochkapitalismus niemand bestreiten wollen, der immerhin dankbar dafür ist, daß die Menschheit »für gewöhnlich« doch anders ist. Scheinen doch diese nur zu schreiben, um Plagiate zu vermeiden. Und je ähnlicher sie einander sind, die mit der mechanistischen Tendenz ihrer Zeit nicht fertig werden, weil sie ihr nichts entgegen und nichts zur Verfügung zu stellen haben, desto mehr sind sie bemüht, sich voneinander zu unterscheiden. Tatsächlich sind sie auch ausnahmslos ohne Vorbilder, nicht einmal der Mensch ist unter ihren Ahnen. Wir, die wir nicht die rührenden Züge der einzelnen aufzunotieren haben, die ein unverständlicher Mechanismus ihnen erpreßt, sondern die großen Typen, die diesem Mechanismus gegenüberstehen und mit ihm handeln, haben kein Interesse an eigener Originalität. Und wir brauchen vor allem, was die Form anlangt, Vorbilder.
Wie wir es begründen müssen: wir haben das »asiatische« Vorbild.

3 Das »asiatische« Vorbild

In unaufhörlichem Kampf stehend mit der Denkart unserer Leser, sind wir gezwungen, immerfort die Vorstellungen zu zerstören, die wir durch gewisse Wörter und Begriffe in ihnen auslösen. Eine vollständige Liste all dessen, um was es sich etwa bei »asiatischem Vorbild für das Theater« *nicht* handeln kann, ergäbe unsere trostlos isolierte Stellung: Es ist dem heute Schreibenden beinahe unmöglich, die Assoziationen des Lesers genügend zu kontrollieren. Sehr schwierig ist es etwa schon, jene pompöse und exotische Fassade zu demolieren, die bei dem Wort »asiatisch« vor dem »geistigen Auge« nicht nur eines *mittleren* Lesers auftauchen mag. Dabei ist der Begriff »exotisch« in der Epoche des schrankenlosen Imperialismus schon überholt – unsere Kaufleute empfinden japanische Geschäftshäuser längst nicht mehr so wie unsere Reiseschriftsteller und Regisseure: als mystische Schlupfwinkel mit Klapptüren und Gongs. Nehme man also an, daß auch für uns der Reiz so wenig wie für unsere Importfirmen im »Exotischen« dieses »Milieus« liegt. Und, um noch einem Mißverständnis von vielen möglichen vorzubeugen, es handelt sich auch nicht um jenes aus einer Reihe von billigen Büchern bekannte »Asien, in dem man dreißig Jahre gelebt haben muß, um zu begreifen, daß man es nicht begreifen kann«. Es ist keineswegs »diese große Angelegenheit Asien« gemeint, die »so groß und unerreichbar und uns so unendlich überlegen« ist, daß wir auf sie ebenso verzichten müssen wie auf die Heiligkeit des Franz von Assisi: Man sieht, wir wollen nicht, daß man uns Falsches unterschiebt. Man wird sehen, daß es uns weit gleichgültiger ist, wenn wir selber dem asiatischen Theater Falsches unterschieben sollten. Aber obwohl wir, was dieses Theater betrifft, nichts kennen als ein paar Bühnenphotos japanischer Dramen, einige Ausführungen etwa darüber, daß diese Dramatiker Stücke von zwölf Stunden Länge schreiben und anordnen, daß vor einer Eifersuchtsszene gelbe und einer Jähzornsszene grüne Fahnen aufgezogen werden, und die »feuilletonistische« Beschreibung eines Tokioer Zuschauerraums, in dem Tee getrunken und geraucht wird, müssen wir doch betonen, daß dies ein sehr großes Vorbild ist, nicht um uns großer Vorsätze zu rühmen, sondern um die Liebhaber von Nuancen zu warnen. Tatsächlich ein Beweis unserer Armut; bei der Musterung aller Elemente, die wir zum Aufbau unserer großen dramatischen Kunst verwenden könnten, finden wir nur diese: ein paar Photos, Beschreibungen und kleine Anweisungen uns fremder Regie. Vielleicht noch, was wir an *zeremoniellem Gestus* in Wachtangows Dybukaufführung ergattert haben und – um dem Begriff »asiatisch« vollends den letzten exotischen Pomp zu nehmen: die »niedrigen« Aufführungen des Münchner Lokalkomikers Karl Valentin, die also etwas »Asiatisches« haben sollen, wenn man uns verstehen will.

1930, fragmentarisch

[Sowjettheater und proletarisches Theater]

1

Die Lektüre der deutschen Theaterkritiken über Meyerhold wirkt sehr niederdrückend. Für Eindruckssammler scheint die historische Stellung des Meyerholdschen Experimentes innerhalb der Versuche zu einem großen rationelleren Theater uninteressant zu sein. Für solche ist es gleichgültig, wie großartig alle Begriffe hier zurechtgerückt sind, gleichgültig, daß hier über die gesellschaftliche Funktion des Theaters eine wirkliche Theorie besteht. Sie wünschen gar nicht das Resultat vieler Diskussionen zu diskutieren: Sie bestehen stur auf ihrem »Erlebnis«.

2

Fast am meisten verstimmt hat hier die Darstellung der Engländer in China. Die Russen zeigen in »Brülle, China!« allzu wenig Interesse für die eventuelle Nettigkeit der Engländer im privaten Umgang! Als ob es nötig wäre, in einem Stück über die Bluttaten des Königs Attila seine Kinderliebheit besonders zu [zeigen].

April 1930, fragmentarisch

Der soziologische Raum des bürgerlichen Theaters

1 Klassenkampf

Das Bürgertum entfernt sich, sowie es seine Ideologie aufgibt (etwa weil diese immer unzeitgemäßer wird), immer mehr von seinem politisch so richtigen Anspruch auf die Totalität seines Weltbildes, und ein Teil des Bürgertums weiß dies. Welcher Teil? Der Teil, der, um das totale Weltbild zu retten, immerhin schon den Gegensatz zwischen Bürgertum und anderem in seine Ideologie aufgenommen hat, wo er, der Gegensatz, insofern auch ideologisch ausgebootet wird, daß er »fruchtbar« genannt wird: Also der klassenbewußte Teil des Bürgertums, das klassenbewußte Bürgertum, verteidigt die Klassiker (indem es seine eigene Zeit angreift). Das andere Bürgertum aber gibt sie ziemlich unbewußt preis (Unbewußtheit *bedeutet* hier preisgeben), von Fall zu Fall, Stück um Stück, ein klassisches Werk zugunsten des andern, niemals alle zugleich, vor allem niemals den *Glauben*, daß es eine allgemeine, totale Klassik geben könnte oder daß eine solche sehr, sehr, sehr nützlich sei – weil eben die Befürchtung besteht, daß das Bürgertum durch Betonung und fortwährende Bestätigung seiner zeitfremden Ideologie immer mehr jene Stellung einnehmen könnte, die *der Marxismus* ihm zuweist. Diesseits oder jenseits der Barrikade, was bedeutet: im Angesicht der Barrikade, als Besitzer (einer Klassik) gegen die Besitzlosen, so daß sichtbar wird, was nicht sichtbar sein darf: nämlich daß es Klassenkampf gibt und, Schrecken der Schrecken, Klassenkampf bis in die Ideologie hinein!

2 Rolle des Zeitstückes

Dieses Bedürfnis des nicht klassenbewußten Bürgertums, die Totalität zu retten (den Klassenkampf zu negieren), wird sein »Zeitstück« auf die Bretter bringen und auch abgrenzen. Die Grenze wird dort liegen, wo die einzelnen Schäden nicht mehr als Spezialitäten »sachlich« beschränkbar erscheinen. Das Drama oder die Aufführung [muß] über die Zustandsschilderung (eigentlich Zuständeschilderung) hinaus zur Kritik oder Diskussion des Gesamtzustandes selber [über]gehen, also genau dort, wo die eigentliche geistige Sphäre einsetzt – *nach* Kenntnisnahme des Zustandes. Das Proletariat hat Interesse am Zeitstück *(auch ohne die Theater zu besuchen)*, solange das Aufrollen der mißlichen Zustände *in Permanenz* ist, also auf Diskussion des Gesamtzustandes hinsteuert (was durch jedes Verweilen auf dem einzelnen Mißstand nur aufhält und jedem *Vorschlag* zur Besserung geradezu gefährlich ist), das nicht klassenbewußte Bürgertum so lange, als praktische Vorschläge gemacht werden und ein Verweilen, und sei es nur in der Möglichkeit ästhetischen Genusses, möglich erscheint. An der wirklichen *Sachlichkeit* hat das Bürgertum absolut kein Interesse, da, wenn einer sachlich ist, ja immer die Frage vorliegt, *was* seine Sache ist; daher muß die die bürgerliche Richtung der »neuen Sachlichkeit« notgedrungen bald abwirtschaften, und dies geschieht gewöhnlich in Form formaler Bereicherung.

3 Die neue Dramatik auf kapitalistischer Grundlage

Im »Anti-Dühring« (S. 101 u. f.) werden die ökonomischen Zwecke aufgezeigt, die die Freiheitsforderungen der Pseudoklassiker im aufstrebenden Bürgertum hatten. Diese gewisse Gedankenfreiheit hat zu jener absolut apolitischen Stellung der Literatur geführt, die sie am Schluß unfähig machte, auch nur zu »schildern«. Der Gedanke ist frei, das heißt, er ist einflußlos, er ist so lang frei, als er von seiner Einflußlosigkeit

Gebrauch macht und die Dinge läßt, wie sie sind. Er ist juristisch frei und frei von – Produktionsmitteln. Denn die Produktionsmittel des Gedankens sind Wirklichkeiten.

Fragmentarisch

Über die Verwertung der theatralischen Grundelemente

Der Naturalismus offenbart schon in seinem Namen seine naiven, verbrecherischen Instinkte. Das Wort Naturalismus ist selber schon ein Verbrechen. Die bei uns bestehenden Verhältnisse zwischen den Menschen als natürliche hinzustellen, wobei der Mensch als ein Stück Natur, also als unfähig, diese Verhältnisse zu ändern, betrachtet wird, ist eben verbrecherisch. Eine ganz bestimmte Schicht versucht hier unter dem Deckmantel des Mitleids mit den Benachteiligten die Benachteiligung als natürliche Kategorie menschlicher Schicksale zu sichern. Es ist die Geschichte der Benachteiliger.

[Anschauungsunterricht für neues Sehen der Dinge]

Wir haben also einen gewissen Abschnitt der neueren Dramatik in der Entwicklung zu zeichnen: das Eindringen des dialektischen Prinzips und seine Wirkung. Es kann vorausgenommen werden, daß wir hier ein kleines Spiegelbild des Eindringens der Dialektik in die klassische deutsche Philosophie bekommen werden: sehr ähnlich verläuft unsere Kurve. Die Voraussetzung bildete hier wie dort das Vorhandensein eines rohen Materialismus, hier des Naturalismus. Der grobe und flache Realismus der Naturalisten bildete einen großen Fortschritt gegenüber dem Wagnerianismus, der das Theater vor, während und nach ihm so völlig beherrschte.

Die neue Dramatik soll nicht als eine Gruppe von Dramatikern oder als Summe dramatischer Werke definiert werden. Es soll unter ihr die neue dramatische Methode verstanden sein. Diese Methode nun kann aus der Literaturgeschichte heraus nicht begriffen werden. Noch weniger kann sie begriffen werden aus dem Gefühl heraus. Das »Gefühl« ist eine Gruppenerscheinung, die die Tendenz hat, sich stets für allgemein menschlich zu halten, also einer Gruppe zugehörig, die sich als Gruppe nicht erkennen kann. Die neue Dramatik betrieb nicht die Interessen irgendeiner schon durch vorhandene Interessen zusammengeschlossenen Gruppe (weder politischer noch ästhetischer Art), deren Gefühl sie dann als die ihr zugehörige Methode hätte erkennen können. Ganz im Gegenteil gab es und gibt es eine große, besonders die Theater beherrschende Gruppe, die gerade den Ausgangspunkt dieser Methode nicht begreift und schuld ist, daß er nicht begriffen wird. Diese Voraussetzung ist der Krieg, und diese Gruppe ist das, was man den Frankfurtismus nennen könnte.

Der große praktische Anschauungsunterricht für ein neues Sehen der Dinge war der Krieg, und zwar der Krieg in seiner Gänze, also in einem vierzigjährigen Anlauf und einem Sprung in die Revolution. Wenn man nun unter Verstehen Auswertenkönnen versteht, dann haben ihn niemand besser verstanden als die Frankfurtisten.

Der Krieg hätte alle jene, die geschichtliches Geschehen noch nicht als ein dialektisches erkannt hatten, etwa weil sie vor dem Krieg glaubten, im Frieden zu leben (also weil sie den Bürgerkrieg nicht erkannt hatten), Dialektik lehren können. Aber warum begriffen dieselben Leute, die den (Frieden genannten) Bürgerkrieg nicht begriffen hatten, jetzt den Krieg nicht? Die Antwort auf den Zusammenhang zwischen Krieg und Bürgerkrieg hat Lenin gegeben. Aber wie faßten sie also den Krieg auf? Wie faßte die fortgeschrittenste republikanische, gegen rechts und links kämpfende, aber herrschende bürgerliche Gruppe, die frankfurtistische, den Krieg auf? Die politisch Denkenden sahen in ihm ein Fiasko der vor ihnen herrschenden industriell-feudalistischen Schicht, und zwar ein (etwa durch sie) vermeidliches Fiasko, das aber auch von dieser andern Schicht vermeidlich gewesen wäre, also ein personelles Fiasko.[1]

Diese dramatischen Bestrebungen zeigten von Anfang an einen vorwiegend organisatorisch-kritischen Charakter. Der alte Werkbegriff, ein reiner Lieferantenbegriff auf der Grundlage des kleinen Hand(Kopf-)werks hatte sich gewandelt, der Begriff Schöpfung begriff in sich nicht mehr nur etwas Organisches, sondern auch eine Organisation. Das Theaterwerk »Dickicht«, dem Inhalt nach eine Kritik, hatte die formale Aufgabe, Theater zu organisieren (das heißt umzuwälzen). Und das Theater sollte nicht nur für die Dauer eines Theaterabends, eben für das Stück »Dickicht«, umgewälzt werden, sondern für dauernd und für alle Stücke (und die Stücke für dieses Theater)! Als konkret an allem vorhandenen Theater galt nur der gestische Gehalt. Es kam nicht so sehr darauf an, neue Gesten zu erfinden, sondern überhaupt das Gestische herauszuarbeiten, nicht so sehr, Stoffe zu schaffen, sondern mehr, Stoffe zu organisieren.

Die *schöne* Literatur stellte das Apparaterlebnis des einzelnen in den Vordergrund.
Der stark entwickelte Glaube an die Persönlichkeit zeigte sich in seinem komischsten Lichte, wenn das Kriegsproblem als psychologisches Problem gezeigt wurde (in Erwägungen, wieweit Czernins Verstand ausreichte oder was in Wilhelm wohl am Abend des 14. vorging), wobei die Persönlichkeiten einer Psychose, eben der Kriegspsychose, »verfallen« waren. Ohne Psychose war nichts erklärbar, da ja die gewissen geschäftlichen Differenzen auch »anders« (gemeint war: billiger)

[1] Emil Ludwig.

hätten »beigelegt« werden können. Der »Geschichtsphilosoph« Ludwig konnte sich eine Intelligenz von solcher Stärke vorstellen, daß sie den Krieg hätte vermeiden können, zum Beispiel seine eigene.

Die schöne Literatur stellte die Persönlichkeit vollends ganz in den Vordergrund und schilderte das Apparaterlebnis. (Die stärksten Erleber erlebten Auflagen bis zu einer Million. Sie schilderten, wie schrecklich es war, vier Jahre lang keine Persönlichkeit gewesen zu sein.) Jeder einzelne fühlte, daß der Krieg nicht sein eigener Krieg war, nicht die Folge seiner Taten, nicht die Konsequenz seiner Gedanken (wo je hatten seine Gedanken eine Konsequenz gehabt?): *Man hatte sie nicht gefragt!* Sie hatten laut gerechnet: zwei mal zwei, und man hatte sie nie gefragt, ob sie auch sagen wollten: ist gleich vier! Sie waren hauptsächlich Psychen, und sie redeten sich hinaus mit einer Psychose. Wußten sie, wo das Korn wuchs, das sie aßen? Kannten sie den Namen des Ochsen, den sie als Filet verspeisten? Sie kannten ihn nicht, und ihr himmlischer Vater nährte sie doch. Sie hatten nicht begriffen, daß sie Kapitalisten waren (auch wenn sie persönlich kein Kapital hatten) und daß dies eine große Stunde des Kapitalismus war, seine bisher größte, gewaltigste Kollektivisierung, seine konsequenteste, beinahe unpersönliche Leistung! Sie begriffen nicht, daß dies ein gesellschaftliches, nicht ein innermenschliches Phänomen war. Sie sahen die Verneinung der Person durch den Krieg und lehnten den Krieg also ab. Aber der Krieg war eine Realität, und die Person war verschwunden. Aber sie hatten es nicht gewollt. Also war der Krieg ein Zufall, und die Person war da. War der Krieg etwa nicht vermeidbar durch den Völkerbund? Er war also entstanden, weil es keinen Völkerbund gegeben hatte! Die Wahrheit war, sie konnten die Gesetzmäßigkeit nicht sehen, weil sie die Ursachen der Ereignisse nicht sehen konnten, und die konnten sie nicht sehen, weil sie sie nicht beseitigen konnten. Sie konnten ihre Handlungen nicht beseitigen und hofften, die Folgen dieser Handlungen würden vermeidbar sein. Der Dualismus zwischen ihren Ansichten und ihren Handlungen machte ihre Literatur *folgenlos*, absolut undialektisch, zu der unwirklichen, also unvernünftigen (Begleit-)Erscheinung, die sie ist. Der Krieg nicht nur, auch alle anderen großen kapitalistischen Vorgänge mußten ihnen als im metaphysischen Sinne natürliche erscheinen, denen der Mensch als Objekt gegenüberstand, indem er sie »erlebte«. Aber der Krieg war nicht entstanden, sondern gemacht worden und nicht nur über die Menschen hereingebrochen, sondern auch von Menschen geführt worden, und wenn der einzelne machtlos war, so war die Summe aller Menschen noch nicht die Menschheit und also auch machtlos. Aber von diesen dachte kein Handelnder und handelte kein Denkender, sondern Denken und Handeln waren äußerste Gegensätze.

[Notizen über] Die dialektische Dramatik

Grundgedanke: Anwendung der Dialektik führt zu revolutionärem Marxismus

1 Was ist wohl Dialektik?

Es ist heute üblich, sich auf den Standpunkt zu stellen – und beinahe alle berufsmäßigen Beurteiler des Theaters und der Dramatik stellen sich auf diesen Standpunkt –, daß man sich im Theater naiv einstellen muß, und man ist überzeugt davon, daß man dies kann. Versteht das Theater sein Handwerk, dann hat sich der Zuschauer lediglich einzufinden. (Und da die Kritiker dafür bezahlt werden, finden sie sich immer ein.) Nun wäre vom Standpunkt des neuen Theaters aus gegen eine naive Einstellung des Zuschauers wenig zu sagen, wenn eine solche möglich wäre. Es wird hier davon zu reden sein, daß sie unmöglich ist und warum sie unmöglich ist. Ist sie aber unmöglich, dann muß vom Zuschauer verlangt werden, daß er den (unbequemeren) Weg beschreitet, etwas zu lernen, bevor er im

Theater sich einfindet. Dann muß der Zuhörer »im Bilde«, vorbereitet, »gelehrt« sein. Selbst diese Vorbereitung aber ist schwierig genug. So wird im folgenden die Rede von »Dialektik« sein müssen, ohne daß erklärt wird, was dies ist; da die Dialektik ein Bestandteil nicht nur der proletarischen, sondern (wenigstens die idealistische) auch der bürgerlichen Bildung ist, wird ihre Kenntnis boshafterweise vorausgesetzt.[1]

Es handelt sich auch im folgenden weniger um die ausführliche Erklärung der neuen Dramatik als einer dialektischen (obgleich es sich auch, da dies noch nie betont wurde, darum handelt), auch nicht so sehr um die Dialektik ihrer Entwicklung (diese zu zeigen, wäre die Aufgabe einer wirklichen Literaturwissenschaft), sondern hauptsächlich um einen primitiven Versuch, die revolutionierende Wirkung zu zeigen, welche die Dialektik überall, wo sie eindringt, ausübt, ihre Rolle als beste Totengräberin bürgerlicher Ideen und Institutionen.

2

Dieser wichtige Nachweis gestattet es, ein Gebiet einige Seiten lang *ernsthaft* zu behandeln, das sonst eine solche Behandlung nicht eben herausfordert, ja sie kaum aus sich heraus rechtfertigt – das dramatisch-theatralische.

Und so haben wir auf der einen Seite eine dramatische Produktion, die ihrer Natur nach aufs stärkste das konkrete Theater mit Haus, Bühne und Mensch betrifft, indem sie es einschließlich des Zuschauers vollständig umzuwälzen nötig hat (diese Art des Nötighabens ist ja die dringendste, die es gibt), auf der andern Seite ein Theater, das lediglich Ware verlangt, Rohstoff, der durch den *Apparat, wie er ist,* wieder in Ware umzuwandeln sein muß. Auf der einen Seite eine Produktion, die, keineswegs ohne Tradition, quantitative

[1] Quellen: Also etwa...

Verbesserungen genug addiert hat, um nun eine entscheidende qualitative Verbesserung des Gesamten in Angriff nehmen zu können, und den fortwährenden, aber nunmehr immer rascheren Umwälzungen des sozialen, politischen Unterbaus energisch genug gefolgt (oder entgegengekommen) ist, um nun die *Konsequenzen* ziehen zu dürfen, auf der andern Seite ein Haufen von Vergnügungsanzeigern, der in ihren Konsequenzen unbequeme, aber nur im Hinblick auf diese Konsequenzen entstandene, Erklärung herausfordernde, aber von ihm unerklärliche Arbeiten mit einem andernorts niemals verwendeten, veralteten Idealismus bekämpft, dessen Konsequenz eben gerade gefordert wird. Was diese (in wessen Auftrag?) erwarten, wenn sie das Neue erwarten, wäre eine Variante des Alten, eine Belieferung ihrer Apparate zum Ausnützen ihrer Apparate; was sie bekämpfen, ist ein Neues, dessen (abgelegte) Variante ihr Altes ist. Sie erwarten ein neues Drama, weil ihr altes so wenig zu ihnen paßt wie seine Ideologie zu ihrer Praxis. Und weil das alte Drama, dessen »Erneuerung« sie verlangen, ein bürgerliches war und sie Bürger sind, erwarten sie das neue wieder als bürgerliches Drama. Aber die großen Bürger, die das große bürgerliche Drama gemacht haben, haben es nicht für die kleinen Bürger geschrieben, die sie erzeugt haben, und es wird kein neues bürgerliches Drama mehr geben. Das, was wir dialektische Dramatik genannt haben, eine sicherlich halbe, ganz und gar unvollständige, weil auf ihre Konkretisierung angewiesene und nicht zu ihr kommende, sicherlich nicht fertige, weil mit einer andern Hälfte, nämlich der ihrer Fertigstellung begabte Dramatik ist *ebenso* gewiß bürgerlich (und nicht etwa »proletarisch«) ihrer Herkunft, vielleicht auch ihrem stofflichen Inhalt nach, aber nicht ihrer Bestimmung und Verwertbarkeit nach. Sie wird in einer bürgerlichen Gesellschaftsordnung so wenig bedeuten wie die Anwendungen der großen materialistischen Dialektik auf die Physik, die Geschichte, die Physiologie und die Ökonomie.

3

Ein grober und flacher Realismus, der die tieferen Zusammenhänge niemals aufdeckte und also besonders quälend wurde, wo er auf tragische Wirkungen ausging, da er ja nicht, wie er glaubt, eine ewige und unveränderliche Natur darstellte.
Man nannte diesen Stil den Naturalismus, weil er die menschliche Natur natürlich, das heißt unvermittelt, so wie sie sich gab, (phonetisch) darstellte. Das »Menschliche« spielte eine große Rolle dabei [1], es war das, was alle »einte« (diese Art Einigung genügte nämlich). Und das »Milieu als Schicksal« erzeugte Mitleid, jenes Gefühl, das »man« hat, wenn man nicht helfen kann und wenigstens im Geiste »mit«-»leidet«. Das Milieu aber wurde als Natur betrachtet, als unveränderlich und unentrinnbar.
Dennoch zerfiel hier – wichtigstes Fortschrittselement des bald liquidierten Neuen –, zum Teil, weil diese Dramatiker unter dem Einfluß der großen bürgerlich-zivilisatorischen französischen Romane standen, hauptsächlich aber einfach, weil die Wirklichkeit selber hier zu regieren begann, die *dramatische* Form des Dramas.
Man mußte, um die Realität zum Sprechen zu bringen, eine epische Form wählen, was den Dramatikern sofort den Vorwurf einbrachte, sie seien keine Dramatiker, sondern verhüllte Romanciers. Man kann sagen, daß mit der »undramatischen« Form auch die bestimmten realistischen Stoffe wieder

---

[1] Gerade im Jahrzehnt des entschlossensten Zugriffs in die proletarische Substanz erzielte auf den Bühnen das Menschliche die höchsten Preise. Und zwar wurde dies Menschliche dem Menschen vom Schmerz erpreßt. Der physischen Ausbeutung des Armen folgte die psychische. Doppelte Ministergehälter wurden den Mimen ausgeworfen, welche die Qualen der Ausgebeuteten möglichst naturgetreu imitieren konnten, und je dichter die Ausbeuter an dieser Ausstellung ihrer Opfer saßen, desto höher schraubten sie ihr gesellschaftliches Ansehen. In den Ekel über den Armeleutegeruch mischte sich die Rührung über das Mitleid des Autors. Von allen menschlichen Regungen war nur der Schmerz übriggeblieben. Es war eine Menschenfresserdramatik.

verschwanden[1] oder umgekehrt: die Dramatiker liquidierten ihre Versuche.

Bevor die Bewegung, die mit Dichtung nur insoweit etwas zu tun hatte, als die betreffenden Werke von dichterisch begabten Leuten geschrieben wurden, bedeutende Werke hervorgebracht, dem Theater neue Stoffe urbar gemacht hätte, widerriefen ihre Intuitoren selber ihre Maximen und verbrachten den Rest ihres Lebens damit, ihre Ästhetik in Ordnung zu bringen. Gleichzeitig mit der »dramatischen« Form war aber auch das Individuum als Mittelpunkt ins Wanken gekommen. Da die Künstler – hier teilweise unter dem Einfluß der bürgerlichen impressionistischen Malerei stehend – die »Naturobjekte« nicht im Fluß und als selber handelnd, also undialektisch gesehen hatten, Teile der »Natur«, tote Stücke, hatten sie die Lebendigkeit in die Atmosphäre gelegt, die Wirkung »zwischen« die (niedrigen) Worte, und so statt Kenntnissen »Erlebnisse« vermittelt, so daß die »Natur« zu einem Gegenstand des Genusses wurde (was dann die stockbürgerliche *kulinarische Kritik* eines Alfred Kerr und so weiter erzeugte) und man im gewissen Sinn eine rohe Menschenfresserdramatik hatte![2] Um die Photographie zu beleben, da man mit ihr keine plastischen Wirkungen erzielte, um »Luft« hineinzubringen und Valeurs zu erzeugen, half man sich mit Psychologie. Die kleinwüchsigen Figuren bekamen ein ungewöhnlich reizvolles Innenleben. Das Unteilbare, das Individuum, in seine Bestandteile zerfallend, erzeugte die *Psychologie*, die den Bestandteilen nachging, natürlich ohne sie wieder zu einem Individuum zusammenzubringen. So zerfiel mit dem »Dramatischen« das Individuum.

1 »Im Tale klang sie, auf der Höhe nicht.«
2 Vielleicht fehlt uns jüngeren Leuten hier wirklich etwas zum Verständnis, vor allem diese Erlebnissucht des untergehenden Bürgertums, diese krankhafte Sucht, sich noch an den Erlebnissen anderer zu bereichern und den Schmerz jeder erreichbaren Mutter mitzugenießen. Das Theater ist uns kein Ersatzamt für nichtgehabte Erlebnisse.

4 Weg der dialektischen Dramatik

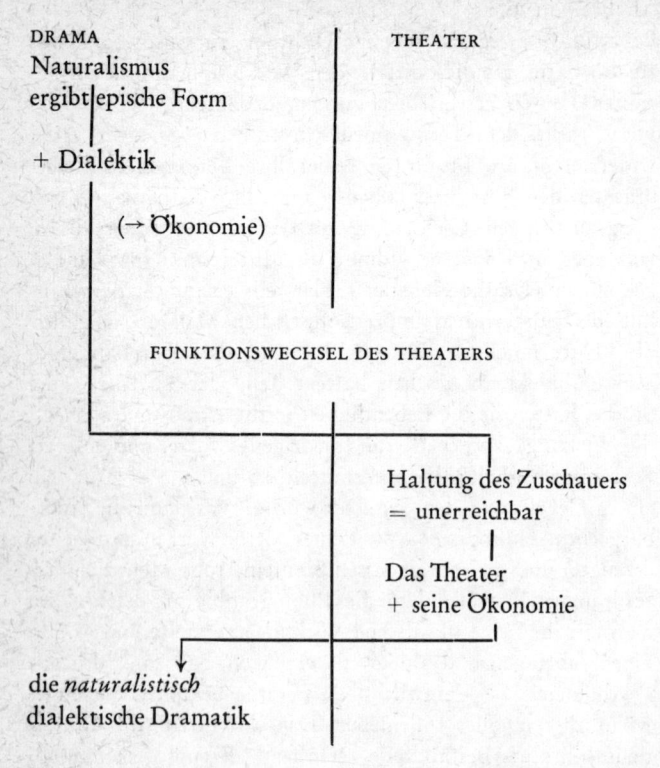

DRAMA	THEATER

Naturalismus
ergibt|epische Form

+ Dialektik

(→ Ökonomie)

FUNKTIONSWECHSEL DES THEATERS

Haltung des Zuschauers
= unerreichbar

Das Theater
+ seine Ökonomie

die *naturalistisch*
dialektische Dramatik

Um es zusammenzufassen: Die naturalistische Dramatik übernahm vom französischen Roman das Stoffliche und zugleich die epische Form. Diese letztere (schwächste Seite der naturalistischen Dramatik!) übernahm die neuere Dramatik unter Verzicht auf die Stoffe – als rein formales Prinzip. Mit dieser epischen Darstellungsweise übernahm sie jenes lehrhafte Element, das in der naturalistischen Dramatik, einer Erlebnisdramatik, doch schon steckte, brachte dieses Element selber aber erst einigermaßen rein zur Geltung, als sie die neue epische Form nach einer Reihe rein konstruktivistischer Versuche im leeren Raum nunmehr auf die Realität anwandte, worauf sie die Dialektik der Realität entdeckte (und sich ihrer eigenen Dialektik bewußt wurde). Die Versuche im luftleeren Raum waren aber nicht einfacher Umweg gewesen. Sie hatten zur Entdeckung der Rolle des Gestischen geführt. Das Gestische war für sie eben das Dialektische, das im Dramatisch-Theatralischen steckt.

Dies ist natürlich nur ein Schema; es zeigt den ideologischen Gang im Zusammenhang, läßt aber ganz außer acht, daß natürlich neue Formulierungen keineswegs einfach aus alten (etwa durch Erkenntnis der Fehler der alten) entstehen – also ohne Hinzutreten neuer »äußerer«, nämlich politisch-ökonomischer Momente!

5

Die Generation nach dem Kriege nahm an diesem Punkt die Arbeit wieder auf. Sie begann mit der Einführung des dialektischen Gesichtspunktes.

Die Wirklichkeit wurde bejaht, und nun setzt die Dialektik voll ein. Wurde die Wirklichkeit bejaht, so mußten ihre Tendenzen bejaht werden. Aber die Bejahung ihrer Tendenzen schloß die Verneinung ihrer momentanen Gestalt ein. Wurde der Krieg bejaht, so war die Weltrevolution nicht zu verneinen. War das erste Notwendigkeit, so nur wegen des zweiten. Veranstaltete der imperialistische Kapitalismus eine ungeheure Probe seiner gewaltigsten Zusammenfassung riesigster Kollektive, so mußte es eine Generalprobe der Weltrevolution sein! Veranstaltete er eine Völkerwanderung am Platze, so war wohl gemeint die große vertikale Völkerwanderung des letzten Klassenkampfes!

Der Krieg zeigt die Rolle, die dem Individuum in Zukunft zu spielen bestimmt war. Der einzelne als solcher erreichte eingreifende Wirkung nur als Repräsentant vieler. Aber sein

Eingreifen in die großen ökonomisch-politischen Prozesse beschränkte sich auf ihre Ausbeutung. Die »Masse der Individuen« aber verlor ihre Unteilbarkeit durch ihre Zuteilbarkeit. Der einzelne wurde immerfort zugeteilt, und was dann begann, war ein Prozeß, der es keineswegs auf ihn abgesehen hatte, der durch sein Eingreifen nicht beeinflußt und der durch sein Ende nicht beendet wurde.

Die materielle Größe der Zeit, ihre technischen Riesenleistungen, die gewaltigen Taten der großen Geldleute, selbst der Weltkrieg als ungeheure »Materialschlacht«, vor allem aber das Ausmaß von Chance und Risiko für den einzelnen – solche Wahrnehmungen bildeten die Pfeiler dieser jungen Dramatik, die eine völlig idealistische und völlig kapitalistische war. Die Welt, wie sie ist, sollte gezeigt und anerkannt, ihre eigene Schonungslosigkeit als ihre Größe schonungslos aufgewiesen werden: ihr Gott sollte sein »der Gott der Dinge, wie sie sind«. Dieser Versuch, eine neue Ideologie zu schaffen, die mit den Tatsachen direkt zusammenhängen sollte, war gegen das Bürgertum gerichtet, dessen (als klein erkannte) Denkweise mit seiner (als groß angenommenen) Handlungsweise in einem krassen Widerspruch befindlich schien. Bei dieser Problemstellung war die Frage lediglich eine Generationsfrage.

Es galt, die Vernünftigkeit des Wirklichen nachzuweisen. So nun entstand eine höchst eigentümliche Wirklichkeit durch diese Dramatik. Einerseits hatte sie das Bewußtsein einer vorwiegend historischen Aufgabe. Sie sah eine große Zeit und große Gestalten und fertigte also Dokumente davon an. Dabei sah sie doch alles im Fluß (»So haben wir gebaut die langen Gehäuse des Eilands Manhattan...«). Baal und der Alexander des »Ostpolzugs« waren historisch gesehen. Das heißt, nicht nur Baal selber etwa war als historische Persönlichkeit dargestellt in seinen Wandlungen, seinem »Konsum« und seiner »Produktion«, seinen Wirkungen auf die ihm begegnenden Menschen vor allem – auch seine literarische Existenz als ganz bestimmtes geistiges Phänomen war als histo-

rische Tatsache aufgefaßt. Seine »Sichtung« war historisch, hatte Ursachen und Folgen. Was Baal tat und was er sagte, war Material über ihn, gegen ihn, sein Denken und sein Sein schien identisch, und sein Lebenslauf war für die Bühne so angeordnet, daß sogar das Interesse an ihm abnehmen mußte mit dem Interesse, das er bei seinen Mitmenschen auf der Bühne erregte. (Bei der Berliner Inszenierung sagte der Maler Neher: »Für die letzten Szenen mache ich keine besonderen Umstände. Der Bursche kann kein besonderes Interesse mehr beanspruchen in dieser Verfassung. Da müssen ein paar Bretter genügen.« Und dies war ungeheuer richtig. Und an den Anfang setzte er einige große Wände, auf die jene Figuren gemalt waren, die dann im Stück den Verkehr Baals ausmachten, »die Opfer«, und sagte: »So, mit denen muß er auskommen. Hier herrschte der Gott der Dinge, wie sie sind.«)
Aber die Wirklichkeit, die so entstand, faßte die Wirklichkeit außerhalb nur sehr unvollständig. Die realen Vorgänge waren lediglich spärliche Andeutungen für geistige Prozesse. Zwischen leeren Bühnenbalken, die nur die Elemente des Vorzustellenden zur Verfügung stellten. In der Szene »In den Jahren 19 .. bis 19 .. finden wir ...« bestand die Nehersche Dekoration aus einer kindlichen Landkarte – eigentlich nur der Darstellung einer Landkarte, denn es war keine bestimmte Gegend –, wozu jedoch eine Windmaschine Wind erzeugte.
Es gab eine primitive Darstellung menschlicher »Kurven«, und was von realen Vorkommnissen bemüht wurde, war nur Anschauungsmaterial (Eselsbrücke). Dagegen gab es viele Schriften zu lesen. Ebenso war es im »Ostpolzug«, wo auch ein paar dürftige bürgerliche Vorgänge Handlungen und Aussagen des großen Typus ermöglichen sollten ...
Übrigens darf nicht vergessen werden, daß in dem Augenblick, als das Theater wieder eine Denkstätte wurde und noch dazu eine aufsässige, eine scheußliche Luft von Feierlichkeit, die der Naturalismus und der Expressionismus im Theater erzeugt hatten, rasch abstank und eine gewisse Heiterkeit und, wenn

man will, Unerzogenheit einkehrte, die zum Teil auch auf der Einsicht beruhte, daß das Theater auf dem Denkgebiet nicht die seriöse Rolle spielte, die es sich anmaßte.

6

Die dialektische Dramatik setzte ein mit vornehmlich formalen, nicht stofflichen Versuchen. Sie arbeitete ohne Psychologie, ohne Individuum und löste, betont episch, die *Zustände* in *Prozesse* auf. Die großen Typen, welche als möglichst fremd, also möglichst objektiv (nicht so, daß man sich in sie hineinfühlen konnte) dargestellt wurden, sollten durch ihr Verhalten zu anderen Typen gezeigt werden. Ihr Handeln wurde als nicht selbstverständlich, sondern als auffällig hingestellt: So sollte das Hauptaugenmerk auf die Zusammenhänge der Handlungen, auf die Prozesse innerhalb bestimmter Gruppen hingelenkt werden. Eine fast wissenschaftliche, interessierte, nicht hingebende Haltung des Zuschauers wurde also vorausgesetzt (die Dramatiker glaubten: *ermöglicht*). Demzufolge wurde diese Bewegung zu einer auf die Umänderung des ganzen Theaters einschließlich des Zuschauers gerichteten. Nicht weniger als ein *Funktionswechsel des Theaters* als gesellschaftliche Einrichtung wurde verlangt.

Man muß verstehen, daß es sich immer noch nur um einen *technischen Vorstoß*, keineswegs um irgendeine politische Aktion handelte. Alles blieb in der Sphäre des Bürgerlichen, auch stofflich. Rein objektiv sollte das typische Verhalten des Menschen dieser Zeit den neuen Methoden der Betrachtung unterworfen werden; zunächst durchaus innerhalb der bestehenden Gesellschaftsordnung, die durchaus als gegebene anzusehen und nicht weiter diskutiert werden sollte. Die neue Dramatik stellte sich lediglich die Aufgabe, den »Kurven menschlicher Geschicke« zu folgen. Die alte (dramatische) Dramatik ermöglichte es nicht, die Welt so darzustellen, wie viele sie heute schon sehen. Der für viele typische Ablauf eines Menschenlebens etwa oder eines typischen Vorgangs unter Menschen konnte in der bisher vorhandenen Form des Dramas nicht gezeigt werden. Die neue Dramatik gelangte zur epischen Form (übrigens unterstützt wieder von den Arbeiten eines Romanschreibers, nämlich Döblins). Da »alles im Fluß« gesehen wurde, hob man den *dokumentarischen Charakter* dieser Darstellungsweise hervor. Der Zuschauer sollte das Theater in derselben Haltung betreten können, die er in anderen zeitgemäßen Unternehmungen einzunehmen gewohnt war. Diese Haltung war, wie erwähnt, eine Art wissenschaftliche Haltung. Im Planetarium und im Sportpalast nahm der Mensch diese ruhig betrachtende, wägende und kontrollierende Haltung ein, die unsere Techniker und unsere Wissenschaftler zu ihren Entdeckungen und Erfindungen geführt hat. Nur waren es im Theater die Schicksale der Menschen und ihr Verhalten, das interessieren sollte. Der moderne Zuschauer, so wurde vorausgesetzt, wünscht nicht, irgendeiner Suggestion willenlos zu erliegen und, indem er in alle möglichen Affektzustände hineingerissen wird, seinen Verstand zu verlieren. Er wünscht nicht, bevormundet und vergewaltigt zu werden, sondern er will einfach menschliches Material vorgeworfen bekommen, *um es selber zu ordnen*. Deshalb liebt er es auch, den Menschen in Situationen zu sehen, die nicht so ohne weiteres klar sind, deshalb braucht er weder logische Begründungen noch psychologische Motivierungen des alten Theaters. Ein Mensch natürlich, der nichts von einem Forscher an sich hat, sondern der lediglich ein Genießer ist, wird diese Stücke darum für unklar halten, weil sie die Unklarheit menschlicher Beziehungen gerade gestalten. Die Beziehungen der Menschen unserer Zeit sind unklar. Das Theater muß also eine Form finden, diese Unklarheit in möglichst klassischer Form, das heißt in epischer Ruhe darzustellen.

7 Das Theater als öffentliche Angelegenheit

8 Funktionswechsel des Theaters

Die Gesamtheit des Theaters muß umgestaltet werden, nicht nur der Text oder der Schauspieler oder selbst die ganze Bühnenaufführung – auch der Zuschauer wird einbezogen, seine Haltung muß geändert werden.
Diesem Wechsel der Haltung des Zuschauers entspricht die Darstellung von menschlichen Haltungen auf der Bühne; die Auflösung des mimischen Materials nach *Verhältnissen* hin. Das Individuum fällt als Mittelpunkt. Der einzelne ergibt kein Verhältnis, es treten Gruppen auf, in denen oder denen gegenüber der einzelne bestimmte Haltungen einnimmt, die der Zuschauer studiert, und zwar *der Zuschauer als Masse*. Also auch als Zuschauer fällt der einzelne und ist nicht mehr Mittelpunkt, er ist nicht mehr Privatperson, die die Veranstaltung von Theaterleuten »besucht«, die sich etwas vorspielen läßt, die die Arbeit des Theaters genießt, er ist nicht nur mehr Konsument, sondern er muß produzieren. Die Veranstaltung ohne ihn als Mitwirkenden ist halb (wäre sie ganz, so wäre sie *jetzt* unvollkommen). Der Zuschauer, einbezogen in das theatralische Ereignis, wird theatralisiert. So findet weniger »in ihm« und mehr »mit ihm« statt, und so hat das zeitgenössische Theater lediglich als Geschäftsunternehmen, das aus dem Verkauf von Abendunterhaltung profitiert, hier ein Käuferkollektiv gebildet und so eine bloß quantitative Arbeit geleistet. Ein Schritt weiter, *allerdings ein Schritt gegen den Grundcharakter des Unternehmens,* und es entstünde eine qualitative Veränderung dieses Kollektivs: seine Zufälligkeit verschwände. Jetzt kann die Forderung erhoben werden, daß *der Zuschauer (als Masse) literarisiert* wird, das heißt, daß er eigens für den Theater»besuch« ausgebildet, informiert wird! Nicht jeder Hereingelaufene kann, auf Grund eines Geldopfers, hier »verstehen« in der Art von »konsumieren«. Dies ist keine Ware mehr, die jedermann auf Grund seiner allgemeinen sinnlichen Veranlagung ohne weiteres zugänglich

ist. Das Stoffliche ist zum Allgemeingut erklärt, es ist »nationalisiert«, Voraussetzung des Studiums; das Formale, als die Art der Benutzung, wird in Form von Arbeit, eben von Studium, ausschlaggebend. An diesem Punkt wird begreiflich, warum *die Bearbeitung vorhandener Stoffe* eine Erleichterung der zu leistenden Arbeit bedeutet. Dies, daß in dieser Phase beinahe alle andern vorhergegangenen Elemente, welche in vorhergegangenen Phasen jeweils betont diese charakterisierten, enthalten sind, könnte sie dem, der die neue aus der alten, statt umgekehrt die alte aus der neuen Phase ableitet, als rein eklektische erscheinen lassen – da er ja das entscheidende Faktum des Funktionswechsels nicht beachtet. [...] Hier, im Herausstellen des *gestischen Gehalts* eines bekannten Stoffes, können (für Hersteller und Benutzer) die Haltungen, auf die es ankommen soll, richtig gesetzt werden, *gegen* den Stoff. Nun ist klar, daß *diese* Funktion des Theaters abhängt von einer beinahe absoluten Gemeinsamkeit aller Lebensinteressen aller Beteiligten. Gerade das unbestrittene Primat des Theaters vor der dramatischen Literatur, ein technischer revolutionärer Fortschritt, bleibt als Primat der Produktionsmittel vor der eigentlichen Produktion selber (ein Verständnis der revolutionären Ökonomie ist hier unerläßlich) ein Haupthindernis gegen den großen Funktionswechsel, den es erst ermöglicht.

Aufgefordert, eine nicht willenlose (auf Magie, Hypnose beruhende), hingegebene, sondern eine beurteilende Haltung einzunehmen, nahmen die Zuhörer sofort eine ganz bestimmte *politische* Haltung ein, nicht eine *über* den Interessen stehende, allgemeine, gemeinsame, wie die neue Dramatik gewünscht hätte. Ja, die Aufführung selbst schien plötzlich kein bloßer »Einfall« einiger Dramatiker mehr gewesen zu sein, sondern sie schien dem unausgesprochenen Diktat der Allgemeinheit zu entsprechen. Schien so ein Funktionswechsel des Theaters wieder möglich, wenn auch nicht im Sinn dieser Dramatik, so wurde er nur um so unmöglicher durch diese unvorhergesehene Art seiner Möglichkeit. Das Theater, selber eine Sache, stand als Sache dem Funktionswechsel im Wege. Der Funktionswechsel des Theaters war unmöglich.

9 Das Theater als Produktionsmittel

Das bürgerliche Theater hatte technisch vor allem durch Erfassung des Publikums in großem Maßstab als Abnehmertum bei der zwangsmäßigen stetigen Ausdehnung des Marktes, durch die hierdurch erfolgte Zerschlagung jener Salonclique, die vordem das Theater beherrschte, die technische Vorbedingung geschaffen für einen vollständigen Funktionswechsel des Theaters.
Sein Klassencharakter verhindert, daß es die Konsequenz zieht. So wie es seit langem einen absoluten Atheismus praktisch betätigt, aber nicht wagen kann, ihn auch ideologisch zu vertreten.
Das war der Grund, warum der Funktionswechsel unmöglich war.
Hatte sich das Theater als ein unübersteigbarer und unveränderbarer Haufen von Produktionsmitteln herausgestellt und war so, von diesem konkreten Punkt her, die Frage nach der Umänderung dieses öffentlichen Instituts erweitert worden zur neuen (unlöslichen) Frage nach der Umänderung der ganzen Gesellschaftsordnung, die dieses Institut bedingt – so war, nicht unabhängig davon, sondern eben im Verlauf dieser Feststellungen und darauf hinzielender Untersuchungen die neue Dramatik auch auf ihrem Gebiet zu einer unvorhergesehenen heftigen Berührung mit der *Wirklichkeit* gelangt. Die Sichtung der Ökonomie hätte auf sie gewirkt wie die Entschleierung der Bilder zu Sais. Sie stand zur Salzsäule erstarrt. In tiefes Grübeln versunken, betrachtet sie die Piscatorschen Versuche, die eben einsetzten und die, wie sie rasch erkannte, ihren eigenen Versuchen zuzuzählen waren: Es waren *dramatische* mehr als theatralische, auf das Drama selber

gerichtete Versuche; dramatisch in dem neuen, die Ganzheit des Theaters meinenden Sinn. Nunmehr wurde die Subjektivität der möglichen Sachlichkeit entdeckt: die Objektivität als Parteilichkeit. Das, was hier als Tendenz erschien, war die Tendenz der Materie selber (was als Tendenz *auffiel*, war schlimmstenfalls Notkonstruktion, wo die Materie noch nicht genügend erkannt war). Als realste Realität trat eine bestimmte Literatur auf (schon in Vorstudien zu Stücken wie »Der Weizen«!), in der nicht nur über die neue Materie des Dramatischen, nämlich die Beziehungen der Menschen untereinander Konkretes bereits vorhanden war, sondern auch *die Dialektik* als solche erkannt und ausgebaut vorhanden war, also jene Art, zu sehen, die die neue Dramatik im luftleeren Raum geübt hatte. Ihre eigene Dialektik hatte sie zur Ökonomie geführt, die Ökonomie führte sie zu einer höheren Stufe der Dialektik, der *bewußten* Stufe.

1931, fragmentarisch

Über eine nichtaristotelische Dramatik
1933 bis 1941

Solang man der Kunst als Bereich die Sphäre des Unbewußten, Halbbewußten oder »Unterbewußten« zuteilt, bleibt der Vernunft nur die Rolle eines Kontrolleurs. Die Vernunft muß zufriedengestellt werden, was mehr oder weniger bedeutet, daß sie zum Schweigen gebracht werden muß. So läuft die Dramaturgie darauf hinaus, daß Unwahrscheinlichkeiten als das Erlebnis störend ausgeschaltet werden müssen.

Von den Tempelhütern der Kunst wird für gewöhnlich peinlich darüber gewacht, daß die dämmrige Unbestimmtheit der künstlerischen Sphäre gewahrt bleibt. Sie sind den Ansprüchen der Vernunft gegenüber mehr als kritisch, nennen sie prosaisch, dürr, doktrinär, lebensfeindlich und reklamieren damit für das Lebendige eben jene dämmrige Unbestimmtheit und »produktive« Unbewußtheit. In allen Redensarten, wie »schöpferischer Prozeß«, »Erlebnis«, künstlerischer »Ausdruck«, schwingt dieses Pfäffische mit, dieses noli me tangere, diese Abneigung gegen das Licht, besonders die »künstlichen« Scheinwerfer des kritischen und somit zur »Gestaltung« unfähigen Verstandes. Dabei braucht doch kaum hervorgehoben zu werden, daß für die aufsteigende Klasse die Vernunft etwas absolut Schöpferisches, Lebendiges, ja Lebenstrotzendes, die Kritik etwas ganz Elementares, unendlich Produktives, das Leben selber ist. Von dieser Seite her also brauchen wir, unsere kritischen Versuche anstellend, nichts zu befürchten.

Die deutsche revolutionäre Dramatik

Offener Brief an den Schauspieler Heinrich George

Wir müssen uns mit einer Frage an Sie wenden. Können Sie uns sagen, wo Ihr Kollege am Staatlichen Schauspielhaus Hans Otto ist?

Er soll von SA-Leuten abgeholt, einige Zeit versteckt gehalten und dann mit fürchterlichen Wunden in ein Krankenhaus eingeliefert worden sein. Einige wollen sogar wissen, daß er dort verstorben sei. Könnten Sie nicht gehen und nach ihm sehen?

Wir hören nämlich, daß Sie unter keinerlei Verdacht stehen, etwas gegen das gegenwärtige Regime zu haben. Sehr frühzeitig sollen Sie es als einen Fehler eingesehen haben, daß Sie so lange mit uns Kommunisten arbeiteten. Durch völlige Unterwerfung sollen Sie sich das höchste Lob unserer und früher auch Ihrer Feinde zugezogen haben. Wir können also annehmen, daß Sie ganz unbehelligt und frei herumgehen und nach Ihrem Kollegen Otto sich umsehen können.

Sie wissen, es handelt sich um keinen geringen Mann. Er gehörte zu jenen, die überlegt haben, was zur Ausübung wirklicher Schauspielkunst nötig ist. Es waren bei ihm keine allgemeinen Überlegungen, sondern solche, die sein Beruf, eben das Theaterspielen, ihn anzustellen zwang und die auf die Erkenntnis herausliefen, daß nicht weniger als Umänderung aller gesellschaftlichen Verhältnisse von Grund auf nötig ist, damit große Schauspielkunst entstehen kann, Theater, das eines Kulturvolkes würdig ist. Mindere Leute könnten einwenden, daß gar nicht so viel nötig ist, damit ein Schauspieler Theater spielen kann. Sie könnten sagen, er brauche dazu nur Talent. Aber Ihr Kollege Otto hatte eine andere Auffassung vom Theaterspielen: Talent schien ihm nicht zu genügen. Ihm schien Talent zu leicht käuflich, ein unsicherer Posten in der Rechnung, vermietbar an jeden beliebigen Zahlungsfähigen und zur Verfügung jeder beliebigen Sache, auch der schmutzigsten.

Solche Talente brauchen noch nicht einmal zu lügen: Leicht zu begeistern, sind sie durch und durch benutzbar für allerlei Zwecke, die zu prüfen ihre Schulung oder ihre Intelligenz oder ihr Verantwortungssinn nicht ausreicht. Auch Sie selbst haben ja Talent, und es reicht nicht aus, Sie davon abzuhalten, auch von dem blutigen Parkett, das Sie jetzt vor sich haben, Beifall entgegenzunehmen.

Unserm Freund Otto schien darum mehr als Talent nötig dazu, um zu einer wirklichen Schauspielkunst zu gelangen. Er ging so weit, zu erklären, daß nur eine völlige Änderung der Besitzverhältnisse eine endgültige Aufhebung der Möglichkeit, Menschen auszubeuten, eine restlose Beseitigung aller Schmarotzer an fremder Arbeit, die Zertrümmerung eines unterdrückenden Staatsapparates zu einem Zustand des Volkes führen könnte, in dem eine Schauspielkunst von der hohen Art, die ihm vorschwebte, eine Schauspielkunst von dieser reinen, wahrhaftigen, nützlichen Art möglich ist.

Diesen Gedanken dachte er bis zu Ende. Er dachte bis ins einzelne über eine solche Umwälzung nach, auch über den Teil, den er dabei als Schauspieler übernehmen konnte. Es kam darauf an, auch den Schauspieler zum Kampf gegen die Gesellschaftsordnung zu bewegen, die ihn durch wirtschaftlichen Druck zum Handlanger der herrschenden Klasse, zum Spaßmacher von ein paar Schmarotzern machte.

Diesen Gedanken im Kopf, verschmähte er nicht, jede, auch die unscheinbarste Arbeit zu übernehmen und gewissenhaftest auszuführen, die eine Abhilfe schaffen konnte. Er bekümmerte sich viel um die wirtschaftliche Lage seiner Kollegen mit ganz einfachen, praktischen Fragen wie etwa der Arbeitsbeschaffung. Hier zu kämpfen bedeutete ihm, sein Teil beizutragen an der großen Sache der so verwirrten und ver-

wahrlosten und so immerfort irregeführten Menschheit. So tat er viel, was ihm kaum Ruhm bringen konnte. Die Entscheidung, die er über sich getroffen hatte, war keine flüchtige. Er sah sie als durchaus endgültig an. Als es schon großer Tapferkeit bedurfte, gegen Ausbeutung und Unterdrückung zu kämpfen, fuhr er doch fort damit, so lange, bis er mit seinen schrecklichen Wunden in der Klinik lag.
Um diesen Mann bitten wir Sie, sich zu kümmern.
Sie haben jetzt ja viel Zeit. Schwierige Aufgaben stehen Ihnen kaum mehr bevor. Was Sie auf der Bühne darzustellen haben werden, wird kaum der Rede wert sein, irgendwelches schwulstiges und schlecht durchdachtes Zeug. Früheres, aus der Aufstiegszeit des Bürgertums Stammendes werden Sie irgendwie, aber sicher auf technisch veraltete Weise, »über die Rampe bringen« müssen. Sie werden darauf angewiesen sein, vorteilhaft zu verkaufen, was Sie an Mimik noch besitzen. Nicht als ob wir dabei glaubten, hinter uns liege eine Blütezeit der Kunst!
Die ringsum tobende Ausbeutung, die ständige Unterdrückung großer Volksmassen, die zwangsläufige Verwandlung von Kunst und Bildung, Fähigkeiten und Kenntnissen aller Art in Waren, alles das hatte mit dem ganzen öffentlichen Leben auch das Theater zunehmend verderbt. Immerhin gehörte das Theater in seinen bessern Vertretern zu jenen technischen Kräften, die gegen die gewaltige Fessel angingen, die Privateigentum heißt. Das Theater war tatsächlich nahe daran, in Wettbewerb mit einigen Wissenschaften und politischen Bewegungen und zusammen mit ihnen gegen die herrschende Gesellschaftsordnung anzugehen. Es bemühte sich, wahre und unverfälschte Darstellungen des Lebens zu vermitteln, und zwar solche, die eine Lösung der verschiedenen Probleme ermöglichten.
Der Impressionismus der Jahrhundertwende, der Expressionismus der zwanziger Jahre waren überwunden worden. Der erstere, ein dumpfer Naturalismus, hatte die unbrechbare

Abhängigkeit des Menschen vom Milieu gezeigt, dabei allerdings noch alle gesellschaftlichen Einrichtungen schlankweg als naturgegebene hingestellt. Der zweite, eine ebenso dumpfe idealistische Welle, hatte die Emanzipation des Menschen proklamiert, sie hat sie nicht vollzogen.

Der Krieg bedeutete einen tiefen Einschnitt für die Kunst. Der Mensch in schrecklicher Qual schrie. Der Gemarterte bestieg die Kanzel. Der Verstümmelte predigte in Zungen. Die verkrampfte Haltung der Selbstverteidigung erzeugte bei völligem Fehlen allen Wissens um Art und Zweck der Peinigung auf dem Theater eine Dramenform, die an die Schicksalsdramatik erinnerte. Die Künstler erwarteten alles vom gepeinigten Menschen, der »gut« war.

Nunmehr war das Theater daran, die »verborgenen Kräfte, die den Menschen lenken«, mit Namen zu nennen, und zwar menschlichen Namen, und die Verborgenen als nur Versteckte zu zeigen. Das Milieu, die Wirtschaft, das Schicksal, der Krieg, das Recht wurden als von Menschen ausgeübte Praxis, die von Menschen geändert werden konnte, nachgewiesen. Wie auf dem Felde der Wissenschaft verschwanden auf dem Theater die dunklen Mächte. Die Menschen traten eingreifend, in überblickbaren Situationen, auf. Was als Kunst neu und zeitgemäß war, bemühte sich, die große Fessel zu lockern.

Die faschistische Konterrevolution, der große Versuch zur Rettung des Privateigentums an Produktionsmitteln, stoppt nunmehr auf allen Gebieten menschlichen Wissens und menschlicher Praxis mit einem Schlage ab, was dem Privateigentum schädlich werden konnte; das ist nahezu alles, was es an Fortschrittlichem gibt! Noch auf dem Gebiet der Erforschung der Gestirnbahnen werden die Amtswalter ihr Halt brüllen.

Sie selber und Ihre Kollegen sind über Nacht zu Hampelmännern geworden. Traurige Schauspielbeamte werdet ihr, der Gemeinheit gleichgeschaltet, »geführt« von Henkern, eure Arbeit verrichten, die darin bestehen wird, Wortbrüchigen Vertrauen zu schenken, und die zu einflußlos sein wird, um als Untat bezeichnet zu werden. Folgende Erfahrungen werdet ihr in kurzer Zeit gemacht haben: Das Wort wird in eurem Munde schal werden, wie schon einmal ausgespienes Wasser – es ist schon einmal ausgespien worden. Welche Dramenfigur ihr immer darstellen werdet, sie wird wie ein Lügner sprechen und wie ein Sinnloser handeln, wie einer, der zuviel Drogen verschluckt hat... ihr werdet euch benehmen, wie man sich vor Lauschern benimmt, die einen in Häuser bringen können, wo es kein Verfahren gibt. Als Tugenden werdet ihr hinstellen müssen, was, siegend, alle menschliche Gemeinschaft sprengt, als Laster, was sie aufbauen könnte. Was es an Exaktheit geben wird, wird von der Unterdrückung angewendet werden: Auf der Bühne wird es sich sofort als gemeiner Schliff herausstellen. Denn Disziplin wird Gehorsam sein, nicht mehr. Das Schicksal in den Dramen, die ihr spielen werdet, wird eine verborgene Macht sein, denn es muß den Menschen hinfort wieder verborgen werden, daß des Menschen Schicksal der Mensch ist. Die Musik wird die Aufgabe haben, die sie in den Tagen des Rattenfängers von Hameln hatte: ein richtiger »Zauber«. Ihr werdet viel zaubern müssen, meine Lieben! Euer Kollege Hans Otto wußte, gegen was er kämpfte! Wo ist er?

Wir bemühen Sie nicht um nichts. Wir bitten Sie, sich um einen ganz außerordentlichen, ganz und gar unentbehrlichen Mann zu kümmern, der für den Beruf, den Sie ausüben, von besonderer Wichtigkeit ist, einen Mann seltener Art, unkäuflich. Wo ist er?

Seien Sie überzeugt, Ihre Zeit ist nicht zu schade dafür. Kein Interview, das Sie geben können und in dem Sie Ihre völlige Unterwerfung unter die gegenwärtig so blutig Herrschenden zum soundsovielten Male ausdrücken dürfen, sollte Sie davon abhalten können, nach Ihrem Kollegen Otto zu suchen und den Weg nachzugehen, den er gegangen ist. Es ist möglich, daß Sie dadurch aus der Stimmung gerissen werden, in der Sie, dem Berichterstatter des »Völkischen Beobachters« hörbar,

auszurufen pflegen: »Es ist eine Lust, jetzt zu leben!«
Aber glauben Sie uns: Das ist nur ein Vorteil. Schließlich
könnten doch auch einige (oder vielleicht sehr viele?) einmal
fragen: *Wo* zu leben war für den eine Lust?
Wir müssen Ihnen sogar dringend abraten, sich gar so geflissentlich für den Beifall zu bedanken, der von blutigen Händen gespendet wird. Wir ermahnen Sie, an den Wandel der
Zeiten zu denken, Sie und Ihresgleichen, die Sie so rasch bereit sind, *mitzumachen,* allzu fest vertrauend auf den ewigen
Bestand der Barbarei und die Unbesieglichkeit der Schlächter.
1933

[Über die deutsche revolutionäre Dramatik]

In den anderthalb Jahrzehnten, die auf den Weltkrieg folgten, erlebte die deutsche Dramatik einen gewissen Aufschwung. Sie wurde zum Sprachrohr jener tief unzufriedenen
Schichten, die mehr und mehr daran zweifelten, daß die [herrschende bourgeoise Klasse willens oder imstande sei, das ungeheure Elend zu beseitigen. Die deutsche revolutionäre Dramatik bemühte sich, die Wahrheit über die Zustände des Landes
aufzudecken][1]. Unter der Benützung ganz bestimmter Begriffe, die in den Schulen, während der militärischen Ausbildung, in der bürgerlichen Presse in die Köpfe der Menschen
eingehämmert worden waren und noch weiter eingehämmert
wurden, war der imperialistische Krieg geführt worden, der
zehn Millionen Menschen das Leben gekostet und nur den Interessen winziger Gruppen von Exploiteuren gedient hatte.
Diese Begriffe mußten nun zertrümmert werden. Und zur
Zertrümmerung dieser Begriffe bildete die revolutionäre Dramatik zusammen mit dem revolutionären Theater bestimmte
Methoden aus, die nicht viel weniger durchdacht sein mußten

1 [Der in Klammern gesetzte Text ist im Typoskript gestrichen, ohne
daß dafür eine andere Textvariante eingefügt wurde.]

als die Methoden zur Zertrümmerung der Atome in der Physik. Nur in ganz bestimmter Beleuchtung wurden die wahren Zusammenhänge zwischen dem entsetzlichen Wachstum des Elends und der Herrschaft der Bourgeoisie erkennbar. Es ist klar, daß die revolutionäre Dramatik, je mehr sie fähig wurde, ihren Zuhörern die Wahrheit aufzudecken, desto mehr die besondere Aufmerksamkeit der Polizei erregte. Der Polizist wurde ihr interessiertester Kritiker.

Die Entwicklung des revolutionären deutschen Theaters und der deutschen revolutionären Dramatik wurde durch den Faschismus abgebrochen. Das Theater *Piscators*, das eine Generation von Dramatikern organisiert hatte, wurde systematisch ruiniert, das Theater am Schiffbauerdamm, das solche begabten Schauspieler wie *Oskar Homolka, Lotte Lenya, Peter Lorre, Carola Neher* und *Helene Weigel* zu einem Ensemble vereinigte, ging ein, und die Volksbühne, auch noch eine Zeitlang nach dem Abgang Piscators ein Theater von Rang, wenn auch nicht von politischem Profil, geriet in die Hände gesinnungsloser Routiniers. Unter großen Schwierigkeiten finanzieller und polizeilicher Art führten kleine Truppen den Kampf gegen die anwachsende Reaktion weiter.

Eine Dramatisierung der *Gorkischen* »Mutter« lehrte den illegalen revolutionären Kampf, die Herstellung und Vertreibung von Flugblättern, Konspiration in Gefängnissen, versteckte Bekämpfung der Kriegsideologie. Die Darstellerin der Mutter, *Helene Weigel*, wurde von der bürgerlichen Presse ihrer Leistung wegen noch zu den größten deutschen Schauspielern gezählt, aber in der Vorstellung waren immer mehr Polizeibeamte, und am Ende wurde sie von der Bühne herunter verhaftet. Das war eine große Anerkennung von seiten des bürgerlichen Staates für eine große revolutionäre Schauspielerin, aber ihre Tätigkeit war beendet! – Auch die revolutionären Schauspielerkollektive und Agitproptruppen, wie zum Beispiel die des hervorragenden *Maxim Vallentin*, und die großen proletarischen Sängerorganisationen kämpften bis zuletzt. Die Veranstalter einer mitteldeutschen Aufführung der »Maßnahme« mit der Musik *Hanns Eislers* wurden verhaftet. Der Prozeß gegen sie, ausgedehnt auf die Verfasser, begann am Reichsgericht zu rollen. Dann kam der offene Faschismus. Schauspieler und Regisseure wurden festgenommen, andere emigrierten.

Im Gegensatz zum deutschen revolutionären Theater, das durch den Faschismus in Deutschland vorläufig ruiniert werden konnte, ist die revolutionäre Dramatik an der Weiterarbeit weniger zu hindern. Mit ihrem Schaffen steht sie dem Sowjettheater zur Seite, diesem so überaus lebendigen und allem Neuen aufgeschlossenen, heute fortschrittlichsten Theater der Welt. Die gesellschaftlichen, revolutionären Aufgaben der Dramatik und ihre Verantwortung zur Revolution haben sich noch vermehrt.

1935

[Das deutsche Theater der zwanziger Jahre]

In den Jahren nach dem großen Krieg und der Revolution war das Theater in Deutschland im großen Aufschwung begriffen. Es gab mehr große Schauspieler als zu irgendeiner anderen Zeit und eine ganze Reihe scharf konkurrierender Regisseure. Man konnte so ziemlich alle Stücke der Weltliteratur aller Zeiten spielen, von »Ödipus« bis zu »Les Affaires sont les Affaires«, vom »Kreidekreis« bis zu »Fräulein Julie« – und man spielte alle. Jedoch weder die hochentwickelte Technik des Theaters noch die der Dramaturgie gestattete es, die großen Stoffe der Zeit auf die Bühne zu bringen: Der Aufbau einer Mammutindustrie, die Kämpfe der Klassen, der Krieg, der Welthandel, die Bekämpfung der Krankheiten und so weiter konnten nicht dargestellt werden, jedenfalls nicht in großer Weise. Man konnte natürlich Börsen auf dem Theater sehen, auch Schützengräben und Kliniken, aber sie bildeten lediglich effektvolle Hintergründe für irgendeine sentimentale Magazingeschichte, die in jeder anderen Zeit auch geschehen konnte, wenn sie auch nicht in den großen Zeiten des Theaters für würdig befunden worden wäre, auf der Bühne zu erscheinen. Die Instandsetzung des Theaters für die Bewältigung der großen Vorgänge kostete große Mühe.

Zunächst stellte es sich heraus, daß das Theater, als bloße Maschinerie betrachtet, technisch auf dem Stand verblieben war, den es etwa um 1830 erreicht hatte. Es war noch nicht einmal elektrifiziert. In wenigen Jahren führte Piscator, der zweifellos einer der bedeutendsten Theaterleute aller Zeiten ist, eine ganze Reihe tiefgreifender Neuerungen ein. Er baute den Film in das Theater ein. Die Dekoration erwachte zum Leben und begann selber zu spielen. Jetzt konnten auf dem Hintergrund des Theaters Dokumente vorgelegt werden, Urkunden und Statistiken; gleichzeitige Vorgänge an anderen Orten konnten gezeigt werden. Während zum Beispiel auf der Bühne in einer Börsenschlacht ein Kampf um ein albanisches Petroleumfeld entbrannte, sah man im Hintergrund die Kriegsschiffe auslaufen, um das Feld stillzulegen. Das war ein gewaltiger Fortschritt.

Eine weitere Neuerung war die Einführung der laufenden Bänder. Breite Teile des Bühnenbodens konnten ins Rollen gebracht werden. Auf diesen Bändern spielte man den »Braven Soldaten Schwejk« und seinen in der Literatur berühmten Marsch nach Budweis.

Die Liftbühne, auf der der »Kaufmann von Berlin« gespielt wurde, setzte Teile der Bühne in vertikaler Richtung in Bewegung.

Die neuen Mittel gestatteten die Verwendung musikalischer und graphischer Elemente, die bisher dem Theater nicht zur Verfügung gestanden hatten. Erste Musiker schrieben die Musik, und der große Graphiker George Grosz lieferte wertvolle Kunstwerke für die Projektion. Die Dekorationen für

Stücke und Inszenierungen Brechts stammten hauptsächlich von Caspar Neher.

Keineswegs geringer waren die Änderungen, die die Dramaturgie erfuhr. Eine neue Technik des Stückebaus wurde ausgebildet. Kleine Kollektive von Fachleuten, darunter Historiker und Soziologen, stellten Stücke her. Die Theorie der nichtaristotelischen Dramatik ist in einer Folge von sieben Heften, den »Versuchen«, in Bruchteilen fixiert. [...][1] Stücke solcher Dramatik sind »Die heilige Johanna der Schlachthöfe«, »Mann ist Mann«, »Die Spitzköpfe und die Rundköpfe« und so weiter. Gleichzeitig ging die Ausbildung einer ganzen Generation junger Schauspieler für den neuen Darstellungsstil, den epischen Stil, vor sich. Die gestische Spielweise verdankt viel dem stummen Film, Elemente davon wurden in die Schauspielkunst wieder hineingenommen. Chaplin, der frühere Clown, hatte nicht die Tradition des Theaters und ging neu an die Gestaltung menschlichen Verhaltens heran. Dieser Ausbau des Theaters und der Dramaturgie, die Anwendung teilweise sehr komplizierter neuer Methoden diente im Grunde nur der Vereinfachung in der Darstellung der großen Vorgänge. Niemand kann erwarten, daß die Vorgänge auf dem Weizenmarkt in Chicago oder im Kriegsministerium in der Berliner Bendlerstraße weniger kompliziert sind als die Vorgänge im Atom, und man weiß, welch komplizierter Methoden es bedarf, halbwegs einfache Beschreibungen von den Vorgängen im Atom zu geben. Selbstverständlich sind die Methoden des Theaters, auch des fortgeschrittenen Theaters eines wissenschaftlichen Zeitalters, ganz außerordentlich weniger exakt als die der Physik, aber auch das Theater muß solche Beschreibungen der Umwelt geben können, daß der Zuschauer sich auskennt. Als Brecht genügend Erfahrungen gesammelt hatte, wurde es möglich, auch mit einem Minimum an Mit-

1 [Hier folgt ein Text aus den »Anmerkungen zur ›Mutter‹«, siehe dort.]

teln gewisse große und verwickelte Vorgänge darzustellen. »Die Mutter«, eine historische Biographie, konnte mit ganz wenig Aufwand gegeben werden. Zu dieser Zeit führte eine andere Kette von Versuchen, die sich zwar theatralischer Mittel bedienten, aber die eigentlichen Theater nicht benötigten, zu gewissen Resultaten. Es handelte sich um pädagogische Versuche, um das Lehrstück.
Während einer Reihe von Jahren versuchte Brecht mit einem kleinen Stab von Mitarbeitern abseits des Theaters, das durch den Zwang, Abendunterhaltung zu verkaufen, allzu unbewegliche Grenzen hatte, einen Typus theatralischer Veranstaltungen auszuarbeiten, der das Denken der daran Beteiligten beeinflussen könnte. Er arbeitete mit verschiedenen Mitteln und in verschiedenen Gesellschaftsschichten. Es handelte sich um theatralische Veranstaltungen, die weniger für die Zuschauer als für die Mitwirkenden stattfanden. Es handelte sich bei diesen Arbeiten um Kunst für den Produzenten, weniger um Kunst für den Konsumenten. Brecht schrieb zum Beispiel kleine Lehrstücke für Schulen, eine winzige Oper (»Der Jasager«), die von Schülern aufführbar war. Die Musik hierzu schrieb, nach besonderen Gesichtspunkten, Kurt Weill. Ein anderes Lehrstück war [»Der Ozeanflug«], ein Stück, das eine Zusammenarbeit von Schulen mit dem Rundfunk vorsah. Der Rundfunk lieferte in die Schulen Orchesterbegleitmusik und den Gesang von Solisten, während die Schulklassen Chöre sangen. Zu diesem Lehrstück schrieben Hindemith und Weill die Musik; es wurde auf dem Baden-Badener Musikfest 1929 demonstriert. »Das Badener Lehrstück«, aufgeführt 1930, ist für Männer- und Frauenchöre geschrieben, verwendet aber auch Film sowie Clown-Szenen. Hindemith schrieb dazu eine Musik. Der 12. Versuch war das Lehrstück »Die Maßnahme«. Mehrere Arbeiterchöre Berlins taten sich zu seiner Aufführung zusammen, so daß ein Chor von etwa 400 Mann gebildet wurde. Einige erste Schauspieler wirkten mit [...]
Fragmentarisch

Kritik der Einfühlung

[Kritik der »Poetik« des Aristoteles]

1

Der Ausdruck »nichtaristotelische Dramatik« bedarf der Erläuterung. Als aristotelische Dramatik, von der sich abgrenzend eine nichtaristotelische sich definieren will, wird da alle Dramatik bezeichnet, auf welche die aristotelische Definition der Tragödie in der »Poetik« in dem, was wir für ihren Hauptpunkt halten, paßt. Die bekannte Forderung der drei Einheiten betrachten wir nicht als diesen Hauptpunkt, sie wird vom Aristoteles auch gar nicht erhoben, wie die neuere Forschung festgestellt hat. Uns erscheint von größtem gesellschaftlichen Interesse, was Aristoteles der Tragödie als Zweck setzt, nämlich die *Katharsis,* die Reinigung des Zuschauers von Furcht und Mitleid durch die Nachahmung von furcht- und mitleiderregenden Handlungen. Diese Reinigung erfolgt auf Grund eines eigentümlichen psychischen Aktes, der *Einfühlung* des Zuschauers in die handelnden Personen, die von den Schauspielern nachgeahmt werden. Wir bezeichnen eine Dramatik als aristotelisch, wenn diese Einfühlung von ihr herbeigeführt wird, ganz gleichgültig, ob unter Benutzung der vom Aristoteles dafür angeführten Regeln oder ohne deren Benutzung. Der eigentümliche psychische Akt der Einfühlung wird im Laufe der Jahrhunderte auf ganz verschiedene Art vollzogen.

2 Kritik der »Poetik«

Solange der Aristoteles (im vierten Kapitel der »Poetik«) ganz allgemein über die Freude an der nachahmenden Darstellung spricht und als Grund dafür das Lernen nennt, gehen wir mit ihm. Aber schon im sechsten Kapitel wird er bestimmter und begrenzt für die Tragödie das Feld der Nachahmung. Es sollen nur die furcht- und mitleiderregenden Handlungen nachgeahmt werden, und es ist eine weitere Begrenzung, daß sie zum Zweck der Auflösung von Furcht und Mitleid nachgeahmt werden sollen. Es wird ersichtlich, daß die Nachahmung handelnder Menschen durch die Schauspieler eine Nachahmung der Schauspieler durch die Zuschauer auslösen soll; die Art der Entgegennahme des Kunstwerks ist die Einfühlung in den Schauspieler und über ihn in die Stückfigur.

3 Einfühlung beim Aristoteles

Nicht daß wir beim Aristoteles als Art der Entgegennahme des Kunstwerks durch den Zuschauer die Einfühlung finden, die heute als Einfühlung in das Individuum des Hochkapitalismus vorkommt. Dennoch haben wir bei den Griechen, was immer wir uns unter der Katharsis, die unter uns so fremden Umständen vor sich ging, vorstellen mögen, als deren Basis irgendeine Art von Einfühlung zu vermuten. Eine völlig freie, kritische, auf rein irdische Lösungen von Schwierigkeiten bedachte Haltung des Zuschauers ist keine Basis für eine Katharsis.

4 Verzicht auf Einfühlung nur zeitweilig?

Man kann leicht annehmen, daß der Verzicht auf die Einfühlung, dem näherzutreten die Dramatik unserer Zeit sich gezwungen sah, ein durchaus zeitweiliger Akt sei, resultierend aus der schwierigen Lage der Dramatik des Hochkapitalismus – muß sie doch ihre Darstellungen menschlichen Zusammenlebens einem Publikum abliefern, das in allerschärfstem Klassenkampf liegt, und darf sie doch nichts tun, denselben zu beschwichtigen. Die Zeitweiligkeit eines solchen Verzichts wäre nichts, was gegen ihn spricht, jedenfalls nicht in unseren Augen. Jedoch spricht nicht viel dafür, daß die Einfühlung ihren alten Platz wieder erhält, sowenig wie die Religiosität, von der sie eine Form ist. Sie verdankt ihre Abfaulung sicherlich der allgemeineren Fäulnis unserer Gesellschaftsordnung, jedoch besteht kein Grund für sie, dieselbe zu überleben.

Über rationellen und emotionellen Standpunkt

Die Verwerfung der Einfühlung kommt nicht von einer Verwerfung der Emotionen und führt nicht zu einer solchen. Es ist geradezu eine Aufgabe der nichtaristotelischen Dramatik, nachzuweisen, daß die These der Vulgärästhetik, Emotionen könnten nur auf dem Weg der Einfühlung ausgelöst werden, falsch ist. Jedoch hat eine nichtaristotelische Dramatik die durch sie bedingten und die in ihr verkörperten Emotionen einer vorsichtigen Kritik zu unterwerfen.
Gewisse Tendenzen in den Künsten, wie Provokationen der Futuristen und Dadaisten und die Verfrostung der Musik, weisen auf eine Krise der Emotionen hin. Die deutsche Nachkriegsdramatik nahm eine entschieden rationalistische Wendung schon in den letzten Jahren der Weimarer Republik. Der Faschismus mit seiner grotesken Betonung des Emotionellen und vielleicht nicht minder ein gewisser Verfall des rationellen Moments in der Lehre des Marxismus veranlaßte mich selber zu einer stärkeren Betonung des Rationellen. Jedoch zeigt gerade die rationellste Form, das *Lehrstück*, die emotionellsten Wirkungen. Ich selbst würde bei einem großen Teil zeitgenössischer Kunstwerke von einem Verfall der emotionellen Wirkung infolge ihrer Lostrennung von der Ratio sprechen und von einer Renaissance derselben infolge verstärkt rationalistischer Tendenz. Das kann nur diejenigen erstaunen, welche eine ganz konventionelle Vorstellung von den Emotionen haben.
Die Emotionen haben immer eine ganz bestimmte klassenmäßige Grundlage; die Form, in der sie auftreten, ist jeweils historisch, spezifisch, begrenzt und gebunden. Die Emotionen sind keineswegs allgemein menschlich und zeitlos.

Die Verknüpfung bestimmter Emotionen mit bestimmten Interessen ist nicht allzu schwierig, solange man nur für emotionelle Wirkungen von Kunstwerken die betreffenden Interessen sucht. Jedermann kann in den Gemälden des Delacroix und dem »Bateau ivre« des Rimbaud die kolonialen Interessen des zweiten Kaiserreichs verkörpert finden. Und, was beinahe noch beweiskräftiger ist, man kann ohne Schwierigkeit durch einen Vergleich etwa des »Bateau ivre« mit Kiplings Ballade von »Ost und West« Verschiedenheiten des französischen Imperialismus der Mitte des neunzehnten und des englischen vom Anfang des zwanzigsten Jahrhunderts feststellen. Schwieriger ist es, wie schon Marx bemerkt, die Wirkung solcher Gedichte auf uns zu erklären.

Es scheint, daß die Emotionen, welche gesellschaftliche Fortschritte begleiten, in den Menschen lange Zeit fortleben als Emotionen, welche mit Interessen verknüpft waren, und zwar in Kunstwerken verhältnismäßig stärker fortleben, als es angenommen werden könnte, wenn man bedenkt, daß sie doch inzwischen auf Gegeninteressen gestoßen sind. Jeder Fortschritt erledigt einen Fortschritt, indem er eben von ihm fortschreitet, das heißt: über ihn hinwegschreitet, er benützt ihn jedoch auch, und in gewisser Weise bleibt er im Bewußtsein der Menschen als Fortschritt erhalten, wie er im realen Leben in seinen Resultaten erhalten bleibt. Es findet da eine Verallgemeinerung interessanter Art statt, ein Akt der Abstraktion.

Wenn wir die Emotionen anderer Menschen, der Menschen vergangener Zeitalter, anderer Klassen und so weiter in den überkommenen Kunstwerken zu teilen vermögen, so müssen wir annehmen, daß wir hierbei an Interessen teilnehmen, die tatsächlich allgemein menschlich waren. Diese gestorbenen Menschen haben die Interessen von Klassen vertreten, die den Fortschritt führten. Etwas ganz anderes ist es, wenn eben jetzt der Faschismus im größten Maßstabe Emotionen erzeugt, welche der Mehrzahl der ihnen Verfallenden nicht interessebedingt sind.

Thesen über die Aufgabe der Einfühlung in den theatralischen Künsten

1

Das zeitgenössische Theater geht von der Annahme aus, daß die Übermittlung eines theatralischen Kunstwerks an den Zuschauer nur so vonstatten gehen kann, daß der Zuschauer sich in die Stückfiguren einfühlt. Es kennt keinen anderen Weg der Übermittlung eines Kunstwerks und beschränkt den Ausbau seiner Technik auf die Vervollkommnung der Methoden, durch welche eine solche Einfühlung herbeigeführt werden kann.

2

Auch der gesamte Aufbau der Bühne, ob naturalistisch oder andeutend vorgenommen, soll die möglichst restlose Einfühlung des Zuschauers in das dargestellte Milieu erzwingen.

3

Diese Einfühlung (Identifikation), ein gesellschaftliches Phänomen, das für eine bestimmte geschichtliche Epoche einen großen Fortschritt bedeutete, wird zunehmend ein Hindernis für die weitere Entwicklung der gesellschaftlichen Funktion der darstellenden Künste. Das heraufkommende Bürgertum, das mit der wirtschaftlichen Emanzipation der Einzelpersönlichkeit die Produktivkräfte zu mächtiger Entfaltung brachte, war an dieser Identifikation in seiner Kunst interessiert. Heute, wo die »freie« Einzelpersönlichkeit zum Hindernis einer weiteren Entfaltung der Produktivkräfte geworden ist, hat die Einfühlungstechnik der Kunst ihre Berechtigung eingebüßt. Die Einzelpersönlichkeit hat ihre Funktion an die großen Kollektive abzutreten, was unter schweren Kämpfen vor unsern Augen vor sich geht. Vom Standpunkt der Einzelpersönlichkeiten aus können die entscheidenden Vorgänge unseres Zeitalters nicht mehr begriffen, durch Einzelpersönlichkeiten können sie nicht mehr beeinflußt werden. Damit fallen die Vorteile der Einfühlungstechnik, jedoch fällt mit der Einfühlungstechnik keineswegs die Kunst.

4

Die Versuche, die Einfühlungstechnik so umzugestalten, daß die Identifikation nunmehr in Kollektiven (Klassen) vor sich geht, sind nicht aussichtsreich. Sie führen zu unrealistischen Vergröberungen und Abstraktionen der Personen und Kollektive zugleich. Die Rolle der Einzelpersönlichkeit im Kollektiv wird undarstellbar, obgleich gerade sie von größter Bedeutung ist.

5

Die theatralischen Künste stehen vor der Aufgabe, eine neue Form der Übermittlung des Kunstwerks an den Zuschauer auszugestalten. Sie müssen ihr Monopol auf die keinen Widerspruch und keine Kritik duldende Führung des Zuschauers aufgeben und Darstellungen des gesellschaftlichen Zusammenlebens der Menschen anstreben, die dem Zuschauer eine kritische, eventuell widersprechende Haltung sowohl den dargestellten Vorgängen als auch der Darstellung gegenüber ermöglichen, ja organisieren.

6

Die Vorgänge sind also dem Zuschauer zunächst in ihrer Erstaunlichkeit und Befremdlichkeit zu übermitteln. Dies ist nötig, damit sie nach ihrer beherrschbaren Seite hin vorgestellt werden, aus bekannten zu erkannten werden können.

7

Die theatralischen Künste liquidieren damit die Reste des Kultischen, die ihnen noch aus früheren Epochen anhaften, treten aber auch aus dem Stadium, in dem sie die Welt interpretieren halfen, in das Stadium, in dem sie sie verändern helfen.

8

Diese gesellschaftliche Umfunktionierung macht einen völligen Umbau der Technik nötig.

9

Jedoch entfernt sie keineswegs, wie das befürchtet werden mag, die Gefühle aus der Kunst. Sie verändert allerdings schonungslos die gesellschaftliche Rolle der Emotionen, welche diese heute zum Vorteil der Herrschenden spielen. Mit der Entfernung der Einfühlung aus ihrer beherrschenden Stellung fallen nicht die gefühlsmäßigen Reaktionen, welche von den Interessen herrühren und sie fördern. Gerade die Einfühlungstechnik gestattet es, gefühlsmäßige Reaktionen zu veranstalten, welche mit den Interessen nichts zu tun haben. Eine auf die Einfühlung weitgehend verzichtende Darstellung wird eine Parteinahme auf Grund erkannter Interessen gestatten, und zwar eine Parteinahme, deren gefühlsmäßige Seite im Einklang steht mit ihrer kritischen Seite.

Über praktikabel definierte Situationen in der Dramatik

Auch die alte, auf die Auslösung unreiner Emotionen ausgehende Dramatik stößt mitunter auf Einwände, was ihre Abbildungen der Wirklichkeit betrifft. Dies oder jenes wird als »nicht wahrscheinlich« gerügt. Ein sehr hoher Grad von Unwahrscheinlichkeit stellt die Auslösung der Emotionen in Frage; geringere Grade gefährden sie nicht besonders. Die Art, wie der Liebhaber die Untreue einer Frau entdeckt, mag nicht wahrscheinlich sein; jedoch bleibt die Entdeckung immerhin wahrscheinlich, besonders wenn es hauptsächlich auf seine daraus resultierenden Emotionen ankommt, deren Wahrscheinlichkeit ohne weiteres gegeben ist: so daß beim Zuschauer gewisse Emotionen auf diesem Feld der Eifersucht ausgelöst werden können.

Im nachfolgenden soll gezeigt werden, daß gewisse Zuschauerschichten auf eine Dramatik mit genaueren Wirklichkeitsabbildungen besonders stark reagieren, nämlich proletarische Schichten. Wir können hier vorausnehmen, daß auch diese Zuschauer natürlich ungenaue Abbildungen hinnehmen, wenn sie bestimmte Emotionen empfangen können oder müssen. Der proletarische Held sowie der ausgesprochene Klassenfeind dürfen mehr oder weniger unklare Figuren in ungenau abgebildeten Situationen sein, allerdings nicht jederzeit. Es gibt Epochen, wo sie es nicht sein dürfen.

Von größerem Interesse ist das Verhalten dieser Schichten gegenüber einer Dramatik mit genaueren Wirklichkeitsabbildungen. Solche genaueren Abbildungen können auch schon von der alten, auf die Auslösung unreiner Emotionen ausgehenden Dramatik gegeben werden, das heißt vermittels einer Technik, die zur Auslösung unreiner Emotionen dient. Für gewöhnlich greifen diese Abbildungen, obwohl sie ziemlich genau sind, in die abgebildete Wirklichkeit nicht sonderlich stark ein.

Man kennt eine Reihe von Stücken, in denen sehr realistisch der sittliche Verfall »hochgestellter Kreise« oder der Bevölkerung der Slumquartiere geschildert wird. Meist entstehen Eindrücke wie von Landschaften im letzteren, Eindrücke wie von Krankheitserscheinungen im ersteren Fall, das heißt, man sieht ein Stück *Natur*. Andere Stücke schildern ebenfalls sehr realistisch gesellschaftliche Mißstände, wie die Prozeduren in Erziehungsheimen für verwahrloste Kinder, in Asylen für Obdachlose, in Schiffsbergungsgesellschaften, auf Börsen und so weiter. Auch diese Stücke vermögen, obgleich die in ihnen geschilderten Mißstände von den Zuschauern beklagt werden, nur sehr selten in der bürgerlichen Presse eine Diskussion dieser Mißstände hervorzurufen; die Besprechungen verbleiben in ästhetischem Rahmen, es ist von »künstlerischen Erlebnissen« in ihnen die Rede. Dieser Dramatik wird sozusagen bescheinigt, daß sie sich nur mit den *Symptomen* tieferliegender Krankheiten des sozialen Körpers befaßt, die als solche, als Symptome, keine Behandlung verdienen.

Es sind nur die proletarischen Zuschauerschichten, die mitunter von der Betrachtung der Schilderungen zur Betrachtung des Geschilderten übergehen. Dem Verfasser ist ein Fall bekannt, wo ein Stück dieses Typus, das die Folgen des Verbots der Abtreibung behandelte, mehr als ein künstlerisches Erlebnis, nämlich eine praktische Kampagne auslöste, die eine kostenlose Verabreichung von Verhütungsmitteln durch die städtischen Krankenkassen forderte und auch erreichte.

Eine sorgfältige Untersuchung zeigt diesen Fall einer, technisch gesehen, alten Dramatik als deutlichen Grenzfall. Die Handlungsweise der Zuschauer verrät eine genauere Kenntnis sozialer Kausalkomplexe, als das Stück selber sie vermittelt. Er zeigt vor allem die erstaunliche Bereitschaft dieser Zuschauerschichten für eine Dramatik neuer Art, die gesellschaftlich eingreifendes Verhalten der Zuschauer ermöglicht. Für eine Dramatik, die genaue Abbildungen der Wirklichkeit gibt, welche praktikable Definitionen enthalten. [...]

Fragmentarisch

Unmittelbare Wirkung aristotelischer Dramatik

In der Zeit der Weimarer Republik hatte ein Stück aristotelischer Bauart, welches das Verbot der Abtreibung in den überfüllten Städten mit ihren beschränkten Verdienstmöglichkeiten als unsozial bewies, den großen Erfolg, daß die proletarischen Frauen, die es gesehen hatten, eine gemeinsame Aktion veranstalteten und erreichten, daß die Krankenkassen nunmehr die Bezahlung von Verhütungsmitteln übernahmen. Dieser Fall, der nicht der einzige, nur der deutlichste ist, den ich kenne, zeigt, daß diejenigen nicht recht haben, die befürchten, es würden durch Stücke aristotelischer Bauart zwar soziale Impulse erzeugt, aber auch gleich wieder verbraucht. Die Nützlichkeit aristotelischer Wirkungen sollte nicht geleugnet werden; man bestätigt sie, wenn man ihre Grenzen zeigt. Ist eine bestimmte gesellschaftliche Situation sehr reif, so kann durch Werke obiger Art eine praktische Aktion ausgelöst werden. Solch ein Stück ist der Funke, der das Pulverfaß entzündet. Wenn die Rolle der Wahrnehmung verhältnismäßig klein sein kann, da ein allgemein gefühlter und erkannter Mißstand vorliegt, ist die Anwendung aristotelischer Wirkungen durchaus anzuraten. In der obigen Situation würde nichtaristotelische Dramatik es vielleicht schwerer gehabt haben, eine unmittelbare Aktion auszulösen. Denn sie hätte unzweifelhaft die Frage erörtern müssen, wodurch das Gebärrecht zum Gebärzwang wird, und die Aktion, auf die sie hätte ausgehen müssen, wäre eine weit allgemeinere, größere, aber auch unbestimmtere und im Augenblick unmöglichere gewesen. Auch ein Stück nichtaristotelischer Dramatik müßte natürlich eine sofortige, mögliche, unmittelbare Erleichterung bringende, und durch ihren Erfolg weitertreibende Aktion auslösen können, eine ebensolche Aktion auf Bezahlung der Verhütungsmittel durch den Staat. Aber sie könnte nicht nur auf den Impuls losgehen. Das Recht, nicht zu gebären, als ein Teil des Rechts, zu gebären, dargestellt, hat vielleicht auf die Dauer mehr, aber im Augenblick weniger begeisternde Wirkungen.

Realistisches Theater und Illusion

1

Goethe spricht 1826 von der »Unvollkommenheit der englischen Bretterbühne« und sagt: »Es ist keine Spur von der Natürlichkeitsforderung, in die wir nach und nach durch Verbesserung der Maschinerie, der perspektivischen Kunst und der Garderobe hineingewachsen sind.« Er fragt: »Wer will sich nun gegenwärtig so etwas zumuten lassen?« Unter solchen Umständen waren Shakespeares Stücke höchst interessante Märchen, nur von mehreren Personen erzählt, die sich, um etwas mehr Eindruck zu machen, charakteristisch maskiert hatten, sich, wie es not tat, hin und her bewegten, kamen und gingen, dem Zuschauer jedoch überließen, sich auf der öden Bühne nach Belieben Paradies oder Paläste zu imaginieren.

Seitdem ist hundert Jahre lang die Maschinerie verbessert worden, und die »Natürlichkeitsforderung« hat zu einem solchen Illusionismus geführt, daß wir Späteren durchaus bereit sind, uns einen Shakespeare auf der Bühne eher zumuten zu lassen, als einen, der keine Imagination mehr erfordert und keine mehr hervorbringt. Zu Goethes Zeiten war die Verbesserung der Maschinerie zur Herstellung der Illusion noch so unvollkommen, so »in der Kindheit der Anfänge« steckend, daß das Theater selbst immer noch eine Realität war und Phantasie und Erfindung immer noch aus der Natur Kunst machen konnte. Die Schauplätze waren noch theatralische Ausstellungen, in denen der Bühnenbauer die Örtlichkeiten künstlerisch gestaltete, die Schauspieler noch Darsteller, nicht Illusionisten von der Art der Damenimitatoren unserer Varietés, die als Männer schlechterdings nicht mehr vorgestellt werden können.

2

Das Theater der bürgerlichen Klassik stand in jener glücklichen Mitte der Entwicklung auf das Naturalistische-Illusionäre zu, wo die Maschinerie so viele illusionäre Elemente stellen konnte, daß einiges Natürliches vorgestellt werden mochte, aber nicht so viele, daß das Publikum glauben gemacht wurde, es sei nicht mehr im Theater, und die Kunst bestand darin, den Eindruck zu vernichten, sie sei am Werke. Die Lichteffekte waren noch primitiv, denn es gab die elektrische Birne noch nicht. Wo mangelhafter Geschmack die Abendsonne zuließ, verhinderte mangelhafte Maschinerie die völlige Berückung. Das echte Kostüm der Meininger, wenn meist prächtig, doch nicht immer schön, wurde immerhin durch unechte Sprechweise ausgeglichen; kurz, zumindest wo es bei der Täuschung versagte, zeigte sich das Theater noch als Theater.

Die Wiederherstellung der Realität des Theaters als Theater ist eine Voraussetzung dafür, daß es realistische Abbildungen des menschlichen Zusammenlebens geben kann. Bei einer entsprechenden Steigerung der Illusion, die Örtlichkeiten betreffend, und bei einer Spielweise, die die Illusion hervorruft, man wohne einem momentanen, zufälligen, »echten« Vorgang bei, erhält alles eine solche Natürlichkeit, daß man mit dem Urteil, mit der Phantasie und mit den Impulsen nicht mehr dazwischenkommen kann, sondern sich einfügt, lediglich mitlebt und ein Objekt der »Natur« wird. Die Realität muß, bei aller Komplettheit, schon durch eine künstlerische Gestaltung verändert sein, damit sie als veränderbar erkannt und behandelt werden kann. Und das ist der Grund unserer Natürlichkeitsforderung: Wir wünschen die Natur unseres Zusammenlebens zu verändern.

Der Philosoph im Theater

[Das Interesse der Philosophen]

Die Philosophen haben dem Theater seit alters Aufmerksamkeit gezeigt. Aristoteles hat eine klassische Abhandlung darüber geschrieben, und Bacon hat es vom pädagogischen Standpunkt aus behandelt. Einige vermuten sogar, daß er dem Theater des Shakespeare nahegestanden sei. Voltaire und Diderot erwarben Ruhm als Philosophen und als Stückeschreiber, ebenso von den Deutschen Lessing. Und von großen Stückeschreibern heißt es, daß sie bestimmte Philosophen als Lehrer gehabt hätten, so Schiller den Kant.
Tatsächlich behandeln die Theaterleute Dinge, welche die Philosophen sehr interessieren müssen, nämlich das menschliche Benehmen, menschliche Anschauungen und Folgen menschlicher Handlungen.

Über die Art des Philosophierens

Habe ich das Stückeschreiben und Stückeaufführen zu einer Gepflogenheit des Philosophierens gemacht, ohne mich zu kümmern, was andere darunter verstehen mögen, so muß ich jetzt auch dieses Philosophieren in eigener Weise bestimmen, denn in unserer Zeit und seit lange schon bedeutet Philosophieren etwas ganz Bestimmtes, was ich gar nicht im Auge habe.
Von Natur habe ich keine Fähigkeit für die Metaphysik; was alles man sich denken kann und wie sich die Begriffe miteinander vertragen, das sind für mich spanische Dörfer. So halte ich mich an die vornehmlich im niederen Volke umlaufende Art des Philosophierens, an das, was die Leute meinen, wenn sie sagen: »Geh zu dem da um einen Rat, er ist ein

Philosoph« oder: »Der da hat wie ein echter Philosoph gehandelt«. Und ich möchte hier nur eine Unterscheidung machen. Wenn das Volk einem eine philosophische Haltung zuschreibt, so ist es fast immer eine Fähigkeit des Aushaltens von was. Im Faustkampf unterscheidet man Kämpfer, die gut im Nehmen, und Kämpfer, die gut im Geben sind, das heißt Kämpfer, die viel aushalten, und Kämpfer, die gut zuschlagen, und das Volk versteht unter Philosophen in diesem Sinne die Nehmer; was von seiner Lage kommt. Ich aber will im folgenden unter Philosophieren die Kunst des Nehmens *und* Gebens im Kampf verstehen, sonst aber, wie gesagt, mit dem Volk in dem, was Philosophieren bedeuten soll, in Übereinstimmung bleiben.

Es ist also einfach ein Interesse an dem Verhalten der Menschen, eine Beurteilung ihrer Künste, durch die sie ihr Leben machen, was den Philosophen dieser Art ausmacht, also ein durchaus praktisches und auf das Nützliche gerichtetes Interesse und nur, soweit die Begriffe der akademischen und gelehrten Philosophie Griffe sind, an denen sich die Dinge drehen lassen, Dinge und nicht wieder Begriffe, können sie in diese Philosophie der Straße kommen, die eine Philosophie der Fingerzeige ist. Und wenn das Nützliche etwas Prosaisches haben sollte, so müssen wir das Prosaische mit neuen Augen ansehen und lieber auf das Poetische verzichten, als es ihm erlassen, nützlich zu sein.

[Über das Theatermachen]

1 Über das Theatermachen als einer unter verschiedenen Formen der öffentlichen Äußerung

Das Theatermachen, ob des Stückeschreibers oder des Schauspielers, sieht man hergebrachterweise so an: Eine gewisse Befähigung und Lust, wirkliche Vorgänge nachzubilden oder sich zu verkleiden und andere Personen zu mimen, bringt die Leute dazu, im Theater vor die Öffentlichkeit zu treten. Die Theaterleute üben einfach im Theater ihr Gewerbe aus, so wie die Bäcker das ihre in den Bäckereien ausüben. Das Theater hat eine alte Geschichte und einen bestimmten Platz unter den verschiedenen Anstalten. Es hat eine bestimmte Technik und vermittelt einen bestimmten Genuß, dessen Zustandekommen von der Einhaltung von Regeln durch die Theaterleute und die Zuschauer abhängt, welche so alt sind, daß sie als Regeln fast vergessen sind. Man muß sich all das vergegenwärtigen, um zu verstehen, daß es eine Gewaltsamkeit bedeutet, dieses so selbstverständliche Ding, das Theatermachen, plötzlich eine Zeitlang, für die Dauer einer Untersuchung, hauptsächlich nur als eine Form unter vielen Formen öffentlicher Äußerungen über öffentliche Angelegenheiten zu betrachten. Gerade das soll aber geschehen.

Man soll, für einige Zeit, für die Dauer dieser Untersuchung, das Theatermachen so ansehen, als ob einige Leute Lust hätten, öffentliche Aussagen über öffentliche Vorgänge zu machen und sich dazu der Theater bedienten. Nicht als ob in Theaterstücken und Aufführungen nicht immer solche Äußerungen gemacht worden wären. Aber es ist doch etwas anderes, wenn man nun denken soll, das Theatermachen diene nun nur zu diesem Zweck, das heißt, alles komme nur auf die Äußerungen an, die betreffenden Leute hätten sich unter vielen Arten, sie zu veranstalten, eben nur gerade das Theatermachen ausgesucht. Leute, die auf diese Art, mit solchem Vorhaben, zum Theater kommen, lassen natürlich dann manches vom im Theater sonst Üblichen weg, was nicht für ihre Zwecke paßt, sie richten es sich neu ein, sie führen dem Theater nicht so sehr neue Äußerungen zu, sondern sie führen den neuen Äußerungen, die auf manche Art gemacht werden könnten, nunmehr das Theater zu. Nehmen wir an, sie seien Philosophen, dann wären sie, wenn man unseren Ausführungen folgt, nicht philosophierende Theaterleute, sondern theatermachende Philosophen, das heißt, sie hätten dann weniger Verpflichtungen dem Theater gegenüber als der Philosophie gegenüber. Sie lassen vielleicht vom Theatermachen alles weg, was zu ihrem Philosophieren nicht paßt, aber niemals von ihrem Philosophieren, was zum Theatermachen nicht paßt. Sie wollen beschreiben, wie es in der Welt zugeht, wie sich die Menschen den Menschen gegenüber verhalten, dabei vielleicht bestimmte Verhaltensweisen ausfindig machen, die Menschen lebensklüger machen, und bauen das Theater so aus, daß es eine solche Aufgabe leisten kann. Jedermann wird sich denken können, daß das Theater, diese alte, gewohnte Institution, von vielen Zwecken getrennt und hauptsächlich diesem einen zugewendet, sein altes Aussehen beträchtlich verändern wird.

2 Über das Theatermachen als eine
bestimmte Form der öffentlichen Äußerung

Nicht genug können wir uns klarmachen, daß das alte Theater – alt in bezug auf seine lange Lebensdauer und alt in bezug auf die neue –, das wir im Auge haben, eine ganz bestimmte Form der öffentlichen Äußerung ist, nicht nur irgendeine, nicht eine von der Art, daß wir sie ohne weiteres mit den Maßstäben messen können, die wir sonst an öffentliche Äußerungen legen dürfen. Auf dem Theater kommen viele Vorgänge vor, die aus dem Leben genommen sind und die wir im Leben allerhand Kritizismen unterwerfen, und das Theater tut Äußerungen über diese Vorgänge, die wir, würden sie an anderem Ort getan, nicht ohne Mißtrauen hinnehmen würden. Es gibt Wissenschaften über seelische Regungen, die sich jeden Tag vervollkommnen, und Wissenschaften über ökonomische Vorgänge und historische Geschehnisse, die uns ermöglichen, die Dinge zu begutachten, die uns auch das Theater vorführt; aber wir denken kaum daran, diese unsere Kenntnisse und Methoden im Theater anzuwenden. Wir erlassen es dem Theater, von diesen Wissenschaften Notiz zu nehmen, und akzeptieren Äußerungen über die Welt im Theater, die wir nirgend sonst akzeptieren würden. So wie wir die Anatomen nicht ernst nehmen würden, wenn sie auf Grund ihrer Kenntnis des Knochenbaus die Gemälde des großen Greco kritisieren wollten, wenden wir uns von den Historikern ab, die dem Shakespeare vorwerfen, er habe in seinem »Julius Cäsar« die Handlungsweise des Brutus nicht für Ökonomen verständlich gemacht. Wir begnügen uns mit dem Vergnügen, das wir empfinden, wenn wir die Welt im Auge eines besonderen Mitmenschen groß gespiegelt sehen, und stellen so einigen begabten Temperamenten einen Freibrief aus für jedwede Gestaltung der Welt, die ihm gestattet, seine Empfindungen voll auf uns zu übertragen.

Dies alles ist uns so in Fleisch und Blut übergegangen, daß wir in dem Augenblick, wo wir auf diesen Freibrief, der der Kunst ausgestellt wird, verzichten, in den Verdacht geraten müssen, überhaupt nichts mehr mit Kunst zu tun haben zu wollen. Das Theatermachen als eine unter anderen Formen öffentlicher Äußerungen nehmen, heißt nicht weniger, als diese Äußerung den Kritizismen unterwerfen wollen, die für solche Äußerungen im allgemeinen gelten, heißt, von den Zuschauern nicht mehr verlangen, daß sie ein Auge zudrücken, und von den Theatern verlangen, daß sie auf alle Praktiken verzichten, die ihre Zuschauer veranlassen, ein Auge zuzudrücken. Ein solcher Verzicht demoliert die Theaterkunst. [...]
Fragmentarisch

[Die Vorgänge hinter den Vorgängen]

1 Die Vorgänge hinter den Vorgängen
als Vorgänge unter Menschen

Es ist vielleicht schon klargeworden, daß die Philosophen, die Weltbeschreiber und Verhaltenslehrer, von denen wir reden, sich für das Schicksal der Menschen in einer besonderen Weise

interessieren. Sie sammeln nicht nur die Reaktionen der Menschen auf ihr Schicksal, sie gehen heran an das Schicksal selber. Die Reaktionen der Menschen beschreiben sie von der Seite aus, wo sie als Aktionen eingesehen werden können.
Das Schicksal selber aber beschreiben sie als die Tätigkeit von Menschen. Die Vorgänge hinter den Vorgängen, die das Schicksal bestimmen, das heißt in die eingreifend man in das Schicksal der Menschen eingreifen kann, gehen also unter Menschen vor sich.
Gegenstand der Darstellung ist also ein Geflecht gesellschaftlicher Beziehungen zwischen Menschen. Eine solche Darstellung ist ungewöhnlich und kann nicht begriffen werden, wenn sie nicht als unüblich begriffen wird.
Begegnen wir denn auf den Bühnen der alten Theater noch anderem als Menschen?
Werden auf ihnen Vorgänge dargestellt, die mit Zuhilfenahme noch anderer Dinge als menschlicher Tätigkeit begriffen werden sollen? Anders ausgedrückt, von unserem Standpunkt aus ausgedrückt: Vorgänge, die mit weniger begriffen werden sollen, die, ohne daß an allen Punkten Menschen am Werk gezeigt werden, begriffen werden sollen?

2 Spielen, was hinter den Vorgängen vorgeht

In einer Weise kann man fragen: Was soll denn da so befremdlich sein an den Vorgängen, die unser Leben, unser Zusammenleben mit andern Menschen ausmachen? Sind sie nicht ganz natürlich? Sie finden immerfort statt, sie sind ein Teil der Naturerscheinungen. Gerade die sie beherrschen, wundern sich nicht besonders über sie, eher, die unter die Räder kommen. Kann man nicht sagen: »Wenn der Boden zu steinig ist, wird der Roggen nicht hoch«, das ist nicht zum Verwundern? Und: »Wenn jemand seine Miete nicht bezahlt, wird ihm das Zimmer gekündigt«, das ist nicht erstaunlich?

Nun, nach der Meinung der Philosophen kann man das nicht sagen.
Freilich, es wird gesagt, aber da ist zumindest eine Merkwürdigkeit. Was die obigen Sätze betrifft, so gibt es immerhin schon Leute, die den ersten nicht sagen, wenn auch den zweiten. Diese Leute wunderten sich, daß steiniger Boden niedern Roggen ergab, sie fanden es nicht selbstverständlich, obgleich das Hunderte von Jahren so gewesen war. Sie suchten Roggen, der auch auf steinigem Boden hoch wuchs, und sie fanden ihn. Ihr Sichwundern lohnte sich. Dennoch sagten sie immer noch, gerade sie, den zweiten Satz. Sie hatten nicht nur Boden, sondern auch Häuser und vertrieben erbarmungslos solche Mieter, die nicht bezahlten. Dieses Verhalten, so sagten sie den Vertriebenen, sei auch keineswegs erstaunlich. Aber warum sollten diese Mieter ihrerseits nicht auch staunen? Vielleicht lohnt sich auch ihr Sichverwundern?
Technisch gesprochen: Wie kann man eine Evakuation, einen massenhaften Vorgang in unseren großen Städten, verfremden?
Ein Mann in einer Uniform bringt einen Brief, demzufolge müssen die Mieter ihre Möbel auf die Straße stellen. Ist das nicht klar? Ist das nicht seit langem so? Ja, es ist seit langem so. Ist es also nicht natürlich? Nein, es ist nicht natürlich.
Es ist jetzt so, es ist seit langem so, aber es ist zum Beispiel nicht seit immer so. In eine Höhle der Steinzeit brachte niemand einen solchen Brief oder eine Steintafel mit solchem Inhalt. Auch in eine Bauernhütte des Mittelalters wurde kein solcher Brief gebracht. Natürlich wurden immer Leute vertrieben, aber nicht auf solche Weise. Der Mann, der da geschickt wurde, war nicht vom Staat aus gemietet worden, den Brief zu überbringen. Die Leute, die ausziehen mußten, standen zu ihm in einem andern Verhältnis und so weiter. Wie das immer liegen mag, hinter dem Vorgang liegt noch ein anderer Vorgang. Der gespielte Vorgang allein enthält nicht den Schlüssel. Es sind sozusagen zuwenig Personen auf der Bühne, als daß

die Auseinandersetzung vor den Augen der Zuschauer vor sich gehen könnte. Die Anwesenden allein können keine andere Lösung veranstalten als die vorgeführte. Der Vorgang ist nicht wirklich zu verstehen, und das muß gezeigt werden.

Man kann so vorgehen, und man geht für gewöhnlich so vor, daß man die zum Vergleich herangezogenen Vorgänge aus der Geschichte auf diejenigen Momente hin untersucht, welche gleichgeblieben sind. Die Hausmiete wird »verständlich«, das heißt unauffällig, wenn man auch die Naturalabgaben der mittelalterlichen Fronbauern als Mieten ansieht. Die Vertreibung wird unauffällig, wenn man Vertreibungen von Höhlenbewohnern in der Steinzeit als Evakuationen ansieht. Alles Besondere, Heutige ist aber dann weggewischt; die Veränderungen, die sich an den gesellschaftlichen Vorgängen vollzogen haben, werden nicht als Veränderungen, nicht nach dieser Seite des Anderswerdens hin beschrieben, sondern eigentlich als Beharrungen. Neue Anstrengungen gesellschaftlicher Art erscheinen dann auch nicht nach ihrer besonderen Seite hin, werden ebenfalls nicht plastisch sichtbar. Nur als neue würden solche Verhaltungsweisen, die eine radikale Änderung herbeiführen könnten, begriffen und beschrieben werden.

Was sind die Vorgänge hinter den Vorgängen, jene verdeckten und aufzudeckenden, von denen aus betrachtet die gewöhnlich zu beobachtenden als fremd erscheinen sollen?

Ich wähle den Titel für meinen Vorgang so, daß er einen Abschnitt aus der Geschichte betitelt, also neben anderen Titeln aus einer politischen oder Sittengeschichte stehen könnte.

Die Evakuierung einer Wohnung ist ein massenhafter Vorgang, als solcher von geschichtlicher Bedeutung. Ich muß ihn so darstellen, daß diese seine geschichtliche Bedeutung erkannt werden kann. Als ein so massenhafter Vorgang (seine Massenhaftigkeit allein macht ihn zu einem Moment der Geschichte) betrifft er einen bestimmten Arbeitslosen nur als einen gewissen X. Es könnte also gemeint werden, der Evakuierte sei nur in dieser seiner X-heit, das heißt Unbestimmtheit, Massenhaftigkeit, persönlichen Eigenschaftslosigkeit, eben als der Arbeitslose X darzustellen. Das wäre aber falsch. Es gehört zu dem geschichtlichen Vorgang (einer solchen Evakuierung), daß der Evakuierte ein X ist; die ihn Evakuierenden, die Hausbesitzer und Behörden, evakuieren ihn als einen X. Aber es gehört auch dazu, daß X ein besonderer ist, ein bestimmter Mensch, mit bestimmten Eigenschaften, sich durchaus unterscheidend von allen andern, die evakuiert werden. Sagen wir, er heißt Franz Dietz. Dann besteht sein Kampf gerade darin, daß er dagegen ankämpft, ein X zu sein, eine Zahl für die Registratur, ein Korpus zuviel für den Hausbesitzer, wobei es natürlich gleichgültig ist, ob dieser Korpus, der eine Wohnung wegnimmt, einen blonden oder einen schwarzen Schnurrbart hat, gesund oder krank ist und so weiter. Der Kampf des Dietz dagegen, als ein X behandelt zu werden, ist eben der geschichtliche Vorgang; wie Dietz eben seine Massenhaftigkeit, die ihn zu einem X degradiert, benutzt, diesem Ausgelöschtwerden, diesem Entmenschtwerden zu entgehen, das ist Geschichte.

Die Kunst, die Welt so zu zeigen, daß sie beherrschbar wird

Leute, die die Welt so zeigen wollen, daß sie beherrschbar wird, tun gut, zunächst nicht von Kunst zu reden, sich nicht nach den Geboten der Kunst zu richten, nicht Kunst anzustreben. Bauftragen sie nämlich »die Kunst« mit einer solchen Aufgabe, dann können sie höchstens unerquickliche Kompromisse zustande bringen, »die Kunst« kann dann nur soundso weit gehen, ohne aufzuhören, »die Kunst« zu sein, sie selber sehen sich immerfort gezwungen, ihre Absichten innerhalb des Bezirkes »der Kunst« zu fördern; »die Kunst«, diese alte, ruhmreiche, erfahrene und mit Institutionen und gelernten Fachleuten versehene Macht, wird mürrisch darauf eingehen, einige dieser neueren Tendenzen unter ihren anderen älteren Tendenzen mit zu vertreten; unsere Philosophen aber werden alle diese alten Tendenzen mit bedienen müssen. Verzichten sie aber zunächst darauf, von Kunst zu reden, sich nach den Geboten der Kunst zu richten, Kunst anzustreben, so werden sie ihre Sache rücksichtslos fördern können und dennoch nicht auf die Dienste der Kunst völlig verzichten müssen; denn sie können für ihre Zwecke, allerdings nach genauer Prüfung, allerlei Erfahrungen, Fachkenntnisse, Institutionen der Kunst frei benutzen. Immer nur dort Kunst einsetzend, wo sie für ihre Absichten nötig ist, werden sie eine Kunst aufbauen; denn es wird zweifellos eine Kunst sein, die Welt so darzustellen, daß sie beherrschbar wird.

Das epische Theater

Vergnügungstheater oder Lehrtheater?

Wenn man vor einigen Jahren über modernes Theater sprach, dann nannte man das Moskauer, das New Yorker und das Berliner Theater. Vielleicht sprach man noch von einer oder der andern Aufführung Jouvets in Paris oder Cochrans in London oder der Dybuk-Darstellung der Habima, die eigentlich auch dem russischen Theater angehört, denn ihr Regisseur war Wachtangow; aber im großen ganzen gab es nur drei Theaterhauptstädte, was die Moderne betrifft.

Die russischen, amerikanischen und deutschen Theater unterschieden sich sehr stark voneinander, glichen sich aber darin, daß sie modern waren, das heißt technische und artistische Neuerungen einführten. In einem bestimmten Sinn kamen sie sogar zu Ähnlichkeiten im Stilistischen, und zwar wohl deshalb, weil die Technik international ist (nicht nur das von der Technik, was für die Bühne unmittelbar benötigt wird, sondern auch das, was auf sie Einfluß ausübt, wie zum Beispiel der Film) und weil es sich um große fortschrittliche Städte in großen Industrieländern handelte. In allerletzter Zeit schien in den hochkapitalistischen Ländern das Berliner Theater führend zu sein. In ihm kam das dem modernen Theater Gemeinsame eine Zeitlang zu stärkstem und vorläufig reifstem Ausdruck.

Die letzte Phase des Berliner Theaters, das damit, wie gesagt, nur die Entwicklungstendenz des modernen Theaters am reinsten aufzeigte, war das sogenannte *epische Theater*. Alles, was man Zeitstück oder Piscatorbühne oder Lehrstück nannte, gehört zum epischen Theater.

Das epische Theater

Das Wort »episches Theater« schien vielen als in sich widerspruchsvoll, da man nach dem Beispiel des Aristoteles die epische und die dramatische Form des Vortrags einer Fabel für grundverschieden voneinander hielt. Der Unterschied zwischen den beiden Formen wurde keinesfalls nur darin erblickt, daß die eine von lebenden Menschen vorgeführt wurde und die andere sich des Buches bediente – Werke der Epik wie diejenigen Homers und der mittelalterlichen Sänger waren ebenfalls theatralische Veranstaltungen, und Dramen wie der Goethesche »Faust« oder wie »Manfred« von Byron erreichten ihre höchste Wirkung zugestandenermaßen als Bücher –, der Unterschied zwischen der dramatischen und der epischen Form wurde schon nach Aristoteles in der verschiedenen Bauart erblickt, deren Gesetze in zwei verschiedenen Zweigen der Ästhetik behandelt wurden. Diese Bauart hing von der verschiedenen Art ab, in der die Werke dem Publikum geboten wurden, einmal durch die Bühne, einmal durch das Buch, aber es gab dann doch unabhängig davon »das Dramatische« auch in epischen Werken und »das Epische« in dramatischen. Der bürgerliche Roman entwickelt im vorigen Jahrhundert ziemlich viel »Dramatisches«, und man verstand darunter die starke Zentralisation einer Fabel, ein Moment des Aufeinanderangewiesenseins der einzelnen Teile. Eine gewisse Leidenschaftlichkeit des Vortrags, ein Herausarbeiten des Aufeinanderprallens der Kräfte kennzeichnete das »Dramatische«. Der Epiker Döblin gab ein vorzügliches Kennzeichen, als er sagte, Epik könne man im Gegensatz zu Dramatik sozusagen mit der Schere in einzelne Stücke schneiden, welche durchaus lebensfähig bleiben.

Es soll hier nicht auseinandergesetzt werden, wodurch die lange für unüberbrückbar angesehenen Gegensätze zwischen Epik und Dramatik ihre Starre verloren, es soll genügen, wenn darauf hingewiesen wird, daß schon durch technische

Errungenschaften die Bühne instand gesetzt wurde, erzählende Elemente den dramatischen Darbietungen einzugliedern. Die Möglichkeit der Projektion, der größeren Verwandlungsfähigkeit der Bühne durch die Motorisierung, der Film vervollständigten die Ausrüstung der Bühne, und sie taten dies in einem Zeitpunkt, wo die wichtigsten Vorgänge unter Menschen nicht mehr so einfach dargestellt werden konnten, indem man die bewegenden Kräfte personifizierte oder die Personen unter unsichtbare metaphysische Kräfte stellte.

Zum Verständnis der Vorgänge war es nötig geworden, die *Umwelt*, in der die Menschen lebten, groß und »bedeutend« zur Geltung zu bringen.

Diese Umwelt war natürlich auch im bisherigen Drama gezeigt worden, jedoch nicht als selbständiges Element, sondern nur von der Mittelpunktsfigur des Dramas aus. Sie erstand aus der Reaktion des Helden auf sie. Sie wurde gesehen, wie der Sturm gesehen werden kann, wenn man auf einer Wasserfläche die Schiffe ihre Segel entfalten und die Segel sich biegen sieht. Im epischen Theater sollte sie aber nun selbständig in Erscheinung treten.

Die Bühne begann zu erzählen. Nicht mehr fehlte mit der vierten Wand zugleich der Erzähler. Nicht nur der Hintergrund nahm Stellung zu den Vorgängen auf der Bühne, indem er auf großen Tafeln gleichzeitige andere Vorgänge an andern Orten in die Erinnerung rief, Aussprüche von Personen durch projizierte Dokumente belegte oder widerlegte, zu abstrakten Gesprächen sinnlich faßbare, konkrete Zahlen lieferte, zu plastischen, aber in ihrem Sinn undeutlichen Vorgängen Zahlen und Sätze zur Verfügung stellte – auch die Schauspieler vollzogen die Verwandlung nicht vollständig, sondern hielten Abstand zu der von ihnen dargestellten Figur, ja forderten deutlich zur Kritik auf.

Von keiner Seite wurde es dem Zuschauer weiterhin ermöglicht, durch einfache Einfühlung in dramatische Personen sich

kritiklos (und praktisch folgenlos) Erlebnissen hinzugeben. Die Darstellung setzte die Stoffe und Vorgänge einem Entfremdungsprozeß aus. Es war die Entfremdung, welche nötig ist, damit verstanden werden kann. Bei allem »Selbstverständlichen« wird auf das Verstehen einfach verzichtet. Das »Natürliche« mußte das Moment des *Auffälligen* bekommen. Nur so konnten die Gesetze von Ursache und Wirkung zutage treten. Das Handeln der Menschen mußte zugleich so sein und mußte zugleich anders sein können.
Das waren große Änderungen.

[...][1] *Der Zuschauer des dramatischen Theaters sagt:* Ja, das habe ich auch schon gefühlt. – So bin ich. – Das ist nur natürlich. – Das wird immer so sein. – Das Leid dieses Menschen erschüttert mich, weil es keinen Ausweg für ihn gibt. – Das ist große Kunst: da ist alles selbstverständlich. – Ich weine mit den Weinenden, ich lache mit den Lachenden.
Der Zuschauer des epischen Theaters sagt: Das hätte ich nicht gedacht. – So darf man es nicht machen. – Das ist höchst auffällig, fast nicht zu glauben. – Das muß aufhören. – Das Leid dieses Menschen erschüttert mich, weil es doch einen Ausweg für ihn gäbe. – Das ist große Kunst: da ist nichts selbstverständlich. – Ich lache über den Weinenden, ich weine über den Lachenden.

Das Lehrtheater

Die Bühne begann, lehrhaft zu wirken.
Das Öl, die Inflation, der Krieg, die sozialen Kämpfe, die Familie, die Religion, der Weizen, der Schlachtviehhandel wurden Gegenstände theatralischer Darstellung. Chöre klärten den Zuschauer über ihm unbekannte Sachverhalte auf.

1 [An dieser Stelle steht die schematische Gegenüberstellung des dramatischen und des epischen Theaters, siehe Anmerkungen zur Oper »Aufstieg und Fall der Stadt Mahagonny«].

Filme zeigten montiert Vorgänge in aller Welt. Projektionen brachten statistisches Material. Indem die »Hintergründe« nach vorn traten, wurde das Handeln der Menschen der Kritik ausgesetzt. Es zeigte sich falsches und richtiges Handeln. Es zeigten sich Menschen, die wußten, was sie taten, und Menschen, die das nicht wußten. Das Theater wurde eine Angelegenheit für Philosophen, allerdings solcher Philosophen, die die Welt nicht nur zu erklären, sondern auch zu ändern wünschten. Es wurde also philosophiert; es wurde also gelehrt. Und wo blieb das Amüsement? Wurde man wieder auf die Schulbank gesetzt, als Analphabet behandelt? Sollte man Examina bestehen, Zeugnisse erwerben?

Nach allgemeiner Ansicht besteht ein sehr starker Unterschied zwischen Lernen und sich Amüsieren. Das erstere mag nützlich sein, aber nur das letztere ist angenehm. Wir haben also das epische Theater gegen den Verdacht, es müsse eine höchst unangenehme, freudlose, ja anstrengende Angelegenheit sein, zu verteidigen.

Nun, wir können eigentlich nur sagen, daß der Gegensatz zwischen Lernen und sich Amüsieren kein naturnotwendiger zu sein braucht, keiner, der immer bestanden hat und immer bestehen muß.

Unzweifelhaft ist das Lernen, das wir aus der Schule, aus den Vorbereitungen zum Beruf und so weiter kennen, eine mühselige Sache. Aber man bedenke auch, unter was für Umständen und zu welchem Zweck es vorgeht. Es ist eigentlich ein Kauf. Das Wissen ist lediglich Ware. Sie wird erworben zum Zweck des Weiterverkaufs. Bei all denen, die der Schulbank entwachsen sind, muß das Lernen sozusagen in aller Heimlichkeit betrieben werden; denn der, welcher zugibt, noch zulernen zu müssen, entwertet sich als einer, der eben zuwenig weiß. Außerdem ist der Nutzen des Lernens sehr begrenzt durch Faktoren außerhalb des Willensbereichs des Lernenden. Es gibt die Arbeitslosigkeit, gegen die kein Wissen schützt. Es gibt die Arbeitsteilung, die ein Gesamt-

wissen unnötig und unmöglich macht. Das Lernen gehört vielfach zu den Mühen derer, die durch keine Mühen mehr weiterkommen. Es gibt nicht viel Wissen, das Macht verschafft, aber es gibt viel Wissen, das nur durch Macht verschafft wird. Für die verschiedenen Volksschichten spielt das Lernen eine sehr verschiedene Rolle. Es gibt Schichten, die sich eine Verbesserung der Zustände nicht denken können; die Zustände scheinen ihnen gut genug für sie. Wie immer es mit dem Petroleum zugehen mag: sie gewinnen dadurch. Und: sie fühlen sich doch schon etwas bejahrt. Allzu viele Jahre können kaum mehr kommen. Wozu da noch viel lernen? Sie haben ihr letztes Wort schon gesprochen, hough. Aber es gibt auch Schichten, die »noch nicht dran waren«, die unzufrieden mit den Verhältnissen sind, ein ungeheures praktisches Interesse am Lernen haben, sich unbedingt orientieren wollen, wissen, daß sie ohne Lernen verloren sind – das sind die besten und begierigsten Lerner. Solche Unterschiede bestehen auch für Länder und Völker. Die Lust am Lernen hängt also von vielerlei ab; dennoch gibt es lustvolles Lernen, fröhliches und kämpferisches Lernen.
Gäbe es nicht solch amüsantes Lernen, dann wäre das Theater seiner ganzen Struktur nach nicht imstande, zu lehren.
Das Theater bleibt Theater, auch wenn es Lehrtheater ist, und soweit es gutes Theater ist, ist es amüsant.

Theater und Wissenschaft

»Aber was hat Wissenschaft mit Kunst zu tun? Wir wissen ganz gut, daß Wissenschaft amüsant sein kann, aber nicht alles, was amüsant ist, gehört auf das Theater.«
Ich habe oft, wenn ich auf die unschätzbaren Dienste hinwies, die die moderne Wissenschaft, richtig verwendet, der Kunst, besonders dem Theater leisten kann, zu hören bekommen, daß Kunst und Wissenschaft zwei schätzenswerte, aber völlig verschiedene Gebiete menschlicher Tätigkeit seien. Das ist natürlich ein schrecklicher Gemeinplatz, und man tut gut, immer

schnell zu versichern, daß das ganz richtig ist, wie die meisten Gemeinplätze. Kunst und Wissenschaft wirken in sehr verschiedener Weise, abgemacht. Dennoch muß ich gestehen, so schlimm es klingen mag, daß ich ohne Benutzung einiger Wissenschaften als Künstler nicht auskomme. Das mag vielen ernste Zweifel an meinen künstlerischen Fähigkeiten erregen. Sie sind es gewohnt, in Dichtern einzigartige, ziemlich unnatürliche Wesen zu sehen, die mit wahrhaft göttlicher Sicherheit Dinge erkennen, welche andere nur mit großer Mühe und viel Fleiß erkennen können. Es ist natürlich unangenehm, zugeben zu müssen, daß man nicht zu diesen Begnadeten gehört. Aber man muß es zugeben. Man muß auch ablehnen, daß es sich bei den eingestandenen wissenschaftlichen Bemühungen um verzeihliche Nebenbeschäftigungen handelt, vorgenommen am Feierabend, nach getaner Arbeit. Man weiß ja, auch Goethe hat Naturkunde, Schiller Geschichte betrieben, man nimmt freundlicherweise an, als eine Art Marotte. Ich will diese beiden nicht ohne weiteres beschuldigen, sie hätten diese Wissenschaften für ihre dichterische Tätigkeit benötigt, ich will mich nicht mit ihnen entschuldigen, aber ich muß sagen, ich benötige die Wissenschaften. Und ich muß sogar zugeben, ich schaue allerhand Leute krumm an, von denen mir bekannt ist, daß sie nicht auf der Höhe der wissenschaftlichen Erkenntnis sind, das heißt daß sie singen, wie der Vogel singt, oder wie man sich vorstellt, daß der Vogel singt. Damit will ich nicht sagen, daß ich ein hübsches Gedicht über den Geschmack einer Flunder oder das Vergnügen einer Wasserpartie nur deshalb ablehne, weil sein Verfasser nicht Gastronomie oder Nautik studiert hat. Aber ich meine, daß die großen verwickelten Vorgänge in der Welt von Menschen, die nicht *alle* Hilfsmittel für ihr Verständnis herbeiziehen, nicht genügend erkannt werden können.

Nehmen wir an, es seien große Leidenschaften darzustellen oder Vorgänge, welche die Schicksale der Völker beeinflussen. Für eine solche Leidenschaft wird heute etwa der Machttrieb gehalten. Angenommen, ein Dichter »fühlte« diesen Trieb, er wollte einen Menschen zur Macht streben lassen – wie soll er nun den äußerst komplizierten Mechanismus in Erfahrung bringen, innerhalb dessen heute die Macht erkämpft wird? Ist sein Held ein Politiker, wie geht Politik, ist er ein Geschäftsmann, wie gehen Geschäfte vor sich? Und dann gibt es noch Dichter, die weit weniger als der Machttrieb der einzelnen gerade die Geschäfte und die Politik mit leidenschaftlichem Interesse erfüllen! Wie sollen sie sich die nötigen Kenntnisse verschaffen? Dadurch, daß sie herumgehen und die Augen offen halten, werden sie kaum genug in Erfahrung bringen, und das wäre immerhin schon mehr, als wenn sie nur die Augen in holdem Wahnsinn rollten! Die Gründung einer Zeitung wie des »Völkischen Beobachters« oder eines Geschäftes wie der Standard Oil ist eine ziemlich komplizierte Angelegenheit, und diese Dinge werden einem nicht ohne weiteres auf die Nase gebunden. Ein wichtiges Gebiet für die Dramatiker ist die Psychologie. Man nimmt an, daß, wenn nicht ein gewöhnlicher Mensch, so doch ein Dichter ohne weitere Belehrung imstande sein müßte, die Gründe ausfindig zu machen, die einen Menschen zu einem Mord veranlassen; er müßte »aus Eigenem« ein Bild von dem seelischen Zustand eines Mörders geben können. Man nimmt an, es genüge in einem solchen Fall, in sich selbst hineinzuschauen, und dann gibt es ja auch die Phantasie... Aus einer Reihe von Gründen kann ich mich dieser angenehmen Hoffnung, ich könnte auf so bequeme Weise zurechtkommen, nicht mehr hingeben. Ich kann in mir selber nicht mehr alle Gründe finden, die, wie man aus Zeitungs- oder wissenschaftlichen Berichten ersieht, bei Menschen festgestellt werden. So wie der gewöhnliche Richter bei der Aburteilung kann auch ich mir nicht ohne weiteres ein ausreichendes Bild von dem seelischen Zustand eines Mörders machen. Die moderne Psychologie von der Psychoanalyse bis zum Behaviorismus verschafft mir Kenntnisse, die mir zu einer ganz anderen Beurteilung des Falles verhelfen, besonders wenn ich die Ergebnisse der Soziologie berücksichtige und die Ökonomie sowie die Geschichte nicht außer acht lasse. Man wird sagen: Das wird aber kompliziert. Ich muß antworten: Das *ist* kompliziert. Vielleicht wird man sich überzeugen lassen und mit mir darin übereinstimmen, daß ein ganzer Haufen Literatur reichlich primitiv ist, aber doch mit schwerer Sorge fragen: Wird da nicht solch ein Theaterabend eine ganz beängstigende Angelegenheit? Die Antwort darauf ist: nein.

Was immer an Wissen in einer Dichtung stecken mag, es muß völlig umgesetzt sein in Dichtung. Seine Verwertung befriedigt eben gerade das Vergnügen, welches vom Dichterischen bereitet wird. Allerdings, wenn es auch nicht jenes Vergnügen befriedigt, das vom Wissenschaftlichen befriedigt wird, so ist doch eine gewisse Geneigtheit für ein tieferes Eindringen in die Dinge, ein Wunsch, die Welt beherrschbar zu machen, vonnöten, um zu einer Zeit, die eben eine Zeit großer Entdeckungen und Erfindungen ist, sich des Genusses an ihren Dichtungen zu versichern.

Ist das epische Theater etwa eine »moralische Anstalt«?

Nach Friedrich Schiller soll das Theater eine moralische Anstalt sein. Als Schiller diese Forderung aufstellte, kam es ihm kaum in den Sinn, daß er dadurch, daß er von der Bühne herab moralisierte, das Publikum aus dem Theater treiben könnte. Zu seiner Zeit hatte das Publikum nichts gegen das Moralisieren einzuwenden. Erst später beschimpfte ihn Friedrich Nietzsche als den Moraltrompeter von Säckingen. Nietzsche schien die Beschäftigung mit Moral eine trübselige Angelegenheit, Schiller erblickte darin eine durchaus vergnügliche. Er kannte nichts, was amüsanter und befriedigender sein konnte, als Ideale zu propagieren. Das Bürgertum ging daran, die Ideen der Nation zu konstituieren. Sein Haus einrichten, seinen eigenen Hut loben, seine Rechnungen präsentieren ist etwas sehr Vergnügliches. Dagegen ist vom Verfall seines Hauses reden, seinen alten Hut verkaufen müssen, seine Rechnungen bezahlen wirklich eine trübselige Angelegenheit, und so sah Friedrich Nietzsche ein Jahrhundert später die Sache. Er war schlecht zu sprechen auf Moral und also auch auf den ersten Friedrich.

Auch gegen das epische Theater wandten sich viele mit der Behauptung, es sei zu moralisch. Dabei traten beim epischen Theater moralische Erörterungen erst an zweiter Stelle auf. Es wollte weniger moralisieren als studieren. Allerdings, es wurde studiert, und dann kam das dicke Ende nach: die Moral von der Geschichte. Wir können natürlich nicht behaupten, wir hätten uns aus lauter Lust zu studieren und ohne anderen, handgreiflicheren Anlaß ans Studium gemacht und seien dann durch die Resultate unseres Studiums völlig überrascht worden. Es gab da zweifellos einige schmerzliche Unstimmigkeiten in unserer Umwelt, schwer ertragbare Zustände, und zwar Zustände, die nicht nur aus moralischen Bedenken heraus schwer zu ertragen waren. Hunger, Kälte und Bedrückung erträgt man nicht nur aus moralischen Bedenken heraus schwer. Auch der Zweck unserer Untersuchungen war es nicht lediglich, moralische Bedenken gegen gewisse Zustände zu erregen (wenngleich solche Bedenken sich leicht einstellen konnten, wenn auch nicht bei allen Zuhörern – solche Bedenken stellten sich zum Beispiel bei denjenigen Zuhörern selten ein, die von den betreffenden Zuständen profitierten!), Zweck unserer Untersuchungen war es, Mittel ausfindig zu machen, welche die betreffenden schwer ertragbaren Zustände beseitigen konnten. Wir sprachen nämlich nicht im Namen der Moral, sondern im Namen der Geschädigten. Das sind wirklich zweierlei Dinge, denn oft wird gerade mit moralischen Hinweisen den Geschädigten gesagt, sie müßten sich mit ihrer Lage abfinden. Die Menschen sind für solche Moralisten für die Moral da, nicht die Moral für die Menschen.

Immerhin wird man aus dem Gesagten entnehmen können,

wieweit und in welchem Sinn das epische Theater eine moralische Anstalt ist.

Kann man überall episches Theater machen?

In stilistischer Hinsicht ist das epische Theater nichts besonders Neues. Mit seinem Ausstellungscharakter und seiner Betonung des Artistischen ist es dem uralten asiatischen Theater verwandt. Lehrhafte Tendenzen zeigte sowohl das mittelalterliche Mysterienspiel als auch das klassische spanische und das Jesuitentheater.

Diese Theaterformen entsprachen gewissen Tendenzen ihrer Zeit und vergingen mit diesen. Auch das moderne epische Theater ist an bestimmte Tendenzen gebunden. Es kann keineswegs überall gemacht werden. Die meisten großen Nationen neigen heute nicht dazu, ihre Probleme im Theater zu erörtern. London, Paris, Tokio und Rom halten ihre Theater zu gänzlich andern Zwecken. Nur an wenig Orten und nicht für lange Zeit waren bisher die Umstände einem epischen lehrhaften Theater günstig. In Berlin hat der Faschismus der Entwicklung eines solchen Theaters energisch Einhalt geboten.

Es setzt außer einem bestimmten technischen Standard eine mächtige Bewegung im sozialen Leben voraus, die ein Interesse an der freien Erörterung der Lebensfragen zum Zwecke ihrer Lösung hat und dieses Interesse gegen alle gegensätzlichen Tendenzen verteidigen kann.

Das epische Theater ist der breiteste und weitestgehende Versuch zu modernem großen Theater, und es hat alle die riesigen Schwierigkeiten zu überwinden, die alle lebendigen Kräfte auf dem Gebiet der Politik, Philosophie, Wissenschaft und Kunst zu überwinden haben.

Etwa 1936

[Aus einem] kleinen Gespräch mit dem ungläubigen Thomas

1

Unsere »Verkäufer von Abendunterhaltung« sagen uns, es gäbe nur ganz wenige Stoffe (sie nennen drei oder vier), die das Publikum interessieren (aber 1000 Arten, sie mundgerecht zu machen). Der Satz stimmt, wenn man hinzufügt: im Theater oder im Kino. Die großen Vorfahren kannten natürlich mehr Stoffe, auch hier wirkte sich der Monopolisierungs-, Spezialisierungs-, Rationalisierungs-, Verarmungsprozeß des spätkapitalistischen Zeitalters aus. Jedoch war auch ihre Auswahl von Stoffen beschränkt durch die Art, in der eine Geschichte erzählt, und den Zweck, zu dem sie erzählt werden mußte. Es besteht ein immenses Mißverhältnis zwischen den Stoffen, die auf dem Theater, und den Stoffen, die sonst interessieren.

2

Eine Unzahl von interessanten Stoffen ist auf unserm Theater schlechterdings nicht erzählbar. Das heißt, sie ergeben nicht die für nötig gehaltenen Spannungen, erlauben nicht die Einfühlung, lösen nicht die kathartischen Nervenschocks aus. An sich müßten reale Spannungen zwischen, sagen wir, zwei Ölkonzernen auf dem Theater ohne große Anstrengung in Theaterspannungen verwandelt werden können. Aber die Einfühlung mag nicht gelingen und die Katharsis ausbleiben. So geben diese so wichtigen und so künstlerisch reizvollen, weil abenteuerlichen und bedeutenden Kämpfe »noch keine Geschichte«.

3

Die entscheidenden Vorgänge zwischen den Menschen, welche eine Dramatik der großen Stoffe heute darzustellen hätte, finden in riesigen Kollektiven statt und sind vom Blickpunkt eines einzelnen Menschen aus nicht mehr darzustellen. Der einzelne Mensch unterliegt einer äußerst verwickelten Kausalität und kann Meister seines Schicksals nur als Mitglied eines riesigen und notgedrungen in sich selbst widerspruchsvollen Kollektivs werden. Er registriert nur schwache, dämmrige Eindrücke von der Kausalität, die über ihn verhängt ist. Mit ihm als Mentor erkennt das Publikum, in ihn sich einlebend, erlebt das Publikum nur wenig. Ja, er vermag nicht einmal mehr sich selber zu erkennen oder »auszufühlen«, wenn er nur seinen eigenen Nabel betrachtet, nur subjektiv reagiert. Die amerikanische Romanschreibung, fortschrittlicher als das Drama, hat die Ablösung der introspektiven Psychologie durch die behavioristische, soziologische, experimentelle Psychologie bereits für die Kunst übernommen – für die höhere wie für die niedrige.

4

Die neuere Dramatik (für Film oder Theater) hat meines Wissens nicht einen einzigen großen Charakter gestaltet, wie es die frühere bürgerliche Dramatik getan hat (Hamlet, Don Giovanni, Faust und so weiter). Sie braucht einfühlbare Helden und benutzt dafür mehr und mehr Durchschnittsfiguren (die immer farbloser und leidenschaftsloser werden, wie ein Vergleich etwa der Ibsen- und Strindberg-Helden mit denen des jetzigen Broadway und Hollywood zeigt). Während die Zuschauer des *Globetheaters* noch die Erlebnisse des außerordentlichen Hamlet miterlebten, erleben unsere Zuschauer nur noch die außerordentlichen Erlebnisse Herrn Clark Gables mit. Die Forderung, unsere Stückeschreiber sollten eben einfach (aber auf die alte Art und zu dem alten Zweck) einen neuen Helden von Ausmaß schaffen, ist undurchführbar. Einige große Gestalten finden sich jedoch, wie ich glaube, in der nichtaristotelischen Dramatik.

5

Diese Figuren sind keine einfühlbaren Helden. Sie sind nicht als unveränderliche Urbilder des Menschen gesehen und gestaltet, sondern als historische, vergängliche, meist mehr ein Erstaunen als ein »So bin ich auch« herausfordernde Charaktere. Der Zuschauer befindet sich ihnen gegenüber verstandes- *und gefühlsmäßig* im Widerspruch, er identifiziert sich nicht mit ihnen, er »kritisiert« sie.

6

Diese kritische Haltung des Zuschauers (und zwar dem Stoff gegenüber, nicht der Ausführung gegenüber) darf nun nicht etwa als eine rein rationale, rechnerische, neutrale, wissenschaftliche Haltung angesehen werden. Sie muß eine künstlerische, produktive, genußvolle Haltung sein. Sie repräsentiert in der Kunst die praktisch gewordene Kritik der Menschheit an der Natur, auch an der eigenen Natur. Es handelt sich um die »Kritik« eines Flusses, welche in der Regulierung des Flusses besteht, Kritik eines Obstbaums, welche in der Okulierung des Obstbaums besteht, Kritik der Fortbewegung, welche in der Produktion neuer Fahr- und Flugzeuge besteht, Kritik der Gesellschaft, welche in der Revolution besteht. All diese Kritik praktischer, fröhlicher und produktiver Art ist ein psychisches Erlebnis des Menschen von heute und also ein Feld der Künste. Diese neue, neugierige, aktive, erfinderische Haltung ist, wie ich glaube, an Bedeutung, Umfang und Lustgehalt der alten aristotelischen Katharsis keineswegs unterlegen.

Kleine Liste der beliebtesten, landläufigsten und banalsten Irrtümer über das epische Theater

1

Es ist eine ausgeklügelte, abstrakte, intellektualistische Theorie, die nichts mit dem wirklichen Leben zu tun hat.
In Wirklichkeit ist sie entstanden in und verbunden mit langjähriger Praxis. Die Stücke, auf denen sie beruht, sind in vielen deutschen, eines, »Die Dreigroschenoper«, ist in fast allen Großstädten der Welt gelaufen. Zitate daraus dienten als headlines politischer Leitartikel, wurden benützt von berühmten Anwälten in Plädoyers. Einige Stücke wurden von der Polizei verboten, eines erhielt den höchsten deutschen Preis für Dramatik – den Kleist-Preis –, die Theorie wurde in Universitätsseminaren durchgenommen und so weiter. Gespielt wurden sie von Arbeitertruppen und Stars; es gab ein eigenes Theater, das Schiffbauerdammtheater, mit einer Truppe von Schauspielern wie Weigel, Neher, Lorre und so weiter, die diese Prinzipien ausbildeten. Dazu kamen die zwei Theater Piscators, welche einzelne der Prinzipien ausbildeten.

2

Man soll nicht Theorie machen, sondern Dramen schreiben. Alles andere ist unmarxistisch.
Primitive Verwechslung der Begriffe Ideologie und Theorie. Stützt sich meist stolz auf Äußerungen von Marx oder Engels, welche selber theoretischer Natur sind. Auf anderem Gebiet bezeichnet Lenin solches als »kriechenden Empirismus«.

3

Das epische Theater bekämpft alle Emotionen. Man kann aber Vernunft und Gefühl nicht trennen.

Das epische Theater bekämpft nicht die Emotionen, sondern untersucht sie und macht nicht halt bei ihrer Erzeugung. Der Trennung von Vernunft und Gefühl macht sich das durchschnittliche Theater schuldig, indem es die Vernunft praktisch ausmerzt. Seine Verfechter schreien beim geringsten Versuch, etwas Vernunft in die Theaterpraxis zu bringen, man wolle die Gefühle ausrotten.

4

Die Ideen Brechts sind nicht neu. Wird meist so gedruckt: die »neuen« Ideen Brechts.
Das wird meist von denen gesagt, die diese Ideen nicht etwa angreifen, weil sie alt sind und sie selber neuere haben, sondern weil sie alte Ideen verfechten und ein Interesse daran haben, daß andere Ideen ebenfalls alt sein sollen. In Wirklichkeit versuchen die Verfechter des epischen Theaters ständig, einige ihrer Prinzipien in der Theatergeschichte nachzuweisen und tun alles, den Neuheitscharakter zu verwischen, der ihnen etwas Modisches verleihen würde. Die Prinzipien des epischen Theaters haben wenig zu tun mit der Ästhetik der deutschen Philosophen aus der ersten Hälfte des vorigen Jahrhunderts, jedoch steht diese Ästhetik (der Kant und Hegel), wie auch Marx ständig versichert, meist turmhoch über den ästhetischen Anschauungen vieler »Marxisten«, die in Wahrheit diese Ästhetiken weder kennen noch verstanden haben, von den Lehren Marx' ganz zu schweigen.

5

Wir Amerikaner (Franzosen, Dänen, Schweizer und so weiter) müssen unsere Ästhetik aus unseren amerikanischen (französischen, dänischen, schweizerischen und so weiter) Dramen aufbauen.
Die schweizerische Dramatik existiert nicht, die französische

hat existiert, die amerikanische und dänische Dramatik kommt dem Europäer absolut europäisch vor. Das epische Theater wurde in Deutschland lange als »undeutsch« bezeichnet, die Nationalsozialisten bezeichnen es als einfach entartet. Andrerseits ist der Kapitalismus etwas erstaunlich Internationales und hat, wie man hört, zu einer erstaunlichen Angleichung der Verhältnisse der verschiedenen Länder geführt. Darüber, wie man aus fremden Fehlern zu lernen vermag, vergleiche Lenins »Kinderkrankheiten«.

Fragmentarisch

Die Kausalität in nichtaristotelischer Dramatik

Einige Seiten des Kausalitätsproblems sind rein spekulativer Natur für die Dramatik. Ob wir für unsere Vorgänge (für alle oder für einen Teil von ihnen) genügend Ursachen in Bewegung setzen können, ob wir unsere Vorgänge so abgrenzen können, daß wir andere Vorgänge der Praxis als Ursachen nennen können, das ist eine Frage, die man empirisch, eben in der Produktion, beantworten kann. Eine näherliegende Frage ist, ob wir, wo wir und wie wir den Zuschauer auf die Kausalität gespannt machen sollen. Es handelt sich selbstverständlich nicht um eine Liquidierung des Interesses an der Kausalität; im Gegenteil sind diese Fragen, soweit ich es beurteilen kann, auch in der Physik, gerade bei solchen Bemühungen aufgetaucht, die eine tiefergehende Meisterung der Kausalität bezwecken, als sie bisher möglich schien. Von Kapitulation ist gar nicht die Rede. Die headlines der wissenschaftlichen Boulevards: »Die Kausalität aufgegeben!« sind Unsinn. Man ist lediglich bei einer neuen Definition der Kausalität angelangt. Zu dieser neuen Definition gehört, daß wir weder Voraussagen machen, wo wir keine machen können, noch alles Gebiet aufgeben, wo wir keine zuverlässigen Aussagen machen können. Es ist alles ziemlich ausschließlich von der Praxis vorgeschrieben. Wir haben es nicht nur mit uns unbekannten Wirkungen, sondern auch mit uns unbekannten Ursachen zu tun, wenn wir arbeiten. In der Dramatik werden die Voraussagen, das Individuum betreffend, zunehmend unsicher. Die Physik verdankt, wie mir scheint, sehr viele physikalische Beobachtungen ihrer sozialen Umwelt, wir können ruhig, zum Austausch, uns ein Beispiel aus ihrem Gebiet holen. Die Gestirnbahnen werden, wie man uns sagt, nicht eben von den perfektesten Kreisen oder Ellipsen gebildet. Man kommt der wirklichen Bewegungsweise der Gestirne am nächsten, wenn man sie sich in riesigen Röhren kriechend vorstellt: Die Röhren sind mathematische Figuren, aber die Gestirne haben in ihnen viel Freiheit, und sie nutzen sie aus. In der Dramatik haben wir das Individuum der anarchischen Produktionsweise als ein vielmotiviges zu gestalten. Die Spannung entsteht bei der Frage: Was gibt den Ausschlag? Interessiert sind wir an den Bewegungen von Massen, nur in bezug auf sie hoffen wir Voraussagen befriedigender Art machen zu können, hier suchen wir die kausale Gesetzlichkeit. Das Individuum mag uns – bei diesen Prozessen in Massen – überraschen. Erst eine ganze Reihe seiner Äußerungen und Bewegungen fixiert es einigermaßen in der oder jener Masse. Es würde uns an ihm etwas fehlen, nämlich etwas Individuelles, wenn es allzu widerspruchslos der gesetzmäßigen Bewegung der Masse folgen würde, das wäre bei ihm der Sonderfall. Bedeutet das, daß wir mit dem Individuum nichts mehr zu tun haben wollen, ihm gegenüber resignieren, keine Kausalität mehr bei ihm festsetzen oder feststellen wollen? Keineswegs. Wir haben lediglich unsere Ansprüche verschärft. Etwas vereinfachend: wir können bei unseren Zuschauern eine Haltung nicht brauchen (dürfen bei unseren Zuschauern eine Haltung nicht schaffen), die dem Individuum gegenüber (und mit ihm haben wir es zu tun) ständig auf absolute Kausalität ausgeht, statt, wie die Physiker sagen, auf statistische. Wir müssen in gewissen

Lagen mehr als eine Antwort, Reaktion, Handlungsweise erwarten, ein Ja *und* ein Nein; beides muß einigermaßen begründet, mit Motiven versehen erscheinen. Die Aufmerksamkeit, das kausale Interesse des Zuschauers muß auf die Gesetzmäßigkeit in den Bewegungen der Massen der Individuen eingestellt werden. Er muß solche Massen hinter den Individuen sehen, die Individuen als Massenteilchen in einer massenmäßigen Reaktion, Handlungsweise, Entwicklung betrachten.

[Benutzung der Wissenschaften für Kunstwerke]

Der Mensch fliegend	Der Mensch eifersüchtig
Der Mensch Brücken bauend	Der Mensch ehrgeizig
Der Mensch Kriege führend	Der Mensch im Gewissenskonflikt
Der Mensch ausbeutend	Der Mensch selbstlos

Die Kategorien links und rechts können in der Dramatik gemischt auftreten. Wir können einen eifersüchtigen Flieger zeigen, einen selbstlosen Brückenbauer und so weiter. Wie ist es mit dieser Vermischung?

Sowohl die Kategorien rechts als auch die links verlangen nach der Vermischung. Die Kategorien links verleihen dem Drama, für sich allein auftretend, etwas Kaltes, Unmenschliches. Die Kategorien rechts können ebenfalls schwer für sich allein auftreten. Irgend etwas muß der Ehrgeizige machen, was aus den Kategorien genommen ist, die links stehen müssen. Kommen in der Dramatik so diese Vermischungen heute vor, so kann man dennoch zwei Typen unterscheiden, je nachdem, welche der Kategorien die primäre, hauptsächliche ist, die linke oder die rechte. Die Darstellungsweise der Dramatiker hängt davon ab, wie sie sich da entscheiden. Die Entwicklung der Dramatik, entsprechend der Entwicklung anderer Gebiete, scheint eine Tendenz nach den links stehenden Kategorien zu zeigen. Bei dieser Entwicklung nehmen die Schwierigkeiten zu. Der eifersüchtige Flieger ist ungleich schwerer zu gestalten als der fliegende Eifersüchtige, da es leichter ist, eine umfassende Darstellung der Eifersucht eines fliegenden Mannes zu geben als die umfassende Darstellung der Fliegerei, wenn es sich um einen Eifersüchtigen handelt, der da fliegt. Die Darstellung der Eifersucht leidet wenig, wenn der Held zufällig gerade Flieger ist. Die Darstellung der Fliegerei leidet beträchtlich, wenn der Flieger zufällig eifersüchtig ist. Eifersucht, empfindliches Gewissen, Selbstlosigkeit sind keine Verkehrsprobleme. Der Ehrgeiz, der auf den ersten Blick als ein solches erscheinen könnte, erweist sich auf den zweiten Blick ebenfalls als kein solches. Natürlich kann man entrüstet fragen: Sollen denn die Flieger nicht eifersüchtig und so weiter sein? So wie man auch fragen kann: Beschäftigt sich denn dieser Eifersüchtige (Selbstlose) den ganzen Tag mit nichts als der Eifersucht (Selbstlosigkeit)? Wie ist das mit der Menschlichkeit, die einzig und allein aus den Kategorien rechts beziehbar sein soll? In der Realität wird der Mensch, und zwar der »volle, warmblütige, lebendige« Mensch (einen andern gibt es in der Realität nämlich nicht) immer mehr durch die Kategorien links bestimmt. Was die Kategorien rechts anbelangt, so sind sie nicht verschwunden, sie haben nicht aufgehört, das betreffende Individuum zu differenzieren, aber es verbraucht sozusagen sehr viel von diesen Kategorien. Bei einem einzigen Menschen treten eine ganze Reihe von ihnen auf, sehr widerspruchsvolle, wechselnd, nicht immer und so weiter. Und das Individuum ist desto menschlicher, je größer diese Reihe im ganzen ist. Die Degradierung der Kategorien rechts erfolgt also durch ihre Anhäufung. Beispielsweise handelt es sich um eine sehr armselige Dramatik, wenn etwa der Typus Napoleons nur aus der Kategorie Ehrgeiz gestaltet wird.

Benutzung der Wissenschaften für Kunstwerke.
Hier sind wir einig mit den großen bürgerlichen Realisten. Es besteht keinerlei Grund, da hinter ihnen zurückzubleiben. Das bedeutet aber eine große Aufgabe. [...]

Grenzen der nichtaristotelischen Dramatik

Es hat keinen Sinn, wenn wir uns verhehlen, was eine nichtaristotelische (nicht auf Einfühlung ausgehende Dramatik) *nicht* kann. Wir können nicht genügend deutlich zeigen, was sie kann, wenn wir dies tun. Eines der auffälligsten Momente des Zurückweichens von bestimmten zu unbestimmteren Aussagen ist die Haltung der neuen Dramatiken gegenüber der Einzelperson. Diese verbleibt tatsächlich in einem Stand der Unsicherheit und Vagheit. Die Kausalität erscheint zwingend nur bei größeren Menschengruppen, bei Klassen. Diese Dramatik wendet sich an den einzelnen Zuschauer nur insofern, als er ein Mitglied der Gesellschaft ist. Sie demonstriert das Zusammenleben der Menschen so, daß es beeinflußbar von der Gesellschaft erscheint. Das ist ein vorwiegend praktischer Standpunkt; er wäre natürlich nicht praktisch genug, wenn er das Unbeeinflußbare außer acht ließe: Es taucht infolgedessen in dieser Dramatik auf, gewöhnlich mit einem Fragezeichen versehen, die Unbeeinflußbarkeit betreffend. Jedoch gehören solche unbeeinflußbare Züge der Wirklichkeit kaum zu den konstituierenden bei ihren Abbildungen. Und auch die Beeinflußbarkeit ist eine solche durch die Gesellschaft, also keine unmittelbare durch den einzelnen. Das »große Individuum« ist aus der Wirklichkeit nicht verschwunden und seine Abbildbarkeit nicht aus der Literatur, aber es erscheint anders konstituiert; es kann zum Beispiel kaum als durch den Grad seiner Unbeeinflußbarkeit groß definiert werden. Allein betrachtet, verliert es sogar seine Unteilbarkeit, es wird selbst ein Massenwesen, etwas Schwankendes, qualitativ Wechselndes, eben eine Masse. Es wäre paradox und übertrieben ausgedrückt, wenn man geradezu sagte: die Masse trete jetzt auf wie ein Individuum, das Individuum aber wie eine Masse, aber es ist doch gut, diese extreme Vorstellung flüchtig mitzumachen. Der einzelne ist auch jetzt noch ein einzelner und tritt auf als ein einzelner, nur hat er eine Unbestimmtheit bekommen, eine Abhängigkeit, wie sie früher die Masse hatte, die sie jetzt nicht mehr hat, denn sie wiederum ist bestimmter geworden und selbständiger, weniger abhängig vom Individuum. Eine solche Betrachtungsart ist eine praktische, sie erleichtert das Handeln, welches ein massenhaftes, gesellschaftliches sein muß.

[Der Film im epischen Theater]

Im epischen Theater erreicht der Film eine große Bedeutung. Jedoch muß er seinem künstlerischen oder wissenschaftlichen Wesen gemäß angewendet werden, gerade als ob er für sich selber stünde. Der Film gehorcht den gleichen Gesetzen wie die Graphik. Er ist statischen Wesens und muß behandelt werden wie eine Folge von Tafeln. Aus diesem deutlichen Abbrechen muß Wirkung entstehen, da es sonst ein gewöhnlicher Fehler wäre. Die Tafeln müssen durchkomponiert sein, da sie wie ein Blatt auf einmal überblickbar sind, jedoch der Aufteilung in Details standhalten müssen, so daß jedes Detail in großer Art mit dem Zentrum korrespondiert. Aus der statischen Grundhaltung des Films ergibt sich sein Grundgesetz: Er ist beschränkt auf eine Vision, die an sich bewegungslos steht, in die aber zu größerer Wirkung die einzelnen Phasen hineinführen. Der Aufbau der Einzelbilder muß also diejenigen der kleinen Einzelaufnahmen im Großen genau reproduzieren, jede Art von Verwischung ist unkünstlerisch. Dieses Grundgesetz des Filmes, ein so strenges wie die strengsten nur irgendeines anderen Kunstzweiges, machen ihn jeder für sich wirkenden Handlung so abgeneigt. Auch die unplastische Art des Films, die eine so spirituelle Wirkung vermittelt, stimmt ihn gegen die Handlung im dramatischen Sinn. Ohne die Berücksichtigung dieses Gesetzes ist die Lebensdauer eines Films ganz unleidlich beschränkt. Der Film ist, da ihm jede Möglichkeit zu Gewichtsverteilung fehlt, gänzlich auf eine solche

Auswahl aller Punkte in einer Handlung angewiesen, wie sie für gerade seine Zeit nötig ist, als ganz und gar abhängig von dieser Zeit. Auch ist an seinem Zustandekommen so sehr der modische Geschmack beteiligt, der ihn rasch der Lächerlichkeit ausliefert, und zu guter Letzt noch dies: er kann nicht vereinfachen. Was soll er streichen, ohne unnatürlich zu werden?

Der Film für sich kann im epischen Theater in der Art eines optischen Chores angewendet werden. Dabei ist es gut, den Realismus zu wahren, also nichts aufzubauen oder gar zu zeichnen, denn der Film ist dem Wort gegenüber sowieso schon körperlos und bedarf also des groben Stoffes der Wirklichkeit. Selbstverständlich sind Zahlen, statistische Formulierungen, Landkarten und so weiter auch reine Objekte der Wirklichkeit und für Chöre geeignet.

Zusammenwirkend mit Szene oder akustischem Chor muß eine möglichst deutliche Dialektik geschaffen und ausgenutzt werden. Da der Film die Wirklichkeit in so abstrakt wirkender Weise vertritt, eignet er sich zu Konfrontierungen mit der Wirklichkeit. Er kann bestätigen oder widerlegen. Er kann erinnern oder prophezeien. Er vermag die Rolle jener Geistererscheinungen zu übernehmen, ohne die es lange Zeiten, und zwar die besten, kein großes Drama gab. Dabei spielt er aber eine durchaus revolutionäre Rolle, da er als Geist die nackte Wirklichkeit erscheinen läßt, die gute Gottheit der Revolution.

Wird der Film lediglich als Dekoration zur Gestaltung des Milieus verwendet, so muß er künstlerisch gestaltet, das heißt vereinfacht sein. Er muß durchaus das Typische bringen. In diesem Fall kann sogar Zeichnung oder Konstruktion verwendet werden. Alles kommt darauf an, daß der Film dadurch, daß er eine wirkliche Umgebung vorstellt, nicht den Genuß der Dialektik zwischen Plastik und Unplastik ein für allemal zerstört.

(Auch diese Gesetze sind weniger für die Künstler bestimmt, die vielleicht gerade aus ihrer Ablehnung solcher Weisheiten etwas hervorbringen, als für die Aufnehmenden, die vielleicht gerade durch ihre Zustimmung sich auf diese fortgeschritteneren Kunstwerke vorbereiten.)

Über experimentelles Theater

Zumindest seit zwei Menschenaltern befindet sich das ernsthafte europäische Theater in einer Epoche der Experimente. Die verschiedenen Experimente haben bisher noch kein eindeutiges, klar überschaubares Resultat gezeigt, die Epoche ist keineswegs beendigt. Die Experimente wurden nach meiner Meinung auf zwei Linien geführt, die sich mitunter überschnitten, die aber doch getrennt verfolgt werden können. Diese beiden Linien der Entwicklung sind durch die beiden Funktionen *Unterhaltung* und *Belehrung* bestimmt, das heißt, das Theater veranstaltete Experimente, die seine Amüsierkraft, und Experimente, die seinen Lehrwert erhöhen sollten.

In einer schnellebigen, »dynamischen« Welt wie der unsrigen nützen sich, was das Amüsement anlangt, Reize rapid ab. Der zunehmenden Abstumpfung des Publikums muß durch immer neue Effekte entgegengetreten werden. Um seinen zerstreuten Zuschauer zu zerstreuen, muß das Theater ihn zuerst konzentrieren. Es muß ihn aus einer lärmenden Umwelt heraus in seinen Bann ziehen. Das Theater hat es mit einem müden, von rationalisierter Tagesarbeit erschöpften, von sozialen Friktionen aller Art gereizten Zuschauer zu tun. Er ist seiner eigenen kleinen Welt entflohen, er sitzt da als Flüchtling. Er ist ein Flüchtling, aber er ist auch ein Kunde. Er kann hierher flüchten oder woanders hin. Die Konkurrenz des Theaters mit dem Theater und des Theaters mit dem Kino erzwingt ebenfalls immer neue Anstrengungen, Anstrengungen, immer neu zu erscheinen.

Wenn wir die Experimente der Antoine, Brahm, Stanislawski,

Gordon Craig, Reinhardt, Jessner, Meyerhold, Wachtangow und Piscator überblicken, finden wir, daß sie die Ausdrucksmöglichkeiten des Theaters ganz erstaunlich bereichert haben. Seine Fähigkeit, zu unterhalten, ist unbedingt gewachsen. Die Ensemblekunst etwa schuf einen ungemein sensitiven und elastischen Bühnenkörper. Das soziale Milieu kann in seinen feinsten Details ausgemalt werden. Wachtangow und Meyerhold entnahmen dem asiatischen Theater gewisse tänzerische Formen und schufen eine ganze Choreographie für das Drama. Meyerhold führte einen radikalen Konstruktivismus durch, und Reinhardt verwandte als Bühne sogenannte echte Schauplätze: er spielte »Jedermann« und »Faust« auf öffentlichen Plätzen. Freilichtbühnen führten den »Sommernachtstraum« mitten im Wald auf, und in der Sowjetunion versuchte man, die Erstürmung des Winterpalais zu wiederholen unter Verwendung des Schlachtschiffs »Aurora«. Die Barrieren zwischen Bühne und Zuschauer wurden niedergerissen. In Reinhardts »Danton«-Aufführung im Großen Schauspielhaus saßen im Zuschauerraum Schauspieler, und Ochlopkow in Moskau setzte Zuschauer auf die Bühne. Reinhardt benützte den Blumensteg des chinesischen Theaters und ging in die Zirkusarena, um inmitten der Menge zu spielen. Die Massenregie wurde durch Stanislawski, Reinhardt und Jessner vervollkommnet, und der letztere gewann der Bühne mit seinem Treppenbau eine dritte Dimension ab. Drehbühne und Kuppelhorizont wurden erfunden, und das Licht wurde entdeckt. Der Scheinwerfer gestattete großzügige Illuminierung. Eine ganze Lichtklaviatur erlaubte es, »Rembrandtsche Stimmungen« hervorzuzaubern. Man könnte in der Theatergeschichte gewisse Lichteffekte die »Reinhardtschen« nennen, wie man in der Geschichte der Medizin eine bestimmte Herzoperation die »Trendelenburgsche« nennt. Es gibt neue Projektionsverfahren, basierend auf dem Schüfftanverfahren, und es gibt eine neue Geräuschregie. Für die Schauspielkunst wurde die Schranke zwischen Kabarett und Theater und zwischen Revue und Theater niedergerissen. Es gab Experimente mit Masken, Kothurnen und Pantomimen. Weitgehende Experimente wurden mit dem alten, klassischen Repertoire angestellt. Immer wieder wurde Shakespeare umfassoniert und gewendet. Man hat den Klassikern schon so viele Seiten abgewonnen, daß sie beinahe keine mehr zurückbehalten haben. Man hat Hamlet im Smoking, Cäsar in Uniform erlebt, und zumindest Smoking und Uniform haben davon profitiert und an Respektabilität gewonnen. Sie sehen, die Experimente sind sehr ungleichwertig, und die auffälligsten sind nicht immer die wertvollsten, aber auch die wertlosesten sind kaum je ganz wertlos. Was zum Beispiel Hamlet im Smoking betrifft, so ist er kaum ein größeres Sakrileg an Shakespeare als der konventionelle Hamlet in Seidenstrümpfen. Man bleibt durchaus im Rahmen des Kostümstücks.

Im allgemeinen kann man sagen, daß die Experimente zur Hebung der Amüsierkraft des Theaters keineswegs resultatlos geblieben sind. Sie haben besonders zum Ausbau der Maschinerie geführt. Sie sind dabei, wie gesagt, noch nicht abgeschlossen. Ja, sie sind nicht einmal in den allgemeinen Gebrauch übergeführt, wie es die experimentellen Resultate anderer Institute sind. Eine neue Operation in New York kann sehr bald auch in Tokio ausgeführt werden. Mit der modernen Bühnentechnik ist das nicht der Fall. Immer noch verhindert eine deutliche Scheu den Künstler, die experimentellen Resultate anderer Künstler unbefangen zu übernehmen und auszubauen. Nachahmung gilt in der Kunst für schimpflich. Dies ist einer der Gründe, warum die technischen Fortschritte lange nicht so groß sind, wie sie sein könnten. Das Theater im allgemeinen ist noch lange nicht auf den Standard der modernen Technik gebracht. Es begnügt sich noch mit der meist unbeholfenen Verwertung einer primitiven Drehvorrichtung für die Bühne, mit einem Mikrophon und mit dem Einbau von ein paar Autoscheinwerfern. Auch die Experimente auf dem Gebiet der Schauspielkunst werden wenig ausgenützt. Erst jetzt beginnt der oder jener Schauspieler in New York, sich für die Methoden der Stanislawski-Schule zu interessieren.

Wie steht es nun mit der anderen, der zweiten Funktion, welche die Ästhetik dem Theater zuerteilt hat: der Belehrung? Auch hier gibt es Experimente und Resultate von Experimenten. Die Dramatik der Ibsen, Tolstoi, Strindberg, Gorki, Tschechow, Hauptmann, Shaw, Kaiser und O'Neill ist eine Experimentaldramatik. Es sind große Versuche, theatralisch die Probleme der Zeit zu gestalten.[1]

Wir haben die sozialkritische Milieudramatik, die von Ibsen bis zu Nordahl Grieg, die Symboldramatik, die von Strindberg bis zur Pär Lagerkvist führt. Wir haben eine Dramatik vom Typus etwa meiner »Dreigroschenoper«, einen Parabeltypus mit Ideologiezertrümmerung, und wir haben eigentümliche dramatische Formen, die von Dichtern wie Auden und Kjeld Abell ausgebildet wurden und, rein technisch gesehen, Revue-Elemente enthalten. Es ist dem Theater zuzeiten gelungen, sozialen Bewegungen (der Frauenemanzipation etwa, der Rechtspflege, der Hygiene, ja sogar der Emanzipationsbewegung des Proletariats) gewisse Impulse zu verleihen. Es kann jedoch nicht verschwiegen werden, daß die Einblicke in das soziale Getriebe, die das Theater gestattete, nicht besonders tief waren. Mehr oder weniger war es wirklich, wie eingewandt wurde, eine bloße Symptomatologie der sozialen Oberfläche. Die eigentlichen gesellschaftlichen Gesetzlichkeiten wurden nicht sichtbar. Dabei führten die Experimente auf dem Gebiet der Dramatik schließlich zu einer fast völligen Zerstörung der *Fabel* und der *Menschengestaltung*. Das Theater, sich in den Dienst sozialer Reformbestrebungen stellend, büßte viele seiner künstlerischen Wirkungen ein. Nicht mit Unrecht, wenn auch oft mit sehr zweifelhaften Ar-

---

[1] An den Versuchen auf dieser Linie sind natürlich die großen Theater hervorragend beteiligt. Tschechow hatte seinen Stanislawski, Ibsen seinen Brahm und so weiter. Die Initiative auf der Linie der Steigerung des Lehrwerts ging jedoch zunächst deutlich von der Dramatik aus.

gumenten, wird die Verflachung des künstlerischen Geschmacks und die Abstumpfung des Stilgefühls beklagt. In der Tat herrscht auf unseren Theatern als Folge vieler verschiedenartiger Experimente heute eine geradezu babylonische Verwirrung der Stile. Auf ein und derselben Bühne, in ein und demselben Stück spielen Schauspieler mit ganz verschiedenen Techniken, in phantastischen Dekorationen wird naturalistisch agiert. Die Sprechtechnik ist in einen traurigen Zustand geraten, Jamben werden gesprochen wie Alltagssprache, der Jargon der Märkte wird rhythmisiert und so weiter und so weiter. Ebenso hilflos steht der moderne Schauspieler der Gestik gegenüber. Sie soll individuell sein und ist nur willkürlich, sie soll natürlich sein und ist nur zufällig. Ein und derselbe Schauspieler verwendet eine Gestik, die für den Zirkus geeignet ist, und eine Mimik, die nur von der ersten Reihe des Parketts aus mit einem Opernglas bemerkt werden kann. Also ein Ausverkauf aller Stile aller Epochen, ein ganz und gar unlauterer Wettbewerb aller möglichen und unmöglichen Effekte! Man kann wirklich nicht sagen, daß die Erfolge ausgeblieben sind, aber auch wirklich nicht, daß sie nichts gekostet haben.

Ich komme jetzt zu jener Phase des experimentellen Theaters, in der alle bisher geschilderten Bemühungen ihren höchsten Standard und damit ihre Krise erreichten. In dieser Phase traten alle Erscheinungen des großen Prozesses, positive wie negative, am größten hervor: also die Steigerung der Amüsierkraft nebst dem Ausbau der Illusionstechnik, die Steigerung des Lehrwerts und der Verfall des künstlerischen Geschmacks.

Der radikalste Versuch, dem Theater einen belehrenden Charakter zu verleihen, wurde von Piscator unternommen. Ich habe an allen seinen Experimenten teilgenommen, und es wurde kein einziges gemacht, das nicht den Zweck gehabt hätte, den Lehrwert der Bühne zu erhöhen. Es handelte sich direkt darum, die großen, zeitgenössischen Stoffkomplexe auf der Bühne zu bewältigen, die Kämpfe um das Petroleum, den Krieg, die Revolution, die Justiz, das Rassenproblem und so weiter. Es stellte sich als notwendig heraus, die Bühne vollständig umzubauen. Es ist unmöglich, hier alle Erfindungen und Neuerungen aufzuzählen, die Piscator zusammen mit beinahe allen neueren technischen Errungenschaften benutzte, um die großen modernen Stoffe auf die Bühne zu bringen. Sie wissen wahrscheinlich von einigen wie der Verwendung des Films, die aus dem starren Prospekt einen neuen Mitspieler, ähnlich dem griechischen Chor, machte, und dem laufenden Band, das den Bühnenboden beweglich machte, so daß epische Vorgänge abrollen können wie der Marsch des braven Soldaten Schwejk in den Krieg. Diese Erfindungen sind vom internationalen Theater bisher nicht aufgenommen worden, diese Elektrifizierung der Bühne ist heute beinahe vergessen, die ganz ingeniöse Maschinerie verrostet, und Gras wächst darüber.

Woher kommt das?

Es ist nötig, für den Abbruch dieses eminent politischen Theaters politische Ursachen namhaft zu machen. Die Steigerung des politischen Lehrwerts stieß zusammen mit der heraufziehenden politischen Reaktion. Wir wollen uns jedoch heute darauf beschränken, die Entwicklung der Krise des Theaters im Bezirk der Ästhetik zu verfolgen.

Die Piscatorschen Experimente richteten auf dem Theater zunächst ein vollkommenes Chaos an. Verwandelten sie die Bühne in eine Maschinenhalle, so den Zuschauerraum in einen Versammlungsraum. Für Piscator war das Theater ein Parlament, das Publikum eine gesetzgebende Körperschaft. Diesem Parlament wurden die großen, Entscheidung heischenden, öffentlichen Angelegenheiten plastisch vorgeführt. Anstelle der Rede eines Abgeordneten über gewisse unhaltbare soziale Zustände trat eine künstlerische Kopie dieser Zustände. Die Bühne hatte den Ehrgeiz, ihr Parlament, das Publikum, instand zu setzen, auf Grund ihrer Abbildungen, Statistiken,

Parolen politische Entschlüsse zu fassen. Die Bühne Piscators verzichtete nicht auf Beifall, wünschte aber noch mehr eine Diskussion. Sie wollte ihrem Zuschauer nicht nur ein Erlebnis verschaffen, sondern ihm noch dazu einen praktischen Entschluß abringen, in das Leben tätig einzugreifen. Dies zu erreichen, war ihr jedes Mittel recht. Die Bühnentechnik komplizierte sich ungemein. Der Bühnenmeister Piscators hatte ein Buch vor sich liegen, das sich von dem Buch des Bühnenmeisters Reinhardts so unterschied wie die Partitur einer Strawinski-Oper von der Notenvorlage eines Lautensängers. Die Maschinerie auf der Bühne war so schwer, daß man den Bühnenboden des Nollendorftheaters mit Eisen und Zementstrebern unterbauen mußte, in der Kuppel wurde so viel Maschinerie aufgehängt, daß sie sich einmal senkte. Ästhetische Gesichtspunkte waren den politischen ganz und gar untergeordnet. Weg mit den gemalten Dekorationen, wenn man einen Film zeigen konnte, der an Ort und Stelle aufgenommen war und dokumentarischen, beglaubigten Wert hatte. Her mit gemalten Cartoons, wenn der Künstler, zum Beispiel George Grosz, dem Publikumsparlament etwas zu sagen hatte. Piscator war sogar bereit, mehr oder weniger auf Schauspieler zu verzichten. Als der deutsche Kaiser durch fünf Anwälte einen Protest einlegen ließ, daß Piscator ihn auf seiner Bühne durch einen Schauspieler verkörpern lassen wollte, fragte er nur, ob der Kaiser nicht selber bei ihm auftreten wolle, er bot ihm sozusagen ein Engagement an. Kurz: der Zweck war ein so wichtiger und großer, daß eben alle Mittel recht schienen. Der Herstellung der Aufführung entsprach übrigens die Herstellung der Stücke. Es arbeitete ein ganzer Stab von Dramatikern zusammen an einem Stück, und ihre Arbeit wurde unterstützt und kontrolliert von einem Stab von Sachverständigen, Historikern, Ökonomen, Statistikern.
Die Piscatorschen Experimente sprengten nahezu alle Konventionen. Sie griffen ändernd ein in die Schaffensweise der Dramatiker, in den Darstellungsstil der Schauspieler, in das

Werk des Bühnenbauers. *Sie erstrebten eine völlig neue gesellschaftliche Funktion des Theaters überhaupt.*

Die revolutionäre bürgerliche Ästhetik, begründet von den großen Aufklärern *Diderot* und *Lessing*, definiert das Theater als eine Stätte der Unterhaltung und der Belehrung. Das Zeitalter der Aufklärung, welches einen gewaltigen Aufschwung des europäischen Theaters einleitete, kannte keinen Gegensatz zwischen Unterhaltung und Belehrung. Reines Amüsement, selbst an tragischen Gegenständen, schien den Diderots und Lessings ganz leer und unwürdig, wenn es dem Wissen der Zuschauer nichts hinzufügte, und belehrende Elemente, natürlich in künstlerischer Form, schienen ihnen das Amüsement keineswegs zu stören; nach ihnen vertieften sie das Amüsement.

Wenn wir nun das Theater unserer Zeit betrachten, so werden wir finden, daß die beiden konstituierenden Elemente des Dramas und des Theaters, Unterhaltung und Belehrung, mehr und mehr in einen scharfen Konflikt geraten sind. Es *besteht* heute da ein Gegensatz.

Schon der Naturalismus hatte mit seiner »Verwissenschaftlichung der Kunst«, die ihm sozialen Einfluß verschaffte, zweifellos wesentliche künstlerische Kräfte lahmgelegt, besonders die Phantasie, den Spieltrieb und das eigentlich Poetische. Die lehrhaften Elemente schädigten deutlich die künstlerischen Elemente.

Der Expressionismus der Nachkriegsepoche hatte die Welt als Wille und Vorstellung dargestellt und einen eigentümlichen Solipsismus gebracht. Er war die Antwort des Theaters auf die große gesellschaftliche Krise, wie der philosophische Machismus – die Antwort der Philosophie auf sie war. Er war eine Revolte der Kunst gegen das Leben, und die Welt existierte bei ihm nur als Vision, seltsam zerstört, eine Ausgeburt geängsteter Gemüter. Der Expressionismus, der die Ausdrucksmittel des Theaters sehr bereicherte und eine bisher unausgenutzte ästhetische Ausbeute brachte, zeigte sich ganz außerstande, die Welt als Objekt menschlicher Praxis zu erklären. Der Lehrwert des Theaters schrumpfte zusammen.

Die belehrenden Elemente in einer Piscator- oder einer »Dreigroschenoper«-Aufführung waren sozusagen *einmontiert*; sie ergaben sich nicht organisch aus dem Ganzen, sie standen in einem Gegensatz zum Ganzen; sie unterbrachen den Fluß des Spieles und der Begebenheiten, sie vereitelten die Einfühlung, sie waren kalte Güsse für den Mitfühlenden. Ich hoffe, daß die moralisierenden Partien der »Dreigroschenoper« und die lehrhaften Songs einigermaßen unterhaltend sind, aber es besteht doch kein Zweifel, daß diese Unterhaltung eine andere ist als diejenige, die man von den Spielszenen erfährt. Der Charakter dieses Stückes ist zwiespältig, Belehrung und Unterhaltung stehen auf einem Kriegsfuß miteinander. Bei Piscator standen der Schauspieler und die Maschinerie auf dem Kriegsfuß miteinander.

Wir sehen hier ab von dem Faktum, daß das Publikum durch die Darbietungen in zumindest zwei einander feindliche soziale Gruppen aufgespalten wurde, so daß das gemeinsame Kunsterlebnis in die Brüche ging; es ist ein politisches Faktum. Das Vergnügen am Lernen ist abhängig von der Klassenlage. Der Kunstgenuß ist abhängig von der politischen Haltung, so daß diese provoziert wird und eingenommen werden kann. Aber selbst wenn wir nur den einen Teil des Publikums ins Auge fassen, der politisch mitging, sehen wir, wie sich der Konflikt zwischen Unterhaltungskraft und Lehrwert zuspitzt. Es ist eine ganz bestimmte neue Art des Lernens, die sich nicht mehr mit einer bestimmten alten Art des Sichunterhaltens verträgt. In einer (späteren) Phase der Experimente führte jede neue Steigerung des Lehrwerts zu einer sofortigen Schwächung des Unterhaltungswerts. (»Das ist nicht mehr Theater, das ist Volkshochschule.«) Umgekehrt bedrohten die Nervenwirkungen, die von emotionellem Spiel ausgingen, immerzu den Lehrwert der Aufführung. (Schlechte Schauspieler waren oft im Interesse der Lehrwirkung guten vorzuziehen.) Mit anderen Worten: Je mehr das Publikum nervenmäßig gepackt war, desto weniger war es imstande zu lernen. Das heißt: Je mehr wir das Publikum zum Mitgehen, Miterleben, Mitfühlen brachten, desto weniger sah es die Zusammenhänge, desto weniger lernte es, und je mehr es zu lernen gab, desto weniger kam Kunstgenuß zustande.

Dies war die Krise: Die Experimente eines halben Jahrhunderts, veranstaltet in beinahe allen Kulturländern, hatten dem Theater ganz neue Stoffgebiete und Problemkreise erobert und es zu einem Faktor von eminenter sozialer Bedeutung gemacht. Aber sie hatten das Theater in eine Lage gebracht, wo ein weiterer Ausbau des erkenntnismäßigen, sozialen (politischen) Erlebnisses das künstlerische Erlebnis ruinieren mußte. Andererseits kam das künstlerische Erlebnis immer weniger zustande ohne den weiteren Ausbau des erkenntnismäßigen. Es war ein technischer Apparat und ein Darstellungsstil ausgebaut worden, der eher Illusionen als Erfahrungen, eher Räusche als Erhebungen, eher Täuschung als Aufklärung erzeugen konnte.

Was hatte eine konstruktivistische Bühne genützt, wenn sie nicht sozial konstruktiv war, was nützten die schönsten Lichtanlagen, wenn sie nur schiefe und kindische Darstellungen der Welt beleuchteten, was nützte eine suggestive Schauspielkunst, wenn sie nur dazu diente, uns ein X für ein U vorzumachen? Was half die ganze Zauberkiste, wenn sie nur künstlichen Ersatz für wirkliche Erlebnisse bieten konnte? Wozu dieses ständige Beleuchten von Problemen, die immer ungelöst blieben? Dieses Kitzeln nicht nur der Nerven, sondern auch des Verstandes? Hier konnte man nicht haltmachen.

Die Entwicklung drängte auf eine Verschmelzung der beiden Funktionen Unterhaltung und Belehrung.

Wenn die Bemühungen einen sozialen Sinn bekommen sollten, so mußten sie das Theater am Schluß instand setzen, mit künstlerischen Mitteln ein Weltbild zu entwerfen, Modelle des Zusammenlebens der Menschen, die es dem Zuschauer ermöglichen konnten, seine soziale Umwelt zu verstehen und sie verstandesmäßig und gefühlsmäßig zu beherrschen.

Der heutige Mensch weiß wenig über die Gesetzlichkeiten, die sein Leben beherrschen. Er reagiert als gesellschaftliches Wesen meist gefühlsmäßig, aber diese gefühlsmäßige Reaktion ist verschwommen, unscharf, uneffektiv. Die Quellen seiner Gefühle und Leidenschaften sind ebenso verschlammt und verunreinigt wie die Quellen seiner Erkenntnisse. Der heutige Mensch, lebend in einer sich rapid ändernden Welt und sich selber rapid ändernd, hat kein Bild dieser Welt, das stimmt und auf Grund dessen er mit Aussicht auf Erfolg handeln könnte. Seine Vorstellungen vom Zusammenleben der Menschen sind schief, ungenau und widersprechend, sein Bild ist, was man unpraktikabel nennen könnte, das heißt, mit seinem Bild von der Welt, der Menschenwelt, vor Augen kann der Mensch diese Welt nicht beherrschen. Er weiß nicht, wovon er abhängt, er kennt nicht den Griff in die soziale Maschinerie, der nötig ist, der den gewünschten Effekt hervorbringt. Die Kenntnis der Natur der Dinge, so sehr und so ingeniös vertieft und erweitert, ist ohne die Kenntnis der Natur des Menschen, der menschlichen Gesellschaft in ihrer Gesamtheit, nicht imstande, die Beherrschung der Natur zu einer Quelle des Glücks für die Menschheit zu machen. Weit eher wird sie zu einer Quelle des Unglücks. So kommt es, daß die großen Erfindungen und Entdeckungen nur eine immer schrecklichere Bedrohung der Menschheit geworden sind, so daß heute beinahe jede neue Erfindung nur mit einem Triumphschrei empfangen wird, der in einen Angstschrei übergeht.
Vor dem Krieg erlebte ich vor dem Radioapparat eine wahrhaft historische Szene: Das Institut des Physikers Niels Bohr in Kopenhagen wurde interviewt über eine umwälzende Entdeckung auf dem Gebiet der Atomzertrümmerung. Die

Physiker berichteten, daß eine neue, ungeheure Kraftquelle entdeckt sei. Als der Interviewer fragte, ob eine praktische Ausnutzung der Versuche schon möglich sei, bekam er die Antwort: »Nein, noch nicht.« Im Tone der größten Erleichterung sagte der Interviewer: »Gott sei Dank! Ich glaube wirklich, daß die Menschheit für die Übernahme einer solchen Kraftquelle noch absolut nicht reif ist!« Es war klar, daß er sofort nur an die Kriegsindustrie gedacht hatte. Der Physiker Albert Einstein geht nicht ganz so weit, aber er geht immerhin weit genug, wenn er in ein paar wenigen Sätzen, die bei der Weltausstellung in New York in einer Kapsel eingegraben werden sollen, als einen Bericht an künftige Geschlechter über unsere Zeit folgendes schreibt: »Unsere Zeit ist reich an erfinderischen Geistern, deren Erfindungen unser Leben beträchtlich erleichtern könnten. Wir überqueren vermittels maschineller Kraft die Meere und benutzen auch maschinelle Kraft, um die Menschheit von aller ermüdenden Muskelarbeit zu befreien. Wir haben fliegen gelernt und sind fähig, Mitteilungen und Neuigkeiten durch elektrische Wellen über die ganze Welt zu verbreiten. Die Produktion und Verteilung der Waren ist jedoch ganz und gar nicht organisiert, so daß jedermann in Furcht leben muß, aus dem ökonomischen Kreislauf ausgeschieden zu werden. Außerdem morden die Menschen, die in verschiedenen Ländern leben, einander in unregelmäßigen zeitlichen Abständen, so daß jeder, der über die Zukunft nachdenkt, in Furcht leben muß. Dies kommt von der Tatsache, daß Intelligenz und Charakter der Massen unvergleichlich niedriger sind als Intelligenz und Charakter der wenigen, die für die Gemeinschaft Wertvolles hervorbringen.«

Einstein begründet also das Faktum, daß die Beherrschung der Natur, in der wir es so weit gebracht haben, so wenig zu einem glücklichen Leben der Menschen beiträgt, damit, daß es den Menschen im allgemeinen an Belehrung mangelt, wie sie die Entdeckungen und Erfindungen nützlich verwenden können.¹ Sie wissen zu wenig über ihre eigene Natur. Daß die Menschen so wenig über sich selber wissen, ist schuld daran, daß ihr Wissen über die Natur ihnen so wenig hilft. In der Tat, die ungeheuerliche Unterdrückung und Ausbeutung von Menschen durch Menschen, die kriegerischen Schlächtereien und friedlichen Entwürdigungen aller Art über den ganzen Planeten hin haben zwar schon beinahe etwas Natürliches bekommen, aber diesen natürlichen Erscheinungen gegenüber ist der Mensch leider keineswegs so erfinderisch und tüchtig wie gegenüber anderen natürlichen Erscheinungen. Die großen Kriege zum Beispiel scheinen unzähligen wie Erdbeben, also wie Naturgewalten, aber während sie mit den Erdbeben schon fertig werden, werden sie mit sich selber nicht fertig. Es ist klar, wieviel gewonnen wäre, wenn zum Beispiel das Theater, wenn überhaupt die Kunst, imstande wäre, ein praktikables Weltbild zu geben. Eine Kunst, die das könnte, würde in die gesellschaftliche Entwicklung tief eingreifen können, sie würde nicht nur mehr oder weniger dumpfe Impulse verleihen, sondern dem fühlenden und denkenden Menschen die Welt, die Menschenwelt, für seine Praxis ausliefern.

Aber das Problem stellte sich in keiner Weise einfach. Schon die allererste Untersuchung ergibt, daß die Kunst, um ihre Aufgabe zu erfüllen, nämlich gewisse Emotionen zu erregen, gewisse Erlebnisse zu verschaffen, keineswegs stimmende Weltbilder, zutreffende Abbildungen von Vorfällen zwischen Menschen zu geben braucht. Sie erreicht ihre Wirkungen auch mit mangelhaften, trügerischen oder veralteten Weltbildern. Vermittels der künstlerischen Suggestion, die sie auszuüben

1 Wir brauchen hier nicht in eine sorgfältige Kritik des technokratischen Standpunkts des großen Gelehrten einzutreten. Natürlich wird das für die Gemeinschaft Nützliche durchaus von den Massen hervorgebracht, und die wenigen erfinderischen Geister sind sehr hilflos gegenüber dem ökonomischen Kreislauf der Waren. Es genügt uns hier, daß Einstein das Nichtwissen um gesellschaftliche Belange konstatiert, direkt und indirekt.

weiß, gibt sie den ungereimtesten Behauptungen über menschliche Beziehungen den Anschein der Wahrheit. Sie macht ihre Darstellungen um so unkontrollierbarer, je mächtiger sie ist. Anstelle der Logik tritt der Schwung, anstelle der Argumente tritt die Beredsamkeit. Die Ästhetik verlangt zwar eine gewisse Wahrscheinlichkeit aller Vorgänge, weil sonst die Wirkungen nicht eintreten oder geschwächt werden. Aber dabei handelt es sich um eine rein ästhetische Wahrscheinlichkeit, eine sogenannte künstlerische Logik. Dem Dichter wird seine eigene Welt zugestanden, sie hat eine eigene Gesetzlichkeit. Sind die oder jene Elemente verzeichnet, so müssen nur auch alle andern Elemente verzeichnet werden und das Prinzip der Verzeichnung einigermaßen einheitlich sein, damit das Ganze gerettet wird.

Die Kunst erreicht dieses Privileg, ihre eigene Welt bauen zu dürfen, die sich mit der andern nicht zu decken braucht, durch ein eigentümliches Phänomen, durch die auf Basis der Suggestion hergestellte Einfühlung des Zuschauers in den Künstler und über ihn in die Personen und Vorgänge auf der Bühne. Das Prinzip der Einfühlung ist es, das wir nun zu betrachten haben.

Die Einfühlung ist ein Grundpfeiler der herrschenden Ästhetik. Schon in der großartigen Poetik des Aristoteles wird beschrieben, wie die Katharsis, das heißt die seelische Läuterung des Zuschauers, vermittels der *Mimesis* herbeigeführt wird. Der Schauspieler ahmt den Helden nach (den Oedipus oder den Prometheus), und er tut es mit solcher Suggestion und Verwandlungskraft, daß der Zuschauer ihn darin nachahmt und sich so in Besitz der Erlebnisse des Helden setzt. Hegel, der meines Wissens die letzte große Ästhetik verfaßt hat, verweist auf die Fähigkeit des Menschen, angesichts der vorgetäuschten Wirklichkeit die gleichen Emotionen zu erleben wie angesichts der Wirklichkeit selber. Was ich Ihnen nun berichten wollte, ist, daß eine Reihe von Versuchen, vermittels der Mittel des Theaters ein praktikables Weltbild herzustellen, zu der verblüffenden Frage geführt haben, ob es zu diesem Zweck nicht notwendig sein wird, die Einfühlung mehr oder weniger preiszugeben.

Faßt man nämlich die Menschheit mit all ihren Verhältnissen, Verfahren, Verhaltensweisen und Institutionen nicht als etwas Feststehendes, Unveränderliches auf und nimmt man ihr gegenüber die Haltung ein, die man der Natur gegenüber mit solchem Erfolg seit einigen Jahrhunderten einnimmt, jene kritische, auf Veränderungen ausgehende, auf die Meisterung der Natur abzielende Haltung, dann kann man die Einfühlung nicht verwenden. Einfühlung in änderbare Menschen, vermeidbare Handlungen, überflüssigen Schmerz und so weiter ist nicht möglich. Solange in der Brust des König Lear seines Schicksals Sterne sind, solange er als unveränderlich genommen wird, seine Handlungen naturbedingt, ganz und gar unhinderbar, eben schicksalhaft hingestellt werden, können wir uns einfühlen. Jede Diskussion seines Verhaltens ist so unmöglich, wie für den Menschen des zehnten Jahrhunderts eine Diskussion über die Spaltung des Atoms unmöglich war.

Kam der Verkehr zwischen Bühne und Publikum auf der Basis der Einfühlung zustande, dann konnte der Zuschauer nur jeweils so viel sehen, wie der Held sah, in den er sich einfühlte. Und er konnte bestimmten Situationen auf der Bühne gegenüber nur solche Gefühlsbewegungen haben, wie die »Stimmung« auf der Bühne ihm erlaubte. Die Wahrnehmungen, Gefühle und Erkenntnisse des Zuschauers waren denjenigen der auf der Bühne handelnden Personen gleichgeschaltet. Die Bühne konnte kaum Gemütsbewegungen erzeugen, Wahrnehmungen gestatten und Erkenntnisse vermitteln, welche auf ihr nicht suggestiv repräsentiert wurden. Der Zorn des Lear über seine Töchter steckte den Zuschauer an, das heißt, der Zuschauer konnte, zuschauend, nur ebenfalls Zorn erleben, nicht etwa Erstaunen oder Beunruhigung, also andere Gemütsbewegungen. Der Zorn des Lear konnte also nicht auf seine Berechtigung hin geprüft oder mit Voraussagen seiner möglichen Folgen versehen werden. Er war nicht zu diskutieren, nur zu teilen. Die gesellschaftlichen Phänomene träten so als ewige, natürliche, unänderbare und unhistorische Phänomene auf und standen nicht zur Diskussion. Wenn ich hier den Begriff »Diskussion« gebrauche, so meine ich damit nicht eine leidenschaftslose Behandlung eines Themas, einen reinen Verstandesprozeß. Es handelte sich nicht darum, den Zuschauer gegen den Zorn des Lear lediglich immun zu machen. Nur die direkte Überpflanzung dieses Zorns mußte unterbleiben. Ein Beispiel: Der Zorn des Lear wird geteilt von seinem treuen Diener Kent. Dieser verprügelt einen Diener der undankbaren Töchter, der auftragsgemäß einen Wunsch Lears abzuweisen hat. Soll nun der Zuschauer unserer Zeit diesen Learschen Zorn teilen und, im Geiste an der Verprügelung des seinen Auftrag ausführenden Dieners teilnehmend, sie gutheißen? Die Frage lautete: Wie kann die Szene so gespielt werden, daß der Zuschauer im Gegenteil in Zorn über diesen Learschen Zorn gerät? Nur ein solcher Zorn, mit dem der Zuschauer aus der Einfühlung herausstürzt, den er überhaupt nur empfinden, der ihm überhaupt nur einfallen kann, wenn er den suggestiven Bann der Bühne bricht, ist sozial in unseren Zeiten zu rechtfertigen. Tolstoi hat gerade darüber ausgezeichnete Dinge gesagt.

Die Einfühlung ist das große Kunstmittel einer Epoche, in der der Mensch die Variable, seine Umwelt die Konstante ist. Einfühlen kann man sich nur in den Menschen, der seines Schicksals Sterne in der eigenen Brust trägt, ungleich uns.

Es ist nicht schwer, einzusehen, daß das Aufgeben der Einfühlung für das Theater eine riesige Entscheidung, vielleicht das größte aller denkbaren Experimente bedeuten würde.

Die Menschen gehen ins Theater, um mitgerissen, gebannt, beeindruckt, erhoben, entsetzt, ergriffen, gespannt, befreit, zerstreut, erlöst, in Schwung gebracht, aus ihrer eigenen Zeit entführt, mit Illusionen versehen zu werden. All dies ist so selbstverständlich, daß die Kunst geradezu damit definiert wird, daß sie befreit, mitreißt, erhebt und so weiter. Sie ist gar keine Kunst, wenn sie das nicht tut.

Die Frage lautete also: Ist Kunstgenuß überhaupt möglich ohne Einfühlung oder jedenfalls auf einer andern Basis als der Einfühlung?

Was konnte eine solche neue Basis abgeben?

Was konnte an die Stelle von *Furcht* und *Mitleid* gesetzt werden, des klassischen Zwiegespanns zur Herbeiführung der aristotelischen Katharsis? Wenn man auf die Hypnose verzichtete, an was konnte man appellieren? Welche Haltung sollte der Zuhörer einnehmen in den neuen Theatern, wenn ihm die traumbefangene, passive, in das Schicksal ergebene Haltung verwehrt wurde? Er sollte nicht mehr aus seiner Welt in die Welt der Kunst entführt, nicht mehr gekidnappt werden; im Gegenteil sollte er in seine reale Welt eingeführt werden, mit wachen Sinnen. War es möglich, etwa anstelle der Furcht vor dem Schicksal die Wissensbegierde zu setzen, anstelle des Mitleids die Hilfsbereitschaft? Konnte man damit einen neuen Kontakt schaffen zwischen Bühne und Zuschauer, konnte das eine neue Basis für den Kunstgenuß abgeben?

Ich kann die neue Technik des Dramenbaus, des Bühnenbaus und der Schauspielweise, mit der wir Versuche anstellten, hier nicht beschreiben. Das Prinzip besteht darin, anstelle der Einfühlung die *Verfremdung* herbeizuführen.

Was ist Verfremdung?

Einen Vorgang oder einen Charakter verfremden heißt zunächst einfach, dem Vorgang oder dem Charakter das Selbstverständliche, Bekannte, Einleuchtende zu nehmen und über ihn Staunen und Neugierde zu erzeugen. Nehmen wir wieder den Zorn des Lear über die Undankbarkeit seiner Töchter. Vermittels der Einfühlungstechnik kann der Schauspieler diesen Zorn so darstellen, daß der Zuschauer ihn für die natürlichste Sache der Welt ansieht, daß er sich gar nicht vorstellen kann, wie Lear nicht zornig werden könnte, daß er mit Lear völlig solidarisch ist, ganz und gar mit ihm mitfühlt, selber in Zorn verfällt. Vermittels der Verfremdungstechnik hingegen stellt der Schauspieler diesen Learschen Zorn so dar, daß der Zuschauer über ihn staunen kann, daß er sich noch andere Reaktionen des Lear vorstellen kann als gerade die des Zornes. Die Haltung des Lear wird verfremdet, das heißt, sie wird als eigentümlich, auffallend, bemerkenswert dargestellt, als gesellschaftliches Phänomen, das nicht selbstverständlich ist. Dieser Zorn ist menschlich, aber nicht allgemein menschlich, es gibt Menschen, die ihn nicht empfänden. Nicht bei allen Menschen und nicht zu allen Zeiten müssen die Erfahrungen, die Lear macht, Zorn auslösen. Zorn mag eine ewig mögliche Reaktion der Menschen sein, aber dieser Zorn, der Zorn, der sich so äußert und seine solche Ursache hat, ist zeitgebunden. Verfremden heißt also Historisieren, heißt Vorgänge und Personen als historisch, also als vergänglich darstellen. Dasselbe kann natürlich auch mit Zeitgenossen geschehen, auch ihre Haltungen können als zeitgebunden, historisch, vergänglich dargestellt werden.

Was ist damit gewonnen? Damit ist gewonnen, daß der Zuschauer die Menschen auf der Bühne nicht mehr als ganz unänderbare, unbeeinflußbare, ihrem Schicksal hilflos ausgelieferte dargestellt sieht. Er sieht: dieser Mensch ist so und so, weil die Verhältnisse so und so sind. Und die Verhältnisse sind so und so, weil der Mensch so und so ist. Er ist aber nicht nur so vorstellbar, wie er ist, sondern auch anders, so wie er sein könnte, und auch die Verhältnisse sind anders vorstellbar, als sie sind. Damit ist gewonnen, daß der Zuschauer im Theater eine neue Haltung bekommt. Er bekommt den Abbildern der Menschenwelt auf der Bühne gegenüber jetzt dieselbe Haltung, die er als Mensch dieses Jahrhunderts der Natur gegenüber hat. Er wird auch im Theater empfangen als der große Änderer, der in die Naturprozesse und die gesellschaftlichen Prozesse einzugreifen vermag, der die Welt nicht mehr nur hinnimmt, sondern sie meistert. Das Theater versucht nicht mehr, ihn besoffen zu machen, ihn mit Illusionen auszustatten, ihn die Welt vergessen zu machen, ihn mit seinem Schicksal auszusöhnen. Das Theater legt ihm nunmehr die Welt vor zum Zugriff.

Die Verfremdungstechnik wurde in Deutschland in einer neuen Kette von Experimenten ausgebaut. Am Schiffbauerdammtheater in Berlin wurde versucht, einen neuen Darstellungsstil auszubilden. Die Begabtesten der jüngeren Schauspielergeneration arbeiteten mit. Es handelte sich um die Weigel, um Peter Lorre, Oskar Homolka, die Neher und Busch. Die Versuche konnten nicht so methodisch durchgeführt werden wie die (andersgearteten) der Stanislawski-, Meyerhold- und Wachtangowgruppe (es gab keine staatliche Unterstützung), aber sie wurden dafür auf breiterem Feld, nicht nur im professionellen Theater, ausgeführt. Die Künstler beteiligten sich an Versuchen von Schulen, Arbeiterchören, Amateurgruppen und so weiter. Von Anfang an wurden Amateure mit ausgebildet. Die Versuche führten zu einer großen Vereinfachung in Apparat, Darstellungsstil und Thematik.

Es handelte sich durchaus um eine Fortführung der früheren Experimente, besonders der des Piscatortheaters. Schon in Piscators letzten Versuchen hatte der konsequente Ausbau des technischen Apparats schließlich dazu geführt, daß die nunmehr beherrschte Maschinerie eine schöne Einfachheit des Spiels gestattete. Der sogenannte *epische* Darstellungsstil, den wir am Schiffbauerdammtheater ausbildeten, zeigte verhältnismäßig schnell seine artistischen Qualitäten, und die *nichtaristotelische Dramatik* ging daran, die großen sozialen Gegenstände groß zu behandeln. Es eröffneten sich Möglichkeiten, die tänzerischen und gruppenkompositorischen Elemente der Meyerholdschule aus künstlichen in künstlerische zu verwandeln, die naturalistischen der Stanislawskischule in realistische. Die Sprechkunst wurde mit der Gestik verknüpft, Alltagssprache und Versrezitation durch das sogenannte *gestische Prinzip* ausgeformt. Vollständig revolutioniert wurde der Bühnenbau. Die Piscatorschen Prinzipien gestatteten, frei gehandhabt, den Aufbau einer sowohl instruktiven als auch schönen Bühne. Symbolismus und Illusionismus konnten gleichermaßen liquidiert werden, und das *Nehersche* Prinzip des Aufbaus der Dekoration nach den auf den Schauspielerproben festgelegten Bedürfnissen erlaubte es dem Bühnenbauer, aus dem Spiel der Schauspieler Gewinn zu ziehen und dieses Spiel zu beeinflussen. Der Stückeschreiber vermochte seine Versuche in ununterbrochener Zusammenarbeit mit dem Schauspieler und dem Bühnenbauer vorzunehmen, beeinflußt und beeinflussend. Zugleich gewannen Maler und Musiker ihre Selbständigkeit zurück und konnten zum Thema sich vermittels ihrer eigenen Kunstmittel äußern: Das Gesamtkunstwerk trat in getrennten Elementen vor den Zuschauer.

Das *klassische Repertoire* bildete von Anfang an die Basis vieler der Versuche. Die Kunstmittel der Verfremdung eröffneten einen breiten Zugang zu den lebendigen Werten der Dramatiken anderer Zeitläufte. Es wird durch sie möglich, ohne zerstörende Aktualisierungen und ohne Museumsverfahren die wertvollen alten Stücke unterhaltend und belehrend aufzuführen.

Für das zeitgenössische Amateurtheater (der Arbeiter-, Studenten- und Kinderschauspieler) macht sich die Befreiung von dem Zwang, Hypnose auszuüben, besonders günstig bemerkbar. Es wird denkbar, Grenzen zu ziehen zwischen dem Spiel von Amateur- und Berufsschauspieler, ohne daß eine der Grundfunktionen des Theaterspielens aufgegeben werden muß.

Auf der neuen Grundlage konnten zum Beispiel so divergierende Spielweisen wie die etwa der Wachtangow- oder Ochlopkowtruppe und die der Arbeitertruppen vereint werden. Die so verschiedenartigen Experimente eines halben Jahrhunderts schienen eine Basis für ihre Ausnutzung gefunden zu haben.

Jedoch sind diese Experimente nicht so einfach zu beschreiben, und ich muß hier einfach behaupten, daß wir meinen, Kunstgenuß tatsächlich auf der Basis der Verfremdung ermöglichen zu können. Dies ist nicht allzusehr überraschend, da ja, rein technisch gesehen, auch das Theater vergangener Epochen schon künstlerische Wirkungen mit Verfremdungseffekten erzielt hat, so das chinesische Theater, das klassische spanische Theater, das volkstümliche Theater der Breughelzeit und das elisabethanische Theater.

Ist dieser neue Darstellungsstil nun *der* neue Stil, ist er eine fertige, überblickbare Technik, das endgültige Resultat aller Experimente? Antwort: Nein. Er ist *ein* Weg, der, den *wir* gegangen sind. Die Versuche müssen fortgesetzt werden. Das Problem besteht für alle Kunst und ist riesig. Die Lösung, die hier angestrebt wird, ist nur *eine* der vielleicht möglichen Lösungen des Problems, das so lautet: Wie kann das Theater zugleich unterhaltend und lehrhaft sein? Wie kann es aus dem geistigen Rauschgifthandel herausgenommen und aus einer Stätte der Illusionen zu einer Stätte der Erfahrungen gemacht werden? Wie kann der unfreie, unwissende, freiheits- und wissensdurstige Mensch unseres Jahrhunderts, der gequälte und heroische, mißbrauchte und erfindungsreiche, änderbare und die Welt ändernde Mensch dieses schrecklichen und großen Jahrhunderts sein Theater bekommen, das ihm hilft, sich und die Welt zu meistern?

1939

[Die Diderot-Gesellschaft]

[Notizen über eine Gesellschaft für induktives Theater]

Seit Jahrhunderten existieren internationale Gesellschaften von Wissenschaftlern, welche den Austausch der Erfahrungen und Probleme organisieren. Die Wissenschaften haben ihren gemeinsamen Standard, ihr gemeinsames Vokabular, ihre Kontinuität. Das Faktum, daß die Künste (im folgenden ist an die theatralischen Künste gedacht, zu denen auch die Filmkunst zu rechnen ist) keine solchen korrespondierenden Gesellschaften haben, erklärt sich aus der völlig individualistischen Struktur der Künste.

Solange das Theater als eine Stätte aufgefaßt wurde, wo sich nur künstlerische Persönlichkeiten ausdrückten, war es kaum möglich, von einem technischen Standard der Theaterkunst anders als in bezug auf einige mechanische Neuerungen, wie Beleuchtungstechnik und Verwandlungstechnik, zu sprechen. Die Übernahme von »Ausdrucksmitteln« eines Künstlers durch andere Künstler, soweit es sich nicht um »seelenlose« Maschinerie handelte, mußte in gewissem Sinne verpönt erscheinen: Es hätte bedeutet, »sich mit fremden Federn zu schmücken«.

Ganz anders hatten die Wissenschaften überindividuelle Aufgaben und objektive Kriterien. Sie konnten jederzeit von der Materie aus, die sie zu meistern sich bemühten, beurteilt werden.

Auch die Theater haben immer Darstellungen der Welt, das heißt des menschlichen Zusammenlebens benutzt. Jedoch diente diese Zurschaustellung einer mehr oder weniger von individuellem Formungswillen geprägten Darstellung der Welt nicht gerade der Erkenntnis der realen Welt, vielmehr galt es, gewisse Emotionen zu erzeugen, »Erlebnisse« zu veranstalten. Die Darstellung der Welt brauchte zu diesem Zweck nicht genau oder verantwortlich zu sein.

Erst in den letzten Jahrzehnten entwickelte sich ein Theater, das größeren Wert auf eine richtige Darstellung der Welt legte, wobei für diese Richtigkeit objektive, außerindividuelle Kriterien zugelassen werden sollten. Der Künstler fühlte sich nicht mehr beauftragt, »seine eigene Welt« zu schaffen und, die wirkliche Welt als bekannt und unveränderlich auffassend, den Katalog der Abbildungen zu bereichern, welche eigentlich Abbildungen der Abbildner sind; vielmehr fühlte sich der Künstler nunmehr beauftragt, die Welt als veränderlich und unbekannt aufzufassen und solche Abbildungen abzuliefern, welche mehr über die Welt als über ihn Aufschluß geben. Die Herstellung von Abbildungen der Welt, welche dazu beitragen können, die Welt beherrschbar zu machen, stößt natürlich auf große Schwierigkeiten und zwingt die Künstler, für den geänderten Zweck ihre Technik zu ändern. Hat das »innere Auge« keinerlei Mikroskop und keinerlei Fernrohr benötigt, so benötigt das äußere beide. Die Erfahrungen anderer Leute sind für den Visionär entbehrlich. Das Experiment gehört nicht zu den Gepflogenheiten des Sehers. Andererseits muß der Künstler, dem neuen Auftrag folgend, bei der Übermittlung seiner Abbildungen verzichten auf die Mittel der Hypnose, unter Umständen sogar der gewöhnlichen Einfühlung, die dem Künstler früherer Epochen zur Verfügung standen. Dafür wird für den Künstler des neuen Auftrags die Übermittlung wie die Herstellung seiner Abbildungen zu einer (außerindividuellen) Technik; das heißt, er beteiligt sich an dem Aufbau einer allen Künstlern zur Verfügung stehenden Technik, er bietet und benutzt neue Erfahrungen. Bei Aufrechterhaltung ihrer großen Verschiedenheiten kann nunmehr auch eine Zusammenarbeit von Theater und Film erfolgen, da es sich und inwieweit es sich bei beiden Kunstgattungen um Abbildungen der Welt, Aufschlüsse über das Zusammenleben der Menschen handelt.

Die Diderot-Gesellschaft setzt sich die Aufgabe, Erfahrungen ihrer Mitglieder systematisch zu sammeln, eine Terminologie zu schaffen, die theatralischen Konzeptionen des Zusammenlebens der Menschen wissenschaftlich zu kontrollieren. Sie sammelt Berichte von mit Theater und Film experimentierenden Künstlern über ihre Arbeiten und organisiert deren Austausch. Die einzelnen Arbeiten, die der Gesellschaft eingereicht werden, können sogleich von ihren Verfassern in Zeitschriften veröffentlicht werden; sie sollen jedoch den Untertitel »Bericht an die Diderot-Gesellschaft« tragen. Die Mitglieder versuchen, die bei ihnen einlaufenden Arbeiten an Zeitschriften ihrer Sprache zu geben. Eine Redaktionskommission kann die Arbeiten in Buchform, numeriert, herausgeben. Der Umfang der Arbeiten ist ins Belieben der Verfasser gestellt; die Berichte können sehr kurz sein. Es kann sich um die Beschreibung einer ganzen Inszenierung oder um die Beschreibung technischer Neuerungen größerer oder kleinerer Bedeutung handeln, ebenso um Erfahrungen mit dem Publikum oder mit reproduzierenden Künstlern. Probleme können auch ungelöst dargestellt werden. Gerade Fragen des Details sind von besonderem Interesse. Einführung und Verwendung solcher Neuerungen wie des laufenden Bandes (Piscator), Sinn neuer rhythmischer Formen, Probleme bei der Darstellung von Bühnen- oder Filmcharakteren und so weiter und so weiter können Gegenstände von Berichten sein. Die soziale Bedeutung gewisser Stoffe und ihre Herausarbeitung, die Benutzung von Fakten, die Organisation von Vorarbeiten (Quellenstudium), von Dokumenten, von wissenschaftlichen Methoden, die Wiederbenutzung technischer Neuerungen, Vorschläge für termini technici, Kritik der Kritik, all das kann in Form von Berichten an die *Gesellschaft* behandelt werden.

Zur Begründung der *Gesellschaft* ist es nur nötig, daß einige experimentell tätige Künstler ihre Bereitschaft erklären, Arbeiten der genannten Art nach Gelegenheit zu liefern. Erwünscht ist auch die Angabe solcher Zeitschriften, in denen solche Arbeiten vermutlich veröffentlicht werden können. Als vorläufige Adresse der *Diderot-Gesellschaft* kann dienen: Brecht, Svendborg, Dänemark.

Die Mitglieder der Gesellschaft tauschen korrespondierend Darstellungen ihrer Arbeiten auf experimentellem Gebiet aus. Sie benutzen gegenseitig ihre Erfahrungen und bringen ihr technisches Vokabular in Einklang.

Die Darstellungen berücksichtigen folgende Gesichtspunkte:
1. Soziales Interesse des Stoffes
2. Die Fakten, die benutzt wurden
3. Wissenschaftliche Erkenntnisse, die benutzt wurden

4. Technische Neuerungen
5. Benutzung fremder technischer Neuerungen
6. Vorschläge für technische Bezeichnungen
7. Aufbau der Arbeiten
8. Zitierung von Kritik und Kritik derselben
9. Neu auftauchende Probleme

Die *Gesellschaft für induktives Theater* ist sich bewußt (realizes), daß das Interesse an einer realistischen, das heißt die Realität meisternden (die Meisterung der Realität erlaubenden) Darstellung des gesellschaftlichen Zusammenlebens der Menschen, an einer Darstellung des gesellschaftlichen Zusammenlebens der Menschen, welche dieses Zusammenleben erleichtern kann, indem es dasselbe produktiv gestaltet, kein allgemeines ist. Versuche in solchen Darstellungen des menschlichen Zusammenlebens bedeuten einen Kampf. Die Welt muß ihren derzeitigen Besitzern, welche ihren Besitz unverändert haben wollen, entrissen werden, und die Kenntnis dieser Welt und der Methoden ihrer Änderung muß den Ideologen ihrer Besitzer ebenfalls entrissen werden. Diese schwierige, von einzelnen nicht lösbare Aufgabe verlangt Zusammenschluß, und zwar einen arbeitsmäßigen, nicht nur einen solchen der Sympathien. Eine Gesellschaft solcher Künstler muß sich an die Seite der großen Produktivkräfte der modernen Menschheit stellen, ohne Rücksicht auf eine Gesellschaftsordnung, welche die Entfaltung dieser Produktivkräfte hemmt.

[Dreigespräch über das Tragische]

KARL Wenn ich dich reden höre über eure Art, Theater zu machen, dann kommt es mir vor, als hättet ihr einfach aus der Komödie soundso viele Elemente genommen und sie in das ernste Stück gesteckt. Solche Verfremdungseffekte, wie du sie benützt, findet man im niedersten Schwank. Ich erinnere mich, wie das Publikum im Schwank über einen Mann lachte, der sich die Fürsorge seiner Tochter gern gefallen ließ, bis er einmal auf erotische Abenteuer ausgehen wollte, wo sie ihm sehr im Wege war. Er entdeckte, zusammen mit dem Publikum, daß diese Fürsorge »eigentlich« eine scheußliche Tyrannei bedeutete. Das ist doch ein Beispiel von Verfremdung einer gesellschaftlichen Haltung?

THOMAS Ja.

KARL Aber wenn ihr so Wirkungen aus dem Schwank in das ernste Stück einschleppt, wird da nicht die Tragödie ruiniert?

LUKAS Ich meine auch, daß das alles auf eine Liquidierung der Tragödie hinausläuft. Denn hier werden ja nicht nur in Tragödien komische Szenen eingestreut, welche mitten in der Katastrophe den Alltag ringsum zeigen und so das Besondere gegen das Allgemeine abheben, so daß das Tragische um so mehr unterstrichen ist, sondern die Darstellung der Katastrophe selber erfolgt in einer Art, wie die Darstellung des Alltags erfolgt. So ist es doch?

THOMAS Ja. Nur möchte ich sagen, daß beim Shakespeare, im Gegensatz zu seinen minderen Nachahmern, welche die komischen Szenen von den tragischen scharf absetzen, doch auch die Darstellung des Tragischen durch Züge gewinnt, die sonst in der Komödie ihren Platz haben. Freilich wird die Grundstimmung des Tragischen auch bei ihm nicht etwa durch die komischen Züge aufgehoben. Eher verstärkt sie sich durch diese Lebensnähe.

LUKAS Aber bei euch wird die Grundstimmung des Tragischen also aufgehoben? Das erstaunt mich nicht. Ich sehe da diesen utopischen Geist am Werke, diesen recht flachen Optimismus, der davon ausgeht, daß man durch die Abschaffung gesellschaftlicher Mißstände ohne weiteres eine allgemeine, gleichmäßige und harmonische Glückseligkeit aller Menschen garantiert bekäme; welcher Optimismus dann dazu führt, daß man auch schon während des Kampfes gegen die Mißstände die leidende Menschheit und den leidenden einzelnen als nur vorläufig und vorübergehend leidend mit einigem Gleichmut anhört, wenn er klagt.

THOMAS Ich schlage vor, so lange es irgend geht, unsere Unterhaltung ohne solche allgemeinen Wörter wie *Utopie, Optimismus, Glückseligkeit* weiterzuführen. Der Begriff »*das Tragische*« verlockt freilich zu längerem Verweilen in ästhetischen Gefilden. Aber wir könnten diesen Verlockungen ja auch widerstehen. Unser Freund Karl hat zunächst nur darauf hingewiesen, daß wir Neueren augenscheinlich in das ernste Stück komische Elemente, Züge und Betrachtungsweisen, die bisher in der Komödie ihren Platz hatten, einführen. Nun ist es ganz richtig, daß die tragische Stimmung der Alten dadurch sehr gestört würde, daß die gesellschaftliche Grundlage des Schicksals eines Helden nicht mehr als etwas Dauerndes, von den Menschen nicht Abänderbares, für alle Menschen Bestehendes betrachtet und dargestellt würde, wie es durch die Spielweise der Neueren zweifellos geschähe. Damit wir mit dem Helden verzweifeln können, müssen wir sein Gefühl der Ausweglosigkeit teilen, damit wir erschüttert werden können durch seine Einsicht in die Gesetzmäßigkeit seines Schicksals, müssen wir ebenfalls, was in seinem Fall passiert, als unverrückbar gesetzmäßig einsehen. Eine Spielweise, die die gesellschaftliche Grundlage als praktikabel und historisch (vergänglich) darstellt, die Sitten als Unsitten, die Urteile als Vorurteile zu betrachten grundsätzlich offenläßt, muß die tragische Stimmung entscheidend stören. Jedoch ist nicht gesagt, daß damit durch die neue Spielweise keine tragische Stimmung mehr entstehen könnte. Diese Spielweise ist allerdings nicht an ihrer Hervorbringung interessiert. Sie erfindet nicht Fabeln, damit tragische Stimmung entsteht. Aber sie würde tragische Stimmung zulassen, wenn eine Darstellung, welche die Historizität und Praktikabilität der gesellschaftlichen

Grundlage berücksichtigt, eine solche Stimmung hervorrufen würde.

KARL Ihr meint, eure Spielweise, die zu allem sagt: »Das kann sein und kann nicht sein«, könnte doch auch tragische Stimmung erzeugen?

THOMAS Selbst wenn zu jedem Handeln eines Menschen ein anderes Handeln als ebenfalls möglich hinzugedacht wird und die Darstellung dies berücksichtigt, kann die betreffende aktuelle Handlung, diejenige, die gewählt wird, noch so ernst genommen werden, daß man tragisch berührt wird.

LUKAS Das zeigt eine merkwürdige Gleichgültigkeit gegen das Problem der Tragik.

THOMAS Das hoffe ich. Ich weiß, in den Stücken der Alten und den zeitgenössischen, die ihnen folgen, wird es dem Zuschauer nicht überlassen, seine Gefühle zu wählen. Was er bekommt, sind nicht Ausschnitte aus dem menschlichen Zusammenleben schlechthin, sondern tragische Schauer. Eine Art Massage träger Seelen, die im Alltag nicht genug Bewegung haben. Für sie wird einiges Vorgefallenes zusammengemixt in einer Mischung, die tragische Schauer erzeugt oder andere Emotionen. Aber das ist nicht Sache der Neueren, welche gute Darstellungen von Vorfällen aus dem menschlichen Zusammenleben geben wollen und die Emotionen des Zuschauers nicht auszubestimmen wünschen.

LUKAS Kann man sagen, daß sie sie sogar zu verhindern wünschen?

THOMAS An bestimmten Stellen und in bestimmter Form wünschen wir sie sogar zu verhindern. Aber nicht im allgemeinen.

LUKAS Ich dachte, im allgemeinen. Denn ihr wünscht doch, daß hauptsächlich gedacht werde, und da hindern doch wohl die Emotionen, nach eurer Ansicht?

THOMAS Im Gegenteil. Wie soll gedacht werden ohne Emotionen? Aber wie es falsche Gedanken gibt, nicht nur ungenaue, so gibt es auch falsche Emotionen und nicht nur ungenaue. Die sollten verhindert werden. Aber wir wollen nicht zu weit abkommen. Es genügt zu wissen, daß wir Neueren nicht eine solche Anordnung und Auswahl von Vorfällen geben wollen, welche geeignet sind, ganz bestimmte tragische Schauer zu erzeugen. Jedoch mögen bei einem Teil unserer Zuschauer bei der Darstellung von bestimmten Vorfällen solche Schauer sich einstellen.

KARL Ich vermute, besonders dann, wenn ein Mensch dargestellt wird, wie er das eine tut, was ihn verdirbt, und das andere tun könnte, was ihn nicht verdürbe?

LUKAS Bei den Alten traten die tragischen Schauer ein, wenn ein Mensch seiner Natur folgte. Bei euch Neueren hat er wohl gar keine Natur?

THOMAS O doch, wenn Sie wollen. Nur: er kann ihr dann auch nicht folgen.

LUKAS Das nenne ich nicht Natur.

THOMAS Und wir nennen es Natur.

KARL Das ist sehr philosophisch.

Über die Verwendung von Prinzipien

1

Es kann nicht schaden, wenn man angesichts einer Reihe von Methoden mehr oder minder neuer Art, wie sie hier für das *Theaterspielen* angegeben werden, einiges über die Verwendung von Methoden im allgemeinen sagt. Was hier über neues Theater gesagt ist, gründet sich auf Erfahrungen, die in zwei Jahrzehnten praktischer Tätigkeit auf dem Theater gemacht wurden. Diese Erfahrungen sind wesentlich Kampferfahrungen. Der Kampf galt bestimmten Vorstellungen sowohl über die Realität, als auch über die theatralische Wiedergabe der Realität. Außer den hier ausgeformten Erfahrungen erforderte und erzeugte der Kampf andere Erfahrungen, die nicht ausgeformt sind und nicht hier stehen. Anders ausgedrückt: Der Kampf, wie immer sein Erfolg sein mag, hätte durch Anwendung der hier beschriebenen Prinzipien allein nicht gekämpft werden können. Und auch von den hier beschriebenen Prinzipien ließ ich mich nicht widerspruchslos leiten. Beinahe jede neue Aufgabe erforderte neue Methoden. Soll die Wirklichkeit so wiedergegeben werden, daß auf Grund der Wiedergabe ein gesellschaftlicher Eingriff in sie erfolgen kann, so müssen die Methoden schon wegen der ständig sich wandelnden gesellschaftlichen Situation, in der der Eingriff erfolgen muß, geändert oder ausgewechselt werden. Im vorstehenden gibt es etwa Ausführungen, in denen der Nutzen stilisierter Redeweise in der Dramatik gezeigt wird; aber in »Furcht und Elend des Dritten Reiches« finden sich Stücke, die im Dialekt verfaßt sind, mit phonetisch getreuer Wiedergabe der Sprechweise von bayrischen Bauern und Berliner Dienstmädchen. »Die heilige Johanna der Schlachthöfe« verwendet für die Figur der Johanna Dark weitgehend Effekte der *Einfühlung*. Und das geschieht auch für die Figur der Frau Carrar. Nicht als ob diese beiden Rollen vollständig auf Einfühlung gespielt wurden, aber doch mehr Einfühlung gestattend als andere. *Episches Theater* kann im allgemeinen von anderm Theater leicht unterschieden werden, jedoch nicht auf Grund einer ganz bestimmten Anzahl von Kriterien. Im Kampf macht man es sich leicht; man muß es. Man wirft weg, was behindert; man greift nach dem, was hilft. Vor einer Aufführung der »Rundköpfe und Spitzköpfe« sah ich Zuschauer bei derselben Szene weinen, wo andere lachten, und ich war mit beiden zufrieden; und die eisige Haltung der Mehrzahl der Zuschauer störte mich nicht sonderlich. Ich mußte hören: »Das ist schön, aber falsch«, und ich mußte hören: »Er hat recht, aber was weiter?«, und niemand ging weniger aus als ich auf Wirkung, wenn es nur Wirkung war. Neues Theater machen bedeutet, mit dem vorhandenen Theater einen gesellschaftlichen Funktionswechsel vollziehen; bestimmte theatralische Mittel werden neuen Aufgaben zugeführt, somit alten entführt. Die Beschreibung des Neuen erfolgt in der Form einer Polemik gegen das Alte. Es muß hier aber gesagt werden, daß jene große Begierde, die Welt zu ändern, welche uns das Theater zu einem Instrument solcher Änderung umbauen ließ, sich aus einer historischen Situation ableiten läßt; wir leben in einer Welt, in der schlecht zu leben ist und unter bestimmten Umständen durch bestimmte Umbauten besser zu leben wäre. Das bindet einen großen Teil unserer Vorschläge an unsere Zeit. Aber selbst in dieser Zeit bedeutet ein Einsetzen theatralischer Mittel für soziale Zwecke nicht eine restlose Okkupation aller theatralischen Mittel. Wir lassen mit solchen Aussagen den Teufel nicht wieder in den Tempel, nachdem wir ihn ausgetrieben haben. Wir glauben nicht, uns in einem Tempel zu befinden, und wir glauben nicht an Teufel. Jede Art von Puritanismus vergiftet die Sphäre des Theaters mit Sicherheit. Aber es bedeutet nicht Puritanismus, wenn jemand beschließt, vor dem Kampf nicht zu trinken, so wie es auch nicht Unmoral sein muß, zu trinken vor dem Kampf. Die Schärfen und Härten des *epischen Theaters* werden, sind erst einige Dutzend Jahre vergangen, kaum noch so wahrnehmbar sein. »Die Rundköpfe und die Spitzköpfe« mögen sich anschauen wie ein goldenes Märchen, voll von milden Zureden und vielleicht sogar recht lustig. »Furcht und Elend des Dritten Reiches« werden nach dem Untergang dieses Reiches keine Anklage mehr sein, wenn auch vielleicht immer noch eine Warnung. Die Zuschauer des Globetheaters, die vor drei Jahrhunderten König Lear sein Reich in Fetzen wegschenken sahen, bedauerten die ehrliche Cornelia, die keinen der Fetzen erhielt, nicht die Tausende, die da weggeschenkt wurden; aber auch wir erheben kaum noch eine Anklage gegen die Art, wie man mit ihnen verfuhr, mangels Adresse.

2

So wie Piscator, der große Baumeister des *epischen Theaters*, das Theater für jedes Werk vollständig umbaute, die Zuschauer mitunter auf die Bühne setzte und die Schauspieler ins Parkett schickte, und das keineswegs, um einmal etwas anderes zu machen, verwendete ich für jedes Werk neue Bauprinzipien und änderte auch die Spielweise der Schauspieler. Wir spielten mit Schülern in Schulen und mit Schauspielern in Schulen und mit Schülern in Theatern. Wir spielten (in den *Lehrstücken*) ohne Zuschauer; die Spieler spielten für sich selber. Wir bildeten Ensembles aus Arbeitern, die nie eine Bühne betreten hatten und hochqualifizierten Artisten, und bei aller Verschiedenheit der »Stile« konnte kein Zuschauer die Einheitlichkeit der Darbietung in Abrede stellen. Solche Schauspieler wie die *Weigel* erzielten eine anscheinend völlige Einfühlung der Zuschauer (sie sagten begeistert: »Sie spielte nicht die Fischersfrau, sie war es«), und doch wurde auch zugleich die kritische Haltung der Zuschauer erzielt, welche uns so wichtig ist. Solche Schauspieler wurden nicht beherrscht von Prinzipien, sondern sie beherrschten sie. Das einzige Prinzip, das wir wissentlich nie verletzten, war: alle Prinzipien unterzuordnen der gesellschaftlichen Aufgabe, die wir mit jedem Werk zu erfüllen uns vorgenommen hatten.

Die Übernahme des bürgerlichen Theaters

[Verblüffen durch neue Formen]

Die Übernahme des bürgerlichen Theaters für die revolutionären Zwecke des Proletariats sehen einige von uns als einen sehr einfachen Vorgang an. Die Portiers lassen ein neues Publikum in den Zuschauerraum, und die Schauspieler bekommen einen neuen Text ausgehändigt. Die Leidenschaftlichkeit, die sie gestern gezeigt haben, wenn die Bühnengattin fremd ging, zeigen sie heute, wenn der Bühnenkapitalist die Löhne senkt. Das Publikum ist nicht mehr gespannt, ob der Romeo die Julia, sondern, ob das Proletariat die Macht kriegt. Als hundert Prozent richtig werden von den Bühnenfiguren am Schluß nicht die Ansichten Bernard Shaws, sondern die Ansichten Karl Marxens erkannt. Zeigt sich das Publikum der Themen überdrüssig, dann entdecken einige feinere Köpfe, daß auch die Liebe, überhaupt jeder beliebige Vorgang, den die Bühne seit jeher darstellt, marxistisch gesehen werden kann. Die Leidenschaftlichkeit des Schauspielers zeigt sich wieder, wenn die Bühnengattin fremd geht, die Spannung ist, ob der Romeo die Julia kriegt, nur eines bleibt: Marx hat recht und nicht Shaw. Die Dramaturgen dieser Entwicklungsphase verweisen meist mit Erfolg auf gewisse Vorgänge der ersten Phase, wo einige Leute, in dem mehr oder minder dunklen Gefühl, die Änderung bei der Übernahme des bürgerlichen Theaters zu den revolutionären Zwecken des Proletariats müsse eine einschneidendere sein, selber im theatralischen Sinn ein revolutionärer Akt, etwas zu weit gingen, jede Tür schief, jede Geste mechanisch gemacht hatten, hauptsächlich, um eben zu ändern. Das Verblüffen durch neue Formen, Absonderlichkeiten, Tricks, das Auswechseln von Stilen, die Modecharakter bekamen, florierte zudem schon lange, ohne daß irgendwelche revolutionäre Tendenzen dabei im Spiel gewesen wären.

[Der Anlaß neuer Bewegungen]

Es ist nicht schlecht, nicht ganz schlecht, auf das Nichtkönnen als Anlaß neuer Bewegungen hinzuweisen, zum Beispiel zu sagen, das epische Theater verdanke seine Entstehung der Unfähigkeit einiger Dramatiker, echtes, unverfälschtes Theater gewohnter Art zu machen. Diese Unfähigkeit besteht. Wenn wir an die Malerei denken, so war das erste Urteil über neuere Malerei, etwa die der Impressionisten, sie könnten einfach nicht malen. Und das war ein fachmännisches Urteil, hier sprach die Fachwelt. Malerei war etwas ganz Bestimmtes, Festes, was Schulung bestimmter Art verlangte, nicht nur ein Leinwandanstreichen; wer dieses ganz Bestimmte, das durch die Vorzeit viele praktiziert hatten, nicht konnte, der konnte eben nicht malen. Die Impressionisten beantworteten die Injurie mit der Injurie, die guten Leute, die ihre Bilder nicht verstünden, könnten nicht sehen. Der Streit ging eine Zeitlang, und die Impressionisten hatten als alternde Leute noch die Gelegenheit, die Arbeiten von Leuten kennenzulernen, über die sie nur sagen konnten, sie hatten keine Ahnung von der Malerei. Dieses Spiel wurde schließlich so bekannt, daß die dümmsten Spießer anfingen, in Malerei zu spekulieren, und nur solche Gemälde kauften, die ihnen nicht gefielen, weil die ganz augenscheinlich eine Zukunft hatten. Nicht jede Bewegung der Kunst hat eine populäre Phase, aber jede hat eine unpopuläre. Nicht jede Bewegung der Kunst hat eine unpopuläre Phase, aber manche hat eine, die dann sehr populär wird. Nicht alles, was vom Volk kommt und zum Volk geht, ist gleich populär. Das sind Binsenwahrheiten, aber es gibt auch Binsenfalschheiten, denen nichts anderes entgegengestellt werden kann. Sehen gewisse Leute neue Formen, so brüllen sie anklägerisch: »Formalismus!«, aber sie sind selber die schlimmsten Formalisten, Anbeter der alten Formen um jeden Preis, Leute, die nur die Formen betrachten, nur auf sie achten, nur sie zum Gegenstand ihrer Untersuchung machen. Das Nichtkönnen, das Etwas-Bestimmtes-nicht-Können, ist tatsächlich eine Vorbedingung für das Können von etwas anderem. Ich kann zum Beispiel nicht den Aufstieg einer Klasse aus dem Gesichtswinkel darstellen, aus dem Balzac die Karriere eines jungen Bourgeois darstellte, ich müßte da nämlich die Karriere eines jungen Proletariers darstellen, aber darin spiegelt sich genau ebenso der Aufstieg seiner Klasse, wie in der eines Bourgeois vielleicht der Aufstieg der Bourgeoisie. Für einige ist, was mit dem Petroleum geschieht, noch nichts Menschliches, da muß erst eine Liebesgeschichte hinein oder ein anderer »rein« menschlicher Konflikt. Auf die Weise fallen die großen Erscheinungen der Neuzeit als Gegenstände der Literatur aus und ebenso die großen Vorkommnisse. Wenn ich sage: Ich kann nicht, so bin ich etwas ungenau, ich muß sagen: Ich kann nicht mehr, nämlich in der alten Weise schreiben. Ich konnte das einmal, als ich anfing. Vieraktiges Stück mit einfachem plot, leidenschaftlichem Konflikt und so weiter. Das Stück »Trommeln in der Nacht« war sehr erfolgreich, und es tut mir leid, daß gerade ich es schrieb. Seine politischen und weltanschaulichen Fehler hingen mit seiner Normalität, Vieraktigkeit, einfachem plot und so weiter untrennbar zusammen. Ein Mensch mit solchen Anschauungen konnte gar kein anderes Stück schreiben und mußte diesen Erfolg haben. Schade, daß gerade ich dieser Mensch war. Meine Unfähigkeit, ein normales Drama zu schreiben, war mir also nicht angeboren, ich erwarb sie, nicht ohne Mühe und zu teurem Preis. Ich brauche nicht zu sagen, daß ich damals mein applaudierendes Publikum für »das Volk« hielt. Die Anhänger der normalen Dramatik sind übrigens nicht immer ganz zufrieden mit ihren Schöpfungen, wenigstens nicht mit denen ihrer Kollegen, den anderen Anhängern der normalen

Dramatik. Sie rühmen daran natürlich das Normale, aber einiges fehlt ihnen. Das Naturalistische zum Beispiel darin ist gut und kann bleiben, aber die Sprache müßte etwas gehobener sein, unnaturalistisch. Die Figuren sind gut gezeichnet, aber so verdammt eindeutig, das heißt, nicht die Zeichnung ist primitiv, sondern nur, was dabei herauskommt. Der plot reißt mit, aber nicht in der richtigen Richtung. Die Leidenschaft ist bedeutend, aber sie entzündet sich nicht ganz an der richtigen Sache. Das Ganze ist lebendig, aber das Leben ist anders. Es ist nicht nur die Aneinanderreihung von Episoden, aber es ist leider nur eine Episode. Man kann alles sehr gut miterleben, aber was hat man eigentlich miterlebt, wenn man fertig ist? Kurz, es ist gut, daß man so schreiben kann, aber man müßte eigentlich anders schreiben können. Diese Art Selbstkritik ist ausgezeichnet, sie darf nur nicht allzu formalistisch sein, nicht allzu, nur um der Form zu genügen.

[Tiefstand der Sprachbehandlung]

Sehr vielsagend ist, was mit der Sprache in dieser Epoche geschehen ist, es ist auch für Nichtfachleute verständlich genug. Selbst Dramatiker können es verstehen. Es soll hier nicht die Forderung nach »schöner Sprache« aufgestellt werden, was immer als so bezeichnet werden mag. Es ist nur nützlich, einen Blick auf die Sprachverlotterung zu werfen, die eingetreten ist, den erstaunlichen künstlerischen Tiefstand der Sprachbehandlung selbst bei unseren geschätztesten Dramatikern. Wir haben ungenaue, saloppe, unplastische Imitationen von Alltagssprechweisen und schlechtestes Papierdeutsch, das letztere besonders, wenn politische Dinge »zur Sprache« kommen. Der meist jähe Übergang von schlechter Alltagsimitation zu schlechtem Papierdeutsch hat bei unseren gutmütigsten Kritikern den Wunsch nach Gestaltung erzeugt, der leider nur primitiv als Wunsch nach Weglassung des Theoretischen (also des Papierdeutsch) aus der Imitation der Alltagssprechweise auftrat. Von irgendeiner Originalität der Ausdrucksweise, einer besonderen Prägung, auch nur einer besonderen Art der Abbreviatur ist so wenig zu reden, daß man auch mit größter Mühe nicht aus einer Vergleichung von Texten ihrer Urheber oder auch nur die Anzahl ihrer Urheber feststellen kann. Der Vers ist aus dem Drama nahezu völlig verschwunden, aber nicht nur der Vers, sondern auch das Gleichnis. Da fließt alles gleichförmig und billig dahin, da ist alles schnell und sorglos zusammengestoppelt, und wiewohl weit und breit nichts »Doktrinäres« zu erblicken ist, ist doch alles ziemlich trokken und gar nicht gegenständlich. Uns spricht so der politische Mensch nicht, so der biologische noch weniger. Sprechen diese armselig ausgestatteten Typen nach dem Schema F nicht die Sprache ihres Dichters, so auch nicht die Sprache von irgendeinem andern lebenden Menschen. Sicher, man kann täuschen mit »schöner« Sprache, aber die wirklich unschöne, unlebendige, billige, phantasielose verrät einen Schriftsteller beinahe am sichersten.

Und wie man nicht sagen soll: Er ist ein guter Schriftsteller, er schreibt nur schlecht, so soll man auch nicht einen Typus von Drama für den einzig richtigen, allgemein-verpflichtenden halten, der zum Beispiel den Vers prinzipiell nicht gestattet. Er kann in diesem Fall, was immer seine sonstigen Vorteile sein mögen, jedenfalls nicht der einzige sein.

Dabei hat die Sprache in der Zeit, die wir betrachten, eine rasche und erfreuliche Entwicklung genommen.

Es sind nicht nur Sprachformen entwickelt worden, die ein Übergehen von der Prosa zum Vers, sondern auch eine natürliche Balance der verschiedensten Vers- und Prosaformen ermöglichen. Die Entwicklung der Sprache hat sogar die Musik beeinflußt. Aber was unsere Dramatiker am allermeisten hätte beeindrucken müssen, war die Einstellung der Sprache auf das Gestische, eine Entwicklung von größter Bedeutung, die in diesem Rahmen leider nicht ausführlich geschildert werden kann. Es genügt vielleicht, darauf hinzuweisen, daß die Herausarbeitung der gestischen Elemente in der Sprache den Gegensatz zwischen einfacher und gehobener Sprache nur insoweit bestehen läßt, als er wünschenswert erscheint, und daß die »einfache«, »natürliche« Sprache nunmehr wieder so edel klingen kann als die gehobene Sprache volkstümlich.

Es wäre nicht angängig, wenn die Dramatiker so allgemeine und gar nicht individuelle Fortschritte, die beinahe jeder feststellen kann, einfach als die Monopole eines bestimmten Schriftstellers erklären würden oder gar etwa so argumentierten: Dieser oder jener Dramatiker zeigt einige Sprachbegabung, das beweist, er ist gar kein Dramatiker, sondern ein Lyriker!

[Die Sprache des Dramatikers ist keine Formsache]

Es wäre verfehlt, das Interesse für die Sprache ein formales zu nennen. Die Sprache des Dramatikers ist keine Formsache. Dem undeutlichen Sprechen entspricht das undeutliche Denken und das undeutliche Fühlen. Die Sprache kann auch nicht etwa von der sprachlichen Seite allein gebessert werden. Um zu besserer Sprache zu kommen, muß man das Denken bessern und vor allem: das Fühlen nicht, wie es so allgemein geschieht, für unverbesserbar halten.

Die Figuren, die da unplastisch sprechen, sind selber unplastisch. Eine einfach dem Stück vorangesetzte Beschreibung (X, Fabrikdirektor, dicker, blonder Mensch mit nervös-fahrigem Auftreten) macht eine Figur nicht plastisch. Eine solche Beschreibung deutet eher auf eine unplastische Phantasie hin, ist etwas Gewaltsames, Krampfhaftes. So unglaubhaft die Figuren sind, das heißt so einseitig, schematisch, theatralisch, konventionell, so unglaubhaft, primitiviert, leer sind die Vorgänge, in denen sie auftreten. Die Theatertechnik wird als solche immerfort sichtbar, aus dem Klappen wird ein Klappern, aus zerstoßenen Schachteln werden Effekte genommen, um Figuren zu exponieren, bemüht man Intrigen, um diese Intrigen zu gewinnen, werden die Figuren zugebogen. Alles dies hängt miteinander zusammen.

In den ersten anderthalb Seiten eines dieser Stücke, die ich nicht in toto zitieren will, um den Namen des Autors nicht zu verraten, lese ich folgende Grammatikschnitzer... Das Schlimme ist, daß diese Sprache, nachdem sie grammatikalisch in Ordnung gebracht ist, immer noch völlig unzulänglich ist. Es ist billigster Jargon, aber nicht der Jargon, den die Fabrikdirektoren im Leben, sondern den sie auf der Bühne sprechen. Und auch auf der Bühne ist dieser Jargon meist farbiger, aufschlußreicher, plastischer zu hören. Nach ihrem Reden zu urteilen, sind diese Fabrikdirektoren ganz besonders unbegabte Leute. Aber die Szene enthält nichts, was vermuten läßt, daß der Dramatiker etwa dies zeigen wollte; es wäre auch nicht der Weg, dies zu zeigen. In solchen Stücken sind natürlich die Regieanweisungen, obgleich fast immer sehr ausführlich, nicht weniger flüchtig hingeschrieben. Wenn der Vorhang über der oben behandelten Szene aufgeht, sitzen einige Herren bereits seit längerer Zeit in heftigem Streit. Da aber das Publikum nicht dessen Inhalt kennt, wird er nunmehr einfach, und zwar Zug um Zug, wie es gar nicht möglich wäre, wiederholt. Und mit der Hilflosigkeit der Anfänger, die hier ständig mit der Hilflosigkeit der Routiniers wechselt, werden die Herren auch noch dazu gebracht, sich »zu erinnern« an früher stattgefundene Vorgänge, die das Publikum wissen muß. Die Charaktere werden folgendermaßen geschildert: ...

Max Halbe und Georg Hirschfeld waren da freigebiger, wenn auch nicht weniger tyrannisch und pedantisch. Alles übrige hält sich auf diesem Niveau. Es werden einige Probleme »angeschnitten« (die Feststellungen der Technokraten, soweit sie in die Zeitungen unter Rubrik »Was viele nicht wissen« gelangt sind) und einige Losungen weitergegeben (Bündnis mit der technischen Intelligenz). Aber dem Dramatiker gelingt es, so schwach er in der Erfindung sein mag, wenigstens solche

Tatsachen wie die Unterdrückung von Patenten im Interesse des Profits als seine Erfindung erscheinen zu lassen: Wenn man von diesen Verbrechen vor dem Sehen des Stückes überzeugt war, ist man es nach dem Sehen nicht mehr. Unter solchen Umständen kann der gesellschaftliche Nutzen eines Stückes kaum sehr groß sein, auch wenn gesellschaftliche Fragen darin behandelt werden. Es gilt hier, was bürgerliche Ästhetiker von der Gestaltung historischer Persönlichkeiten gefordert haben: daß die Dramatiker nicht einfach einen Dutzendmenschen Napoleon oder Cäsar taufen dürfen, es sei denn, sie seien der Überzeugung, Napoleon und Cäsar seien Dutzendmenschen gewesen. Das Aufwerfen von sozialen Fragen geschieht nicht immer in sozialistischem Sinn. Unsere Untersuchung wäre sicher grausam, wenn die Vermeidung solcher Fehler »Genie«, »das, was nicht jedem gegeben ist«, »das, was keiner lernen kann« erfordern würde. Aber sie erfordert zunächst nur Fleiß, Verantwortungsgefühl, Bereitschaft, durch fortgesetztes Studium auf der Höhe des sich ständig entwickelnden fachlichen Standards zu bleiben. Will man imstande sein, sehr rasch aktuelle Themen zu verarbeiten, muß man besonders geschult sein. Hat man Entschuldigungen in der Zeitnot, so darf man wenigstens nicht die unter, technisch gesehen, unglücklichen Arbeitsbedingungen zustande gekommenen Werke als Vorbilder hinstellen, verpflichtend für alle andere Produktion. Und vielleicht kann man sogar solche Formen finden, die rasches Arbeiten gestatten. Auf keinen Fall eignen sich solche Werke dazu, die Basis zu bilden, auf der man andersgearteter Dramatik, die mit vieler Mühe, in ständiger Selbstkritik, unter mannigfachem Verzicht ihren Weg sucht, den Vernichtungskampf ansagen kann. Die Mängel der landläufigen, »erprobten«, gängigen, ihrer Wirkung sicheren Dramatik der Epigonen der bürgerlichen Naturalisten sind keine nur formalen Mängel, die Bestrebungen einer wirklich ernsthaft vorwärtsstrebenden Dramatik sind nicht nur formale Bestrebungen.

Hypnose und moralische Hemmungen

Die Psychologen sagen uns, daß die Hypnose moralischen Hemmungen gegenüber versagt; sie bringen leichter einen Mann dazu, eine Zitrone süß zu finden, als daß sie ihn dazu bringen, eine Handlung, die gegen seine moralischen Maxime verstößt, auszuführen (ein Verbrechen). So etwas mag unsere Kleriker erbauen, aber es sollte unsere linken Dramatiker verstören. Ob nun der moralische Geschmack tiefer sitzt als der physische oder nicht, jedenfalls sitzt er so, daß ihm mit Hypnose nicht beizukommen ist. Wahrscheinlich, weil er selber eine Folge von Hypnose ist und einer sehr mächtigen, nämlich der der herrschenden Klassen. Tatsächlich versagt ja auch die Suggestionstechnik unserer linken Dramatiker jämmerlich gegenüber den so mächtig suggerierten moralischen Komplexen wie dem Besitztrieb, der Ehrfurcht vor den Herrschenden und so weiter, die sie zu erschüttern hoffen. Die Massen scheinen eben eine Revolution in der Hypnose nicht so ohne weiteres vollziehen zu können.

[Hays »Haben«]

Warum ist Hays Stück »Haben« kein marxistisches Drama? Weil ein Stück, das die Gier nach Besitz oder die seelischen Deformationen, welche den Besitz hervorbringen, schildert, noch nicht marxistisch ist. Bekanntlich ist in der Marxschen Darstellung des Kapitalismus die Wurzel des Kapitalismus nicht eine mystische und triebhafte Besitzgier. Der Kapitalismus ist eine Gesellschaftsform, welche diese Gier erst entwickelt, und zwar in den verschiedenen Klassen verschieden stark und in verschiedener Form. Das arme Mädchen, das ihr Seelenheil aufs Spiel setzt, um Großbäuerin zu werden, gehört in ein bürgerliches Lesebuch unter das Motto: »Und wenn so einer die ganze Welt gewänne und nähme Schade an seiner

Seele, was hülfe es ihm?« Der Marxist ist weit weniger daran interessiert, daß irgendwo einige Frauen durch Heirat und Mord Bauernhöfe in die Hände bekommen, als daran, wie überall Bauernhöfe geführt werden. Die Verbrechen, wenn man von solchen sprechen will, sind ganz anderer Art, als Hay sie uns vorführt. Sein Reißer zeigt nicht einmal einzelne Züge, die einen Marxisten interessieren könnten (der gegen die Feststellung »Am Gelde hängt, zum Gelde drängt doch alles« schon ein wenig abgehärtet ist). Er zeigt weder eine spezielle Verschärfung des dörflichen Klassenkampfes, gerade wo diese Verschärfung der Frauenemanzipation eintritt, noch irgendeinen Versuch, seinen Fall als Sonderfall abzugrenzen, im Gegenteil macht er ihn zum übertypischen und symbolhaften, eben für *den* kapitalistischen. Feuchtwangers Irrtum über den Kapitalismus, wie ihn die Marxisten sehen, wenn er die Giftmischerin als ein Urbild des Kapitalismus sieht, geht auf Hays Konto.

Resignation eines Dramatikers

1 Somerset Maugham und Sulla

Der Engländer Somerset Maugham, der über dreißig Theaterstücke geschrieben hat, von denen viele große Erfolge waren und einige über die ganze Welt gingen, erklärt in der Vorrede zu seinem letzten Dramenband, er habe die Absicht, nunmehr »seine Karriere als praktizierender Dramatiker« zu beenden.

Die großen Zeitungen haben diese Erklärung als Sensation behandelt, als sei sie die Ankündigung eines Eisenbahnmagnaten, er beabsichtige, sein Geschäft aufzugeben. »Ich werde mich für den Rest meines Lebens nicht mehr mit dem Verkauf von Theaterstücken beschäftigen.« Einige sentimentalere Schreiber sahen darin sogar den Entschluß Herrn Maughams,

sich lebendig begraben zu lassen. Die Haltung der Presse kann übrigens weniger verwundern als die Maughams. Karrieren werden meist von andern Leuten beendet als denen, die sie gemacht haben. Laufbahnen sind zu einer Art laufender Bänder geworden. Sie schleppen ihren Mann mit, ob er will oder nicht. Er will aber fast immer.
Maugham scheint nicht zu wollen. Und er erregt das Erstaunen, das heute noch aus den Geschichtsbüchern der Schulen aufsteigt, wenn von dem Entschluß des römischen Diktators Sulla die Rede ist, des so ziemlich einzigen Diktators, der im vollen Besitz der Macht von seiner Stellung sich zurückgezogen haben soll. Wie gesagt, man wundert sich heute noch darüber.
Und doch gibt es auch in der dramatischen Literatur ähnliche Fälle. Der größte Kollege Maughams zog sich auf der Höhe seiner Karriere ins Privatleben zurück: William Shakespeare. Auch darüber herrscht noch heute ein so großes Erstaunen, daß einige Forscher ihre Zweifel daran, daß der Verfasser der berühmten Dramen wirklich der Schauspieler und Regisseur Shakespeare gewesen sein könne, eben damit begründen, Shakespeare habe plötzlich aufgehört zu schreiben – was doch Schriftsteller nie tun.

2 Nicht mehr im Kontakt mit dem Publikum

Maugham stellt fest: »Ich bin mir bewußt, daß ich nicht mehr im Kontakt mit dem Publikum bin, welches das Theater patronisiert. Das geschieht am Ende mit den meisten Dramatikern, und sie sind weise, wenn sie die Warnung akzeptieren. Es ist dann die höchste Zeit für sie, sich zurückzuziehen.«
Maugham fährt fort: »Ich tue es mit Erleichterung. Seit einigen Jahren habe ich es mehr und mehr lästig gefunden, mich innerhalb der notwendigen Grenzen der dramatischen Konvention zu halten.«
Und er spricht davon, wie langweilig es ist, der Versuchung

zu widerstehen, jenen vielfältigen Ausgestaltungen einer Idee nachzugehen, welche größere Menschenkenntnis, Toleranz und vielleicht Weisheit, erworben mit den Jahren, einem vorschweben und welche durch die dramatische Konvention verboten sind.

Schon der übliche realistische Dialog macht es schwierig, die seelische Kompliziertheit des Menschen von heute (»of the man in the street«) wiederzugeben. Maugham vermißt den Monolog und das Beiseitesprechen.

Und mehr und mehr ist es »das Drama der Seele« geworden, was verlangt wird. Es ist nach Maugham der Erfolg des Kinos, der dem Dramatiker diese Entwicklung aufgezwungen hat.

Das Drama ist so zu einer Kunstform geworden, bei der die Handlung lediglich das Sprungbrett für die Entfaltung des Innenlebens der auftretenden Personen darstellt. Dies und das geht vor, und die auftretende Person bekommt die Gelegenheit, ihre seelischen Reaktionen zu zeigen. Je weniger übrigens vorgeht, desto literarisch wertvoller ist das Stück. Das Kriminalstück mit seiner spannenden Handlung, mit seiner vielen Handlung ist nicht literarisch.

Die Romanschreiber haben es da leichter. Sie können sich weit mehr ausbreiten und die widersprüchlichen Charaktereigenschaften ihrer Helden weit leichter zur Geltung bringen. Aber da ist in letzter Zeit auch noch ein Wandel eingetreten, der es den Dramatikern noch schwerer macht zu konkurrieren. Balzac und Dickens arbeiteten noch mit »fixierten« Charakteren. Die Personen blieben ziemlich unverändert während des Gangs des Romans. Sie hatten am Ende die gleichen Eigenschaften wie am Beginn der Erzählung. Die neueren Romanschreiber gingen davon ab. Ihre Helden verändern sich. Die Erlebnisse gehen nicht mehr spurlos an ihnen vorüber, bestimmte Eigenschaften verschwinden bei ihnen, neue entwikkeln sich. Die Romanschreibung wird uneinholbar. Den unglücklichen Dramatikern bleibt nichts übrig, als auch weiter

noch die »konventionellen Hieroglyphen« der Rollen herzustellen und es den Schauspielern zu überlassen, daraus Fleisch und Blut zu machen.
Der Dramatiker Maugham gibt das Rennen auf und zieht sich angesichts dieser betrüblichen Entwicklung ins Privatleben zurück.

3 Das Publikum glaubt nicht mehr

»Das Publikum glaubt nicht mehr an die Personen, die ihm vorgesetzt werden«, klagt Maugham.
Es erhebt sich die Frage: Geht das Theater unter?
Maugham weigert sich, das anzunehmen. Er ist klug und ehrlich genug, zu sehen, daß eine so elementare Institution wie das Theater nicht zu Ende ist, wenn eine Generation von Theaterschriftstellern am Ende ihres Vermögens angekommen ist. Sein Rat ist, das Theater solle zu seinen Ursprüngen zurückkehren, jedenfalls zu früheren Phasen.
Er sagt: »Die großen Dramatiker der Vergangenheit opferten die Wahrheit der Charaktergestaltung und die Wahrscheinlichkeit des Vorgangs der Situation, die sie als das wesentliche des Dramas ansahen.« Das neuzeitliche mehr oder weniger naturalistische Prosastück ist davon abgegangen. Der Verzicht auf den Vers und den Tanz wie auch der Verzicht auf die bewegte große Handlung hat das Theater langweilig gemacht. Augen- und Ohrenschmaus sind verschwunden.
Aber die Wahrheit der Charaktergestaltung ist nicht erreicht worden – oder nicht mehr länger zu erreichen, was auf dasselbe hinausläuft, und der »wahrscheinliche Vorgang« ist ein unbedeutender Vorgang.
Es scheint tatsächlich, daß Maugham, Melancholiker der er ist, sich eine Zukunft des Dramas nur vorstellen kann unter der Bedingung, daß zugunsten bedeutender Handlungen und anderen Ohren- und Augenschmauses nunmehr auf Wahrheit und Wahrscheinlichkeit verzichtet wird.

Es bleibt zu bezweifeln, daß eine solche Zukunft eine Zukunft wäre.

4 Wo steckt der Fehler?

Maugham sieht einen Fehler im Drama von heute, und damit ist er zweifellos ein fortschrittlicher Mann. Er ist sozusagen bereit, über sich selbst fortzuschreiten. Das ist viel, und es wäre vielleicht unbillig, noch mehr zu verlangen. Denn es kann nicht angenommen werden, daß sein Ausweg so glücklich ist wie seine Wahrnehmung einer verfahrenen Situation des Theaters.

Maugham erschrickt vor der Feststellung, daß sein Publikum *nicht mehr glaubt*. Ein Ausweg wäre da, wenn ein Drama geschaffen würde, das überhaupt nicht mehr geglaubt werden muß, oder wenn ein Drama geschaffen würde, das wieder geglaubt werden kann.

Aus ganz bestimmten Gründen, deren Erörterung hier sehr weit führen würde, scheint es mir mehr als zweifelhaft, daß es im Augenblick gelingen könnte, ein Drama zu schaffen, das geglaubt wird. Das ist keine Frage der Technik allein. Es ist so wenig eine Frage der Technik (oder des Stils oder des Standpunkts), wie es für die moderne Wissenschaft eine Frage einer neuen Logik ist, ob wissenschaftliche Behauptungen von allgemeiner, axiomatischer Gültigkeit aufgestellt werden können. Die Wissenschaft unserer Zeit hat auf den Glauben weitgehend verzichtet. Das Theater wird – auf seinem sehr andersartigen Gebiet – wohl ebenfalls darauf verzichten müssen.

Bliebe der andere Ausweg: ein Drama, das nicht geglaubt werden muß. Das braucht natürlich keineswegs ein unglaubwürdiges, ganz und gar phantastisches Drama zu sein, das mit der Wahrheit gar nichts zu tun hätte. Es müßte tatsächlich nur ein Drama sein, das nicht gerade auf den *Glauben* des Zuschauers reflektiert und angewiesen ist. Also ein Drama, das mit der Kritik seines Zuschauers rechnet und an sie appelliert.

In der Tat ist ein solches Drama heute im Entstehen.
Was ist eine Handlung? Um mit dem Element des Dramas, jedes Dramas, zu beginnen: Es ist wahr, daß seit geraumer Zeit und in den Werken der bedeutendsten Dramatiker die eigentliche Handlung im Grunde nicht mehr auf der Bühne vor sich geht. Es ist nicht mehr der Mensch, der handelt, sondern das Milieu. Der Mensch reagiert nur (was nur den Anschein eines Handelns ergibt). Am reinsten tritt das bei den naturalistischen Meisterwerken Ibsens in Erscheinung. Da ist irgendwann irgendwo so und so gehandelt worden, und nun erst beginnt das Drama und zeigt, wie gewisse Personen dies »ausbaden«. Oder das und jenes geht vor (ein Krieg, ein Bankrott, eine Schwängerung, ein Verbrechen), und die Personen des Stückes reagieren darauf, finden sich zurecht oder nicht zurecht. Dem Dramatiker kommt es lediglich darauf an, daß die seelische Reaktion seiner Figur glaubhaft ist (da sie sonst nicht ergreift). Schleicht sich der Zweifel beim Publikum ein, ob man nicht auch anders reagieren könnte, sagt ihm seine Lebenserfahrung, daß tatsächlich Menschen in der Wirklichkeit anders reagieren, dann ist die Gewalt der Dichtung aus. Niemand mehr »geht mit«. [...]

Fragmentarisch

Notizen über Shakespeare

[Shakespeare-Studien]

Es ist der Darstellung der *Shakespearischen* Stücke auch eine falsche Auffassung von *Größe* im Wege; die wurde von kleineren Zeitaltern dem Ausmaß des Dichters als Berühmtheit, seiner Gegenstände und seiner unalltäglichen Sprache abgezogen, so daß nun eine »große« Darstellung für nötig gefunden wird, wobei diese kleineren Zeitalter nun ihr Größtes tun und kläglich zusammenbrechen.

Wir finden im alten Theater eine ausgebildete Technik vor, die es gestattet, den passiven Menschen zu beschreiben. Sein Charakter wird aufgebaut, indem gezeigt wird, wie er seelisch auf das reagiert, was ihm geschieht. Der Dritte Richard Shakespeares antwortet auf sein Schicksal der Verkrüppelung, indem er die Welt zu verkrüppeln trachtet. Lear antwortet auf den Undank der Töchter, Macbeth auf den Ruf der Hexen, sich zum König aufzuwerfen, Hamlet auf den Ruf seines Vaters, ihn zu rächen. Wallenstein antwortet auf die Versuchung, dem Kaiser untreu zu werden, Faust auf die des Mephisto, zu leben. Die Weber antworten auf die Unterdrückung durch den Fabrikanten Dreißiger, Nora auf die durch den Ehemann. Die Frage wird durch »das Schicksal« gestellt, es hat nur auslösenden Charakter, es untersteht nicht der menschlichen Tätigkeit, es ist eine »ewige« Frage, sie wird immerfort, immer aufs neue auftauchen, durch kein Handeln je verschwinden, sie ist selber nicht menschlich, nicht als menschliche Tätigkeit kennbar gemacht. Die Menschen handeln zwangsmäßig, ihrem »Charakter« entsprechend, ihr Charakter ist »ewig«, unbeeinflußbar, er kann sich nur zeigen, er hat keine den Menschen erreichbare Ursache. Es findet eine Meisterung des Schicksals statt, aber es ist die der Anpassung; die »Unbill« wird ertragen, das ist die Meisterung. Die Menschen strecken sich nach der Decke, es wird nicht die Decke gestreckt. Der Kaiser im »Wallenstein« ist ein Prinzip, er unterliegt keinem Eingriff, der Undank der Lear-Töchter ist absolut, dafür liegen keine änderbaren Motive vor, Hamlets Mutter hat ein Verbrechen begangen, es kann nur durch ein Verbrechen beantwortet werden, Faust kann nur durch den Teufel leben, der ist ein Prinzip, nicht einmal Gott wird mit ihm fertig, kann ihn handhaben. Macbeth' König ist nicht König geworden wie irgendeiner, etwa wie Macbeth es werden kann, solch ein König wie dieser kann Macbeth nicht werden. Nehmen wir noch einmal den Lear, führen wir ihn vor Verhaltensforschern auf. Meint man, die tragische Wirkung tritt ein, wenn der Zuschauer sich fragt, ob denn das Essen, das Lear von seiner Tochter für 100 Höflinge verlangt, da ist, woher es gegebenenfalls zu schaffen wäre?

Das elisabethanische Drama hat eine mächtige Freiheit des Individuums etabliert und es großzügig seinen Leidenschaften überlassen: der Leidenschaft, geliebt zu werden (»König Lear«), zu herrschen (»Richard III.«), zu lieben (»Romeo und Julia«, »Antonius und Kleopatra«), zu bestrafen und nicht zu bestrafen (»Hamlet«) und so weiter und so weiter. Diese Freiheiten mögen unsere Schauspieler ihr Publikum weiterhin auskosten lassen. Aber zugleich, in ein und derselben Gestaltung, werden sie nunmehr auch die Freiheit der Gesellschaft etablieren, das Individuum zu ändern und produktiv zu machen. Denn was nützt es, wenn die Ketten weg sind, aber der Entfesselte nicht weiß, wie zu produzieren, in welchem alles Glück liegt?

Während in Shakespeares Stück der Antonius ein Weltreich in Kriege stürzt durch seine Leidenschaft für Kleopatra, seine Liebesseufzer übergehen in die Seufzer sterbender Legionäre, seine Besuche bei der Geliebten in Seeschlachten, seine Liebesschwüre in politische Kommuniqués, verliert ein englischer King heute einfach in ähnlicher Lage seinen Job und wird glücklich.

Das Mittelalter mag in dem berühmten Zögern Hamlets Schwäche, in der endlichen Ausführung der Tat aber ein befriedigendes Ende gesehen haben. Wir sehen gerade dieses Zögern als Vernunft und die Greueltat des Schlusses als Rückfall. Allerdings drohen solche Rückfälle auch uns noch, und ihre Folgen haben sich verstärkt.

Das Thema der Kunst ist, daß die Welt aus den Fugen ist. Wir können nicht sagen, daß es keine Kunst gäbe, wenn die Welt nicht aus den Fugen wäre, noch daß es dann eine Kunst gäbe. Wir kennen keine Welt, die nicht aus den Fugen war. Die Welt des Aischylos, was immer die Universitäten von Harmonie murmeln mögen, war erfüllt mit Kampf und Schrecken und so die des Shakespeare und die des Homer, des Dante und des Cervantes, des Voltaire und des Goethe. Wie friedlich immer der Bericht erschien, er handelt von Kriegen, und wenn die Kunst ihren Frieden mit der Welt macht, so machte sie ihn mit einer kriegerischen Welt.

Shakespeare auf dem epischen Theater

Die berühmte Szene des ersten Aktes in »Richard III.« ist bei den Schauspielern berüchtigt wegen ihrer Schwierigkeit. Der Erfolg des machtgierigen Krüppels bei der eines oder vielmehr zweie seiner Opfer betrauernden Dame soll für gewöhnlich seine faszinierende Wirkung zeigen. Damit stellt sich der Schauspieler die schwierige Aufgabe, das Faszinieren als eine Eigenschaft darzustellen. Die Wahrscheinlichkeit des Vorgangs leidet darunter beträchtlich, da dem Schauspieler die

Lösung der Aufgabe, wie er sie sich stellt, fast niemals gelingt. Als Realist vorgehend, muß der Schauspieler anders verfahren. Er muß studieren, was Richard unternimmt, die Witwe zu gewinnen, er muß seine Tätigkeit, nicht sein *Sosein* studieren. Er wird finden, daß seine Tätigkeit und damit die Faszination in einem sehr plumpen Schmeicheln besteht. Damit hängt allerdings sein Erfolg ganz von dem Spiel der Dame ab. Es wird sogar nötig sein, daß sie nicht allzu schön ist und daher Schmeichelei wenig gewohnt. [...]

Der elementare gestische Gehalt der ersten Szene des »Hamlet« läßt sich durch den Titel ausdrücken: *Im Schloß von Helsingør wird ein Gespenst gesichtet*. Die Szene stellt eine Theatralisierung der Gerüchte dar, die im Schloß über den Tod des Königs umgehen. Jede Inszenierungsart, bei der der Geist Entsetzen hervorruft als Geist, lenkt natürlich ab von der Hauptsache. [...]

Einige epische Züge beim Shakespeare entstanden wohl durch die beiden Umstände, daß es sich um die Bearbeitung schon vorliegender Werke (Novellen oder Dramen) handelte und daß, wie man jetzt doch wohl annehmen darf, ein Kollektiv von Theaterkundigen zusammenarbeitete. In den geschichtlichen Dramen, wo das Epische am stärksten hervortritt, hat der vorhandene Stoff sich eben am stärksten der Gleichschaltung widersetzt. Bestimmte geschichtliche Charaktere mußten einfach vorkommen, weil man sie sonst vermißt hätte. Bestimmte Vorfälle mußten aus dem gleichen »äußeren« Grunde passieren. Das so hereinkommende Moment der Montage macht die Sache schon episch.

Heilig machen die Sakrilege

Was die klassischen Stücke am Leben erhält, ist der Gebrauch, der von ihnen gemacht wird, selbst wenn es Mißbrauch ist. In den Schulstuben wird ihnen die Moral ausgequetscht; auf den Theatern geben sie die Vehikel ab für eigensüchtige Schauspieler, ehrsüchtige Hofmarschälle, gewinnsüchtige Verkäufer von Abendunterhaltung. Sie werden geplündert und kastriert: also existieren sie noch. Selbst wo sie »nur geehrt« werden, geschieht es in einer belebenden Weise; denn es kann keiner etwas ehren, ohne einen gerüttelten Teil der Ehrung für sich selber zurückzubehalten. Kurz, das Verkommen bekommt den klassischen Stücken, da nur lebt, was belebt. Ein starrer Kult wäre gefährlich wie das Zeremoniell, das den byzantinischen Hofleuten verbot, die fürstlichen Personen zu berühren, so daß diese, in fürstlicher Besoffenheit in einen Teich gefallen, ohne Hilfe blieben. Um nicht zu sterben, ließen die Hofleute sie sterben.

Neue Technik der Schauspielkunst
Etwa 1935 bis 1941

Über das Merkwürdige und Sehenswerte

Junge Leute, die zur Bühne kommen, haben meistens nur den Wunsch, sich in einer besonderen Weise, unter den Augen des Publikums, auszuleben, die Stärke ihrer Empfindung oder die Eleganz ihres Auftretens zu zeigen, kurzum, sie sind eine Art von aktiv gewordenem Publikum, die sich mit dem bloßen Einleben in fremde Schicksale vom Parkett aus nicht mehr begnügt und das plastischer haben will. Um die Sinnesart der jungen Leute zu verstehen, betrachte man den Film unserer Zeit. Die Firmen wählen als Darsteller mehr oder weniger häufige Typen, die sich selber spielen, ohne jede Verstellung, Maske, Charakterisierung auftreten und in Situationen kommen, in welche auch das Publikum zu kommen wünscht – wenigstens in der Phantasie.

Da hier das Theater gegenüber dem realen Leben nur als künstlicher Ersatz oder bestenfalls als Zusatz auftritt, ist diese Welt des Scheins eine ganz und gar geträumte und durchaus den Wünschen des Publikums überlassen. Sie kann aussehen, wie sie will, da sie aussehen muß, wie das Publikum es will. Alles, was in ihr passiert, braucht nirgends anderswo zu passieren als eben in ihr. Sie ist ein Schlaraffenland, wo die menschlichen Wünsche sich austoben können und wo alle auf der realen Welt zu beobachtenden Gesetze außer Funktion gesetzt sind. Das bedeutet natürlich nicht, daß diese Welt des Scheins nicht an die reale Welt erinnern darf, sie muß das sogar, sie muß möglichst viele »reale« Züge aufweisen; daß sie nur ein Schein ist, muß möglichst sorgfältig versteckt bleiben. Sie muß aussehen wie eine richtige Welt, ja richtiger als die richtige, eben so, wie man sich die richtige zurechtträumt, wie die richtige Welt wäre, wenn sie richtig wäre. Das

Phantastische ist daher im Film nicht populär, der Verdacht, es werde hier gezaubert, stört die Illusion.

Das Theaterspielen dieser Art, das in unserer Zeit am erfolgreichsten im Film betrieben wird, ist mitunter angegriffen worden. Man hat es als eine Art Rauschgifthandel bezeichnet und nachgewiesen, daß es, Merkmal einer Verfallszeit, eine schädigende Wirkung auf das Publikum ausübt, indem es Illusionen über das wirkliche Leben und die tatsächlichen Zustände schafft. Diese Proteste haben aber dieser Art des Theaterspielens nicht besonders geschadet. Denn was helfen alle Proteste, wenn wir eben alle Rauschgifte nötig haben, und wie soll man in einer Verfallszeit Merkmale für eine Aufbauzeit errichten? Was nützt es, ein Ersatzmittel wie das Sacharin schlecht zu machen, wenn das »richtige«, der Zucker, nicht zu haben ist?

Wenn man so mit der beschriebenen Art, Theater zu spielen, nicht gut fertig werden kann, wenn man ihr, trotz aller Mängel und möglichen Schädlichkeiten, eine gewisse Unentbehrlichkeit in unserer Welt, wie sie heute ist, zuerkennen muß und nicht erwarten darf, daß dieses Theater der beschriebenen Art aufhören wird, bevor diese Welt sich geändert hat oder sich anschickt, sich zu ändern, so kann man doch auch nicht sagen, daß eine andere Art, Theater zu spielen, heute unmöglich oder gar unsinnig wäre.

Tatsächlich gibt es eine andere Art. Es ist dies eine Art, Theater zu spielen, bei der die Welt, die dargestellt wird, keine bloße Wunschwelt ist, wo die Welt nicht so dargestellt wird, wie sie sein sollte, sondern so wie sie ist.

Es ist dies das realistische Theaterspielen.

Kurze Beschreibung einer neuen Technik der Schauspielkunst, die einen Verfremdungseffekt hervorbringt

Im folgenden soll der Versuch gemacht werden, eine Technik der Schauspielkunst zu beschreiben, die auf einigen Theatern angewandt wurde (1)[1], um darzustellende Vorgänge dem Zuschauer zu verfremden. Der Zweck dieser Technik des *Verfremdungseffekts* war es, dem Zuschauer eine untersuchende, kritische Haltung gegenüber dem darzustellenden Vorgang zu verleihen. Die Mittel waren künstlerische.

Voraussetzung für die Anwendung des V-Effekts zu dem angeführten Zweck ist, daß Bühne und Zuschauerraum von allem »Magischen« gesäubert werden und keine »hypnotischen Felder« entstehen. Es unterblieb daher der Versuch, die Atmosphäre eines bestimmten Raumes auf der Bühne (abendliches Zimmer, Straße im Herbst) zu schaffen (2), sowie der Versuch, durch einen abgestimmten Rhythmus des Sprechens Stimmung zu erzeugen; das Publikum wurde weder durch die Entfesselung von Temperament »angeheizt«, noch durch ein Spiel mit angezogenen Muskeln »in Bann gezogen«; kurz, es wurde nicht angestrebt, das Publikum in Trance zu versetzen und ihm die Illusion zu geben, es wohne einem natürlichen, uneinstudierten Vorgang bei. Wie man sehen wird, muß die Neigung des Publikums, sich in eine solche Illusion zu werfen, durch bestimmte Kunstmittel neutralisiert werden (3).

Die Voraussetzung für die Hervorbringung des V-Effekts ist, daß der Schauspieler das, was er zu zeigen hat, mit dem deutlichen Gestus des Zeigens versieht. Die Vorstellung von einer vierten Wand, die fiktiv die Bühne gegen das Publikum abschließt, wodurch die Illusion entsteht, der Bühnenvorgang finde in der Wirklichkeit, ohne Publikum statt, muß natürlich

1 [Die in Klammern gesetzten Ziffern beziehen sich auf den Anhang, S. 348 ff.]

fallengelassen werden. Prinzipiell ist es für die Schauspieler unter diesen Umständen möglich, sich direkt an das Publikum zu wenden (4).

Der Kontakt zwischen Publikum und Bühne kommt für gewöhnlich bekanntlich auf der Basis der *Einfühlung* zustande. Auf die Herbeiführung dieses psychischen Aktes konzentriert sich die Bemühung des konventionellen Schauspielers so vollständig, daß man sagen kann, er erblicke das Hauptziel seiner Kunst nur darin (5). Schon unsere einleitenden Bemerkungen zeigen, daß die Technik, die den V-Effekt hervorbringt, der Technik, die die Einfühlung bezweckt, diametral entgegengesetzt ist. Der Schauspieler ist durch sie gehalten, die Herbeiführung des Einfühlungsaktes nicht zu betreiben.

Jedoch braucht er bei seiner Bemühung, bestimmte Personen abzubilden und ihr Verhalten zu zeigen, nicht völlig auf das Mittel der Einfühlung zu verzichten. Er benützt dieses Mittel eben so weit, als jede beliebige Person ohne schauspielerische Fähigkeiten und schauspielerischen Ehrgeiz es benützen würde, um eine andere Person darzustellen, das heißt ihr Verhalten zu zeigen. Dieses Zeigen des Verhaltens anderer Personen geschieht tagtäglich bei unzähligen Gelegenheiten (Zeugen eines Unfalles machen das Verhalten des Verunglückten neu Hinzutretenden vor, Spaßmacher imitieren den komischen Gang eines Freundes und so weiter), ohne daß die betreffenden Leute versuchen, ihre Zuschauer in irgendeine Illusion zu versetzen. Jedoch fühlen sie sich immerhin in die Personen ein, um ihre Eigenheiten sich anzueignen.

Der Schauspieler wird, wie gesagt, diesen psychischen Akt ebenfalls benützen. Er wird aber, im Gegensatz zu der üblichen Art des Theaterspielens, wo der Akt bei der Vorführung selber vollzogen wird, und zwar zu dem Zweck, den Zuschauer zu einem gleichen Akt zu bewegen, den Akt der Einfühlung nur in einem Vorstadium, irgendwann bei der Rollenarbeit in den Proben, vollziehen.

Damit ein allzu »impulsives«, reibungsloses und unkritisches

Gestalten der Personen und Vorgänge vermieden werde, können mehr als üblich Proben am Tisch abgehalten werden. Der Schauspieler soll jedes zu frühe Sicheinleben unterlassen und möglichst lange als Leser (nicht als Vorleser) fungieren. Eine wichtige Prozedur ist das *Memorieren der ersten Eindrücke*.
Der Schauspieler soll seine Rolle in der Haltung des Staunenden und Widersprechenden lesen. Nicht nur das Zustandekommen der Vorgänge, von denen er liest, auch das Verhalten seiner Rollenfigur, das er erfährt, muß er auf die Waagschale legen, in ihrer Besonderheit begreifen; keine darf er als gegeben, als eine, die »gar nicht anders ausfallen konnte«, die »bei dem Charakter dieser Person erwartet werden müßte«, hinnehmen. Bevor er die Worte memoriert, soll er memorieren, worüber er gestaunt und wobei er widersprochen hat. Diese Momente hat er nämlich festzuhalten in seiner Gestaltung.
Geht er auf die Bühne, so wird er bei allen wesentlichen Stellen zu dem, was er macht, noch etwas ausfindig, namhaft und ahnbar machen, was er nicht macht; das heißt, er spielt so, daß man die Alternative möglichst deutlich sieht, so, daß sein Spiel noch die anderen Möglichkeiten ahnen läßt, nur eine der möglichen Varianten darstellt. Er sagt zum Beispiel: »Das wirst du mir bezahlen«, und er sagt *nicht*: »Ich verzeihe dir das.« Er haßt seine Kinder, und es steht *nicht* so, daß er sie liebt. Er geht nach links vorn und *nicht* nach rechts hinten. Das, was er *nicht* macht, muß in dem enthalten und aufgehoben sein, was er macht. So bedeuten alle Sätze und Gesten Entscheidungen, bleibt die Person unter Kontrolle und wird getestet. Der technische Ausdruck für dieses Verfahren heißt: *Fixieren des Nicht - Sondern*.
Der Schauspieler läßt es auf der Bühne nicht zur *restlosen Verwandlung* in die darzustellende Person kommen. Er ist nicht Lear, Harpagon, Schwejk, er *zeigt* diese Leute. Er bringt ihre Aussprüche so echt wie möglich, er führt ihre Verhaltungsweise vor, so gut es ihm seine Menschenkenntnis erlaubt, aber er versucht nicht, sich (und dadurch andern) einzubilden, er

habe sich hiermit restlos verwandelt. Schauspieler werden wissen, was gemeint ist, wenn man als Beispiel für eine Spielweise ohne restlose Verwandlung das Spiel des Regisseurs oder des Kollegen, der ihnen eine besondere Stelle vormacht, anführt. Da es sich nicht um seine eigene Rolle handelt, verwandelt er sich nicht völlig, er unterstreicht das Technische und behält die Haltung des bloß Vorschlagenden bei (6).

Ist die restlose Verwandlung aufgegeben, bringt der Schauspieler seinen Text nicht wie eine Improvisation, sondern wie ein Zitat (7). Dabei ist es klar, daß er in dieses Zitat alle Untertöne, die volle menschliche, konkrete Plastik der Äußerung zu geben hat; wie auch die Geste, die er vorzeigt und die nunmehr eine Kopie (8) darstellt, die volle Leiblichkeit einer menschlichen Geste haben muß.

Drei Hilfsmittel können bei einer Spielweise mit nicht restloser Verwandlung zu einer Verfremdung der Äußerungen und Handlungen der darzustellenden Person dienen:

1. *Die Überführung in die dritte Person.*
2. *Die Überführung in die Vergangenheit.*
3. *Das Mitsprechen von Spielanweisungen und Kommentaren.*

Das Setzen der Er-Form und der Vergangenheit ermöglicht dem Schauspieler die richtige distanzierte Haltung. Der Schauspieler sucht außerdem Spielanweisungen und kommentarische Äußerungen zu seinem Text und spricht sie auf der Probe mit (»Er stand auf und sagte böse, denn er hatte nicht gegessen: ...« oder »Er hörte das zum erstenmal und wußte nicht, ob es die Wahrheit war...« oder »Er lächelte und sagte allzu sorglos: ...«). Das Mitsprechen der Spielanweisungen in der dritten Person bewirkt, daß zwei Tonfälle aufeinanderstoßen, wodurch der zweite (also der eigentliche Text) verfremdet wird. Außerdem wird die Spielweise verfremdet, indem sie tatsächlich erfolgt, nachdem sie schon einmal in Worten bezeichnet und angekündigt wurde. Das Setzen der Vergangenheit dabei stellt den Sprecher auf einen Punkt, von dem aus er auf den Satz zurücksieht. Damit wird der Satz ebenfalls verfremdet, ohne daß der Sprecher einen unrealen Standpunkt einnimmt, denn er hat ja, im Gegensatz zum Zuhörer, das Stück zu Ende gelesen und kann also vom Ende her, von den Folgen her, über den Satz besser urteilen als dieser, der weniger weiß, dem Satz fremder gegenübersteht.

Durch dieses kombinierte Verfahren wird der Text bei den Proben verfremdet, und er bleibt es im allgemeinen dann bei der Aufführung (9). Für die eigentliche Sprechweise ergibt sich schon aus der direkten Beziehung zum Publikum die Notwendigkeit und Möglichkeit zur Variierung im Hinblick auf die größere oder geringere Bedeutung, die den Sätzen verliehen werden soll. Ein Beispiel bietet das Sprechen von Zeugen vor Gericht. Die Unterstreichung, das Festlegen der Personen auf ihre Äußerungen muß zu besonderer artistischer Wirkung gebracht werden. Erfolgt die Wendung zum Publikum, so muß es eine volle Wendung sein und darf nicht das »Beiseitesprechen« oder die Monologtechnik des alten Theaters sein. Um aus der Versform den vollen V-Effekt herauszuholen, tut der Schauspieler gut, den Inhalt der Verse bei der Probe zuerst in vulgärer Prosa wiederzugeben, unter Umständen zugleich mit der für die Verse bestimmten Geste. Eine kühne und schöne Architektur der Sprachformen verfremdet den Text. (Prosa kann verfremdet werden durch ihre Übersetzung in den heimischen Dialekt des Schauspielers.)

Über Gestik wird weiter unten gehandelt, jedoch ist hier zu sagen, daß alles Gefühlsmäßige nach außen gebracht werden muß, das heißt, es ist zur Geste zu entwickeln. Der Schauspieler muß einen sinnfälligen, äußeren Ausdruck für die Emotionen seiner Person finden, womöglich eine Handlung, die jene inneren Vorgänge in ihm verrät. Die betreffende Emotion muß heraustreten, sich emanzipieren, damit sie groß behandelt werden kann. Besondere Eleganz, Kraft und Anmut der Geste ergibt den V-Effekt.

Meisterhaft in der Behandlung der Geste ist die chinesische Schauspielkunst. Dadurch, daß der chinesische Schauspieler seine eigenen Bewegungen sichtbar beobachtet, erzielt er den V-Effekt (10).

Was der Schauspieler an Gestik und Versbau und so weiter abliefert, muß fertig sein und den Stempel des Geprobten und Abgeschlossenen tragen. Es muß der Eindruck der Leichtigkeit entstehen, welcher der der überwundenen Schwierigkeiten ist. Auch seine eigene Kunst, seine Meisterung des Technischen, muß der Schauspieler dem Publikum leichtzunehmen gestatten. In vollendeter Weise führt er dem Zuschauer den Vorgang vor, wie er sich seiner Meinung nach in Wirklichkeit abspielen oder abgespielt haben mag. Er verbirgt nicht, daß er ihn einstudiert hat, sowenig der Akrobat sein Training verbirgt, und er unterstreicht, daß dies seine, des Schauspielers Aussage, Meinung, Version des Vorgangs ist (11).

Da er sich mit der Person, die er darstellt, nicht identifiziert, kann er ihr gegenüber einen bestimmten Standpunkt wählen, seine Meinung über sie verraten, den Zuschauer, der auch seinerseits nicht eingeladen wurde, sich zu identifizieren, zur Kritik der dargestellten Person auffordern (12).

Der Standpunkt, den er einnimmt, ist ein *gesellschaftskritischer Standpunkt*. Bei seiner Anlage der Vorgänge und Charakterisierung der Person arbeitet er jene Züge heraus, die in den Machtbereich der Gesellschaft fallen. So wird sein Spiel zu einem Kolloquium (über die gesellschaftlichen Zustände) mit dem Publikum, an das er sich wendet. Er legt es dem Zuschauer nahe, je nach seiner Klassenzugehörigkeit diese Zustände zu rechtfertigen oder zu verwerfen (13).

Es ist der Zweck des V-Effekts, den allen Vorgängen unterliegenden gesellschaftlichen Gestus zu verfremden. Mit sozialem Gestus ist der mimische und gestische Ausdruck der gesellschaftlichen Beziehungen gemeint, in denen die Menschen einer bestimmten Epoche zueinander stehen (14).

Die Formulierung des Vorgangs für die Gesellschaft, seine Ausrichtung, die der Gesellschaft den Schlüssel einhändigt, wird erleichtert durch das Ausfindigmachen von Titeln für die Szenen (15). Diese Titel müssen einen historischen Charakter haben.

Wir kommen hiermit zu einem entscheidenden Technikum, der *Historisierung*.

Der Schauspieler muß die Vorgänge als historische Vorgänge spielen. Historische Vorgänge sind einmalige, vorübergehende, mit bestimmten Epochen verbundene Vorgänge. Das Verhalten der Personen in ihnen ist nicht ein schlechthin menschliches, unwandelbares, es hat bestimmte Besonderheiten, es hat durch den Gang der Geschichte Überholtes und Überholbares und ist der Kritik vom Standpunkt der jeweilig darauffolgenden Epoche aus unterworfen. Die ständige Entwicklung entfremdet uns das Verhalten der vor uns Geborenen.

Der Schauspieler nun hat diesen Abstand zu den Ereignissen und Verhaltungsweisen, den der Historiker nimmt, zu den Ereignissen und Verhaltungsweisen der Jetztzeit zu nehmen. Er hat uns diese Vorgänge und Personen zu verfremden.

Vorgänge und Personen des Alltages, der unmittelbaren Umgebung, haben für uns etwas Natürliches, weil Gewohntes. Ihre Verfremdung dient dazu, sie uns auffällig zu machen (16). Die Technik des Irritiertseins gegenüber landläufigen »selbstverständlichen«, niemals angezweifelten Vorgängen ist von der Wissenschaft sorgfältig aufgebaut worden, und es besteht kein Grund, warum die Kunst diese so unendlich nützliche Haltung nicht übernehmen sollte (17). Es ist eine Haltung, die sich für die Wissenschaft aus dem Wachstum der menschlichen Produktivkraft ergab, und sie ergibt sich für die Kunst aus eben demselben Grund.

Was das Emotionelle betrifft, so ergaben die Versuche mit dem V-Effekt in den deutschen Aufführungen des epischen Theaters, daß auch durch diese Spielweise Emotionen erregt wurden, wenn auch Emotionen anderer Art als die des üblichen Theaters (18). Eine kritische Haltung des Zuschauers ist eine durchaus künstlerische Haltung (19). Die Beschreibung des V-Effektes wirkt bei weitem unnatürlicher als die Ausführung desselben. Selbstverständlich hat diese Spielweise nichts zu tun mit der landläufigen »Stilisierung«. Der Hauptvorzug des epischen Theaters mit seinem V-Effekt, der den einzigen Zweck verfolgt, die Welt so zu zeigen, daß sie behandelbar wird, ist gerade seine Natürlichkeit und Irdischkeit, sein Humor und sein Verzicht auf alles Mystische, das dem üblichen Theater noch aus alten Zeiten anhaftet.

Anhang

(1)

»Leben Eduards des Zweiten« nach *Marlowe* (Münchener Kammerspiele). »Trommeln in der Nacht« (Deutsches Theater, Berlin). »Die Dreigroschenoper« (Schiffbauerdammtheater, Berlin). »Die Pioniere von Ingolstadt« (Schiffbauerdammtheater, Berlin). »Aufstieg und Fall der Stadt Mahagonny«, Oper (Aufrichts Kurfürstendammtheater, Berlin). »Mann ist Mann« (Staatstheater, Berlin). »Die Maßnahme« (Großes Schauspielhaus, Berlin). »Die Abenteuer des braven Soldaten Schwejk« (Piscators Nollendorftheater). »Die Rundköpfe und die Spitzköpfe« (Riddersalen, Kopenhagen). »Die Gewehre der Frau Carrar« (Kopenhagen, Paris). »Furcht und Elend des Dritten Reiches« (Paris).

(2)

Wenn auf dem epischen Theater eine bestimmte Atmosphäre Gegenstand der Darstellung ist, weil sie gewisse Haltungen der Personen erklärt, muß sie selber verfremdet werden.

Neue Technik der Schauspielkunst 349

(3)

Beispiele für mechanische Mittel: Sehr helle Beleuchtung der Bühne (da eine dämmrige Beleuchtung, zusammen mit der völligen Verdunklung des Zuschauerraums, die dem Zuschauer den Anblick seines Nebenmannes entzieht und ihn selber vor diesem verbirgt, dem Zuschauer viel von seiner Nüchternheit nimmt) und die *Sichtbarkeit der Lichtquellen*. [...][1]

(4) Beziehung des Schauspielers zu seinem Publikum

Die Beziehung des Schauspielers zu seinem Publikum sollte die allerfreieste und direkteste sein. Er hat ihm einfach etwas mitzuteilen und vorzuführen, und die Haltung des bloß Mitteilenden und Vorführenden sollte allem nunmehr unterliegen. Hier macht es noch keinen Unterschied aus, ob seine Mitteilung und Vorführung mitten unter dem Publikum auf einer Straße oder in einem Wohnzimmer stattfindet oder auf der Bühne, diesem abgemessenen, den Mitteilungen und Vorführungen reservierten Brett. Es tut nichts, daß er schon in einem besonderen Rock steckt und seine Maske gemacht hat, den Grund hierfür kann er ebensogut hinterher als vorher erklären. Es soll nur nicht der Eindruck entstehen, als hätte eine Übereinkunft in ferner Zeit stattgefunden, nach der hier zu einer bestimmten Stunde ein Vorgang unter Menschen ablaufen sollte, als passierte er eben jetzt, ohne Vorbereitung, auf »natürliche« Weise, eine Verabredung, die einschloß, daß auch keine Verabredung stattgefunden haben sollte. Es tritt nur einer auf und zeigt etwas in aller Öffentlichkeit, *auch das Zeigen*. Er wird einen anderen Menschen nachmachen, aber nicht so, nicht in einem solchen Grade, als sei er dieser Mensch, nicht mit dem Vorhaben, sich selber dabei vergessen zu machen. Seine Person bleibt so gewahrt als eine gewöhnliche, von andern

[1] [Den an dieser Stelle zitierten Text siehe »Schriften zum Theater«, S. 454.]

unterschiedene Person, mit eigenen Zügen, eine Person, die dadurch allen andern gleicht, die ihr zusehen.

(5)

Vergleiche folgende Ausführungen des bekannten dänischen Schauspielers Poaul Reumert:
»... Wenn ich fühle, daß ich *sterbe*, wenn ich das *wirklich* fühle, dann fühlen auch alle anderen das; wenn ich tue, als ob ich einen Dolch in meiner Hand habe und ganz erfüllt bin von dem einen Gedanken, daß ich das Kind töten will, so schaudern alle dabei... Das Ganze ist eine Frage der Gedankentätigkeit, die durch Gefühle vermittelt wird, oder, wenn man will, umgekehrt: ein Gefühl, so stark wie eine Besessenheit, das umgesetzt wird in Gedanken. Glückt es, so ist es das Ansteckendste von allem in der Welt, und dann ist all das Äußere komplett gleichgültig...«

Und Rapaport. »*The Work of the Actor*«, *Theater Workshop, October 1936:*
»... On the stage the actor is surrounded entirely by fictions... The actor must be able to regard all this as though it were true, as though he were convinced that all that surrounds him on the stage is a living reality and, along with himself, he must convince the audience as well. This is the central feature of our method of work on the part ... Take any object, a cap for example; lay it on the table or on the floor and try to regard it as though it were a rat; make believe that it is a rat, and not a cap... Picture what sort of a rat it is; what size, colour?... We thus commit ourselves to believe quite naively that the object before us is something other than it is and, at the same time, learn to compel the audience to believe...«

Man könnte meinen, dies sei ein Kursus im Zaubern, aber es ist ein Kursus für Schauspielkunst, angeblich nach der Stanislawski-Methode. Man fragt sich, ob eine Technik, welche einen befähigt, das Publikum da Ratten sehen zu machen, wo keine sind, wirklich so geeignet sein kann, die Wahrheit zu verbreiten? Ohne alle Schauspielkunst, mit genug Alkohol, kann man beinahe jeden dazu bringen, überall wenn nicht Ratten, so doch weiße Mäuse zu sehen.

(6)

Eine gute Übung besteht darin, daß ein Schauspieler seine Rolle andern Schauspielern einstudiert (einem Schüler, einem Schauspieler andern Geschlechts, dem Partner, einem Komiker und so weiter). Der Spielleiter fixiert für ihn dann seine demonstrative Haltung. Außerdem ist es nur gut, wenn der Schauspieler seine Rolle von andern gespielt sieht, und die Darstellung des Komikers wird besonders instruktiv sein.

(7) Das Zitieren

In direkter, freier Beziehung stehend, läßt der Schauspieler seine Figur sprechen und sich bewegen, er referiert. Daß der Text nicht momentan entsteht, daß er memoriert ist, etwas Fixiertes, braucht er nicht vergessen zu machen; es spielt keine Rolle, da die Annahme ja sowieso nicht die ist, daß er über sich selber referiert, sondern über andere. Die Haltung wäre dieselbe, als wenn er eben nur aus dem Gedächtnis spräche. Er zitiert eine Figur, er ist der Zeuge bei einem Prozeß. Nichts steht dem im Wege, daß er deutlich macht, wenn die Figur ihre Worte momentan ausstößt: seine Haltung hat einen gewissen Widerspruch in sich, im Ganzen genommen (wenn man betrachtet, was da auf der Bühne steht und spricht): der Schauspieler spricht in der Vergangenheit, die Figur in der Gegenwart. Es ist noch ein zweiter Widerspruch vorhanden, und er ist von größerer Bedeutung. Nichts steht dem im Wege, daß der Schauspieler seine Figur mit eben den Gefühlen ausstattet, die sie haben soll; er selber ist nun nicht kalt, auch er entwickelt

Gefühle, aber es sind nicht notwendig dieselben wie die der Figur. Nehmen wir an, die Figur sagt etwas, was sie wahr glaubt. Der Schauspieler kann ausdrücken, muß ausdrücken können, daß es unwahr ist, oder: daß das Sagen dieser Wahrheit verhängnisvoll ist oder anderes.

(8)

Das Sammeln von Material in größerem Umfang als bisher ist für den Schauspieler des epischen Theaters unerläßlich. Er hat nicht mehr sich als König, sich als Gelehrten, sich als Totengräber und so weiter darzustellen, sondern eben Könige, Gelehrte, Totengräber, muß sich also umsehen in der Wirklichkeit. Ebenso muß er das Kopieren lernen, was auf den heutigen Schauspielschulen verpönt ist, da es »die Eigenart verdirbt«.

(9)

Von seiten des Theaters kann der entsprechende V-Effekt bei der Aufführung in verschiedener Weise erzeugt werden. Bei der Münchener Aufführung von »Leben Eduards des Zweiten von England« wurden erstmalig den Szenen Titel vorangestellt, welche den Inhalt ankündigten. Bei der Berliner Aufführung der »Dreigroschenoper« wurden die Titel der Songs während des Gesangs projiziert. Bei der Berliner Aufführung von »Mann ist Mann« wurden die Gestalten der Schauspieler auf große Tafeln projiziert.

(10) Der Artist sieht sich selber zu. [...][1]

---

[1] [Brecht zitiert hier einen Text aus dem Aufsatz »Verfremdungseffekte in der chinesischen Schauspielkunst«, siehe »Schriften zum Theater«, S. 618 f.]

(11)

Am besten zu beobachten ist dieses summarische, sammelnde, weitergehende Spielen auf Proben, welche der Aufführung unmittelbar vorausgehen, wenn die Schauspieler »markieren«, das heißt die Stellungen nur durchlaufen, die Gesten nur andeuten, die Tonfälle nur anschlagen. Diese Proben, oft auch bei Umbesetzungen zur Orientierung des neu hinzugekommenen Spielers veranstaltet, dienen der bloßen Selbstverständigung; man muß sich also die Wendung an das Publikum noch hinzudenken, nur nicht in der Art, daß sie in einer Intensivierung, also suggestiv erfolgt. Zu beobachten der Unterschied zwischen suggestivem und überzeugendem, plastischem Spiel!

(12)

Darwin beschwert sich in »Der Ausdruck der Gemütsbewegungen bei dem Menschen und den Tieren«, daß das Studium des Ausdrucks schwierig sei, denn »wenn wir Zeuge irgendeiner tiefen Erregung sind, so wird unser Mitgefühl so stark erregt, daß wir vergessen oder daß es uns fast unmöglich wird, eine sorgfältige Beobachtung anzustellen«. Hier hat der Künstler einzusetzen und selbst Zustände tiefster Erregung so zu gestalten, daß der »Zeuge«, der Zuschauer, fähig bleibt, zu beobachten.

(13)

Das Freie in der Haltung des Schauspielers zu seinem Publikum besteht auch darin, daß er dasselbe nicht als uniforme Masse behandelt. Er schmilzt es nicht in einem Schmelztiegel der Emotionen in einen formlosen Klumpen zusammen. Er wendet sich nicht an alle gleichmäßig; die im Publikum vorhandenen Teilungen läßt er bestehen, ja er vertieft sie. Er hat da Freunde und Feinde, er ist freundlich zu diesen, feindselig zu jenen. Er ergreift Partei, nicht immer für seine Figur, aber wenn nicht für sie, dann gegen sie. (Dies ist wenigstens die Grundhaltung, auch sie muß wechselnd sein, zu den verschiedenen Äußerungen der Figur verschieden. Aber es mag auch Parteien geben, wo alles dahingestellt ist, wo der Schauspieler mit dem Urteil zurückhält, jedoch muß er dies ausdrücklich durch sein Spiel bezeichnen.)

(14)

Wenn *König Lear* (erster Akt, erste Szene), sein Reich unter die Töchter verteilend, eine Landkarte zerreißt, so wird der Teilungsakt verfremdet. Es wird so nicht nur der Blick auf das Reich gelenkt, sondern indem er das Reich so deutlich als Privateigentum behandelt, wirft er einiges Licht auf die Grundlage der feudalen Familienideologie. Im »Julius Cäsar« wird der Tyrannenmord des Brutus verfremdet, wenn er während eines seiner Monologe, in denen er Cäsar tyrannische Motive unterschiebt, selber einen Sklaven mißhandelt, der ihn bedient. Als *Maria Stuart* benutzte die Weigel ein Kruzifix, das sie um den Hals trug, plötzlich als Fächer, indem sie sich damit kokett Luft zufächelte.[1]

(15)

Beispiele solcher Titel: »Der Makler Sullivan Slift zeigt Johanna Dark die Schlechtigkeit der Armen«; »Pierpont Maulers Rede über die Unsterblichkeit des Kapitalismus und der Religion« (»Die Heilige Johanna der Schlachthöfe«); »Die neue Anabasis: Der brave Soldat Schwejk marschiert zu seinem Truppenteil, kommt aber nicht an«; »Verurteilung des Tyrannenmordes durch den Soldaten Schwejk« (»Die Abenteuer des braven Soldaten Schwejk«).

[1] Siehe auch: »Übungsstücke für Schauspieler [in »Stücke«].

Diese Titel stehen vor längeren Szenen. Als Beispiel für die Untereinteilung einer Szene von fünfzehn Minuten Spieldauer die Titel zu der zweiten Szene des Stückes »Die Mutter«.[1]

(16) Auf der Bühne sei folgendes darzustellen: [...][2]

(17) Der V-Effekt als eine Prozedur des täglichen Lebens
Im Hervorbringen des Verfremdungseffektes hat man etwas ganz Alltägliches, Tausendfaches vor sich, es ist nichts als eine vielgeübte Art, einem andern oder sich selber etwas zum Verständnis zu bringen, und man beobachtet es beim Studium sowohl wie bei geschäftlichen Konferenzen in dieser oder jener Form. Der V-Effekt besteht darin, daß das Ding, das zum Verständnis gebracht, auf welches das Augenmerk gelenkt werden soll, aus einem gewöhnlichen, bekannten, unmittelbar vorliegenden Ding zu einem besonderen, auffälligen, unerwarteten Ding gemacht wird. Das Selbstverständliche wird in gewisser Weise unverständlich gemacht, das geschieht aber nur, um es dann um so verständlicher zu machen. Damit aus dem Bekannten etwas Erkanntes werden kann, muß es aus seiner Unauffälligkeit herauskommen; es muß mit der Gewohnheit gebrochen werden, das betreffende Ding bedürfe keiner Erläuterung. Es wird, wie tausendfach, bescheiden, populär es sein mag, nunmehr zu etwas Ungewöhnlichem gestempelt. Ein einfacher V-Effekt wird angewendet, wenn man jemandem sagt: »Hast du dir schon einmal deine Uhr genau angesehen?« Der mich das fragt, weiß, daß ich sie schon oft angesehen habe, nun, mit seiner Frage, entzieht er mir den gewohnten, daher mir nichts mehr sagenden Anblick. Ich sah sie an, um die Zeit

1 [Den hier zitierten Text aus dem Aufsatz »Verfremdungseffekte in der chinesischen Schauspielkunst« siehe »Schriften zum Theater«, S. 629 f.]
2 [Siehe »Anmerkungen zur ›Mutter‹«, in »Schriften zum Theater«, S. 1036 ff.]

festzustellen, nun stelle ich, auf eindringliche Art befragt, fest, daß ich die Uhr selber nicht mehr eines staunenden Blickes gewürdigt habe, sie ist nach vielen Richtungen hin ein erstaunlicher Mechanismus. Ebenso handelt es sich um einen Verfremdungseffekt einfachster Art, wenn eine geschäftliche Besprechung eingeleitet wird mit dem Satz: »Haben Sie sich schon einmal überlegt, was aus dem Abfall wird, der aus Ihrer Fabrik tagaus, tagein den Fluß hinunterschwimmt?« Dieser Abfall ist bisher nicht unbemerkt den Fluß hinuntergeflossen, er ist sorgfältig in diesen geleitet worden, Menschen und Maschinen werden dazu verwendet, der Fluß ist schon ganz grün von ihm, er ist sehr bemerkbar weggeflossen, aber eben als Abfall. Bei der Fabrikation war er abfällig, jetzt soll er zum Gegenstand der Fabrikation werden, das Auge fällt interessiert auf ihn. Die Frage hat ihn verfremdet, und das sollte sie. Allereinfachste Sätze, die den V-Effekt anwenden, sind Sätze mit »nicht – sondern« (er sagte nicht »kommt herein«, sondern »geht weiter«. Er freute sich nicht, sondern er ärgerte sich). Da bestand eine Erwartung, gerechtfertigt durch Erfahrung, aber sie wurde enttäuscht. Man hätte glauben sollen, daß..., aber man hätte es nicht glauben sollen. Es gab nicht nur eine Möglichkeit, sondern deren zwei, beide werden angeführt, zunächst wird die eine, die zweite, dann auch die erste verfremdet. Damit ein Mann seine Mutter als Weib eines Mannes sieht, ist ein V-Effekt nötig, er tritt zum Beispiel ein, wenn er einen Stiefvater bekommt. Wenn einer seinen Lehrer vom Gerichtsvollzieher bedrängt sieht, entsteht ein V-Effekt; aus einem Zusammenhang gerissen, wo der Lehrer groß erscheint, ist er in einen Zusammenhang gerissen worden, wo er klein erscheint. Eine Verfremdung des Autos tritt ein, wenn wir schon lange einen modernen Wagen gefahren haben, nun eines der alten T-Modelle H. Fords fahren. Wir hören plötzlich wieder Explosionen: der Motor ist ein Explosionsmotor. Wir beginnen uns zu wundern, daß solch ein Gefährt, daß überhaupt ein Gefährt, ohne von tierischer Kraft gezogen zu sein, fahren kann, kurz, wir begreifen das Auto, indem wir es als etwas Fremdes, Neues, als einen Erfolg der Konstruktion, insofern etwas Unnatürliches, begreifen. Die Natur, zu der ja das Auto unzweifelhaft gehört, hat plötzlich das Moment des Unnatürlichen in sich, ihr Begriff ist nunmehr gesättigt damit.

Auch das Wort »tatsächlich« kann Aussagen verfremden. (Er ist tatsächlich nicht zu Hause gewesen; er sagte es, aber wir glaubten nicht und sahen nach; oder auch: wir hätten es nicht für möglich gehalten, daß er nicht zu Hause sein konnte, aber es war eine Tatsache.) Nicht minder dient das Wort »eigentlich« der Verfremdung. (»Ich bin eigentlich nicht einverstanden.«) Durch die Definition der Eskimos: »Das Auto ist ein flügelloses, auf dem Boden kriechendes Flugzeug«, wird das Auto ebenfalls verfremdet.

Der Verfremdungseffekt selbst ist durch die vorliegende Darstellung in gewissem Sinn verfremdet worden, wir haben eine tausendfache, gewöhnliche, überall vorliegende Operation, indem wir sie als eine besondere beleuchteten, zum Verständnis zu bringen versucht. Aber der Effekt ist uns nur bei denen gelungen, die wirklich (»tatsächlich«) begriffen haben, daß dieser Effekt »nicht« von jeder Darstellung, »sondern« nur von bestimmten erreicht wird: er ist nur »eigentlich« etwas Übliches.

(18) Über rationellen und emotionellen Standpunkt[1]

(19) Ist die kritische Haltung eine unkünstlerische Haltung?[2]

1940

1 [Siehe »Schriften zum Theater«, S. 242 f.]
2 [Brecht zitiert aus dem Text »Schriften zum Theater«, S. 378.]

Politische Theorie der Verfremdung

1 Das politische Theater

Das Theater, das wir in unserer Zeit politisch werden sahen, war vordem nicht unpolitisch gewesen. Es lehrte die Welt so anzuschauen, wie die herrschenden Klassen sie angeschaut haben wollten. Insofern diese Klassen unter sich uneinig waren, gab sich auch der Aspekt der Welt auf dem Theater unterschiedlich. Das Theater der Ibsen, Antoine, Brahm, Hauptmann wurde durchaus als Politikum empfunden. Jedoch ging der Funktionswandel des Theaters nicht in die Tiefe, da von diesen Leuten nicht die Grundlagen der Gesellschaft in Frage gestellt wurden, sondern nur Modifikationen ins Auge gefaßt wurden. Erst als eine neue Klasse, das Proletariat, in einigen Ländern Europas die Herrschaft beanspruchte und in einem Land eroberte, entstanden Theater, welche wirklich politische Anstalten waren. Die die Herrschaft beanspruchende oder schon besitzende neue Klasse begnügte sich, ihrer besonderen Art nach als einer sich von allen anderen früheren Klassen unterscheidenden Klasse, nicht mehr damit, lediglich den Weltaspekt auf dem Theater zu kontrollieren, sondern sie lieferte die Welt ihren Zuschauern völlig aus, machte sie zu einer Stätte unbeschränkten politischen Handelns. Die Welt konnte und mußte nunmehr dargestellt werden als eine in Entwicklung begriffene und zu entwickelnde, ohne daß dieser Entwicklung durch irgendeine Klasse Grenzen gesetzt wurden, welche diese in ihrem Interesse für nötig fand. Die passive Haltung des Zuschauers, die der Passivität der überwiegenden Mehrheit des Volkes im Leben überhaupt entsprochen hatte, wich einer aktiven, das heißt, dem neuen Zuschauer war die Welt als eine ihm und seiner Aktivität zur Verfügung stehende darzustellen.

Es ist für unsere Dramatiken unmöglich, die Individualmoral des bürgerlichen Zeitalters zu verwerten. Der Satz »Behandle jedermann so, wie du von jedermann behandelt werden willst« ergibt nicht mehr eingreifende Handlungsweisen. Sollen wir unseren proletarischen Zuschauern sagen: »Behandle die Proletarier so, Proletarier, wie du als Bürger sie behandeln würdest, aber dabei so, daß sie als Bürger auch so behandelt werden wollten?« Das Handeln des revolutionären Proleten kann kaum die Maxime für das Handeln aller übrigen Menschen sein.

2 Politische Theorie des V-Effekts auf dem Theater

Es ist einleuchtend, daß das *Befremden*, das wir gegenüber dem Verhalten unserer Mitmenschen fühlen und das uns auch gegenüber unserm eigenen Verhalten so oft befällt, wenn wir Kunst machen, diese Kunst beeinflußt. Es ist nicht nur die Haltung der Tretenden, sondern auch die der Getretenen, die uns befremdet. Die Schwangere, einem lebensfeindlichen gesellschaftlichen System ausgeliefert, das sie dennoch ehern ans Gebären hält, sehen wir kämpfen um das Recht, ihre Frucht der Vernichtung, nicht dem Leben zu übergeben. Den arbeitenden Menschen sehen wir jenen Machtapparat füttern und vervollständigen, der ihn niederhält. Die Intelligenz sehen wir ihr Wissen *und* ihr Gewissen verkaufen. Uns selber, die Künstler, sehen wir die faulenden Wände von Schiffen übermalen, die schon untergehen. Was wäre natürlicher, als daß wir Mittel und Wege suchten, solches Befremden zu einem allgemeinen und überwältigenden zu machen?

Wie, alles ist so, weil es so sein muß? Wo wir doch gerade wissen, daß es nicht so sein muß! Warum also alles, was wir darstellen und womit wir nicht zufrieden sind, mit möglichst unwiderlegbaren Gründen versehen, allem den jede Hoffnung zerstörenden imposanten Anblick und Titel der *Natur* verleihen? Ist unsere Kritik keine natürliche Erscheinung?

Das kostbare Gefühl der »Einheit mit dem Geist, der alles lenkt«, könnt ihr haben, wenn ihr nur diesen Geist als einen fortschreitenden sehen wolltet! Wenn es nur nicht der Geist der Polizei ist, der da lenkt und mit dem ihr eins sein wollt, obgleich er nicht eins mit euch ist!

Dialektik und Verfremdung

1

Verfremdung als ein Verstehen (verstehen – nicht verstehen – verstehen), Negation der Negation.

2

Häufung der Unverständlichkeiten, bis Verständnis eintritt (Umschlag von Quantität und Qualität).

3

Das Besondere im Allgemeinen (der Vorgang in seiner Einzigartigkeit, Einmaligkeit, dabei typisch).

4

Moment der Entwicklung (das Übergehen der Gefühle in andere Gefühle entgegengesetzter Art, Kritik und Einfühlung in einem).

5

Widersprüchlichkeit (dieser Mensch in diesen Verhältnissen, diese Folgen dieser Handlung!).

6

Das eine verstanden durch das andere (die Szene, im Sinn zunächst selbständig, wird durch ihren Zusammenhang mit andern Szenen noch als eines andern Sinns teilhaftig entdeckt).

7

Der Sprung (saltus naturae, epische Entwicklung mit Sprüngen).

8

Einheit der Gegensätze (im Einheitlichen wird der Gegensatz gesucht, Mutter und Sohn – in »Mutter« – nach außen hin einheitlich, kämpfen gegeneinander des Lohnes wegen).

9

Praktizierbarkeit des Wissens (Einheit von Theorie und Praxis).

Der V-Effekt

Bisher begegnet uns die erdichtete Person, welche der Schauspieler ohne Zuhilfenahme der Einfühlung darstellt, nicht viel anders als eine Person der Wirklichkeit, die uns auf der Straße oder im Zimmer begegnet. Sie ist mir nicht näher gebracht als eine solche; ich sehe sie mit den Augen des Nachbarn, nicht mit ihren eigenen Augen; ich bin es nicht, es ist ein anderer. Diesem andern gegenüber bin ich ziemlich frei in meinem Urteil, und das wünsche ich auch zu sein.

Aber es muß jetzt gestanden werden, daß hier eine Spielweise beschrieben wurde, die kaum durchgeführt werden kann. Nur so verfahrend, wie es bis jetzt beschrieben wurde, also nur einiges weglassend, was auf den alten Theatern gemacht wurde, kann der Schauspieler sich einer erdichteten Person nicht bemächtigen. Er steht zu ihr so zu gleichgültig, es fehlt das Spannungsverhältnis zu ihr, das Interesse. Er zeigt einen fremden Mann oder eine fremde Frau, nicht bekannter als eine beliebige Person auf der Straße. Um die Spannung zu ihr zu gewinnen, muß er noch etwas unternehmen. Er muß sie fremder machen als eine beliebige Person auf der Straße. Wir nannten das: den Verfremdungseffekt anwenden.

Man muß hierin nichts besonders Tiefes, Geheimnisvolles suchen. Der Schauspieler braucht dabei nichts anderes zu tun, als von anderen Leuten getan wird, wenn sie etwas beschreiben mit der Absicht, es beherrschbar zu machen. Es ist lediglich eine Methode, das Interesse auf das zu Beschreibende zu konzentrieren, es interessant zu machen. Die Wissenschaftler machen das seit langer Zeit, wenn sie bestimmte Erscheinungen (die Schwingungen von Pendeln, die Bewegungen von Atomen, den Stoffwechsel von Infusorien in einem Wassertropfen und so weiter) betrachten und der Betrachtung zuführen. Um das Ding zu begreifen, tun sie, als begriffen sie es nicht; um Gesetze zu entdecken, bringen sie die Vorgänge in Gegensatz zu überkommenen Vorstellungen; dadurch arbeiten sie das Krasse, Besondere der eben studierten Erscheinung heraus. Gewisse Selbstverständlichkeiten werden so nicht selbstverständlich, freilich nur, um nun wirklich verständlich zu werden.

Der V-Effekt auf dem alten Theater

Auf dem alten Theater kommt der V-Effekt hauptsächlich vor, wo es »Fehler« macht. Die Ästhetik schaudert schon, wenn sie das Wort Effekt allein ausspricht. Sie kennt natürlich auch edle Effekte, aber das sind kaum je V-Effekte. Ein (wenn auch primitiver) V-Effekt ist es, wenn in einem Stück Victor Hugos ein Mann über eine Mauer in einen Garten springt, ein Gespräch mit einem alten Gärtner anknüpft, erfährt, man erwarte allgemein die Ankunft des Königs, der allgemein geliebt und bekannt sei, und ihm sagt: »Ich bin der König.« Was an diesem Effekt und überhaupt an den niedrigen, unedlen, gemeinen Effekten abstößt, ist die Absichtlichkeit. Diese ist tatsächlich ein Kennzeichen des echten V-Effekts. Das Hineinlöffeln der Handlung geschieht nicht mehr unbewußt, gleitend, mechanisch, sobald der V-Effekt auftaucht, der »Bann« bricht, die Kunst hat versagt. Aus dem Vorgang ist die Absicht der Darstellung frech hervorgetreten, im primitiven Fall hervorgestolpert. Nun, wo das mechanische Hineinlöffeln unterbrochen wurde, trat das Mechanische der Handlung in Erscheinung, es wird straks als so beschimpft. Man hatte eben verstanden, und nun soll man nicht verstanden haben? Da muß etwas falsch an der Handlungsführung sein, und, wie gesagt, im primitiven Fall ist da auch etwas falsch an der Handlungsführung, nicht nur an der Art des Zuschauens. Man muß wissen, daß die alte Art des Zuschauens eine Kunst ist; die neue ist es natürlich nicht minder. Wenn die Perücke des Königs Lear sich verschiebt, tritt zutage, daß da nicht Lear stirbt, sondern der Schauspieler Meyer, und der stirbt natürlich nicht. Seine »Absicht«, uns zu täuschen, ist entdeckt worden, wir sind böse, nicht weil er uns täuschen wollte, sondern weil er es nicht konnte. Jetzt sieht es aus, als gäbe er nur seine Meinung über den Lear, nun, das ist zuwenig. Es mag wirklich wenig sein. Nicht jede Meinung ist ja viel wert. Der betreffende unglückliche Schauspieler mag immer noch sich den Lear gar nicht anders haben vorstellen können, und also hat in unserm neueren Sinn, der auf V-Effekte aus ist, die Verschiebung der Perücke nichts geholfen. Wir sehen uns außerstande, den Lear zu begreifen, wenn er nicht auch anders hätte sein können. Was ist uns die Meinung eines Schauspielers, wenn er sie nicht gegen eine andere absetzen kann? Wenn der Lear seine Töchter verflucht, was soll das, wenn er sie nicht auch nicht verfluchen könnte? Wir wollen die Verfluchung nicht nur in ihrer

Begründetheit, sondern auch in ihrer Unbegründetheit sehen.

[Notizen über V-Effekte]

Man kann die Nützlichkeit des V-Effekts, das heißt des Verfahrens, die Vorgänge als fremdartige [zu] beschreiben, auch ganz einfach so begreifen: Es liegt den Schauspielern der Philosophen daran, die Vorgänge unter den Menschen, ihr Verhalten zueinander in unserer Zeit dem Befremden der Zuschauer auszuliefern. Man muß zugeben, daß die Vorgänge einigermaßen befremdlich sind, gibt man es nicht zu, so müssen unsere Schauspieler erst recht dafür sorgen, daß die Vorgänge als befremdlich erkannt werden.

Den Verfremdungseffekt benutzt Joyce im »Ulysses«. Er verfremdet sowohl die Darstellungsart (hauptsächlich durch häufiges und schnelles Wechseln) als auch die Vorgänge.
Der Einbau dokumentarischen Filmmaterials in Theaterstücke bringt ebenfalls den Verfremdungseffekt hervor. Die Vorgänge auf der Bühne werden verfremdet, indem ihnen allgemeinere Vorgänge auf der Leinwand gegenübergestellt werden.
Die Malerei verfremdet, wenn sie (Cézanne) die Hohlform eines Gefäßes überbetont.
Der Dadaismus und der Surrealismus benutzten Verfremdungseffekte extremster Art. Ihre Gegenstände kehren aus der Verfremdung nicht wieder zurück.
Der klassische Verfremdungseffekt erzeugt erhöhtes Verständnis.

Wenn Mommsen in seiner römischen Geschichte (und Feuchtwanger in seinen historischen Romanen) für Prätor »Staatsanwalt«, für Legat »General« setzt, benutzt er den V-Effekt. Der Prätor, aus dem antik-römischen Milieu gehoben, wird uns näher gebracht, der Staatsanwalt, in antik-römisches Milieu versetzt, wird uns verfremdet. Aber hier kommt auch die Kritik zum Zug. Der Prätor war kein Staatsanwalt, wie der Staatsanwalt kein Prätor ist. Das Verfahren der Mommsen, Feuchtwanger ist unvollkommen, solange es nicht gelingt, das Besondere des Prätors und Staatsanwalts unterschiedlich zu machen, also auch hier wieder den Verfremdungseffekt zur Geltung zu bringen.

Die Niederlande, gesehen mit den Augen Goethes (»Egmont«): Hier sind immerhin die Niederlande, dieser Fleck auf dem Globus, dieses Treiben auf Märkten, Verhandlungen in bestimmten (niederländischen) Gemächern, niederländische Trachten, eine Situation der (niederländischen) Geschichte und so weiter. Ein bestimmtes Land zu einem bestimmten Zeitpunkt ist an dem Kunstwerk beteiligt, es »kommt vor«.
Aus den Biographien Goethes erfährt man vielleicht, daß er einige Erlebnisse persönlicher Art, gewisse Emotionen, Erfahrungen, Formen gestalten wollte und in der niederländischen Geschichte eine Fabel fand, Konstellationen menschlicher Geschicke, die ungefähr geeignet waren, die betreffenden subjektiven Regungen zu objektivieren. Sie kamen in der niederländischen Geschichte vor.
Die Niederlande bekamen so eine Parabelfunktion.
Die Gestaltung der Niederlande durch Goethe lag etwa zwischen der Gestaltung Böhmens (am Meer) in der Parabel des Shakespeare und den Hintergrundgestaltungen der späteren nichtaristotelischen Parabeln, etwa der Indiens in »Mann ist Mann«. Dort ist Indien einfach ein fremdes Land.

Der Fluß der Begebenheiten, die Aufeinanderfolge von Repliken, Bewegungen, Reaktionen hat etwas Undeutliches, Unverfolgbares, da man nicht dazwischenkommt mit dem Prüfen, indem immerfort ein Fluß von Stimmungen und gefühlsmäßigen Notierungen jenen Fluß begleitet.

Insofern der Fluß (das Prozeßmäßige) selber eine wichtige Tatsache der Wirklichkeit darstellt, kann er auch dargestellt werden, aber dann muß er selber als Ganzes, eben als Fluß, verfremdet werden, das heißt in dieser seiner Besonderheit als Fluß, als schwer Stellbares, Spurenloses (wenn auch Spuren Hinterlassendes) ausgestellt werden.

Der V-Effekt ist aus den Kunstmitteln des Theaters ausgemerzt worden im Verlauf eines fortschrittlichen Prozesses, nämlich der bürgerlichen Entdämonisierung des Theaters. Man trifft ihn heute nur mehr bei schlechten Komödianten an. Diese geben sich ein seltsames Air und tun, als sei in ihnen eine überirdische Kraft tätig. Die Schauspieler nennen es »eine Kiste aufmachen«, wenn einer von ihnen einen bestimmten Vorgang verfremdet, um die Bewunderung oder wenigstens die Verwunderung der Zuschauer zu erregen. Das billigste Verfremdungsmittel ist das Pathos. Allgemein angewendet wird der V-Effekt in der Komödie, besonders der niedrigen. Kehrt ein Ehemann spät in das eheliche Schlafgemach zurück und belauscht ihn die völlig wache Gattin beim Hereinschleichen, so wird dieses zur Ergötzung des Publikums verfremdet. In Phasen rückläufiger Entwicklung wie in den mystischen Stücken der Maeterlinck und Strindberg taucht der alte V-Effekt wieder auf. Es soll die unerklärliche Seite der Dinge gezeigt werden, ihre Unbeherrschbarkeit. Diese Versuche wandeln dicht am Abgrund der Lächerlichkeit.[1]

Alles, was zu dem Vorgang des Spielens gehört, daß da Leute auftreten vor andern, um ihnen etwas zu zeigen, daß dieses etwas Einstudiertes ist, was nicht wirklich vorgeht, etwas, was wiederholt wird, daß die Empfindungen solche fremder Personen sind, daß Vorgänge gezeigt werden, die zensuriert sind,

[1] In der Malerei sucht der Surrealismus die Gegenstände zu mystifizieren. Er reißt sie aus dem Zusammenhang, der Konvention. In Montage und Zitat stecken V-Effekte.

daß also schon darüber nachgedacht wurde, ja ein Urteil gefällt worden ist, all das soll seine natürliche Stellung erhalten und offen aufliegen, damit eine gewisse Nüchternheit und Irdischkeit vorhanden ist, die zum Denken ermutigt.

Der betonte, im Spiel zum Ausdruck kommende Gegensatz des Schauspielers zur Figur ist die Grundhaltung für die Anwendung des V-Effekts, zugleich selber die allgemeinste, schwächste, unbestimmteste Form der Verfremdung der Figur. Wenn in Grünewalds Altarbild der Evangelist selber ins Bild gestellt ist, wird die Kreuzigung verfremdet.

Vom Standpunkt des Zuschauers aus wäre zu rechnen anstatt mit einem zufällig Anwesenden mit einem, der ein Vorhaben hat, das mit dem Vorgang verknüpft ist oder das er verknüpft damit. So würde ein Revolutionär die Aussagen der Frau, deren Mann in der Revolution stehen soll, mit anderen Ohren anhören als einer, der wie der Pontius ins Credo kommt. Er würde ständig die Gesamtlage vor Augen haben, so daß die Worte der Frau unter viele Aussagen fallen, die gleichzeitig gemacht werden, hier und da, und er würde auch den Gesamtverlauf vor Augen haben, so daß die Worte der Frau einen zeitlichen Ort bekommen, ein Gerade-Jetzt. Dieselbe Frau wird er, während sie spricht, noch anders sprechen hören, sagen wir, in ein paar Wochen, und er wird andere eben jetzt sprechen hören, anders.
Vom Standpunkt des Schauspielers aus wäre dann so zu spielen, als ob die Frau die ganze Epoche zu Ende gelebt hätte und nun, aus der Erinnerung, von ihrem Wissen des Weitergehens her, das äußerte, was ihr für diesen Zeitpunkt [sich] als wichtig hervorhübe (denn wichtig ist nun, was wichtig wurde). Und zugleich, als ob eine andere Frau erzählt von dieser Frau.

Wenn Kinder Erwachsene spielen, so kann man natürlich nicht nur über Kinder etwas in Erfahrung bringen, sondern auch über Erwachsene. Da wo die Kinder sich verstellen, besondere Anstrengung aufwenden, erscheint das Bild der Erwachsenen.

Man soll nicht sagen, es handle sich also vorwiegend um Anschauungen von Dingen, nicht um die Dinge selber, was man mit der ganzen Entrüstung eines Materialisten sagen könnte, der das Ding selber, in seiner sinnlichen Greifbarkeit haben will. Denn tatsächlich gibt es nur diese Anschauungen auf dem Theater, daß sie sinnlich greifbar gemacht werden, ist nur Sache der Darstellung. Der erwachsene Schauspieler ist auch nicht der, den er darstellt, er gibt es nur vor.

Auch bei jenen Frontaufführungen im Krieg, durch Soldaten für Soldaten veranstaltet, hatte man jenen Effekt der Verfremdung, wenn Soldaten irgendwelche Mädchenrollen spielten. Es blieb ein Komisches jedem Zuschauer bewußt, und doch stellten sich, wenn die Darsteller die Unterwäsche zeigten, sogar erotische Effekte ein. Und von den Frauen erfuhr man um das mehr durch die Darsteller, als sie als Männer mehr über die Frauen wußten als die Frauen: Es erschien die Frau als handhabbares Wesen.

Wenn der chinesische Artist in der Pantomime (etwa das Reiten vorführend) seine eigenen Gliedmaßen betrachtet und mit den Blicken verfolgt, so kontrolliert er nicht nur, ob ihre Bewegungen richtig sind, sondern er legt in den Blick ein Erstaunen, als mache er Entdeckungen: Er entdeckt sie in besonderen Haltungen und zeigt offen sein Befremden. So erzielt er die Wirkung eines Besessenen, seine Spielweise ist eine dämonische. Er entfremdet das Reiten, allerdings beileibe nicht, um es begreiflich zu machen.

Ein Besuch, die Behandlung von Feinden, das Treffen von Liebenden, Abmachungen geschäftlicher Art und so weiter können verfremdet werden, indem man sie darstellt, wie man Sitten und Gebräuche darstellen würde. – Die Bitte eines Verfolgten um Aufnahme kann verfremdet werden, indem man sie darstellt wie eine berühmte Szene aus der Geschichte, die allgemein bekannt ist, auch in ihren Einzelheiten; sie kann auch verfremdet werden, indem man sie als eine Sitte darstellt, die an diesen Orten herrscht. So dargestellt, bekommt der einmalige und besondere Vorgang, der im übrigen diesen einmaligen, besonderen Charakter durch Hervorkehrung eigentümlicher Züge durchaus behalten müßte, ein verfremdetes Aussehen, weil das hier vorkommende Verhalten als allgemeines, zur Sitte gewordenes erscheint. Schon die Frage, ob er oder was von ihm zur Sitte werden könnte, verfremdet den Vorgang.

Praktisch gesprochen: Man kann so vorgehen, daß man einen Akt auf Vorkommnisse durchsucht, die den Sittenschilderer oder Historiker interessieren können, und eine Reihe von Titeln in der Sprache dieser Forscher entwerfen, und dann die Szenen zur Erläuterung dieser Titel spielen.

Dem Handelnden nützt eine solche Darstellung von Vorgängen, welche nicht Voraussagen ermöglicht über das, was bestimmt, sondern Aussagen über das, was wahrscheinlich geschehen wird.

Man darf den V-Effekt nicht für etwas Kaltes, Bizarres, etwa Wachsfiguren Anhaftendes halten. Eine Figur verfremden bedeutet nicht, sie aus der Sphäre des Liebenswerten zu rücken. Ein Prozeß wird durch die Verfremdung nicht unsympathisch.

Hervorbringen des V-Effekts

1 Verfremdung der Gestik

Eine einfache Methode für den Schauspieler, den Gestus zu verfremden, besteht darin, ihn von der Mimik zu trennen. Er braucht nur eine Maske aufzusetzen und im Spiegel sein Spiel zu verfolgen. Auf diese Weise wird er leicht zu einer Auswahl von Gesten kommen, die in sich reich sind. Gerade die Tatsache, daß die Gesten ausgewählt sind, bringt den V-Effekt hervor. Etwas von der Haltung, die der Schauspieler vor dem Spiegel einnahm, soll er dann mit in das Spiel übernehmen.

2 Verfremdung der Sprechweise

Mit der Maske probend verfremdet der Schauspieler auch die Sprechweise. Er sieht, daß er auch hier zu einer Sammlung kommen muß, einer Sammlung ausgewählter Tonfälle. Er erleichtert sich so die Übersetzung des Natürlichen ins Künstliche und übersetzt nach dem Sinn.

3 Stil und Natürlichkeit

Die Natürlichkeit der Gesten und Tonfälle darf bei der Auswahl nicht verlorengehen. Es handelt sich nicht um Stilisierung. Bei der Stilisierung »bedeutet« Geste und Tonfall »etwas« (Furcht, Stolz, Mitleid und so weiter). Ein Gestus, der durch solche Stilisierung zustande kommt, löst den Fluß der Reaktionen und Aktionen der Personen in eine Folge starrer Symbole auf, es entsteht eine Art Schrift mit Schriftzeichen ganz abstrakter Art, und die Darstellung menschlichen Verhaltens wird schematisch und unkonkret. Wenn die Weigel in »Die Gewehre der Frau Carrar« das *Brotbacken* zeigt, so ist dies das *Brotbacken* der Frau Carrar am Abend der Erschießung ihres Sohnes, also etwas ganz Bestimmtes, absolut Untransportables. In ihm ist viel vereinigt, das Backen des letzten Brotes, der Protest gegen andere Beschäftigung, wie es das Kämpfen wäre, und zugleich ist das *Brotbacken* die Uhr für den Verlauf des Vorgangs: ihre Verwandlung nimmt die Frist in Anspruch, die für ein *Brotbacken* ausreicht.

[»Maßnahmen«]

– Ein sehr bekannter Schauspieler pflegte vor jeder Rolle, die er spielte, »Maßnahmen« zu treffen, und glaubte hierin Feldherr zu sein, aber er war »nur« Schneider: Seine Maßnahmen bestanden darin, daß er eben Maß nahm, das heißt diejenigen, von denen er glaubte, daß sie beim Publikum Einfluß hätten, auf ihre Größe, Wichtigkeit und so weiter abschätzte, um, wenn nicht dem Einflußreichsten, so doch jedem nach Maßgabe seines Einflusses zu dienen.
– Liegt nicht etwas Lakaienhaftes in solchem Verhalten?
– Das gewisse Schimpfliche darin kommt nur davon, daß sich das ganze in einer gesellschaftlich höheren Sphäre abspielt, gleichsam unter reichen Leuten, denn die Schauspieler sind ja reiche Leute (doch sind die einen reich durch ihr Dienen, die andern reich durch ihr Bedientwerden), und den wenigen dienen als das Los der meisten scheint dann schimpflich, wenn es nicht durch Bedrohung der nackten Existenz selber erzwungen wird.
– Sollten die Schauspieler reich sein?
– Doch. Sie müssen. Wie könnten sie sonst erreichen, daß die Besitzenden sich in sie einfühlen, »mitgehen«, ihre Gestalten als repräsentative, als Menschen schlechthin anerkennen? Sie könnten nicht menschlichen Schmerz darstellen, wenn sie nicht auch Schmerz empfunden hätten, wie der Zuschauer also, wenn sie nicht auch schon Geld verloren, und zwar viel Geld verloren hätten, oder wenn sie nicht auch jene feineren Empfindungen kennengelernt hätten, die nach Stillung der gröberen Bedürfnisse auftreten und den Menschen zum Menschen machen.
– So wollen die Oberen Obere sehen?
– Ja. Der Mensch will, daß von ihm gesprochen wird. Die Oberen wollen die Oberen sehen.
– Und die Unteren?
– Jener Teil der Unteren, der nach oben will, aber so, daß

es auch dann noch ein Unten gibt, will auch die Oberen sehen. Aber es gibt einen Teil, der die Unteren sehen will, nämlich jener Teil, der nicht glaubt, daß er hinaufkommt, wenn er nicht oben und unten abschafft.

Episches Theater, Entfremdung

Gesucht wurde eine Art der Darstellung, durch die das Geläufige auffällig, das Gewohnte erstaunlich wurde. Das allgemein Anzutreffende sollte eigentümlich wirken können, und vieles, was natürlich schien, sollte als künstlich erkannt werden. Wurden die darzustellenden Vorgänge nämlich fremd gemacht, so verloren sie nur eine Vertrautheit, die sie der frischen, naiven Beurteilung entzogen. Nehmen wir an, der Vorgang bestand darin, daß eine kleinbürgerliche Familie ihre Tochter in Stellung schickte. Dieser Vorgang ist dem Publikum unserer Zeit vertraut. Er hat etwas durchaus Natürliches und Alltägliches. Solches geschieht immerzu und überrascht niemanden. Damit der Vorgang als das gesellschaftlich bedeutende und problematische Ereignis erscheint, das er ist, muß er dem Publikum entfremdet werden durch die Darstellung. Dann wird sichtbar, daß hier ein junger Mensch wie eine fertiggestellte Ware auf den Markt geschickt wird, mit einem Eimer Milch und einem Stück Leinwand zusammen. Die Pflege, die er erhielt, erscheint in neuem Licht. Er ist für den Markt hergerichtet worden und gut oder schlecht, das wird man sehen. Gestern noch durfte dieses Mädchen nicht allein über die Straße gehen, heute wird es in ein fremdes Haus geschickt mit einem Zimmer, das keinen Riegel hat. Und es wird von ihm erwartet, daß es Geld nach Hause schickt. Die Darstellungsweise, die dies erzählt, besteht unter anderem darin, daß die Schauspieler sprechen, als trauten sie ihren Ohren nicht. Und wie könnten sie anders die hier üblichen, alltäglichen, tausendmal gesprochenen, fälligen Sätze und Redensarten sprechen, da diese doch so sehr anderen widersprechen, die ebenfalls üblich, alltäglich und tausendmal gesprochen sind. Eine solche Darstellungsweise ist kritisch und Kritik ermöglichend gegenüber den Vorgängen unter den Menschen. Die Kunst besteht darin, daß gleichwohl lebendige Menschen voll dargestellt werden. Dies wäre schwierig durchzuführen in der kritischen Haltung, die von den Schauspielern eingenommen werden soll, wenn die Kritik an Unänderbarem erfolgte. Aber der epische Schauspieler nimmt die Menschen nicht wie der naturalistische oder in alter Weise stilisierende Schauspieler als unänderbare Naturen an. Er sieht sie als durchaus änderbare und die unänderbaren als beseitigbare an. Er weiß von dem gesellschaftlich-geschichtlichen Prozeß, dem sie unterworfen sind.

[Magie und Aberglaube]

Wir besetzen hier (und sind angewiesen auf) Institute, die in der tiefsten Neige ihres Verfalls stehen, zugleich jedoch durch eine trügerische Blüte und weil um sie herum alles so sehr korrupt ist, diesen Zustand verhüllen. Da ist eine Ästhetik voll von Aberglauben, eine Technik, die aus den Zeughäusern der Magie stammt und in die Museen gehört, eine Kunst, die dem Verstand es öffentlich und schamlos verwehrt, über ihre Schwelle zu treten, und all dies, wie es ist, nicht brauchen können, finden wir doch nichts anderes. Um mit diesen Künstlern unsern Zweck zu erreichen, müssen wir sie uns zu Feinden machen. Wie schwer ist es schon, Dummheiten abzulegen, die uns schaden, aber wieviel schwerer ist es, Dummheiten abzulegen, mit denen wir Erfolg haben! Wir sollen die Vernunft ausbreiten, und wir müssen es mit Hilfe von Leuten tun, die ihren Ehrgeiz darein setzen und eigene Techniken mit Mühe und Talent aufgebaut haben, als Wahnsinnige zu erscheinen. Denn sich einzubilden, man sei ein anderer, als man ist, und dies auch anderen suggerieren zu wollen, ist eben Wahnsinn, und gerade dies tun sie, und sie werden um so besser bezahlt, desto besser ihnen der Wahnsinn gelingt. Und wie gesagt, nicht nur mit Geld, sondern auch mit Ehrfurcht. Ein Schauspieler, der vielen als der größte deutsche Schauspieler galt, behandelte, wenn er in einem Stück als ein König auftrat, sogar die Bühnenarbeiter hinter der Szene als Untertanen, und er tat dies auch mit den Kellnern im Gasthof, und wem man dies erzählte, der hielt diesen Menschen dann für noch größer als vorher. Um ihre Befähigung, nicht etwa die Begrenzung derselben, sondern ihre Grenzenlosigkeit nachzuweisen, behaupten sie öffentlich, sie wüßten nicht, was sie tun, wenn sie auf der Bühne stehen. Sie wissen mit affenartigem Geschick Menschen nachzuahmen, aber solange man den Affen nicht nachweisen kann, daß sie sich, sobald sie Menschen nachahmen, für Menschen halten, muß man diese Leute für unter den Affen stehend betrachten. Während diese Leute geachtet werden, verfallen einfache Menschen, die den Darsteller eines Bösewichts auf Grund seines Spiels an der Bühnentüre abfangen und verprügeln, der Verachtung als Primitive! Wenn ein Zuschauer auf die Bühne hinausruft, der Schauspieler solle hinter sich sehen, da stehe sein Mörder, dann wird nicht der Schauspieler, sondern dieser Zuschauer verlacht oder entfernt, weil er nicht mehr weiß, daß er im Theater ist, was doch jener oben auf der Bühne angestrebt hat. Im Interesse der Kunst werden alle Interessen, die berechtigtsten, natürlichsten, zum Schweigen gebracht. Jener Schauspieler gilt als Heros der Sittlichkeit, der es fertigbringt, einem Mann, der sein Todfeind ist, da er alle seine Interessen verletzt, als einen Bruder zu behandeln, denn was bedeutet es anderes als das, wenn man ein Publikum mit widerstreitenden Interessen lebenswichtigster Art im Kunstgenuß eint, indem man auch bei jenen die Sanktion von Darstellungen wichtiger Ereignisse erzwingt, die, diese Darstellungen für richtige empfindend, ihre berechtigten Interessen preisgeben?

Das Ansetzen des Nullpunkts

Viele, darunter sogar Künstler, gönnen dem Nüchternen überhaupt keinen Platz innerhalb der Kunst. Sie ist ihnen etwas Rauschartiges. Es heißt nun nicht, dem Trunkenen keinen Platz mehr innerhalb der Kunst gönnen, wenn man dem Nüchternen einen solchen verschafft. Wie hoch immer sich diese zarten, stürmischen und vagen Gebilde der Kunst erheben mögen, sie brauchen doch einen Boden. Meist verschwimmt nun dieser mehr als ihr Giebel. Und doch sind es die Zeiten des Verfalls, wo diese Inflationen passieren, diese Entwertungen der einfacheren Gefühle, diese Aufblähung, die beileibe kein Wachstum bedeutet, eher eine Schwindung der Substanz. Die Kunst bleibt in hohem Sinne Kunst, wenn sie »unten« beginnt, mit dem Aufsuchen der einfachsten, zweckmäßigsten, nächstliegenden Gebärden, leicht verstehbaren Vorführungen menschlicher Verhaltungsarten, so gewöhnlich und handwerkmäßig veranstaltet, daß Zwischenrufe nichts verderben, Scherze niemanden verwunden können. Die Steigerungen sind ja erst solide, wenn das, was da gesteigert wird, etwas Greifbares ist. Unsere Schauspieler beginnen beinahe alle »zu hoch«, in zu großer Spannung, versuchend von allem Anfang an, das Letzte zu geben. Dazu zwingt sie nur ihre Angst, daß ihnen im Zeitalter des Kommerzes sonst die Rolle abgenommen wird. Sie verderben sich dadurch jenes hochkünstlerische Stadium des Suchens, der vorsichtigen Vermehrung der Möglichkeiten, des Sicherns des Minimums.

Non verbis, sed gestibus!

Den *Abstand* gibt es auch zum Wort. Der Stückeschreiber hat die Möglichkeit, durch die gehobene Sprache einen Abstand zum gewöhnlichen Wort zu schaffen. Der Vers macht die Wörter unbekannt. Der Schauspieler darf Verse also niemals wie gewöhnliche Prosa sprechen, die Form verwischen, den Abstand überbrücken. Aber auch bei der Prosa kann er durch seine Sprechweise den Abstand hervorbringen. Dies nennt man das Zitieren. (Zitiert wird etwas, was nicht von einem selber stammt und im Augenblick hervorgebracht wurde.) Der Schauspieler zitiert die Person, die er darstellt. Auch wenn der Schauspieler den Spaß zeigt, den ihm das Aussprechen der Worte macht, oder sie in eine besonders bequeme, nach einem eigenen Rhythmus geordnete Form bringt, entsteht der Abstand. (Nicht immer darf der Abstand zum Wort gelegt werden.)

[Bloße Wiedergabe]

Entsprechend den Vorschriften des *epischen Theaters* soll der Schauspieler nicht so spielen, daß die jeweilige Untat unmittelbar den Wunsch des Zuschauers hervorruft, sie aufzuhalten. Sein Spiel muß die bloße Wiedergabe der Untat bleiben, erkennbar als bloße Wiedergabe, mit festgelegtem Text und Fortgang, das Spiel des Zeugen und Experten, der nichts unterschlägt, was zur Beurteilung der Untat zu erfahren nötig ist. Die Abwehr der Untaten erfolgt an anderer Stelle zu anderem Zeitpunkt. Das hier Gesehene mag unter die Erfahrungen des Zuschauers eingehen, er mag diese Erfahrungen im Theater mit den gleichen Gemütsbewegungen machen wie außerhalb des Theaters, aber zugleich bekommt er hier Material vorgelegt, vielfältiges und widersprechendes Material, das ganz durchzugehen er die Geduld aufbringen muß. So wird sein nachmaliges Handeln auf Grund durchfühlter und durchdachter Erfahrung beruhen und also wirksam sein. Es ist also nicht die Aufgabe, eine allzu heftige Reaktion des Zuschauers hervorzurufen, allzu schnell zu wirken; vielmehr hat er eine langdauernde, vielfältige, erfahrungsgesättigte Reaktion zu schaffen, welche die tiefliegenden sozialen Ursachen der Untaten miterfaßt.

Ist die kritische Haltung eine unkünstlerische Haltung?

I

Es ist klar, daß jede Technik, welche die restlose Einfühlung beabsichtigt, die kritischen Fähigkeiten des Zuschauers lahmlegen können muß. Die Kritik erhebt sich dann nur, wenn die Einfühlung nicht zustande kommt oder aussetzt. Und sie hat als Objekt lediglich diese Störung. Es ist kein Wunder, wenn unter diesen Umständen die berufsmäßige Zeitungsreportage über theatralische Darbietungen, die sich immer noch Kritik heißt, mehr und mehr zu einer Sammlung von kulinarischen Naturlauten herabgesunken ist, einem in irgendwelche Worte gebrachten Schmatzen oder Aufstoßen. Aber uns handelt es sich nicht um die Stellungnahme der berufsmäßigen Vorschmecker, wenn wir von Kritik sprechen. Wir sprechen von der Stellungnahme des Zuschauers, uns ist es um seine Emanzipation zu tun, und zwar um seine Emanzipation vom »totalen« Kunsterlebnis. Damit soll nicht ein Ersatz für das Kunsterlebnis schlechthin angeboten werden: Nur die widerspruchsarme, widerspruchsentleerte Totalität dieses Erlebnisses soll angegriffen werden. Die Schauspielkunst braucht der Einfühlung nicht völlig zu entraten, jedoch muß sie – und das kann sie, ohne ihren Kunstcharakter zu verlieren – die kritische Haltung des Zuschauers noch ermöglichen. Diese kritische Haltung ist nichts Kunstfeindliches, wie oft geglaubt wird, sie ist sowohl genußvoll als emotional, sie ist selber ein Erlebnis, und sie ist vor allem eine produktive Haltung. Es ist einer der Hauptsätze der Theorie des epischen Theaters, *daß die kritische Haltung eine künstlerische Haltung sein kann.* Die Kritik des Zuschauers ist eine doppelte. Sie betrifft die Darstellung des Schauspielers (hat er recht mit seiner Darstellung?) und die Welt, die er darstellt (soll sie so bleiben?). Und es gilt eine Technik der Darstellung zu schaffen, die, im

Gegensatz zu jeder Technik, welche die restlose Einfühlung beabsichtigt, eine solche kritische Haltung des Zuschauers gewährleistet.

2

Zweifellos verwandelt der V-Effekt die zustimmende, einfühlende Haltung des Zuschauers in eine kritische Haltung. In einer kritischen Haltung sieht man, alter Gewohnheit folgend, eine vorwiegend negative Haltung. Für viele macht die kritische Haltung gerade den Unterschied der wissenschaftlichen zur künstlerischen Haltung aus. Man kann sich das Widersprechen und das Distanzieren nicht in den Kunstgenuß hineindenken. Natürlich hat man auch im üblichen Kunstgenuß eine höhere Stufe, die kritisch genießt, aber die Kritik betrifft hier nur das Artistische; demgegenüber ist es etwas ganz anderes, wenn nicht die künstlerische Darstellung der Welt, sondern die Welt selber kritisch, widersprechend, distanzierend betrachtet werden soll.

Um diese kritische Haltung in die Kunst einzuführen, muß man das zweifellos vorhandene negative Moment in seiner Positivität zeigen: Diese Kritik an der Welt ist eine aktive, handelnde, positive Kritik. Den Lauf eines Flusses kritisieren, heißt da, ihn verbessern, ihn korrigieren. Die Kritik der Gesellschaft ist die Revolution. Das ist zu Ende gebrachte, exekutive Kritik. Eine kritische Haltung dieser Art ist ein Moment der Produktivität, als solches tief genußvoll, und wenn wir Operationen, welche das Leben der Menschen verbessern, im schlichten Sprachgebrauch Künste nennen, warum soll da die Kunst ihrerseits sich von solchen Künsten distanzieren?

Wir haben, um unsere Untersuchung beginnen zu können, darauf verzichtet, von Kunst zu sprechen, was unsere neuen Bemühungen betrifft, um nicht von all den alten Vorstellungen, die sich an »die« Kunst knüpfen, behindert zu sein, Vorstellungen außer Kurs zu setzen versucht, die nur durch die historische, zeitweise, momentane Ausübung von Kunst den Begriff der Kunst so sehr fixiert haben. Nunmehr führen wir die Kunst wieder ein, da wir zur Ausübung dessen, was wir ausüben wollen, Kunst benötigen. Wir können unsere Darstellungen des menschlichen Zusammenlebens nicht ohne Kunst zustande bringen. Wir benötigen diese freien, schöpferischen, phantasievollen Fähigkeiten, dieses Verdichten, Leichtmachen, den Kern Treffen.

Über das Stanislawski-System

[Fortschrittlichkeit des Stanislawski-Systems]

Bei allen Untersuchungen, die über das Theater angestellt werden, gilt seit langem als ganz selbstverständlich und natürlich, als überhaupt kein Gegenstand der Untersuchung, daß der Zuschauer sich durch Einfühlung in Besitz der theatralischen Darbietung zu setzen habe. Eine theatralische Darbietung gilt einfach für mißlungen, weil gar nicht aufnehmbar durch den Zuschauer, wenn er nicht instand gesetzt wird, sich einzufühlen, und zwar sowohl in eine oder mehrere Figuren des Stückes als auch in das Milieu, in dem diese Figur oder diese Figuren sich bewegen. Was es immer an Lehren über die Technik des Schauspielers oder des Bühnenbauers gibt, zuletzt noch ein ganz ausgebautes System der theatralischen Darbietung des russischen Regisseurs und Schauspielers Stanislawski, besteht ziemlich ausschließlich aus Vorschlägen, wie die Einfühlung des Zuschauers, seine Identifikation mit Figuren des Stückes, erzwungen werden kann. Das System Stanislawskis ist ein Fortschritt schon deswegen, weil es ein System ist. Die von ihm vorgeschlagene Spielweise erzwingt die Einfühlung des Zuschauers systematisch, das heißt, sie bleibt nicht ein Ergebnis des Zufalles, der Laune oder des Ingeniums. Das Ensemblespiel erfährt eine hohe Qualifizierung, da auch die kleineren Rollen und die schwächeren Schauspieler auf Grund solcher Spielweise zu der Herstellung einer totalen Einfühlung des Zuschauers beitragen können. Der Fortschritt wird recht eigentlich sichtbar, wenn die Einfühlung in solche Stückfiguren erfolgt, welche bisher auf dem Theater »keine Rolle spielten«, proletarische Figuren. Es ist kein Zufall, daß zum Beispiel in Amerika gerade die linken Theater sich mit dem System Stanislawskis auseinanderzusetzen beginnen. Diese Spielweise

scheint ihnen eine bisher unerreichbare Einfühlung in den proletarischen Menschen zu gewährleisten.
Bei dieser Lage der Dinge ist es einigermaßen schwierig, mit der Mitteilung hervorzutreten, daß die neuere Dramatik sich nach einer Reihe von Erörterungen und Experimenten mehr und mehr gezwungen sieht, auf die Herstellung der Einfühlung mehr oder weniger radikal zu verzichten.

[Kultischer Charakter des Systems]

Stanislawskis und seiner Schüler System studierend, konnte man sehen, daß Schwierigkeiten nicht geringer Art bei der Herbeizwingung der Einfühlung aufgetreten waren: Der betreffende psychische Akt war schwerer und schwerer herbeizuführen. Eine ingeniöse Pädagogik mußte erfunden werden, damit der Schauspieler nicht »aus der Rolle fiel« und der suggestive Kontakt zwischen ihm und dem Zuschauer nicht Störungen ausgesetzt wurde. Stanislawski behandelte diese Störungserscheinungen ganz naiv nur als rein negative, vorübergehende Schwächezustände, die unbedingt behoben werden mußten und behoben werden konnten. Die Kunst wurde ganz deutlich immer mehr zur Kunst, die Einfühlung herbeizuzwingen. Der Gedanke, die Störungen könnten von nicht mehr abstellbaren Veränderungen im Bewußtsein des modernen Menschen herrühren, tauchte nicht auf und war um so weniger zu erwarten, je mehr die Bemühungen zunahmen und zu aussichtsreich erschienen, welche die Herbeiführung der Einfühlung garantieren sollten. Das andere Verhalten angesichts solcher Unstimmigkeiten wäre gewesen, die Frage aufzuwerfen, ob überhaupt die Herbeiführung der totalen Einfühlung noch wünschbar war.
Die Theorie des epischen Theaters stellte diese Frage. Es nahm die Störungen ernst, führte sie auf gesellschaftliche Veränderungen historischer Art zurück und bemühte sich, eine Spielweise

zu finden, welche auf die totale Einfühlung verzichten konnte. Der Kontakt zwischen Schauspieler und Zuschauer mußte auf eine andere Art zustande gebracht werden als auf die suggestive. Der Zuschauer mußte aus der Hypnose entlassen, der Schauspieler der Aufgabe entbürdet werden, sich total in die darzustellende Figur zu verwandeln. In seine Spielweise mußte, auf irgendeine Art, eine gewisse Distanz zu der darzustellenden Figur eingebaut werden. Er mußte Kritik üben können. Neben dem Handeln seiner Figur mußte sichtbar gemacht werden können ein anderes Handeln, so daß Auswahl und eben Kritik möglich war.

Der Prozeß mußte schmerzhaft sein. Ein riesiger Aufbau von Vorstellungen und Vorurteilen brach zusammen und lag zumindest noch als Schutt der Entwicklung im Weg. Eine nüchterne Betrachtung des Vokabulars des Stanislawskischen Systems förderte seinen mystischen, kultischen Charakter zutage. Die menschliche Seele kam hier nicht viel anders als in jedem beliebigen religiösen System vor, da gab es »Priestertum« der Kunst. Da gab es eine »Gemeinde«. Da wurden die Zuschauer »in Bann gezogen«. »Das Wort« hatte etwas mystisch Absolutes an sich. Der Schauspieler war »ein Diener der Kunst«, die Wahrheit war ein Fetisch und dabei etwas ganz Allgemeines, Nebuloses, Unpraktisches. Da gab es »impulsive« Gesten, die einer »Rechtfertigung« bedurften. Die Fehler, die gemacht wurden, waren eigentlich Sünden, und die Zuschauer hatten ein »Erlebnis« wie die Jünger Jesu an Pfingsten.

Der Ernst und die Ehrlichkeit dieser Schule war nicht zu bezweifeln. Sie stellt einen Höhepunkt des bürgerlichen Theaters dar. Aber gerade durch ihren Ernst trieb sie alle Fehler auf die Spitze. Dieses Theater stand durchaus im Gegensatz zu den herrschenden Klassen seiner Zeit, es vertrat die Ideale der jungen bürgerlichen Intellektuellen, freilich war die rechtlich politische Form dieser Ideale die bürgerliche Demokratie und war dies zu einem sehr späten Zeitpunkt.

Die neuen Bestrebungen, zu anderen Spielweisen zu kommen,

setzten kräftig, aber natürlich primitiv ein, und gerade sie verlangten ein besonderes Maß von Kunstfertigkeit und Wissen. Sie konnten zunächst nur auf die ihnen zugrunde liegenden mächtigen allgemeinen Interessen vertrauen. Besonders lehrreich waren gewisse, in Deutschland veranstaltete Aufführungen im epischen Stil, bei denen hochspezialisierte Artisten neben Laienschauspielern arbeiteten, allerdings Laienschauspielern, die besondere, außertheatralische Interessen hatten, nämlich politisch interessierten Arbeitern. Während die Artisten mit Hilfe ihrer epischen Technik die restlose Einfühlung des Zuschauers verhinderten, taten die Arbeiter dies nicht nur, indem sie technisch nicht befähigt waren, die Einfühlung herbeizuführen, sondern noch viel mehr dadurch, daß ihr Interesse an den darzustellenden Vorgängen so sichtbar war und der Zuschauer so deutlich spürte, daß er beeinflußt werden sollte. Dies ergab eine merkwürdige Stileinheit im Zusammenspiel so heterogener Elemente, die sonst niemals hätte erzielt werden können.

Das verräterische Vokabular

Die Gestaltung soll »schöpferisch« sein. Der Schöpfer, das ist Gott.
Die Kunst ist »heilig«. Der Schauspieler soll »dienen«. Wem? Der Kunst.
Der Schauspieler »verwandelt sich«, wie bei der Messe das Brot in seinen Leib.
Was auf der Bühne geschieht, muß »rechtfertigt« werden, wie beim Jüngsten Gericht, was auf der Erde geschah.
Die Konzentration, das ist die »Selbstversenkung« des Mystikers.
Die vorgestellte vierte Wand läßt den Schauspieler »allein« sein, mit seinem Gott, der Kunst.
Es handelt sich um »die Wahrheit«, sie entsteht durch richtiges Fühlen, das kann man aber hervorbringen durch Exerzitien.

Das Publikum muß »gebannt« auf die Bühne starren.
»Die Seele«.

Das ist die Zeit, wo der Mensch behandelt wird wie ein Motor, wo das Kollektiv montiert wird, die Wahrheit gehandelt und destruiert. Der Schauspieler, dem die Selbstversenkung mißlingt, wird entlassen, der, dem sie gelingt, konkurriert seinen Kollegen nieder. Nur wer seine Illusionen los ist, hat eine Chance, sein Leben zu lenken, nur wer die Ausbeuter zwingt, zu enthüllen, daß sie sich nicht rechtfertigen können. Der arbeitende Mensch ist schöpferisch, keiner sonst, und er soll sich nicht im Geist, sondern in Wirklichkeit in einen Herrn seiner selbst verwandeln, indem er die Herren niederschlägt Er soll auch nicht allein bleiben mit seinem Gott, sondern sich vereinigen mit seinen Leidensgenossen, und er soll jeden Bann brechen, den man über ihn verhängen will. In sich soll er sich nicht versenken, sondern in seinen Feind. Seine Seele braucht er nicht zu retten, wenn er nur sich rettet. Einfühlen soll er sich nicht in jeden Menschenbruder können, keineswegs. Denn der Satz: »Handle so, daß dein Handeln die Maxime für das Handeln jedes sein kann« muß erweitert werden in den Satz: »Schaff einen Zustand, wo dein Handeln die Maxime für das Handeln jedermanns sein kann«, und das ist etwas anderes.

Zu: Rapaport »The Work of the Actor«

Wie sollen die Zuschauer instand gesetzt werden, das Leben zu meistern, wenn alles geschieht, sie selber zu meistern? Der in Trance Versetzte mag glauben, daß sein Wille gesteigert sei; sein Impuls, den Apfel zu essen, der ihm vorgesetzt wird (und der ein Papierballen ist), ist sehr mächtig, vielleicht ist es auch seine geschmackliche Befriedigung; aber er ist natürlich nicht gesättigt, es ist ihm nicht gelungen, seinen Magen zu bedienen, seine Kritik war ausgeschaltet, er konnte sein Interesse nicht erkennen.

So wie die Ratte aus der Mütze entstand, sollen auch durch bestimmte »stage attitudes« die andern Charaktere und die »events« entstehen. »Along with himself« muß der Schauspieler das Publikum überzeugen (convince). Nun ist es ganz klar für die noch nicht durch »stage attitudes« Überzeugten, daß die »events« vom Stückeschreiber zusammengestellt und von den Schauspielern auf ihre Art vorgestellt werden, *vielleicht falsch*. Selbstverständlich kann man, ist man nur ein geschickter Stückeschreiber oder ein »überzeugender« Schauspieler, auch falsche Darstellungen an den Mann bringen. Aber auch angenommen, man brächte eine richtige, lebensnahe Darstellung, dann wäre der Zuschauer doch immer noch völlig eingekapselt in den jeweiligen Charakter, in den er sich »along with the actor« verwandelt hat, und erlebte so, zwangsläufig, ganz bestimmte »events«, geht durch ganz festgelegte Stimmungen und Impulse, sieht alles von unten aus, nicht mit seinen Augen, sondern mit denen des Charakters, der er ist, so wie die Mütze die Ratte ist.

[Stanislawski – Wachtangow – Meyerhold]

Das bürgerliche Theater ist bis an seine Grenze gegangen.
Fortschrittlichkeit der Stanislawski-Methode:
1. Daß es eine Methode ist.
2. Intimere Kenntnis des Menschen, das Private.
3. Die widersprüchliche Psyche darstellbar (moralische Kategorien »gut« und »böse« aufgegeben).
4. Einflüsse des Milieus berücksichtigt.
5. Toleranz.
6. Natürlichkeit der Darstellung.
[Fortschrittlichkeit] der Wachtangow-Methode:
1. Theater ist Theater.
2. Das »Wie« statt des »Was«.
3. Mehr Komposition.
4. Mehr Erfindung und Phantasie.

[Fortschrittlichkeit] der Meyerhold-Methode:
1. Bekämpfung des Privaten.
2. Betonung des Artistischen.
3. Die Bewegung in ihrer Mechanik.
4. Das Milieu abstrakt.

Der Anknüpfungspunkt Wachtangow, der die beiden anderen als Gegensätze in sich hat, aber auch der spielerischste ist. Gegen ihn ist Meyerhold angestrengt, Stanislawski lässig, der eine eine Imitation, der andere eine Abstraktion des Lebens. Aber wenn bei Wachtangow der Schauspieler sagt: »Ich lache nicht, ich zeige das Lachen«, so lernt man doch eben nichts, wenn er es zeigt. Wachtangow ist, dialektisch gesehen, eigentlich eher der Stanislawski-Meyerhold-Komplex *vor* der Sprengung als eine Synthese nach der Sprengung.

Über die Bezeichnung »restlose Verwandlung«

Diese Bezeichnung benötigt eine Erklärung. Die Bemühung des Schauspielers, sich bis zur Austilgung seiner eigenen Person in die Stückfigur zu verwandeln, theoretisch und mit Exerzitien unterbaut zuletzt von Stanislawski, dient dazu, die Identifizierung des Zuschauers mit dieser Figur oder die Identifizierung mit der Gegenfigur möglichst restlos herbeizuführen. Selbstverständlich weiß auch Stanislawski, daß von zivilisiertem Theater erst gesprochen werden kann, wenn die Identifizierung nicht restlos ist: Der Zuschauer bleibt sich immer bewußt, daß er im Theater ist. Die Illusion, die er genießt, ist ihm als solche bewußt.[1] Die Ideologie der Tragödie lebt

---

[1] Wenn Stanislawski es nicht weiß, dann weiß es sein Schüler Wachtangow, der gegen Stanislawskis Satz: »Der Zuschauer muß vergessen gemacht werden, daß er im Theater sitzt« den Satz aufstellt: »Der Zuschauer wird im Theater sitzen und nicht eine Minute vergessen, daß er im Theater sitzt.« Solche Meinungsgegensätze können in ein und derselben Kunstrichtung sein.

von diesem gewollten Widerspruch. (Der Zuschauer soll Höhen und Tiefen durchlaufen ohne reales Risiko, teilnehmen an Gedanken, Stimmungen, Taten hochgestellter Personen wenigstens im Theater, seine Triebe ausleben im Theater und so weiter.) Auch eine Spielweise, welche die Identifizierung des Zuschauers mit dem Schauspieler nicht anstrebt (und welche wir eine »epische« nennen), ist ihrerseits nicht interessiert an der *völligen* Ausschließung der Identifizierung. Es handelt sich nicht um »reine« Kategorien, wie die Metaphysik sie kennt, wenn die beiden Spielweisen unterschieden werden sollen. Da es jedoch darauf ankommt, die Unterschiede herauszuarbeiten, ist im folgenden bei der üblichen Spielweise die immer bleibende Reservatio des Zuschauers der Verwandlung gegenüber und bei der epischen Spielweise das bleibende Moment der Verwandlung vernachlässigt. Die Bezeichnung »restlos« gilt der *Tendenz* der kritisierten üblichen Spielweise.

Die nicht restlose Verwandlung – ein scheinbarer Rückschritt

Hier, in dem nicht restlosen Vollzug der Verwandlung in die Figur des Stückes, haben wir in gewisser Weise einen Rückschritt. Die Fähigkeit der restlosen Verwandlung gilt gerade als das Kennzeichen der Begabung des Schauspielers; mißglückt sie, dann ist alles mißglückt. Sie mißglückt den Kindern, wenn sie Theater spielen, und den Laien. Etwas Unechtes haftet sogleich dem Spiel an. Der Unterschied zwischen Theater und Wirklichkeit tritt schmerzhaft scharf hervor. Der Schauspieler gibt sich nicht ganz, er behält etwas zurück. Selbst der Schauspieler, der mit voller Absicht die Verwandlung nicht restlos vollzieht, erweckt den Verdacht, es gelinge ihm nur nicht, sie zu vollziehen. Der Zuschauer, der selber »im Leben« mitunter zu schauspielern gezwungen ist, erinnert sich seiner mißglückten Versuche, Beileid oder Zorn zu spielen, ohne sie zu empfinden. Das Zuviel hindert die restlose Verwandlung natürlich ebensosehr wie das Zuwenig: Die offenkundig zutage tretende Absicht, zu wirken, stört. Zumindest drei Momente vernichten die erstrebte Illusion, wenn die restlose Verwandlung nicht gelingt oder nicht angestrebt wird: Es wird augenfällig, daß der Vorgang nicht eben jetzt sich erstmalig ereignet (er wird nur wiederholt); der hier Agierende ist nicht der, dem, was hier passiert, selber passiert (er ist nur der Referent); die Wirkungen treten nicht auf natürliche Weise ein (sie werden künstlich erzeugt). Es ist für uns, damit wir weiterschreiten können, unbedingt nötig, die restlose Verwandlung als einen positiven, kunstvollen Akt zu erkennen, eine schwierige Sache, ein Vorgehen, durch das die Identifikation des Zuschauers mit der Figur des Stückes ermöglicht wird. Historisch gesehen wurde hier eine neue Annäherung an den Menschen erreicht, eine intimere Kenntnis seiner Natur drückte sich hier aus. Wird dieser Status verlassen, so ist dieses Verlassen keineswegs ein völliges, es wird keineswegs eine Epoche als abwegig einfach durchgestrichen, ihr Arsenal an Kunstmitteln völlig aufgegeben.

Es ist vielleicht ungerechtfertigt, unserm Theater einfach eine religiöse Funktion zu unterschieben. Jedoch beruht es auf derselben gesellschaftlichen Basis, welche auch die Religiosität unterhält. Nun weiß man, daß die primitiven Religionen wichtige Elemente der Meisterung des Lebens enthielten, in ihrer Magie ganze Techniken entwickelten. In den großen Kunstepochen findet man in den Kunstwerken ebenfalls die Tendenzen zur Meisterung des Lebens. Jedoch ist diese Meisterung natürlich immer bestimmten Klassen vorbehalten, auch eingeschränkt durch im Vergleich mit der den unsrigen ganz entscheidend unentwickelte Produktivkräfte. Die soziale Funktion der Religionen wird mehr und mehr die Passivierung der Gläubigen. Dem entspricht, was aus der sozialen Funktion des Theaters wird.

Über den Beruf des Schauspielers
Etwa 1935 bis 1941

Ich spreche zunächst von deiner Profession, dem Schauspielbetrieb, das Gewerbe, in das du gegangen bist, gleichviel aus welchen Gründen, hoffentlich den besten. Gleichgültig nämlich, was du dort anstellen wolltest, du mußt wissen, was dort mit dir angestellt werden wird.
Die Theater verkaufen Unterhaltung, einige in Form von Bildung. Du wirst entlohnt (– und beschäftigt), je nachdem, was du dem Besitzer einbringst an Geld oder an Ansehen, das er in Geld umsetzen kann. In den staatlichen Theatern werden Dienste entlohnt, welche den herrschenden Ideen, das heißt den Ideen der Herrschenden geleistet werden – aus den Steuergeldern der Beherrschten. Es ist gut für dich, zu wissen, daß du eine Angestellte bist wie andere Angestellte, etwa wie jemand, der angestellt ist, Getränke zu servieren, aber natürlich ist das nicht alles. Die Geknechteten, die es wissen, können etwas gegen ihre Knechtschaft tun.

(Die Profession)

[Schauspielkunst]

1

Die Schauspielkunst wird für gewöhnlich nicht in Büchern gelehrt, noch wird es die Zuschaukunst, die sogar nicht einmal als eine Kunst bekannt ist. Spricht man von der letzteren, so bekommt man die Antwort: »Was für schlechte Schauspieler müßt ihr haben, wenn es eine Kunst bei euch ist, von ihnen ergriffen zu werden!« Man meint, je mehr an Schauspielkunst vorhanden ist, desto weniger an Zuschaukunst braucht es. Und wenn es schon unwahrscheinlich ist, daß einer in einem Buch lernen könnte, wie man Menschen ergreift, so scheint es noch weit unmöglicher, in einem Buch zu lernen, wie man ergriffen wird. Das vorliegende Büchlein nun ist für Schauspieler und Zuschauer geschrieben.

2

Wenn man unsere Schauspielschulen besucht, sieht man, daß nur wenig für nötig befunden wird, um aus einem einen Schauspieler zu machen. Sie lehren etwas deutliches Sprechen, ein wenig Gymnastik, ein paar Ausdrücke für bestimmte Gefühlsbewegungen, Schminken und Memorieren. Es werden alte Stücke einstudiert, wobei von allem Anfang an darauf Wert gelegt wird, daß der Schüler möglichst viel Leidenschaft in sein Spiel gibt und möglichst wenig »draus kommt«. Es wird angenommen, daß die Talente alles, was Stücke benötigen können, in sich tragen, angeboren: die Leidenschaft (und Art), wie Romeo liebt, und die Leidenschaft (und Art), wie Lear geliebt zu werden wünscht, Hedda Gablers Stolz und Frau Macbeth' Ehrgeiz. Es wird von ihnen erwartet, daß sie die Zuschauer damit sozusagen anstecken können, und es wird erwartet, daß die Zuschauer damit zufrieden sein werden,

3

So alt die Schauspielkunst ist, gibt es doch außer einigen guten Beschreibungen davon, wie große Schauspieler bestimmte Rollen oder Szenen gespielt haben, fast nur noch das nicht sehr alte Buch des russischen Regisseurs Stanislawski, das über Schauspielkunst handelt. Es gibt einige Exerzitien und Ratschläge, wie der Schauspieler einen wahrhaft anmutenden Ton finden und bei den vielen Wiederholungen eines Stückes sich erhalten kann. Dieses Buch zeigt Ernst und weist der Schauspielkunst einen hohen Rang und eine große Verantwortlichkeit zu, jedoch enthält es bei genauem Studium wenig über die Frage, was alles der Schauspieler, der die Verantwortung spürt, zu lernen und zu tun hat, um seine Aufgabe, die Darstellung des gesellschaftlichen Zusammenlebens der Menschen, zu bewältigen.

4

Die Ansicht, daß es überhaupt etwas gäbe, was der Schauspieler da erst zu lernen hätte, widerspricht der Ansicht, daß er alles aus sich holen kann, und da diese letztere Ansicht die allgemeine ist, muß sie erst widerlegt werden. Sie hat viel für sich. Daß in jedem von uns alles angelegt ist, was einige von uns besonders ausgebildet in sich haben, scheint sehr wahrscheinlich. Es scheint wenig gewagt, darauf eine Schauspielkunst zu begründen. Jedem ist jede Gemütsbewegung möglich, also kann jeder »mitgehen«, wie die Schauspieler sagen, wenn besondere Gemütsbewegungen produziert werden. Tatsächlich könnte man mit diesem Satz auskommen, wenn man sich begnügen wollte, bloß Gemütsbewegungen zu produzieren. Aber man wird zugeben, daß der Schauspieler mehr tun muß. Er hat das gesellschaftliche Zusammenleben der Menschen zu zeigen.

5

Aber zeigt er dies nicht nur, um eben diese Gemütsbewegungen zu produzieren? Gehen wir nicht eben darum ins Theater, um solche Gemütsbewegungen in uns hervorbringen zu lassen? Wollen wir nicht alle diese Gefühle des Triumphs, der Furcht, des Mitleids, des Ehrgeizes und so weiter im Theater durchleben und nichts sonst? Die Antwort ist: Selbst wenn ihr nur dafür ins Theater geht, so bleibt doch die Tatsache bestehen, daß der Schauspieler, um diese Gefühle in euch zu erzeugen, das gesellschaftliche Zusammenleben der Menschen zeigen muß.

6

Um Triumph vorzuspielen und mit diesem Gefühl die Zuschauer anzustecken, muß der Schauspieler eine Handlung aufmachen. Diese Handlung mag ihm nur ein Gestell sein, an das er seine Gefühle hängen kann, ein Sprungbrett in die Leidenschaften sozusagen. Nichtsdestoweniger ist diese Handlung dann vorhanden. Es wird das gesellschaftliche Zusammenleben der Menschen gezeigt. Um nun dieses zu zeigen, ist aber mehr nötig, als in einem Schauspieltalent steckt, mehr als einem angeboren sein kann. Hier taucht Lernbares auf.

Fragmentarisch

Rollenstudium

1

Die Welt des Dichters ist nicht die einzige Welt. Es gibt mehrere Dichter. Der Schauspieler soll die Welt nicht mit der des Dichters ganz und gar identifizieren. Er mache einen Unterschied zwischen seiner Welt und der des Dichters, und er zeige den Unterschied. Dies betrifft das Verhalten des Schauspielers zum Getriebe des Stückes. Das Getriebe des Stückes ist die Art, wie die Vorgänge sich ablösen, was die Ursache einer Wirkung, die Wirkung einer Ursache sein soll und so weiter. Diese Art des Ablaufs und der Betonung verraten die Anschauungen des Dichters über die Welt, und diesen Anschauungen soll der Schauspieler widersprechen.

2

Wie findet der Schauspieler die Anschauungen des Dichters, die dem Getriebe des Stückes zugrunde liegen und denen er widersprechen soll? Er findet sie durch die Auffindung des erheblichen Widerspruchs. Von den Anschauungen des Dichters betrachtet der Schauspieler nicht alle als erheblich, sondern nur diejenigen, welche das Interesse des Dichters in der wirklichen Welt verraten. Diese Interessen muß der Schauspieler aus dem Getriebe des Stückes ablesen und ausfindig machen, welchen Interessen größerer Gruppen sie ähnlich sind oder dienen (denn nur diese sollen als erheblich gelten) und welchen diese wiederum widersprechen. Die letzteren Interessen, welche wie die ersteren (des Dichters) ebenfalls von Anschauungen bedient werden, die erheblich sind, muß der Schauspieler, um richtig zu spielen, förmlich zu seinen eigenen machen.

3

Dadurch, daß er sich in solchen erheblichen Widerspruch zu der Welt des Dichters setzt, gewinnt der Schauspieler die Möglichkeit, die Abgrenzung, Art und Widersprechbarkeit der Welt des Dichters zu zeigen. Er zeigt sie, indem er sie den Interessen der Beseher ausliefert. Seine gestische Einstellung zur Welt des Dichters ist die des Staunens, und diese gestische Einstellung ist es auch, die er auf die Zuschauer übertragen muß.

4

Es ist dem Schauspieler erlaubt, die Haltung des Staunens einzunehmen gegenüber dem Getriebe des Stückes, aber auch gegenüber seiner Figur (die er zu spielen hat), ja sogar den Wörtern, die er zu sprechen bekommen hat. Staunend zeigt er das Anvertraute. Gleichsam selber widersprechend spricht er.

5

Um Figuren darzustellen, muß der Schauspieler ihnen gegenüber Interessen haben, und zwar erhebliche Interessen, also solche, die an der Veränderung der Figuren in ihm bestehen. Er muß seine Figuren gleichsam erziehen. So enthalten die Figuren zweierlei Ichs, die einander widersprechen, das eine davon ist das des Schauspielers. Als Schauspieler nimmt er teil an der Erziehung (planmäßigen Veränderung) seiner Figuren durch die Zuschauer. Er ist es, der diese letztere anregen muß. Er ist selber ein Zuschauer, und der Entwurf eines solchen Zuschauers ist die zweite Figur, die der Schauspieler zu entwerfen hat. Zuerst aber: Wie entwirft er die erste?

6

Seine Figur entsteht durch das Eingehen von Beziehungen zu andern Figuren. In der alten Schauspielkunst erfand der Schauspieler, um die vom Stück vorgeschriebenen Beziehungen zu den andern Figuren eingehen zu können, zuerst die Figur. Aus der Figur leitete er Gesten und die besondere Art, die Sätze zu sprechen, ab. Die Figur gewann er aus einer Zusammenschau im großen Ganzen. Die epische Schauspielkunst geht anders vor. Der epische Schauspieler kümmert sich nicht um die Figur. Er tritt leer an. Er führt in der bequemsten Haltung alle Handlungen aus und spricht die Sätze einen nach dem andern, aber als sei jeder der letzte. Um die Gesten zu finden, die den Sätzen zugrunde liegen, erfindet er probierend andere Sätze, vulgärere, die nicht den betreffenden Sinn, sondern nur die Geste enthalten. [...]

7

Wenn der Schauspieler als die betreffende Figur, die er zeigt, alle Beziehungen eingegangen ist, die das Stück ihn eingehen läßt, die Sätze in der bequemsten Art gesprochen und die Gesten in der genußvollsten Art durchgeführt hat, ist die Welt des Dichters entstanden. Der Schauspieler muß nun den Unterschied zu seiner Welt auffinden und zeigen. Wie findet er den erheblichen Widerspruch? Alle Stücke treffen eine bestimmte Auswahl unter den Beziehungen, die ihre Figuren eingehen. Wenn die Situationen nur erfunden sind, um der Figur Gelegenheit zu geben, sich zu zeigen, so ist unter den ermöglichenden Situationen eine Auswahl getroffen. Dieser Auswahl braucht sich der Schauspieler nicht anzuschließen. Ist eine Situation zu spielen, die den Helden tapfer zeigt, so kann der Schauspieler, um der Tapferkeit, die er aus der pünktlichen Ausführung aller genußvollen Gesten schöpft, welche aus der bequemsten Haltung zu den vorgeschriebenen Sätzen kommen, einen andern, vom Dichter nicht gewünschten Akzent zu verleihen, nebenbei in einem kleinen eingefügten pantomimischen Zug, einer geschickten gestischen Auslegung eines vorhandenen Satzes die Grausamkeit des Helden gegen seinen Knecht schildern. Der Treue eines Mannes kann er den Geiz gesellen, der Selbstsucht einen weisheitsvollen, der Freiheitsliebe einen beschränkten Charakter verleihen. So deutet er in seiner Gestaltung den Widerspruch an, den sie benötigt. Ist die Figur hingegen vom Dichter gemacht, um eine Begebenheit zu ermöglichen, gibt es immer mehrere Figuren, die diese Begebenheit glaubhaft machen könnten. Taten, die als tapfer bezeichnet werden können, werden nicht

immer von tapferen Leuten ausgeführt, und wenn die Begebenheit es nicht erfordert, so erfordert jede Figur es, um glaubhaft zu sein, daß auf Äußerungen und Verhalten zurückgegriffen werden kann, die durch die Begebenheit nicht provoziert werden.
So komme eine bestimmte Begebenheit etwa nur zu Glaubwürdigkeit, wenn ein Armer etwas Bestimmtes tut: Der Arme aber selber wird durch die betreffende Begebenheit noch nicht arm. Um arm zu werden, muß er noch anderes getan haben. Was? Er hat gegen die Ausbeutung gekämpft oder im Konkurrenzkampf darum, ausgebeutet zu werden. Er hat sich solidarisch verhalten und Solidarität verletzen müssen, auf vielen Feldern war er gestanden. So bringt er viel in seiner Haltung mit, was nicht nötig ist, die bestimmte Begebenheit zu ermöglichen, darunter *einiges, was sie erschwert.* Dies gibt den erheblichen Widerspruch.

Der Schauspieler soll sich beim Absolvieren seines Parts an das Beispiel gutgelaunter Techniker halten, von exakten Chauffeuren etwa, die ihre Maschine gut behandeln, lautlos und elegant durchziehend ihre Gänge einschalten, wobei sie durchaus in der Lage sind, Gummi zu kauen und so weiter. Findet der Schauspieler, daß ihm diese Art zu spielen (sie wird gewöhnlich beim Durchmarkieren angewendet, wobei gewisse Griffe nur angedeutet und bestimmte Töne nur angeschlagen werden) zuwenig Genuß verschafft oder nicht wirkt, so hat er auf leichte Weise gefunden, daß die seinem Spiel zugrunde liegenden Gedanken zu unbedeutend oder ungenau sind. In einem solchen Fall kann dann eine ersatzweise private Steigerung, ein persönliches Hineingehen des Schauspielers diesen selbst, aber niemals die Szene retten.
Das persönliche Hineingehen, die Investierung von privatem Temperament als Ersatz gefährdet beinahe immer die gedankliche Struktur der Szene. Es macht jedes Verhalten nur allzu begreiflich, macht also jedes Staunen darüber unmöglich.

Das ist der Grund, warum neuere Dramen oft gut wegkommen, wenn sie von widerspenstigen Schauspielern gespielt werden, die alle ihre Repliken für falsch halten. Ganz selten gelingt es bei Aufführungen in unserer Zeit, jene durchschlagenden Wirkungen zu erreichen, die oft bei Proben entstehen, wenn die Schauspieler unlustig oder müde sind. [...]

Fragmentarisch

[Aufbau der Figur]

1 Über das schrittweise Vorgehen beim Studium und Aufbau der Figur

Die Phantasie muß vom Schauspieler sparsam angewendet werden. Von Satz zu Satz vorgehend, gleichsam sich über seine Figur vergewissernd, an den Sätzen, die sie sprechen und die sie hören oder empfangen soll, von Szene zu Szene Bestätigungen und Widersprüchlichkeiten sammelnd, baut der Schauspieler die Figur auf. Diesen Prozeß des *Nachundnach* prägt er seinem Gedächtnis tief ein, damit er am Schluß seines Studiums imstande ist, die Figur auch für den Zuschauer in dem Nachundnach ihrer Entwicklung vorzuführen. Dieses Nachundnach muß bleiben nicht nur für die Veränderungen, die die Figur durch die Situationen und Begebnisse der Handlung erfährt, sondern auch für die Enthüllung, den reinen Aufbau der Figur selber vor dem Zuschauer, damit die unter Umständen winzigen, aber wichtigen Überraschungen gesichert werden, die die Figur dem Betrachter bereitet, und so der Zuschauer in der Haltung des entdeckenden Umlernenden gehalten wird. Um dies dem Zuschauer zu ermöglichen, muß der Schauspieler sich seine eigenen Überraschungen, die er während des Studiums in der

Haltung des entdeckenden Umlernenden erlebt hat, seinem Gedächtnis tief einprägen. Ein solches schrittweises Vorgehen ist besser als ein deduktives, ableitendes, das, von einer möglichst schnell, nach womöglich flüchtiger Durchsicht der Rolle gefaßten Gesamtvorstellung des darzustellenden Typus ausgehend, sozusagen hinterher sich in der Dichtung aus dem vorliegenden »Material« die Belege und Gelegenheiten zur Entfaltung dieses Typus holt. Auf solche Weise bleibt von dem »Material« vieles unbenutzt, und das meiste wird verdreht und dadurch geschwächt. Vor allem aber ist diese Art, einen Menschen kennenzulernen, nicht zu empfehlen. Der so vorgehende Schauspieler verwischt die Art, wie er selber zur Kenntnis der Figur kam, für den Zuschauer. Statt sich vor seinen Augen zu verwandeln, tritt er schon verwandelt vor ihn hin, als ein von nichts beeinflußtes, also auch anscheinend von nichts beeinflußbares Faktum, ein ganz allgemeiner, absoluter, abstrakter Mensch. Das Urteil, das er über diesen Typus erlaubt, kann nichts an ihm ändern. Solche Urteile sind aber zwecklos und sollen also nicht ermöglicht werden. Meist kommt es auf diese Weise auch gar nicht zu Urteilen, sondern nur zu Erlebnissen. Schauspieler, die so vorgehen, geben von einer Figur statt exakte Angaben und verwertbare Überblicke nur etwa das, was in der Erinnerung verschwommen und »überlebensgroß« zurückbleibt, den sogenannten Mythos. Sie geben den Abklatsch, nicht das Urbild, sie geben die Erinnerung, statt eine solche zu werden. Meist reichen die Mittel dann nicht aus zur Ausfüllung eines solchen überlebensgroßen visionären Bildes, weder die des »Materials« noch die des Darstellers, und unter dem Eindruck des groß Gewollten entsteht der Eindruck der Schmiere. Dennoch neigen die Schauspieler von Natur weit mehr zu dieser deduktiven Art, vor allem auch deswegen, weil sie so schon möglichst frühzeitig, womöglich auf der ersten Probe, den Schauspieler spielen können, das heißt jenen Typus Schauspieler, der ihnen eben vorschwebt und den sie überhaupt vor allem zu spielen wünschen – mehr als die jeweilige spezielle konkrete Figur. In solchem Maße in Anspruch genommen, spielt die Phantasie eine schädliche Rolle. Bei dem induktiven schrittweisen Vorgehen aber ist sie ganz unentbehrlich. Von Satz zu Satz vorgehend, benötigt nämlich der Studierende immerfort die Phantasie, welche ihm immer wieder bestimmtere und schon festere, beinahe fertige Figuren, die den und den Satz in der und der Situation sagen könnten, vor das innere Auge führt. Die jeweils nächsten Sätze und Situationen müssen aber so ernsthaft und unvoreingenommen durch die vorauseilenden und daher wahrscheinlich voreiligen Konstruktionen (Lösungen) der Phantasie studiert werden, daß sie Korrekturen dieser Konstruktionen ergeben können. So wenig wie der deduktive Schauspieler gut tut, sich zu früh auf einen Grundtypus festzulegen, tut der induktiv verfahrende gut, sich auf »Züge« festzulegen. Alle seine Ermittlungen müssen mit Hilfe der Phantasie und der Tatsachenprüfung auf die Ermittlung und Darstellbarkeit der Gesamtfigur als einer sich entwickelnden konkreten hinzielen.

2 Kann der Schauspieler, schrittweise vorgehend, mitreißen?

Das schrittweise Vorgehen könnte als kleinlich empfunden werden. Der Schauspieler könnte die Besorgnis haben, auf solche Weise nie dahin zu gelangen, den Zuschauer »mitzureißen«. Wird die Mühe, die er sich gibt und die im Endprodukt durchblicken zu lassen ihm sogar angeraten wird, nicht dem Endprodukt den so unendlich wichtigen Anschein des Mühelosen nehmen? Diese Besorgnis käme aus einer falschen Ansicht vom »Fortreißen«. Zum Fortreißen gehört das Verharrenwollen des Fortzureißenden. Der Fortreißende ist angewiesen auf seine fortreißende und auf des Fortzureißenden beharrende Kraft. Jene Nüchternheit, die er in Trunkenheit zu verwandeln weiß, muß er erst schaffen. Die Höhe der Erhebung wird nur in bezug auf den Boden wahrgenommen.

Und fortreißend soll der Fortreißende auch dem Fortgerissenen das Fortreißen selber zeigen. Dies nämlich kann der mindestens so gut brauchen als das Fortgerissenwerden. Von einem andern Gesichtspunkt aus betrachtet, muß der Fortreißende den Eindruck des Verläßlichen schaffen, denn auf ihn muß sich der sich selber Verlassende eben verlassen.

3 Über die Auswahl der Züge

Bei dem Studium der darzustellenden Figur ist es am besten, schrittweise vorzugehen. Nach welchen Gesichtspunkten oder für wen oder für welche Zwecke soll aber die Figur studiert und aufgebaut werden?
Während der Schauspieler studierend versucht, alle Äußerungen der Figur mit einem Mindestmaß seelischer Beteiligung ganz probeweise in die ihm allerbequemsten Tonfälle zu bringen, indem er das Hauptgewicht auf das Finden drastischer Gesten legt, sucht er, bereit zur Überraschung, aus einzelnen kleinen Zügen das Typische und zugleich Besondere der Figur zu entdecken. (Die Bereitschaft, überrascht zu werden, ist eine erlernbare Technik, eine der wichtigsten für den Schauspieler. Er muß, da seine Hauptaufgabe darin besteht, gewisse Dinge auffällig zu machen, imstande sein, die Dinge auffällig zu finden.) Sorgsam und belustigt (all dies sind erlernbare Haltungen, keine Ausdrücke, sondern zur Arbeit gehörende Maßnahmen wie die körperlichen Haltungen des Tischlers an der Hobelbank), belustigt auch, wenn er im Bereich des Tragischen sucht, sucht er vor allem die einander widersprechenden Züge zusammenzustellen. Es ist seine Aufgabe, diese Züge alle zu vereinigen, in einer bestimmten konkreten, von andern Personen unterschiedenen und bequem unterscheidbaren Figur zu einem Ausgleich zu bringen, aber es ist ihm nicht erlaubt, etwa zum Zweck der bequemeren Vereinigung einzelne deutlich wahrnehmbare Züge wegzulassen, also im Grund von einer ihm zentral

scheinenden Vorstellung vom Ganzen auszugehen. Gerade die »nicht passenden«, nämlich andern widersprechenden Züge muß er doch zum Bau seiner Figur verwenden. Und auch als ganze schon und noch in sich widerspruchsvolle Figur hält er sich zwar der Handlung völlig zur Verfügung und läßt er sozusagen alles mit sich machen, ist aber doch bemüht, in der Rechnung keinesfalls ganz und gar aufzugehen. Ja, er hält den Gang der Handlung beinahe ebensosehr auf, wie er ihn ermöglicht, er geht stockend mit, etwas schleppend oder etwas geschleppt werdend. Denn die einzelnen Züge seines Verhaltens sind nicht nur aus dem betreffenden Stück, aus der »Welt des Dichters« genommen, sondern mitunter hat der Schauspieler (einen bestimmten Zug aus dem Zusammenhang der »Welt des Dichters« in einen andern Zusammenhang, nämlich den der andern, realen, ihm, dem Schauspieler bekannten Welt reißend) dem Zug eine besondere, über das Stück hinausgehende, nicht ganz in ihm aufgehende Bedeutung verliehen. Nach welchen Gesichtspunkten aber oder für wen oder für welchen Zweck wählt der Schauspieler auf solche schrittweise Art die Züge aus? Er wählt sie so aus, daß ihre Kenntnis die Behandlung der Figur ermöglicht. Also von außen her, vom Standpunkt der Außenwelt her, von den Umlebenden aus, vom Standpunkt der Gesellschaft. Der Schauspieler hält sich also an das, was die Figur objektiv macht, von andern wahrnehmbar unternimmt. Das andere zweite widersprechende aber, das in der Figur sein soll und von dem wir gesprochen haben, ist die jeweilig andere Möglichkeit des Handelns, die auch aus der Klassenlage und den Verhältnissen abgeleitet wird (für deren Gewinnung die Technik des Aus-dem-Zusammenhang-Reißens angewendet wird), die aber bei diesem Individuum nicht zur Ausführung kommt: Sie muß vom Schauspieler sichtbar gemacht werden. Die »Züge« sind also gewissermaßen Schachzüge der Figuren, nicht bloße Ausdrücke (Reaktionen auf Reize) einer Person von absoluter unabhängiger Bestimmung. Wo es Ausdrücke sind, muß deren

Verursachung von seiten der Umwelt angegeben werden. Die Züge haben gesellschaftliche Ursachen und gesellschaftliche Folgen. Nur aus solchen Zügen aufgebaut, werden die Figuren so sein, daß ihre Behandlung möglich ist und auch, von der Figur aus subjektiv gewendet, eine Behandlung der Umwelt durch sie gezeigt werden kann.

4 Die Verschiedenheit um
der Verschiedenheit willen dargestellt

Wir haben ausgeführt, der Schauspieler dürfe die Figur nicht nur aus dem Verhalten aufbauen, das die darzustellende Person im Stück zeigt. Es genüge keineswegs, eine Figur nur so weit auszustatten, als es für den Fortgang der Handlung nötig ist. Die Figur muß noch etwas Konkretes, Einmaliges haben, mit der Möglichkeit, innerhalb bestimmter soziologischer Grenzen auch anders zu handeln, ausgestattet sein. Oder es muß, daß sie so und nicht anders handelt, offenbar werden können, daß eben diese Handlung auch von Personen vollführbar ist, die ganz anders als die betreffende handelnde Figur sind, das heißt, man muß sagen können: Im allgemeinen handeln eigentlich ganz andere Leute so wie der. Aber dies Voneinanderverschiedensein der Figur darf der Schauspieler doch nicht zu weit treiben.
Die Erkenntnis: »Wie verschieden sind doch die Menschen!« ist eine Teilerkenntnis. Sie zu vermitteln ist nötig, wenn geleugnet wird, daß man, um sie zu etwas zu bewegen oder um sich von ihnen bewegen zu lassen, auf die einzelnen genau eingehen muß. Aber diese Teilerkenntnis wird oft als der Weisheit letzter Schluß vorgetragen und damit geleugnet, daß man über das Handeln der Menschen irgend etwas voraussagen kann. Gerade durch das Studium ihrer konkreten Verschiedenheit kann man etwas über ihr vermutliches Handeln voraussagen, und für diesen Zweck des Voraussagens soll die Verschiedenheit dargelegt werden. Es ist ganz falsch, den

Satz: »Wie verschieden sind doch die Menschen!« in der jede Prophezeibarkeit leugnenden Betonung auszusprechen und sich einzubilden, auch durch solche Erkenntnisse könne der Mensch sich bereichern. Die den Satz so betonen, finden ihre Befriedigung in der Vielfalt und unbeeinflußbaren Gewalt des Wesens Mensch, sie deuten an, daß es womöglich für noch ganz undenkbar gehaltene Entwicklungen nehmen könnte, und indem sie sich selber als solcher Vielfalt und Fruchtbarkeit gegenüber ganz machtlos gebärden, reden sie sich und andern ein, im Grund (ohne selber irgendwie etwas dazu zu tun) an dieser Vielfalt und Fruchtbarkeit teilzuhaben. Sie verkleinern den Menschen, um die Menschheit zu vergrößern. Aber das sind alberne Täuschungen. Denn in Wirklichkeit entschuldigen sie damit ihre eigene Beeinflußbarkeit von überallher und ihre eigene Einflußlosigkeit überallhin und verharren im Wunderglauben sich selber gegenüber. Als ob nicht die Menschheit aus ihnen bestünde!

Der Schauspieler soll also nicht nur diese Teilerkenntnis in Form einer Berauschung vermitteln wollen, sondern sofort die Frage der Lösung zutreiben: Wie verschieden sind sie also ganz praktisch?

5 Über das Historisieren

Vor dem Historisierenden hat der Mensch etwas Zweideutiges, Nicht-zu-Ende-Komponiertes. Er erscheint in mehr als einer Figur; er ist zwar so, wie er ist, da es zureichend Gründe dafür in der Zeit gibt, aber er ist, sofern ihn die Zeit gebildet hat, auch zugleich ein anderer, wenn man nämlich von der Zeit absieht, ihn von einer anderen Zeit bilden läßt. Da er heute so ist, wäre er gestern anders gewesen. Er hat das hinzubekommen, was die Biologen Plastik nennen. Es steckt viel in ihm, was da entfaltet wurde und entfaltbar ist. Er hat sich schon geändert, kann sich also weiter ändern. Kann er sich nicht mehr ändern, wenigstens nicht mehr ent-

scheidend, rundet auch dies sein Bild ab. Aber tatsächlich, nur großen gesellschaftlichen Einheiten zugerechnet, könnte er solcher Unänderbarkeit verfallen.
Für den Schauspieler gilt es also, seiner Stimme eine Fülle von Obertönen zu verleihen. Sein historisierter Mensch spricht wie mit vielen Echos, die gleichzeitig gedacht sein müssen, aber mit immer abgeändertem Inhalt.

6 Die Singularität der Figur

Wenn nun so die darzustellende Person, historisiert, als ein zeitbedingter, hiermit vorübergehender Charakter dargestellt wird, wenn sie, antwortend, nur eine unter mehreren Antworten, die mitschwingen sollen, erteilt, die andern Antworten aber, die sie nicht erteilt, unter etwas anderen Umständen von ihr erteilt werden könnten: ist dann diese Figur nicht schlechthin jedermann? Je nach den Zeitläufen oder der Klassenzugehörigkeit antwortet hier jemand verschieden; lebte er zu anderer Zeit oder noch nicht so lang oder auf der Schattenseite des Lebens, so antwortete er unfehlbar anders, aber wieder ebenso bestimmt und wie jedermann antworten würde in dieser Lage zu dieser Zeit: ist da nicht zu fragen, ob es nicht noch weitere Unterschiede der Antwort gibt? Wo ist er selber, der Lebendige, Unverwechselbare, der nämlich, der mit seinesgleichen (Leuten in gleicher Lage) nicht ganz gleich ist? Kein Zweifel, dieses ego muß dargestellt werden. Der hier reagiert, kann nicht nur sein Ich (der Schauspieler) und Du (der Zuhörer) [zeigen], nur in anderer Lage. Seine Darstellung als eines Mitglieds einer Klasse und einer Epoche ist nicht möglich ohne seine Darstellung als besonderes Lebewesen innerhalb seiner Klasse und Epoche. Nehmen wir die Religiosität einer Person und lassen wir sie ein Arbeiter sein. Die große Industrie wird fertig mit den religiösen Vorstellungen der Arbeiterschaft in riesigem Maßstab; aber der einzelne Arbeiter wird sehr verschieden reagieren in solchen Fragen. Wir mögen seine Reaktion, wo sie verschieden ist vom allgemeinsten Reagieren, immerhin zurückzuführen versucht und in der Lage sein auf Verschiedenheiten gesellschaftlicher Natur, aber das kann sehr theoretisch bleiben, das heißt, es können uns unter Umständen gesellschaftliche Maßnahmen fehlen, welche seine Reaktion nach der Richtung der allgemeinsten (klassenmäßigen) hin noch ändern könnten. Für die Praxis (gesellschaftliche Behandlung) treffen wir dann auf etwas für uns Unbewegliches, ein Amalgam, das unseren Werkzeugen trotzt, etwas, was wir in unserer Darstellung mitschleppen müssen, das einen Teil dieses Menschen ausmacht. Die Oberstimmen zu seinen Antworten werden nicht mehr von ihm selber in anderer Lage oder zu anderer Zeit, sondern von ihm unähnlichen, von andern stammen.

Beziehung des Schauspielers zu seinem Publikum

Die Beziehung des Schauspielers zu seinem Publikum sollte die allerfreieste und direkteste sein. Er hat ihm einfach etwas mitzuteilen und vorzuführen, und die Haltung des bloß Mitteilenden und Vorführenden sollte allem nunmehr unterliegen. Hier macht es noch keinen Unterschied aus, ob seine Mitteilung und Vorführung mitten unter dem Publikum, auf einer Straße oder in einem Wohnzimmer stattfindet oder auf der Bühne, diesem abgemessenen, den Mitteilungen und Vorführungen reservierten Brett. Es tut nichts, daß er schon in einem besonderen Rock steckt und eine Maske gemacht hat; den Grund hierfür kann er ebensogut hinterher als vorher erklären. Es soll nur nicht der Eindruck entstehen, als hätte eine Übereinkunft in ferner Zeit stattgefunden, nach der hier zu einer bestimmten Stunde ein Vorgang unter Menschen ablaufen sollte, als passierte er eben jetzt, ohne Vorbereitung, auf »natürliche« Weise, eine Verabredung, die einschloß, daß auch keine Verabredung stattgefunden haben sollte. Es tritt nur einer auf und zeigt etwas in aller Öffentlichkeit, *auch das Zeigen.* Er wird einen anderen Menschen nachmachen, aber nicht so, nicht in einem solchen Grade, als sei er dieser Mensch, nicht mit dem Vorhaben, sich selber dabei vergessen zu machen. Seine Person bleibt so gewahrt als eine gewöhnliche, von andern unterschiedene Person mit eigenen Zügen, eine Person, die dadurch allen andern gleicht, die ihr zusehen. Dies muß gesagt werden, weil es in keiner Weise das Übliche ist. Der Schauspieler hat üblicherweise nicht als Grundhaltung das, daß er die Zuschauer anblickt, bevor er seine Vorführung veranstaltet, unverdeckt, ja betont sich direkt an den Zuschauer wendet mit allem, was er macht. Dieses Aug-in-Aug, »Gib acht, was der, den ich dir vorführe, jetzt macht«, dieses »Hast du es gesehen?«, »Was denkst *du* darüber?« mag, künstlerisch gehandhabt, indem es sich in vielen Abschattungen gibt, alles Starre, Primitive abstreifen, es muß aber doch bleiben, und es ist die Grundhaltung des V-Effekts; er kann in keiner andern angelegt werden.

Der Nachschlag

Auch muß der Schauspieler wissen, daß der Eindruck seines Spieles woanders und zu anderer Zeit zustande kommt, als er selber spielt. Haben die Worte seine Lippen verlassen, machen sie einen Weg von fühlbarer Länge; sie beschreiben einen Bogen und fallen dann ins Ohr des Zuhörers, und dieser Augenblick kann mit einem Geräusch verbunden gedacht werden, dies heißt: *der Nachschlag.* Ihn muß der Schauspieler abwarten, einschätzen und bestimmen.

Warum sollte der Schauspieler dem Zuschauer nur die Gelegenheit zu einem Erlebnis verschaffen, wenn er ihm die zu einer Erkenntnis verschaffen kann?

Zwar kann der Schauspieler dadurch »begriffen« werden, daß er, indem er selber Trauer empfindet, Trauer erzeugt, aber dann entlädt er nur die Einbildungskraft des Zuschauers, statt seinen Kenntnissen etwas hinzuzufügen, was mehr ist. Man könnte sagen, der Gefühle Erlebende vermehre doch seine Kenntnis von sich selbst, aber eben das ist nicht gut: Mag er lieber lernen, sich zu vernachlässigen, was seine Gefühle anlangt, und die anderer erfahren! Sogar seine eigenen erfährt er besser, wenn sie ihm lediglich vorgehalten werden wie die eines anderen! Deshalb soll der Schauspieler seine Wirkungen technisch herstellen, das heißt das zeigen, woran erkannt wird, was nicht unbedingt zusammenfällt mit dem, was sich lediglich (unter bestimmten Verhältnissen und bei einer bestimmten Person) abspielt. Er soll also von vornherein zeigen, was jeder auf der Bühne mit ihm Agierende an ihm wahrnimmt, also jener, der sich nicht in ihn hineinversetzt. So zeigt er zum Beispiel, will er das Erschrecken einer Person zeigen, besser deren Bemühung, diesen Schrecken zu überwinden oder zu verstecken. Ein Schauspieler, der so verfährt, behandelt den Zuschauer, anstatt nur »zu sein«.

Auf diese Weise entstehen die Personen aus der Kenntnis ihres Verhaltens zu anderen Personen.

Dies ist sehr wichtig, weil es für die Menschheit in jeder Gruppierung darauf ankommt, daß der einzelne nach dem beurteilt wird, was er ihr von sich zeigt oder ihr tut, und darauf, daß der einzelne nur im Gesicht sieht, was er im andern als solches erzeugen kann. Es genügt nicht, zu sein. Der Charakter eines Menschen wird durch seine Funktion erzeugt.

Die Schauspielkunst dieses Zweckes steht mehr auf der Gestik als auf dem Ausdruck. Auch die Worte sollen also auf einen Gestus gebracht werden.

Wenn du zeigst: es ist so, so zeige es auf eine Art, daß der Zuschauer fragt: »Ist es denn so?«

[Über den Gestus]

Unter einem *Gestus* sei verstanden ein Komplex von Gesten, Mimik und für gewöhnlich Aussagen, welchen ein oder mehrere Menschen [an] einen oder mehrere Menschen richten.
Ein Mensch, der einen Fisch verkauft, zeigt unter anderm den Verkaufsgestus. Ein Mann, der sein Testament schreibt, eine Frau, die einen Mann anlockt, ein Polizist, der einen Mann prügelt, ein Mann, zehn Männer auszahlend – in all dem steckt sozialer Gestus. Ein Mann, seinen Gott anrufend, wird bei dieser Definition erst ein Gestus, wenn dies im Hinblick auf andere geschieht oder in einem Zusammenhang, wo eben Beziehungen von Menschen zu Menschen auftauchen. (Der König betend in »Hamlet«.)
Ein Gestus kann allein in Worten niedergelegt werden (im Radio erscheinen); dann sind bestimmte Gestik und bestimmte Mimik in diese Worte eingegangen und leicht herauszulesen (eine demütige Verbeugung, ein Auf-die-Schulter-Klopfen).
Ebenso können (im stummen Film zu sehen) Gesten und Mimik oder (im Schattenspiel) nur Gesten Worte beinhalten.
Worte können durch andere Worte ersetzt, Gesten durch andere Gesten ersetzt werden, ohne daß der Gestus sich darüber ändert.

Anweisungen an die Schauspieler

1 Das Nicht – Sondern

Der Schauspieler soll bei allen wesentlichen Punkten zu dem, was er macht, noch etwas ausfindig, namhaft und ahnbar machen, was er nicht macht. Er sagt zum Beispiel nicht: »Ich verzeihe dir«, sondern: »Das wirst du mir bezahlen.« Er fällt nicht in Ohnmacht, sondern er wird lebendig. Er liebt seine

Kinder nicht, sondern er haßt sie. Er geht nicht nach rechts hinten, sondern nach links vorn. Gemeint ist: Der Schauspieler spielt, was hinter dem *Sondern* steht; er soll es so spielen, daß man auch, was hinter dem *Nicht* steht, aufnimmt.

2 Das Memorieren der ersten Eindrücke

Der Schauspieler soll seine Rolle in der Haltung des Staunenden und des Widersprechenden lesen. Bevor er die Worte memoriert, soll er memorieren, wobei er gestaunt und wobei er widersprochen hat. Hält er diese Momente fest in seiner Gestaltung, dann gestattet er auch dem Publikum das Staunen und Widersprechen, und das soll er.

3 Das Erfinden und Mitsprechen der Spielanweisungen

Der Schauspieler soll sich Anweisungen und Kommentare zu dem, was er spricht und tut, ausdenken und sie beim Probieren laut aussprechen, er soll zum Beispiel dem Satz, den er zu sprechen hat, voraussetzen: »Darauf sagte ich böse, denn ich hatte nicht gegessen« oder: »Ich wußte damals noch nichts von den Zusammenhängen und sagte also.« Dabei ist es gut, wenn der Schauspieler seine Rolle einmal in der Ichform und einmal in der Erform rezitiert. Wenn er sich unter dem *Er* eine bestimmte Person des Stückes vorstellt, zum Beispiel eine feindliche, dann kann er seine Sprechart gegen den Kommentar und die Spielanweisung durchsetzen lernen. Ein Beispiel: In der Ichform hieß es: »Ich sagte ihm meine wahre Meinung und sagte«, in der Erform heißt es: »Er regte sich auf und suchte nach etwas, was mich verletzen konnte, und sagte schließlich.« Und nun kann, was gesagt wurde im Ton dessen, der es sagte, im Ton dessen, der es hörte, gesprochen werden. Entscheidend für die Gestaltung ist natürlich die *Erform*, bei der der Sprecher der Schauspieler ist, so daß Spielanweisung und Kommentar die Meinung des Schauspielers über die Figur wiedergibt.

4 Das Auswechseln der Rollen

Der Schauspieler soll mit seinem Partner die Rolle tauschen, einmal ihn kopierend, einmal ihm eine eigene Spielweise vorführend.

5 Das Zitieren

Anstatt den Eindruck hervorrufen zu wollen, er improvisiere, soll der Schauspieler lieber zeigen, was die Wahrheit ist: Er zitiert.

6 Das Dichten

muß der Schauspieler lernen. Und zwar muß er imstande sein, einen beliebigen Stil sich anzueignen, das heißt im Ton des Dichters zu improvisieren. Jedoch ist es vorteilhaft, wenn er lernt, seine Improvisationen niederzuschreiben, und das am besten, bevor er sie spricht.

7 Angenehm sein

ist eine Hauptaufgabe des Schauspielers. Er muß alles, besonders das Schreckliche, mit Genuß ausführen und seinen Genuß zeigen. Wer nicht unterhaltend lehrt und lehrend unterhält, soll nicht auf das Theater.

[Erfahrungen]

1 Ausnutzung des Mitspielers

Der Schauspieler, der eine Person darstellt, benötigt dazu die Darstellungskunst auch seiner Mitspieler, denn ihr Verhalten ihm gegenüber (und oft auch das andern gegenüber) sagt viel über ihn aus. Seine Art wird sichtbar in der Wirkung, die er ausübt auf sie; je nachdem sie ihn höflich oder verächtlich oder überrascht behandeln, ändert sich sein Bild und gewinnen seine eigenen Haltungen an Begründetheit. Dem entspricht vollständig der Nutzen, den seine Person daraus gewinnt, wie er wiederum die andern behandelt, sie gleichsam entstehen läßt und verändert. Diese Art (und Kunst), sich gegenseitig zu kreiern, ist beim Schauspieler heute so ungebräuchlich, daß sogar so sichere und natürliche Wirkungen wie aufmerksames Zuhören, Äußern von Erstaunen und so weiter ganz außer Übung gekommen sind.

2 Musik

Das Musikalische (sprachlich) ist deshalb so gefährlich, weil es unter anderen Verschmierungen auch den Schauspieler so spielen läßt, als ob er das Stück schon bei Aufgang des Vorhangs zu Ende gelesen hätte, das heißt, natürlich muß ein Vorgang nicht so gespielt werden, als ob er der Laune oder dem Zufall ausgeliefert wäre, denn das macht unruhig. Er muß in einem Bogen gespielt werden, denn er ist nicht Privatsache, und er ist die Hauptsache, und die Leute sind nur darum als Darsteller und Zuschauer beim Theater beschäftigt, damit er dargestellt wird. Aber das darf nicht tonal gemacht werden, nicht musikalisch, und die Überraschungen, Laune und (gespielter) Zufall müssen dem Bogen die Schwungkraft erteilen.

Würde der Darsteller nicht darin seine Aufgabe erblicken, daß er ein Gefühl seines Helden ausdrücken soll (übrigens macht er das meistens in der Weise, daß er versucht, es zu haben, statt es darzustellen), sondern darin, daß er einen Wunsch oder eine Erkenntnis, also etwas Vorwärtstreibendes geben soll, würde er also einfach den Sinn der Worte ohne mehr Gefühl als das beim Sprechen sich eben einstellende herausarbeiten, dann erst käme der Zuschauer wieder dazu,

etwas zu empfinden und Speisen zu genießen, die nicht ein anderer ihm schon vorgekaut hat, also Scheiße.
Der Darsteller hat kein Interesse mehr für die Handlung, also das Leben, sondern nur mehr für sich, also sehr wenig. Er ist kein Philosoph mehr, sondern nur mehr ein Sänger. Er ergreift andauernd nur die Gelegenheit, sich zu zeigen und eine Einlage unter Dach zu bringen, er ist ein Mensch, der nur mitspielt, ein Kiebitz, ein Mensch, dessen Sache nur er selbst ist, kurz: ein Bourgeois.

3 [Für wiederholte Besichtigung]

Wollt ihr so spielen, daß man euch mehr als einmal ansieht, dann müßt ihr auch so spielen, daß erst bei der wiederholten Besichtigung alles herauskommt. Ihr dürft also nicht für eine einzige spielen.

4 Das Ja-Nein

Die Handhabbarkeit einer Beschreibung hängt davon ab, ob das Ja-Nein in ihr ist und ob das Ja-oder-Nein genügend bestimmt ist in ihr.

5 Schminken

Die Schminke muß das Gesicht vor allem leer machen, darf es nicht anfüllen, nicht besonders machen und fixieren.
Im Theater wird man verstimmt, wenn man die Absicht nicht fühlt. (Diskretion ist Ehrensache, also eine bürgerliche Schmockerei, die mit dem Theater nichts zu tun hat.)
Als das Theater literarisch wurde, charakterisierten die Schauspieler nicht mehr kühn und verwischten (spielten dann sich selbst, wurden ehrlich, das heißt, sie genossen sich selbst, spielten das, was sie fühlten, und das war, was der Zuschauer fühlen sollte und so weiter). Die Literatur nämlich

verwischt, das Papier saugt auf, die Phantasie der Leser muß mehr in Anspruch genommen werden als die der Zuschauer, und alles ist für längere Zeit berechnet als einen Theaterabend.

Der Schauspieler muß sich für jede Szene umschminken, so daß es einer der Haupteffekte werden kann, wenn er eine Zeitlang immer gleich aussieht.

Dialog über eine Schauspielerin des epischen Theaters

DER SCHAUSPIELER Ich habe Ihre Schriften über das epische Theater gelesen. Als ich nun die Aufführung Ihres kleinen Stücks aus dem spanischen Bürgerkrieg sah, in der die hervorragendste Schauspielerin dieser neuen Spielweise die Hauptrolle verkörperte, wunderte ich mich, offen gestanden. Ich wunderte mich, daß es richtiges Theater war.

ICH Ja?

DER SCHAUSPIELER Sind Sie überrascht, daß ich nach der Lektüre Ihrer Schriften über diese neue Spielweise eine recht trockene, abstrakte, kurz: lehrhafte Angelegenheit erwartet hatte?

ICH Nicht sonderlich. Das Lernen ist doch im Verruf.

DER SCHAUSPIELER Es gilt sicherlich nicht als vergnüglich, aber ich machte mich nicht nur deshalb auf etwas gefaßt, was mit Theater nichts zu tun hätte, weil Sie vom Theater Belehrung verlangten, sondern auch deshalb, weil Sie mir dem Theater abzustreiten schienen, was es zum Theater macht.

ICH Was nämlich?

DER SCHAUSPIELER Die Illusion. Die Spannung. Die Möglichkeit, sich einzufühlen.

ICH Und waren Sie gespannt?

DER SCHAUSPIELER Ja.

ICH Fühlten Sie sich ein?

DER SCHAUSPIELER Nicht ganz. Nein.
ICH Kam es zu keiner Illusion?
DER SCHAUSPIELER Eigentlich nicht. Nein.
ICH Und doch fanden Sie, es war Theater?
DER SCHAUSPIELER Ja, das fand ich. Das wunderte mich ja eben. Aber triumphieren Sie nicht zu früh. Es war Theater, aber es war auch nicht etwas so Neues, als ich nach dem Lesen Ihrer Schriften erwartet hatte.
ICH So neu wäre es vielleicht nur gewesen, wenn es überhaupt nicht Theater gewesen wäre, wie?
DER SCHAUSPIELER Ich meine nur, es ist nicht so sehr schwer zu machen, was Sie verlangen. Außer der Hauptdarstellerin, der Weigel, spielten lauter Laien, einfache Arbeiter, die nie auf einer Bühne gestanden hatten, und die Weigel ist eine große Technikerin, die ihre Ausbildung ganz sichtlich auf dem gewöhnlichen, von Ihnen so heruntergemachten alten Theater genossen hat.
ICH Ich stimme Ihnen zu. Die neue Spielweise ergibt richtiges Theater. Sie ermöglicht es unter bestimmten Umständen Laien, Theater zu spielen, wenn sie die Spielweise des alten Theaters teilweise noch nicht gelernt, und sie ermöglicht es Artisten, Theater zu spielen, wenn sie die Spielweise des alten Theaters teilweise vergessen haben.
DER SCHAUSPIELER Oho. Ich finde, daß die Weigel eher zuviel Technik zeigte als zuwenig oder genug.
ICH Ich dachte, sie zeigte nicht nur Technik, sondern auch das Verhalten einer Fischerfrau den Generälen gegenüber?
DER SCHAUSPIELER Gewiß zeigte sie das. Aber auch Technik. Ich meine, sie *war* nicht die Fischerfrau, sie spielte sie nur.
ICH Aber sie ist doch wirklich keine Fischerfrau. Sie spielt sie doch wirklich nur. Das ist doch nur eine Tatsache.
DER SCHAUSPIELER Natürlich, sie ist eine Schauspielerin. Aber wenn sie eine Fischerfrau spielt, muß sie das vergessen machen. Sie zeigte alles, was an der Fischerfrau bemerkenswert ist, aber sie zeigte auch, daß sie es zeigte.

ICH Ich verstehe, sie erzeugte nicht die Illusion, daß sie die Fischerfrau *war*.

DER SCHAUSPIELER Sie wußte viel zu gut, was da bemerkenswert war. Man sah, daß sie es wußte. Sie zeigte geradezu, daß sie es wußte. Aber eine richtige Fischerfrau weiß das natürlich nicht, weiß natürlich nicht, was an ihr bemerkenswert ist. Wenn Sie aber auf der Bühne eine Person sehen, die das weiß, dann ist es eben keine Fischerfrau, was Sie da sehen.

ICH Sondern eine Schauspielerin, ich verstehe.

DER SCHAUSPIELER Es fehlte nur noch, daß sie an gewissen Stellen ins Publikum schaute, als wolle sie fragen: Nun, seht ihr, was ich für eine bin? Ich bin überzeugt, sie hat eine ganze Technik aufgebaut, um dieses Gefühl im Publikum ständig wachzuhalten, dieses Gefühl, sie sei nicht, was sie darstellt.

ICH Könnten Sie eine solche Technik beschreiben?

DER SCHAUSPIELER Wenn sie im geheimen vor jedem Satz ein »Darauf sagte die Fischerfrau« gedacht hätte, würde der Satz dann ungefähr so gekommen sein, wie er kam. Sie sprach deutlich den Satz einer andern Frau, meine ich.

ICH Das ist richtig. Und warum legen Sie ihr ein »Darauf sagt*e*« in den Mund? Warum steht das in der Vergangenheit?

DER SCHAUSPIELER Weil sie ebenso deutlich etwas nachspielte, was in der Vergangenheit passiert ist, das heißt, der Zuschauer hat nicht die Illusion, es passiere eben jetzt und er sei bei dem Originalvorgang anwesend.

ICH Aber der Zuschauer ist ja tatsächlich nicht bei einem Originalvorgang anwesend. Er ist ja tatsächlich nicht in Spanien, sondern im Theater.

DER SCHAUSPIELER Aber ins Theater geht man doch, um die Illusion zu haben, in Spanien zu sein, wenn das Stück dort spielt. Warum ginge man sonst ins Theater?

ICH Ist das ein Ausruf oder eine Frage? Ich denke, man kann

Gründe finden, ins Theater zu gehen, ohne die Illusion haben zu wollen, man sei in Spanien.
DER SCHAUSPIELER Wenn man hier, in Kopenhagen, sein will, braucht man nicht ins Theater zu gehen und ein Stück anzusehen, das in Spanien spielt.
ICH Sie können auch sagen, wenn man in Kopenhagen sein will, braucht man nicht ins Theater zu gehen und ein Stück anzusehen, das in Kopenhagen spielt, nicht?
DER SCHAUSPIELER Wenn man im Theater nichts erlebt, was man nicht auch zu Hause erleben kann, braucht man tatsächlich nicht hineinzugehen.

Fragmentarisch

Der Wechsel

DER SCHAUSPIELER Du sagtest, der Schauspieler muß den Wechsel der Dinge zum Ausdruck bringen. Was heißt das?
DER ZUSCHAUER Das heißt, euer Zuschauer ist auch ein Historiker.
DER SCHAUSPIELER So sprichst du von historischen Stücken?
DER ZUSCHAUER Ich weiß, Stücke, die in der Vergangenheit spielen, nennt ihr historische Stücke. Aber ihr spielt sie selten für Zuschauer, welche Historiker sind.
DER SCHAUSPIELER Könntest du mir sagen, was du unter Historiker meinst, da du doch nicht Sammler von Merkwürdigkeiten oder Wissenschaftler meinen kannst, denn im Theater muß ein Historiker ja etwas anderes sein?
DER ZUSCHAUER Der Historiker interessiert sich für den Wechsel der Dinge.
DER SCHAUSPIELER Und wie spielt man für ihn?
DER ZUSCHAUER Indem man zeigt, was damals anders war als heute, und den Grund andeutet. Aber man muß auch zeigen, wie aus dem Gestern das Heute wurde. Wenn ihr also Könige des 16. Jahrhunderts darzustellen habt, dann müßt

ihr zeigen, daß solches Benehmen und solche Personen heute kaum noch vorkommen oder, wo sie vorkommen, Staunen verdienen.

DER SCHAUSPIELER So sollen wir nicht das immer gleichbleibende Menschliche zeigen?

DER ZUSCHAUER Das Menschliche zeigt sich in seinen Wandlungen. Wird das Menschliche von seiner immer verschiedenen Äußerung losgelöst, dann entsteht eine Gleichgültigkeit gegenüber der Form, in der wir Menschen leben, und damit eine Billigung der gerade eben vorkommenden.

DER SCHAUSPIELER Gib ein Beispiel!

DER ZUSCHAUER In der ersten Szene des »King Lear« verteilt der alte König sein Reich unter seine drei Töchter. Ich habe ihn auf dem Theater also seine Krone mit Schwertstreichen in drei Stücke zerhacken sehen. Das gefiel mir nicht. Besser hätte es mir gefallen, wenn er eine Landkarte in drei Fetzen gerissen und sie den Töchtern ausgehändigt hätte. Dann hätte man gesehen, wie es dem Land erging unter solcher Herrschaft. Der Vorgang wäre fremder erschienen. Mancher hätte gedacht, daß es ein Unterschied ist, ob man Hausrat oder Reiche unter seine Erben verteilt. Eine fremde, vergangene Zeit wäre aufgestanden, und die jetzige hätte sich unter dieser abgelebten Form abgebildet. In dem gleichen Stück prügelt ein treuer Diener des abgesetzten Königs einen ungetreuen. So erweist er, nach des Dichters Meinung, seine Treue. Aber der Schauspieler, der den Geprügelten spielte, hätte den Schmerz nicht scherzhaft, sondern ernst spielen können. Hätte er sich mit gebrochenem Rückgrat hinausgeschleppt, würde die Szene Befremden erregt haben, und das sollte sie.

DER SCHAUSPIELER Wie ist es mit den Stücken, die jetzt spielen?

DER ZUSCHAUER Das ist eben die Hauptsache, daß gerade diese zeitgenössischen Stücke historisch gespielt werden sollen.

DER SCHAUSPIELER Was soll also geschehen, wenn wir eine kleinbürgerliche Familie dieses Jahrzehnts darstellen?

DER ZUSCHAUER Diese Familie als Ganzes hat ein Benehmen, das in früheren Zeiten nicht so gewesen wäre, und es sind auch Zeiten vorstellbar, wo es wieder nicht so sein würde. Das Besondere, für diese unsere Zeit eben Typische muß also gezeigt werden; das, was sich gegen früher geändert hat, und die Gewohnheiten, die sich jetzt gegen gewisse Veränderungen noch wehren oder sich schon ändern. Der einzelne wiederum hat ebenfalls seine Geschichte, die dem Wechsel der Dinge unterworfen ist. Was ihm geschieht, kann von historischer Bedeutung sein. Oder es sollte nur gezeigt werden, was von historischer Bedeutung ist.

DER SCHAUSPIELER Wird der Mensch selber so nicht allzu unwichtig?

DER ZUSCHAUER Im Gegenteil. Er wird geehrt, indem alle Veränderungen, die an ihm und durch ihn sichtbar sind, festgestellt werden. Er wird ebenso ernst genommen wie die Napoleons früherer Zeit. Sieht man eine Szene »Der Arbeiter soundso wird von seinem Boß zum Hungertod verurteilt«, dann hat dies nicht weniger Bedeutung zu haben als eine Szene »Napoleon wird bei Waterloo geschlagen«. Ebenso einprägsam sollen die Gesten der zu dieser Szene vereinigten Personen sein, ebenso sorgfältig ausgewählt der Hintergrund.

DER SCHAUSPIELER Ich soll also eine Figur so anlegen, daß ich immerfort zeige: so war dieser Mensch zu dieser Zeit seines Lebens und so zu jener; und: das war sein Ausspruch; oder: so pflegte er zu jener Zeit zu sprechen. Und das soll in einem Zusammenhang sein mit Aussagen wie: so pflegten die Leute seiner Klasse zu sprechen oder zu handeln; oder: der Mensch, den ich darstelle, unterschied sich durch diese Handlung oder jene Redensweise von den Menschen seiner Klasse.

DER ZUSCHAUER So ist es. Wenn ihr eure Rolle durchlest, dann findet zuerst Überschriften solch historischer Art. Aber vergeßt nicht, daß die Geschichte eine Geschichte von Klassenkämpfen ist, daß also die Überschriften gesellschaftlich wichtig sein müssen.

DER SCHAUSPIELER Also ist der Zuschauer ein Gesellschaftshistoriker?

DER ZUSCHAUER Ja.

Haltung des Probenleiters (bei induktivem Vorgehen)

Der Probenleiter kommt hier nicht ins Theater mit einer »Idee« oder »Vision«, einem »Plan der Stellungen« und einer »fertigen Dekoration«. Er wünscht nicht, eine Idee zu »verwirklichen«. Seine Aufgabe ist, die Produktivität der Schauspieler (Musiker und Maler und so weiter) zu wecken und zu organisieren. Unter *Probieren* versteht er nicht das Einpeitschen von von vornherein in seinem Kopf Feststehendem. Er versteht darunter ein *Ausprobieren*. Er hat darauf zu dringen, daß jeweils mehrere Möglichkeiten ins Auge gefaßt werden. Es ist gefährlich für ihn, sich dazu hetzen zu lassen, daß er möglichst schnell die »einzig richtige« Lösung angibt. Die einzig richtige Lösung kann nur eine von immerhin möglichen Lösungen sein, wenn es sie überhaupt gibt, und es lohnt sich, andere Lösungen ebenfalls auszuprobieren, schon weil dadurch die Endlösung angereichert wird. Sie zieht Kraft von dem Ausscheidungsakt. Außerdem ist die Produktivität der einzelnen Mitwirkenden ungleichmäßig, sie produzieren in verschiedenem Tempo und benötigen verschiedene Anreize. Die einzelnen Mitwirkenden haben auch verschiedene Interessen, die man voll entwickeln muß, um die Gesamtlösung anzureichern. Es ist eine wichtige Aufgabe des Probenleiters, alle schematischen, gewohnten, konventionellen Lösungen von Schwierigkeiten zu entlarven. Er muß *Krisen* entfesseln. Natürlich darf er nicht davor zurückschrecken, zuzugeben, daß er nicht immer »die« Lösung weiß und parat hat. Das Vertrauen der Mitwirkenden zu ihm muß eher darin begründet sein, daß er imstande ist, herauszubringen, was *keine* Lösung ist. Er hat die Fragen beizusteuern, den Zweifel, die Vielfalt möglicher Gesichtspunkte, Vergleiche, Erinnerungen, Erfahrungen. Für gewöhnlich wird er Mühe haben, ein zu schnelles Aufbauen der Situationen und der Rollen zu verhindern, da gerade dies den Routinierten oder Stärkeren (Berühmteren) Gelegenheit gibt, die Produktivität der andern zu lähmen und selbst konventionelle Lösungen für die andern durchzusetzen. Beim gemeinsamen Durchlesen des Stückes mit verteilten Rollen muß er die *staunende Haltung* der Schauspieler organisieren. Er muß erreichen, daß sie fragen: »Warum sage ich das?« und »Warum sagt dieser das?« Er muß sogar erreichen, daß sie sagen: »Ich (oder dieser) könnte doch besser dies oder das sagen.« Er muß dafür sorgen, daß das anfängliche Stutzen und Widersprechen, wenn eine bestimmte Antwort erzielt wurde, nicht ganz aus der Gestaltung verschwindet beim weiteren Verlauf der Proben. Das Besondere der jeweiligen Aussagen oder Handlungen muß auch noch in der endgültigen Gestaltung spürbar sein. Auch der Zuschauer muß Gelegenheit zu diesem Stutzen und Widersprechen haben. Der Weg vom Lesetisch zur Bühne soll nicht auf einmal beschritten werden. Es ist besser, wenn die Szenen stückweise auf die Bühne übertragen werden. Vom Lesetisch aus sollen Details auf der Bühne »in ungefährer, andeutender Art« vorweggenommen werden. Auch diese vorläufige, *ungefähre, andeutende Art* soll in der endgültigen Gestaltung noch lebendig gehalten werden. Der Zuschauer soll die »Lösung« als eine besondere, aber das gewisse Zufällige noch enthaltende sehen, das ja in Wirklichkeit ihr anhaftet. Auch entsteht die Gesamtlinie besser nicht durch ein nietenloses Ineinanderschweißen der Details, sondern als eine logische Kette von Details, die noch Detailcharakter haben. Gerade so kommt die *Logik* ihrer Aufeinanderfolge und ihres Ineinanderübergehens zur Geltung. Es genügt nicht, daß die einzelnen Aussprüche, Gesten und so weiter gesprächsweise am Lesetisch mit andern ebenfalls möglichen Aussprüchen, Gesten und so weiter konfrontiert werden. Die andern Möglichkeiten sind auch auszuführen. Das Überraschende setzt ein Erwartetes voraus, das nicht immer alles zu Erwartende ist. Und das Element der Überraschung ist ein Grundelement der Wirkung. Der Schauspieler drängt zum *Effekt*; das ist ein gesundes Bestreben, er versucht zu überraschen. Er erzielt nur den »theatralischen« Effekt, den »unerlaubten« Effekt, wenn er nicht das logisch zu Erwartende auswählt unter allem Erwarteten. Die Überraschung gesunder Art entsteht, wenn die logische Lösung überraschend ist. Bei der Ausprobierung der Details auf der Bühne sollte zunächst die Lage des Zuschauerraums ganz außer acht gelassen werden. Dadurch gelangt man dann in einer zweiten Phase, wo es sich darum handelt, dem Zuschauer die beste Einsicht in die Vorgänge zu verschaffen, zu einer Umgruppierung, welche ein ganz allgemeines Deutlichermachen zum Ziel hat. Der Probenleiter soll für jeden Bühnenvorgang eine Situation ausfindig machen, in der, im gewöhnlichen Leben, eine Demonstration eines ähnlichen Vorgangs veranstaltet werden könnte. Der erste Auftritt von King Lear mit seiner Verteilung des Reichs könnte zum Beispiel vor einer Kommission von Juristen, Ärzten, Zeremonienmeistern, Familienmitgliedern, Historikern, Politikern und so weiter als Demonstration gedacht werden. Die Details hätten die Ansprüche der so verschieden Interessierten zu befriedigen.

Bewegung von Gruppen

Wenn man Gruppen geschlossen über die Bühne bewegt, wird man bald finden, daß sie sich eigentümlich versteifen. Die natürliche Neigung der Gruppe ist es, sich aufzulösen. Die Schauspieler lieben es nicht, Ellbogen an Ellbogen oder gar hintereinander aufzutreten. Setzt man es durch, dann verlieren sie ihre Eigenbewegung. Natürlich ist das nicht nötig. Die Mitglieder der Gruppe können sich, wie man sich leicht überzeugen kann, erstaunlich frei und individuell bewegen, ohne daß die Gruppe und ihr Rhythmus gestört wird.

Übungen für Schauspielschulen

a) Taschenspielerkunststücke incl. Zuschauerhaltungen.
b) Für Frauen: Einlegen und Falten von Wäsche. Dasselbe für Männer.
c) Für Männer: Verschiedene Raucherhaltungen. Dasselbe für Frauen.
d) Mit Garnknäuel spielende Katze.
e) Beobachtungsübungen.
f) Imitationsübungen.
g) Notierkunde. Notieren von Gesten, Tonfällen.
h) Phantasieübungen. Drei würfeln um das Leben, einer verliert, dann: alle verlieren.
i) Dramatisierung von Epik. Bibelstellen.
k) Für alle: immerfort Regieübungen. Dem Kollegen muß gezeigt werden.
l) Temperamentsübungen. Situation: Zwei Frauen falten ruhig die Wäsche zusammen. Sie täuschen für ihre Männer einen wilden Eifersuchtsstreit vor. Die Männer sind im Nebenzimmer.
m) Sie geraten beim schweigenden Wäschefalten in eine Balgerei.
n) Aus Spiel (l) wird Ernst.
o) Wettbewerbe im Schnellumkleiden. Hinter dem Schirm, offen.
p) Veränderungen an Nachahmungen, lediglich beschrieben, so daß von andern ausführbar.
q) Rhythmisches (Vers-) Sprechen mit Step.
r) Essen mit sehr großem Besteck, sehr kleinem Besteck.

s) Plattendialog: Sätze auf der Platte, Repliken frei gesprochen.
t) Suchen von »Drehpunkten«.
u) Charakterisieren des Mitspielers.
v) Improvisieren von Zwischenvorfällen. Referierendes Durchgehen von Szenen ohne Text.
w) Der Autounfall. Grenzfestlegung für die gerechtfertigte Imitation.
x) Variationen: »Ein Hund ging in die Küche.«
y) Memorieren erster Rolleneindrücke.

Die athletische Ausbildung

Die Ausbildung in den athletischen Künsten (der Tanzkunst, der Fechtkunst, auch der Ringkunst) ist gewiß wichtig für den Schauspieler, da er seinen Körper in die Hand bekommen muß. Jedoch ist es noch wichtiger, daß er lernt, den Gestus seinem ganzen Körper mitzuteilen, wofür eine Ausbildung der Sinnlichkeit gebraucht wird. Den Körper als Instrument auszubilden ist nicht ungefährlich, er darf nicht nur das Objekt, er muß auch das Subjekt der Kunst sein. Gute Übungen: Mischung eines Getränks, Feueranmachen in einem Kamin, Essen, Spielen mit einem Kind und so weiter.

[Über das Theater der Chinesen]

1 [Stil und Natur]

Es ist natürlich ein Unsinn, *Stil* und *Natur* als absolute Gegensätze zu behandeln. Die Natur tritt in Nachbildungen immer stilisiert auf. Das *Künstliche* freilich ist der *Kunst* unnatürlich. Aber auch ein ungeformtes Schluchzen würde in einer chinesischen Aufführung der klassischen Art als unnatürlich empfunden werden, selbst von einem Publikum, das Naturalismus gewohnt ist.

2 Die Beibehaltung der Gesten durch verschiedene Generationen

Die Gepflogenheit der chinesischen Bühne, gewisse Gesten und Haltungen von Bühnenfiguren mehrere Generationen von Schauspielern hindurch beizubehalten, scheint auf den ersten Blick eine sehr konservative. Das hält die meisten von einer Prüfung ab, sehr ungerechtfertigterweise, denn das Fehlen der unmerklichen Evolution ist sowenig wie das Vorhandensein bestimmter (unverwechselbarer) Gesten ein zuverlässiges Charakteristikum des Konservativismus. Tatsächlich interessiert die Techniker des epischen Theaters nicht die Beibehaltung der Gesten, sondern ihre Änderung, genauer gesagt, die Beibehaltung im Hinblick auf die Änderung. Denn selbstverständlich ändert die chinesische Bühne die Darstellung ihrer Repertoirefiguren ebenso wie die westliche. Daß der junge Schauspieler zunächst gezwungen wird, den alten zu imitieren, besagt nicht, daß sein Spiel zeitlebens eine Imitation sein wird. Erstens scheinen die Gesten von einer Art zu sein, die sie eben übernehmbar macht, ohne daß die Persönlichkeit des Übernehmers dadurch geschädigt wird, also von einer weiten, unpersönlichen, einigermaßen vagen Art. (Im Bewegungsmäßigen, Choreographischen sind sie übrigens unglaublich festgelegt, die Vagheit betrifft nur die Maße des Ausführenden, sein Tempo und so weiter. Man muß als Beispiel das Singen nehmen: Da sind die Noten ja auch festgelegt, aber das Timbre der Stimme, der Duktus und so weiter machen die Vagheit der Notenfigur aus.) Zweitens trifft der Schauspieler dann eigenmächtig Änderungen. Sie sind nur nicht unmerklich, sondern sie werden unter dem prüfenden und erinnernden Blick des Publikums vorgenommen und schließen ein Gefahrenmoment für den Schauspieler ein, der seinen Ruf riskiert, wenn er nicht überzeugt. Insofern ist die Änderung viel gewaltsamer als bei uns. Denn wir erlauben zwar jedem Schauspieler, ja wir muten es ihm sogar zu, eine völlig neue Figur aus der altbekannten zu machen, aber diese Figur kommt auf viel zufälligere Art zustande, nimmt wenig Bezug auf andere gleichzeitige oder vorhergehende Gestaltungen, sagt nichts über diese aus, so daß die Figur selber eigentlich kaum entwickelt wird; es handelt sich höchstens um Varianten. Der chinesische Schauspieler läßt offenkundig unter den Augen seines Publikums bestimmte Gesten fallen, mit Aplomb, er wirft sie weg, damit einen Aufruhr ästhetischer Art erregend, selber einen aufrührerischen Akt vollziehend, ihn vollziehend mit dem Einsatz seines ganzen Rufs, den er auf diese Karte setzt. Nicht der Neuerung wird man ihn rühmen, nur des Wertes, den man seiner Neuerung zumißt. Es war schwer, das Alte zu können, und er konnte es. Und er hatte seine Neuerung aus dem Alten zu entwickeln. So kommt in die Stetigkeit, die das Kennzeichen einer wirklichen Kunst (wie einer Wissenschaft) ist, das natürliche Moment des Aufruhrs, der deutlich sichtbare, beurteilbare, verantwortliche Akt des Bruchs mit dem Alten. Nur wer die typischen oberflächlichen Gestaltungen westlicher Schauspieler im Sinn hat, die ihre Figuren aus lauter kleinen nervösen Zügen zusammensetzen, die wenig besagen, mehr oder weniger privaten Ursprungs sind, nichts Typisches bedeuten, wird sich nicht vorstellen können, daß Abänderungen von Gesten wirkliche grundlegende Neuerungen in der Gestaltung einer Figur bedeuten können. Tatsächlich ist eine Umwälzung der Schauspielkunst bei uns so schwer, weil es schwer ist, umzuwälzen, wenn da nichts zum Umwälzen vorhanden ist.

3 Über ein Detail des chinesischen Theaters

Wohl auf Grund schlimmer Erfahrungen bei westlichen Gastspielen oder vor westlichen Zuschauern in China, fand es der

große chinesische Schauspieler nötig, von seinem Interpreten wiederholt versichern zu lassen, er stelle zwar Frauengestalten auf der Bühne dar, sei aber kein Frauenimitator. Die Presse wurde informiert, der Doktor Mei Lan-fang sei ein durchaus männlicher Mann, guter Familienvater, ja sogar Bankier. Wir wissen, daß es in gewissen primitiven Gegenden nötig ist, zur Vermeidung von Insultationen dem Publikum mitzuteilen, der Darsteller des Schurken sei selber kein Schurke. Diese Notwendigkeit ergibt sich natürlich nicht nur aus der Primitivität der Zuschauer, sondern auch aus der Primitivität der westlichen Schauspielkunst. [...]
Er demonstriert, im Smoking, gewisse weibliche Bewegungen. Das sind deutlich zwei Figuren. Eine zeigt, eine wird gezeigt. Am Abend zeigt die eine Figur, der Doktor (Familienvater, Bankier) noch mehr von der zweiten, auch ihr Gesicht, auch ihre Kleidung, auch ihre Art, erstaunt zu sein oder eifersüchtig oder frech, auch ihre Stimme. Die Figur im Smoking ist fast ganz verschwunden. Vielleicht sähe man sie überhaupt nicht mehr, wenn man nicht so gut von ihr Bescheid wüßte, wenn sie nicht so berühmt wäre, mindestens vom Stillen Meer bis zum Ural. Aber er legt Gewicht darauf, daß er es nicht als seine Hauptleistung betrachtet, wie eine Frau gehen und weinen zu können, sondern wie eine bestimmte Frau. Seine Ansichten »über das Wesentliche« sind ihm die Hauptsache, etwas Kritisches, Philosophisches über die Frau. Sähe man dem betreffenden Vorgang in Wirklichkeit zu, wäre es eine wirkliche Frau, so könnte doch von Kunst und also auch von gerade künstlerischer Wirkung niemals die Rede sein.

4 Das doppelte Zeigen

Die Chinesen zeigen nicht nur das Verhalten der Menschen, sondern auch das Verhalten der Schauspieler. Sie zeigen, wie die Schauspieler die Gesten der Menschen in ihrer Art vorführen. Denn die Schauspieler übersetzen die Sprache des

Alltags in ihre eigene Sprache. Sieht man also einem chinesischen Schauspieler zu, dann sieht man nicht weniger als drei Personen gleichzeitig, einen Zeigenden und zwei Gezeigte.

Zu zeigen: Ein junges Mädchen bereitet Tee. Der Schauspieler zeigt zunächst, daß Tee bereitet wird. Dann zeigt er, wie man Tee in vorgeschriebener Weise bereitet. Das sind bestimmte, immer wiederkehrende Gesten, die vollendet sind. Dann zeigt er gerade dieses Mädchen, etwa, daß sie heftig ist oder duldsam oder verliebt. Dabei zeigt er, wie der Schauspieler Heftigkeit oder Duldsamkeit oder Verliebtheit ausdrückt, in wiederkehrenden Gesten.

5 Über die Zuschaukunst

Besonders wichtig für uns vom Theater der Chinesen scheint sein Bemühen, eine wahre Zuschaukunst hervorzubringen. Zunächst muß man beim Anblick dieser nicht ohne weiteres nicht nur gefühlsmäßig verstehbaren Kunst (die so viele Vereinbarungen mit ihrem Zuschauer trifft, so viele Regeln aufstellt darüber, wie er mit ihm, dem Theater, zu verkehren hat) annehmen, es handle sich um eine Kunst nur für einen kleinen Kreis von Gelehrten, lauter Eingeweihten. Man erfährt, dies sei keineswegs so: Dieses Theater wird auch von den breiten Volksmassen verstanden. Und doch kann es soviel voraussetzen! Und doch kann es eine Zuschaukunst verlangen und hervorbringen, eine Kunst, die erst gelernt, ausgebildet, dann im Theater ständig geübt werden muß. Sowenig der chinesische Schauspieler seinem Publikum einfach »etwas vormachen« kann, wenn er nur genügend Hypnotisierkraft hat (etwas unbedingt zu Verabscheuendes), so wenig kann der Zuschauer ohne jedes Wissen, ohne die Fähigkeit des Vergleiches, die Kenntnis der Regeln, aus dieser Kunst den vollen Genuß ziehen.

Lohnt es sich, vom Amateurtheater zu reden?

Jeder, der die Theaterkunst und ihre gesellschaftliche Funktion ernsthaft studieren will, wird gut tun, auch die mannigfachen Formen zu beachten, in denen das Theaterspielen jenseits der großen Institute vorkommt, also die spontanen, ungestalten und unentwickelten Bemühungen der Laien. Selbst wenn die Laien nur das wären, als was die Berufskünstler sie gemeinhin ansehen, nämlich *spielendes Publikum*, blieben sie hinreichend interessant. Zu den Ländern, in denen das Amateurtheater besonders ausgebreitet ist, gehört Schweden. Die ungeheure Ausdehnung Schwedens, das eigentlich ein eigener Kontinent ist, macht die Beschickung durch professionelle Theatergruppen von der Hauptstadt aus schwierig. So spielen die Leute in der Provinz selber Theater.

Der schwedische Amateurtheaterbund zählt nahezu tausend aktive Theatergruppen, die alljährlich in mindestens zweitausend Aufführungen mindestens eine halbe Million Zuschauer haben. Eine solche Bewegung ist von großer kultureller Bedeutung für ein Land von sechs Millionen Bewohnern.

Nun kann man häufig sagen hören, daß die Vorstellungen der Amateurtheater auf niedrigem geistigen und künstlerischen Niveau stehen. Diese Behauptung soll hier nicht näher geprüft werden. Es stehen ihr andere Behauptungen entgegen, nach denen zumindest ein Teil der Vorstellungen viel natürliches Talent und einige Truppen großen Eifer, sich zu vervollkommnen, zeigen. Aber die Geringschätzung des Amateurtheaters scheint doch immerhin so verbreitet, daß man sich fragen muß: Was wäre denn, wenn das Niveau der Amateurtheater wirklich so niedrig wäre? Wäre es dann ganz unwichtig? Die Antwort müßte sein: Nein!

Es ist nämlich falsch, zu glauben, daß es sich nicht lohne, von Bemühungen der Laien um Kunst zu reden, wenn dabei für die Kunst »nichts herauskommt«. Eine schlechte Theateraufführung ist nicht eine Aufführung, die im Gegensatz zu einer guten keinen Eindruck hinterläßt. Sie hinterläßt nur keinen guten Eindruck, aber sie hinterläßt einen Eindruck, eben einen schlechten. Der Satz: »Nützt es nichts, so schadet es auch nicht« ist zumindest für die Kunst ganz falsch. Gute Kunst fördert das Kunstempfinden, schlechte Kunst läßt es nicht unberührt, sondern schädigt es.

Die meisten Leute sind sich nicht klar darüber, was für Folgen die Kunst hat, was für gute und schlechte Folgen. Man glaubt, daß einem Zuschauer, der von der Kunst nicht innerlich gepackt wird, weil sie schlecht ist, nichts passiert. Ganz abgesehen davon, daß man nicht nur von guter, sondern auch von schlechter Kunst »gepackt« werden kann – auch wenn man *nicht* gepackt wird, passiert einem etwas.

Ein Theaterstück, ob gut oder schlecht, enthält immer ein Abbild der Welt. Ob gut oder schlecht, zeigen die Schauspieler, wie sich Menschen unter bestimmten Umständen benehmen. Ein Eifersüchtiger benimmt sich so und so, erfährt man, oder das und das wird getan aus Eifersucht. Ein reicher Mann erliegt den und den Leidenschaften, ein Greis fühlt das und das, eine Bauernfrau handelt so und so, und so weiter und so weiter. Darüber hinaus wird der Zuschauer ermutigt, bestimmte Schlüsse zu ziehen über den Gang der Welt. Wenn er sich so und so benimmt, kann er – so hört er – damit rechnen, daß das und das die Folge ist. Er wird dazu gebracht, bestimmte Gefühle auf der Bühne auftretender Personen zu teilen und damit gutzuheißen, als allgemein menschliche, selbstverständliche, natürliche Gefühle anzuerkennen. Das müssen nicht immer richtige, allgemein menschliche, natürliche Gefühle sein. Da Filme darin Theaterstücken gleichen, aber bekannter sind, sei am Beispiel eines Films erklärt, was gemeint ist.

In dem Film »Gunga Din«, der nach einer Novelle Kiplings gebaut ist, sah ich den Kampf der englischen Besatzungstruppen mit einheimischer Bevölkerung. Ein indischer »Volksstamm« – der Begriff enthält schon etwas Wildes, Unzivili-

siertes, im Gegensatz zu dem Begriff »Volk« – überfiel eine englische Truppe in Indien. Die Inder waren primitive, entweder komische oder schlechte Menschen, komisch, wenn sie den Engländern treu, von schlechtem Charakter, wenn sie ihnen unfreundlich gesonnen waren. Die englischen Soldaten waren biedere, humorvolle Leute, und wenn sie eine Volksmenge mit Faustschlägen traktierten und »zur Vernunft« brachten, lachte das Publikum. Einer der Eingeborenen verriet seine Landsleute an die Engländer, opferte sein Leben dafür, daß seine Landsleute geschlagen wurden, und erhielt den gerührten Beifall des Publikums.
Ich selber war gerührt und beifällig gestimmt und lachte an den richtigen Stellen. Und das, obwohl ich die ganze Zeit wußte, daß da etwas nicht stimmte, daß die Inder keine primitiven, kulturlosen Menschen sind, sondern eine uralte, großartige Kultur haben, und daß dieser Gunga Din auch ganz anders beurteilt werden konnte, zum Beispiel als ein Verräter an seinem Volk. Ich war gerührt und belustigt, weil die ganz falsche Darstellung künstlerisch gelungen und mit einem großen Einsatz von Talent und Geschick unternommen war.
Es ist klar, daß ein solcher Kunstgenuß nicht folgenlos bleibt. Er schwächt gute Instinkte und stärkt schlechte, er widerlegt richtige Erfahrungen und verbreitet falsche Auffassungen, kurz, er verfälscht das Bild der Welt. Es gibt kein Theaterstück und keine Theateraufführung, die nicht in der einen oder andern Weise in die Vorstellungen und Gemütsbewegungen der Zuschauer eingreift. Es spricht nur für die Kunst, daß sie niemals folgenlos bleibt.
Die politische Wirkung der Theaterkunst, auch der »unpolitischen«, ihre Einflußnahme auf die politische Urteilsbildung und die gefühlsmäßigen politischen Stimmungen ist viel behandelt worden. Ihre Wirkung auf die Moral bestreitet niemand, kein Kanzelprediger und kein sozialistischer Denker. Es ist wichtig, wie Liebe, Ehe, Arbeit, Tod auf der Bühne behandelt werden, was für Ideale für Liebende, für ihren

Existenzkampf Kämpfende und so weiter aufgestellt und propagiert werden. Die Bühne vollführt da, auf sehr ernstem Gebiet, beinahe die Funktion von Modenschauen; es werden auf ihr nicht die neuesten Kostüme, sondern die neuesten Verhaltensarten vorgeführt, es wird nicht gezeigt, was man trägt, aber wie man sich beträgt.

Nicht am wichtigsten, aber fast am einleuchtendsten ist die Wirkung der Theaterkunst auf die Geschmacksbildung. Wie drückt man sich schön aus? Wie gruppiert man sich gut? Was ist überhaupt schön? Was ist ein flottes Benehmen? Was ist bewundernswerte List? In hundert Einzelheiten wird von der Bühne herunter der Geschmack beeinflußt, verbessert oder verschlechtert. Denn auch in der realistischen Kunst, gerade in ihr, spielt der Geschmack eine entscheidende Rolle. Auch die Darstellung des Häßlichen muß von Geschmack geleitet sein. Die Gruppierungen auf der Bühne, die Führung der Personen über die Bühne, die Farbenkomposition, das Licht, die Geräusch- und Tonfallführung – all das sind Geschmacksfragen.

So gehen politische, moralische, ästhetische Wirkungen von der Theaterkunst aus, gute, wenn sie gut, schlechte, wenn sie schlecht ist.

Es wird oft vergessen, auf wie theatralische Art die Erziehung des Menschen vor sich geht. Das Kind erfährt, lange bevor es mit Argumenten versehen wird, auf ganz theatralische Art, wie es sich zu verhalten hat. Wenn das und das geschieht, hört (oder sieht) es, muß man lachen. Es lacht mit, wenn gelacht wird, und weiß nicht warum. Meist ist es ganz verwirrt, wenn man es fragt, warum es lacht. Und so weint es auch mit, vergießt nicht nur Tränen, weil die Erwachsenen das tun, sondern fühlt auch echte Trauer. Das sieht man bei Begräbnissen, deren Bedeutung den Kindern gar nicht aufgeht. Es sind theatralische Vorgänge, die da die Charaktere bilden. Der Mensch kopiert Gesten, Mimik, Tonfälle. Und das Weinen entsteht durch Trauer, aber es entsteht auch Trauer durch das Weinen. Dem Erwachsenen geht es nicht anders. Seine Erziehung hört

nie auf. Nur die Toten werden nicht mehr durch ihre Mitmenschen verändert. Wer das überlegt, wird die Bedeutung des Theaterspielens für die Bildung der Charaktere begreifen. Er wird begreifen, was es bedeutet, wenn Tausende vor Hunderttausenden Theater spielen. Ein Achselzucken wäre keine Antwort auf die Bemühungen so vieler Menschen um die Kunst.
Auch die Kunst selbst bleibt nicht unberührt von der Art, in der sie am beiläufigsten, sorglosesten, naivsten ausgeübt wird. Die Theaterkunst ist ja sozusagen die menschlichste, allgemeinste aller Künste, die am häufigsten ausgeübt wird, das heißt, die nicht nur auf der Bühne, sondern auch im Leben ausgeübt wird. Und die Theaterkunst eines Volkes oder einer Zeit muß beurteilt werden als ein Ganzes, als ein lebendiger Organismus, der nicht gesund ist, wenn er nicht in allen seinen Gliedern gesund ist. Auch das ist ein Grund, warum es sich lohnt, vom Amateurtheater zu sprechen.

Einiges über proletarische Schauspieler

Was uns an einem proletarischen Schauspieler zuerst auffällt, ist sein einfaches Spiel. Unter einem proletarischen Schauspieler verstehe ich dabei nicht einen aus dem Proletariat stammenden Schauspieler des bürgerlichen Theaters, noch einen Schauspieler des bürgerlichen Theaters, der für das Proletariat spielt, sondern einen Proletarier, der nicht durch die bürgerliche Schauspielschule gegangen ist und keiner Berufsgenossenschaft angehört. Das, was ich »einfaches Spiel« nannte, scheint mir das A und O proletarischer Schauspielkunst.
Ich will gleich vorausschicken, daß ich »einfaches Spiel« keineswegs an und für sich gut finde und es jedem weniger einfachen vorziehe. Ich bin nicht ohne weiteres gerührt über den Eifer des nicht oder wenig geschulten, aber für »die Kunst« Begeisterten, und ich habe wenig übrig für den Snobismus,

der einige Leute mit verdorbenem Gaumen das »einfache Schwarzbrot« der Delikatesse vorziehen läßt.

Die Schauspieler der kleinen Arbeitertheater, die es heute in allen großen Städten Europas, Amerikas und Asiens, die nicht vom Faschismus gelähmt sind, gibt, sind keine Dilettanten, und ihr Spiel ist nicht »Schwarzbrot«. Es ist einfach, aber nur in ganz bestimmter Hinsicht.

Die kleinen Theater der Arbeiter sind immer sehr arm. Sie können sich keine große Ausstattung leisten. Die Schauspieler sind tagsüber berufstätig. Diejenigen, die arbeitslos sind, sind tagsüber kaum weniger tätig, als die andern, da die Suche nach Arbeit auch Arbeit ist. Sie sind jedenfalls nicht weniger erschöpft als die andern, wenn sie abends zur Probe kommen. Das Spiel dieser Schauspieler verrät etwas von diesem Mangel an überschüssiger Kraft. Auch ein gewisser Mangel an Selbstbewußtsein beraubt ihr Spiel des Glanzes. Die großen individuellen Emotionen, Ausstellungen der differenzierten Psyche der Einzelpersönlichkeit, überhaupt »reiches Innenleben«, das wird von den Arbeitertheatern nicht gezeigt. Insofern ist ihr Spiel »einfach« im Sinne von »arm«.

Es ist jedoch in ihrem Spiel auch eine Einfachheit anderer Art zu finden, Einfachheit, welche nicht die Folge von Mangel irgendwelcher Herkunft, sondern welche das Resultat besonderer Anschauung und besonderer Bemühung ist. Wir sprechen auch von Einfachheit, wenn komplizierte Probleme so gemeistert sind, daß sie nunmehr leichter zu handhaben sind, ihre Unübersichtlichkeit verloren haben. Unzählige sich anscheinend widersprechende Fakten, ein riesiger, entmutigender Wirrwarr, das wird von der Wissenschaft oft so geordnet, daß eine verhältnismäßig einfache Wahrheit herauskommt. Das ist Einfachheit, die nichts Armes an sich hat. Einfachheit von dieser Art aber hat das Spiel der besten proletarischen Schauspieler, wo es sich um die Darstellung des gesellschaftlichen Zusammenlebens der Menschen handelt.

Die kleinen Theater der Arbeiter fördern überraschend oft die großen einfachen Wahrheiten über die verwickelten und unübersichtlichen Beziehungen zwischen den Menschen unseres Zeitalters ans Licht. Woher die Kriege kommen und wer sie ausficht und wer sie bezahlt, welche Zerstörungen die Unterdrückung hervorbringt, welche von Menschen auf Menschen ausgeübt wird, wohin die Mühe der vielen geht, woher das leichte Leben der wenigen stammt, welches Lernen wem nützt, welches Tun wem schadet, das zeigen die kleinen, armen Theater der Arbeiter. Ich spreche nicht nur von den Stücken, ich spreche von denen, die sie am besten und mit größtem Interesse spielen.

Etwas mehr Geld – und das Zimmer auf der Bühne wäre ein Zimmer, etwas Sprechunterricht – und die Sprache der Schauspieler wäre die der »gebildeten Leute«, ein wenig Ruhm – und das Spiel gewönne an Durchschlagskraft, noch etwas Geld zum Essen und zur Ruhe – und die Schauspieler wären nicht mehr müde.

Nicht so leicht kann beschafft werden, was den reichen bürgerlichen Theatern fehlt. Wie soll auf ihren Bühnen ein Krieg ein Krieg werden? Wie sollen sie darstellen, wohin die Mühe der vielen geht, woher das leichte Leben der wenigen stammt? Wie sollen sie die großen einfachen Wahrheiten finden über das Zusammenleben der Menschen und wie sie darstellen? Die kleinen Theater der Arbeiter haben eine Aussicht, das einfache, das ihrem Spiel aus Mangel anhaftet, zu überwinden, indem sie den Mangel überwinden, aber die reichen bürgerlichen Theater haben nicht die Aussicht, jene Einfachheit zu erlangen, die vom Streben nach Wahrheit kommt.

Und die großen, individuellen Emotionen? Die differenzierte Psyche der Einzelpersönlichkeit? Das reiche Innenleben? Wie ist es mit diesem reichen Innenleben, das bei einigen Intellektuellen noch der kümmerliche Ersatz für ein reiches Außenleben ist? Die Antwort ist: Die Kunst hat nichts damit zu schaffen, solange es eben ein Ersatz ist. Die großen individuellen Emotionen werden in der Kunst nur als verzerrtes, unnatürliches Sprechen, überhitztes krampfhaftes Temperament, die differenzierte Psyche der Einzelpersönlichkeit wird in der Kunst nur als der überschätzte, kranke Einzelfall wirken, solange Individualität das Privilegium weniger bleibt, die außer »Persönlichkeit« noch andere, materielle Dinge besitzen.

Die wahre Kunst verarmt mit den Massen und wird reich mit den Massen.

Über Bühnenbau und Musik des epischen Theaters
1935 bis 1942

Über Bühnenbau

Über den Bühnenbau der nichtaristotelischen Dramatik

1 Gesellschaftliche Aufgabe des Bühnenbauers und Tiefenkonstruktion

Einige nichtaristotelische (nicht auf Einfühlung beruhende) Dramatiken, welche versuchen, in ihren Darstellungen des menschlichen Zusammenlebens die dieses Zusammenleben beherrschenden Gesetze zu gestalten, haben, obgleich in manchem verschiedene Typen (Historientypus, Biographietypus, Parabeltypus), gewisse gemeinsame Praktiken für ihren Bühnenbau ausgearbeitet. Die Gemeinsamkeit der Praktiken gründet sich auf die ablehnende Stellung dieser Dramatiken zur restlosen Einfühlung und damit ihres Bühnenbaus zur vollkommenen Illusion. Die Umgebung der Menschen, für eine andere Dramatik nur »die äußere Welt«, spielt für die nichtaristotelischen Dramatiken eine größere und auch andersgeartete Rolle. Sie ist nicht mehr nur ein Rahmen. Unsere Kenntnis vom »Stoffwechsel zwischen Natur und Mensch« als einem gesellschaftlichen, geschichtlich wandelbaren, in der Arbeit vorgehenden Prozeß prägt unsere Abbilder der menschlichen Umgebung. Die Eingriffe, denen der Mensch die Natur unterwirft, vertiefen sich ständig. Dies muß im Bühnenbau seinen Ausdruck finden. Ferner stellt jede einzelne Aufführung jedem der verschiedenen Dramatiktypen eine völlig neue, ganz konkrete gesellschaftliche Aufgabe, an deren Lösung sich der Bühnenbauer zu beteiligen hat, indem er den gesamten Bühnen- und Theaterbau auf seine Geeignetheit und Potenz durchmustert und überholt. Die Darstellung des Aufbaus der Kollektivwirtschaften in »Razbeg« (Ochlopkow) für die Kopf- und Handarbeiter Moskaus bedeutete eine andere gesellschaftliche Aufgabe und benötigte einen anderen

Bühnenbau als die Darstellung des demagogischen Apparats der Nationalsozialisten in »Die Rundköpfe und die Spitzköpfe« (Brecht, Knutzon) in Kopenhagen 1936 oder die Darstellung der Kriegssabotage des Kleinbürgers in »Die Abenteuer des braven Soldaten Schwejk« (Piscator, Brecht, Grosz) in Berlin 1929 vor klassenmäßig ganz anders zusammengesetztem Publikum. Da die Bühne für jedes Stück völlig umzubauen ist, also in jedem Fall eine Tiefenkonstruktion verlangt wird, ist es gerechtfertigt, den Begriff des Bühnenbauers einzuführen, den man sonst nur für jemand verwendet, der die Bühne selber, also das für gewöhnlich beibehaltene Gerüst baut, auf dem die Dekoration aufgestellt wird. Der Bühnenbauer hat, je nachdem, den Boden zu ersetzen durch laufende Bänder, den Hintergrund durch eine Filmleinwand, die Seitenkulissen durch eine Orchestra. Er hat die Decke in ein Traggerüst für Aufzüge umzuwandeln, und selbst den Transport des Spielfeldes in die Mitte des Zuschauerraums hat er in Erwägung zu ziehen. Seine Aufgabe ist es, die Welt zu zeigen. Soll ihm aber nichts festliegen ohne Grund, so soll er auch nichts bewegen ohne Grund, denn er gibt Abbilder der Welt, und diese bewegt sich nach Gesetzen, die nicht alle bekannt sind, jedoch sieht ihre Bewegung nicht nur er, sondern auch jene, die seine Abbilder sehen, und es kommt nicht lediglich darauf an, wie er die Welt sieht, sondern darauf, daß jene, die seine Abbilder sehen, sich daraufhin in ihr zurechtfinden. Er hat seine Abbilder also für kritische Augen aufzubauen, und sind die Augen nicht kritisch, so hat er sie kritisch zu machen. Denn er muß immer bedenken, was für eine große Sache es ist, andern die Welt zu zeigen, in der sie leben müssen.

2 Trennung der Elemente. Die Schauspieler
als Stücke des Bühnenbaus

Wenn der Bühnenbauer einig geht mit dem Spielleiter, dem Stückeschreiber, dem Musiker und dem Schauspieler, was die gesellschaftliche Aufgabe der Aufführung anlangt, jeden von ihnen unterstützt und jede Unterstützung benutzt, so muß er deshalb seine Arbeit keineswegs aufgehen lassen in einem »Gesamtkunstwerk«, einer restlosen Verschmelzung aller Kunstelemente. In gewisser Weise hält er, in seiner Assoziation mit den anderen Künsten, durch eine *Trennung der Elemente* die Individualität seiner Kunst ebenso aufrecht, wie dies die andern Künste tun. Das Zusammenspiel der Künste wird so ein lebendiges; der Widerspruch der Elemente ist nicht ausgelöscht. Der Bühnenbauer nimmt seinerseits, mit seinen Mitteln, in einer gewissen Freiheit Stellung zum Thema. Die Vorführung von Graphiken oder Filmen kann die Darstellung unterbrechen.[1] Er geht einig mit den übrigen Künsten, wenn für ihn zum Beispiel auch die Musikinstrumente[2] und die Schauspieler zu Stücken seines Bühnenbaus werden. In gewissem Sinn sind für ihn die Schauspieler die wichtigsten Dekorationsstücke von allen. Es genügt nicht, daß für die Schauspieler nur eben Raum ausgespart ist. Wenn der Bühnenbau aus einem Baum und drei Männern besteht oder aus einem Mann und einem Baum und noch zwei Männern, so muß der Baum allein noch kein Bühnenbau sein, genauer gesagt, er darf es gar nicht. Die Entfaltung der Gruppierung ist eine Entfaltung des Bühnenbaus und eine Hauptaufgabe des Bühnenbauers. Wird dem Bühnenbauer die Zusammenarbeit mit den Schauspielern erschwert, gerät er in die Lage eines Historienmalers, der lediglich Möbel und Requisiten auf eine Leinwand malt, worauf ein anderer auf die Stühle seine Figuren und an die in der Luft hängenden Schwerter ihre Hände malen wird.

[1] Siehe die durchaus selbständigen in den »Abenteuern des braven Soldaten Schwejk« projizierten Zeichnungen von George Grosz und die von Caspar Neher für »Aufstieg und Fall der Stadt Mahagonny«.
[2] Für die »Dreigroschenoper« stellte Neher eine Jahrmarktsorgel in die Mitte der Bühne. Max Gorelik verwendete in der Aufführung der »Mutter« in New York die Hälfte seiner Bühne für zwei Flügel.

3 Aufbau des Spielfelds (induktive Methode)

Für gewöhnlich werden die Bauten festgelegt, bevor die Proben der Schauspieler begonnen haben, »damit sie beginnen können«, und die Hauptsache ist, daß sie stimmungsvoll sind, irgendeine Impression geben, Lokalkolorit, und der Vorgang, der hier zu spielen hat, wird so wenig beachtet wie bei der Auswahl einer Ansichtspostkarte auf einer Reise. Höchstens gilt es, Räume mit hübschen Spielmöglichkeiten zu schaffen, aber dies ganz allgemein, für irgendwelche Gruppierungsmöglichkeiten, wenn für bestimmte, dann solche der ersten Szene, die in dem Raum spielt. Selbst wenn der Spielleiter schon, bevor die Proben begonnen haben, alle Stellungen und Bewegungen seiner Schauspieler festgelegt hat, eine höchst unglückliche Art des Vorgehens, verfällt er gemeinhin der Verführung, den einmal für die erste Szene gewählten Raum für alle weiteren festzuhalten, da mit ihm eine bestimmte szenische Lösung verknüpft ist oder verknüpft scheint und da er unbewußt auch die Vorstellung benutzt, daß ein Mensch ja in ein und demselben Raum mehrere Erlebnisse haben kann: Er baut seine Wohnung nicht um für eine Eifersuchtsszene. Geht man so vor, so bringt man sich um alle Vorteile der wochenlangen Zusammenarbeit von einander verschiedenen Menschen und hat von allem Anfang an einen starren, unelastischen Raum, den keinerlei Bewegung der darin Spielenden mehr verändert. Das Wort *Bühnenbild,* das für Dekorationen der beschriebenen Art im Deutschen gebraucht wird, ist gut gewählt, da es alle Nachteile solcher Bühnenbauten enthüllt. Ganz abgesehen davon, daß es für ein Bild nur ein paar wenige Sitze im Zuschauerraum gibt, von denen aus es seine volle Wirkung ausübt und es von allen andern Sitzen aus mehr oder weniger deformiert erscheint, hat das als Bild komponierte Spielfeld weder die Eigenschaften einer Plastik noch eines Terrains, obgleich es beides zu sein vorgibt. Das gute Spielfeld darf erst fertig werden durch das Spiel der sich bewegenden Figuren. Es wird also am besten auf den Proben fertiggebaut. Das ist sehr ungewohnt für unsere Bühnenbildner, die sich als Maler fühlen und behaupten, eine »Vision« zu haben, die es zu realisieren gälte, wobei sie selten mit den Schauspielern rechnen, da ihre »Bühnenbilder« ohne die Schauspieler angeblich ebenso gut oder sogar besser wirken. Freilich verlangt eine so komponierte Bühne ein entsprechend kostbares Spiel. Erhebt sich das Bühnenbild zu einer bestimmten Erlesenheit oder Geschlossenheit und bleibt das Spiel dahinter zurück, dann wird die Aufführung geschädigt. Ebenso, wenn der Bühnenbau deutliches Denken verrät, das Spiel aber nicht. Ein an sich schlechterer Bühnenbau wäre dann besser.

Der gute Bühnenbauer geht langsam, experimentierend vor. Eine Arbeitshypothese auf Grund genauer Lektüre des Stückes und ausgiebiger Besprechung mit den andern Mitgliedern des Theaters, besonders die besondere gesellschaftliche Aufgabe des Stückes und der betreffenden Aufführung angebend, ist für ihn nützlich. Jedoch muß seine Grundvorstellung möglichst allgemein und elastisch sein. Er wird sie ständig an den Probenresultaten der Schauspieler prüfen. Die Wünsche und Absichten der Schauspieler sind für ihn Quellen der Erfindung. Er studiert, wieweit ihre Kräfte reichen und springt ein. Das Hinken eines Mannes kann Platz brauchen, um zur Geltung zu kommen, mancher Vorfall wirkt aus der Ferne gesehen komisch, aber tragisch aus der Nähe und so weiter. Und auch ihm helfen die Schauspieler aus. Soll er einen kostbaren Stuhl liefern, so wird er kostbar wirken, wenn ihn die Schauspieler umständlich hereintragen und mit großer Vorsicht niedersetzen. Soll es ein Richterstuhl sein, so wird es eine besondere Wirkung sein, wenn es zum Beispiel ein großer Stuhl für einen kleinen Richter ist, der ihn nicht ausfüllt. Vieles kann vom Bühnenbau wegbleiben, wenn es in das Spiel der Schauspieler hineinkommt, und vieles kann der Bühnenbauer den Schauspielern ersparen.

Der Bühnenbauer vermag den Sinn von Sätzen der Schauspieler grundlegend zu verändern und neue Gesten zu ermöglichen.

Baut er zum Beispiel im »Macbeth«, wo in der sechsten Szene des ersten Aktes der König und sein Gefolge die Macbethsche Burg loben, ein armseliges und häßliches Gebäude auf, so wird das Lob aus einem reinen Ausdruck der Vertrauensseligkeit zu einem Ausdruck der Güte und Höflichkeit, und doch bleibt die Unfähigkeit des Königs, sich gegen den Macbeth zu versehen, dessen elende Lage er nicht erkennt.

Es ist für die Schauspieler oft angenehm, nach Skizzen zu arbeiten, die einen wichtigen Vorgang darstellen; es ist sowohl deshalb nützlich, weil sie die Haltungen kopieren können, als auch weil der Vorgang, indem er eine künstlerische Darstellung erhielt, in seiner Besonderheit und Bedeutung gefaßt, sozusagen berühmt gemacht ist. Er hat eine bestimmte Form angenommen, und die Kritik kann sich daran entwickeln. Ebenso nützlich können Skizzen sein, welche die Schauspieler selber abbilden.

So arbeitet der gute Bühnenbauer. Einmal dem Schauspieler voraus, einmal ihm folgend, immer zusammen mit ihm. Nach und nach baut er sein Spielfeld auf, ebenso experimentierend wie der Schauspieler und mehr als eines versuchend. Eine Wand und ein Stuhl sind schon sehr viel. Es ist auch schon sehr schwer, eine Wand gut zu ziehen und einen Stuhl gut aufzustellen. Wand und Stuhl müssen nicht nur praktisch stehen für den Schauspieler, sondern auch zueinander in guten Verhältnissen und für sich selber wirksam.

Die meisten Bühnenbauer haben das, was man bei Malern eine unsaubere Palette nennt. Das heißt, schon auf dem Brett, von dem sie die Farben nehmen, sind sie ineinander verschmiert. Solche Leute wissen nicht mehr, was ein normales Licht ist und was die Grundfarben sind. So decken sie alle Kontraste der Farben zu, statt sie zu verwerten, und färben die Luft. Die Meister wissen, wieviel es schon ist, wenn neben einer Gruppe von Menschen an einer Wäscheleine eine blaue Tischdecke hängt, das heißt wie wenig noch hinzukommen darf.

Die Auswahl der Merkmale ist mitunter sehr schwierig. Sie müssen den Funktionen genügen.
Wie wenig wir auf die Funktion eines Dinges bedacht sind, möge ein Beispiel zeigen. In »Die Rundköpfe und die Spitzköpfe« waren zwei bäuerliche Familien bei der Arbeit zu zeigen. Wir wählten als Arbeitsinstrument einen Ziehbrunnen. Obgleich einer der Arbeitenden im Stück sagt: »Da der Pachtherr uns keine Pferde gibt, ist jeder von uns sein eigenes Pferd« und obgleich gerade der Mangel an Pferden eine große Rolle im Stück spielt, kam weder der Stückeschreiber noch der Spielleiter noch der Bühnenbauer noch ein Schauspieler noch ein Zuschauer darauf, daß diesen Ziehbrunnen kein Pferd bedienen könnte. Richtig wäre gewesen: eine primitive Maschine, welche anstelle von Pferden von Menschen bedient wurde. Die Folgen eines solchen Mißgriffs sind beträchtlich. Die Arbeit erscheint so sofort als eine ganz »natürliche«, unänderbare, schicksalhafte. Sie muß eben gemacht werden, es fragt sich höchstens noch, von wem, und dabei wird nicht an Pferde, sondern an Menschen gedacht. Das als drückend Empfundene wird nicht als überflüssig gezeigt, der Blick nicht auf Maßnahmen gelenkt, welche das Übel beseitigen könnten.
Eine wichtige Frage ist dabei die Materialfrage.[1] Es empfiehlt

---

[1] Durch die Verwendung bestimmter Materialien können bestimmte Assoziationen des Zuschauers benutzt werden. Für die Parabel von »Die Rundköpfe und die Spitzköpfe« zum Beispiel erweckten Schirme im Hintergrund, die pergamenten wirkten, die Assoziation von alten Büchern. Da der Sinn der Parabel bei bürgerlichem Publikum auf Widerstand stoßen mußte, war es vorteilhaft, ihr etwas von dem Kredit alter und berühmter Parabeln zu verleihen. Das Moskauer Jiddische Theater verwendete für seine »Lear«-Aufführung einen hölzernen, aufklappbaren Tabernakelbau, der die Assoziation mittelalterlicher Bibel erweckte. Für ein chinesisches Stück verwendete John Hartfield im Piscatortheater große, aufrollbare Papierfahnen mit mehr Glück, als im selben Theater für ein Inflationsstück Moholy-Nagy eine Nickel- und Glaskonstruktion verwendete, was die unerwünschte Assoziation eines chirurgischen Bestecks erweckte.

sich eine einfache Auswahl von nicht zu vielen Grundstoffen. Es ist nicht Sache der Kunst, mit allen Mitteln eine bestimmte Imitation anzufertigen. Die Materialien müssen auch für sich wirken.

Sie dürfen nicht vergewaltigt werden. Man darf ihnen nicht zumuten, sich »zu verwandeln«, so daß Pappe die Illusion erwecken soll, Leinwand zu sein, Holz Eisen und so weiter. Gut bearbeitetes Holz, Stricke, Eisenrahmen, Leinwand und so weiter entfalten, gut ausgestellt, eine eigenartige Schönheit.

Dem Bühnenbauer dürften übrigens auch die Reize nicht aus den Augen kommen, die sein Spielfeld auf die Schauspieler selber ausüben soll. Die Gegenstände können zwei Seiten haben, eine dem Zuschauer und eine dem Spieler zugewandte, aber die dem Spieler zugewandte Seite muß ebenfalls noch eine künstlerisch befriedigende Ansicht gewähren. Der Spieler braucht nicht in Illusion versetzt zu werden, daß er sich in der richtigen Welt befinde, aber es muß ihm bestätigt werden, daß er sich in einem richtigen Theater befindet. Gute Proportionen, schönes Material, sinnvolle Einrichtungen und gute Arbeit der Requisiten verpflichten den Schauspieler. Es ist nicht gleichgültig, wie eine Maske von innen aussieht, ob sie ein Kunstprodukt ist oder nicht.

Nichts darf ihm festlegen, weder der Ort, noch die gewohnte Verwendung der Bühne. Insofern ist er ein wahrhafter Bühnenbauer.

Nur, wenn er dem mählichen Aufbau des Stückes folgt, kann der Bühnenbauer feststellen, ob sein Bau noch nichts beweist oder schon zuviel. Aber nicht nur des Nutzens wegen, den die Schauspieler daraus ziehen und nicht nur des Nutzens wegen, den er aus den Schauspielern zieht, auch um rein technisch seinen Bau experimentell verbessern zu können, tut der Bühnenbauer gut, die *Montage des Bühnenbaus in mobilen Elementen* vorzunehmen. Er baut den Bühnenbau in einzelnen, selbständigen Stücken auf, die beweglich sind. Ein Türstock muß ebenso probieren können wie der Schauspieler, der ihn benützt, damit er sich von allen Seiten zeigen kann, und damit er mit den andern Elementen des Baus in möglichst vielen Gruppierungen wirken kann, muß er einigen Selbstwert besitzen, für sich selber Leben haben. Er spielt eine Rolle oder auch mehrere Rollen, ebenso wie ein anderer Schauspieler. Er hat dasselbe Recht und die gleiche Pflicht, aufzufallen. Er kann ein Statist und ein Protagonist sein. Die Extremitäten eines mobilen Fensterstocks, seien es Seile oder ein Stativ, sollten übrigens nicht etwa verborgen werden; sie sollen zur Verschönerung des Anblicks beitragen. Dasselbe gilt für die Lampen und die Musikinstrumente. Der Bühnenraum, in den die verschiedenen Requisiten und Mobilien gestellt werden, wird ebenfalls am besten deutlich gezeigt, so daß jene als Mobilien sich gut abheben.

Wofür ständiger Umbau?

Warum muß der Bühnenbauer die Bühne, ja das ganze Theater, für jedes Stück völlig umbauen und so eine Tiefenkonstruktion liefern?
Jedes Stück ist eine bestimmte gesellschaftliche Aufgabe. Alle, die an der Aufführung beteiligt sind (es sind mehr beteiligt, als man auf den ersten Blick annimmt), müssen zusammenarbeiten, damit diese bestimmte gesellschaftliche Aufgabe in ihrer Besonderheit erkannt und erfüllt wird. Dabei darf man keinen und darf keiner sich auf sein »Fach« beschränken, denn die »Fächer« sind schwer abzugrenzen, und jeder ist nicht nur Fachmann, sondern auch ein Mensch mit allgemeinen gesellschaftlichen Interessen und Erfahrungen. Auch seine fachliche Tüchtigkeit hängt davon ab, ob er diese Interessen und Erfahrungen zur Geltung bringen kann. Wie soll der Schauspieler zum Beispiel seine Meinung, eine bestimmte Figur sei eine proletarische, über die Rampe bringen, wenn der

Bühnenbauer sie in einen kleinbürgerlichen Rahmen stellt? Freilich ist das Beispiel auch umzukehren.

Zu der Bewältigung einer neuen gesellschaftlichen Aufgabe, wie es die Aufführung jedes Stückes darstellt, muß der gesamte Bühnen- und Theaterbau durchgemustert und überholt werden.

Fixierung des Raums bei induktiver Methode

[Notizen]

Für den Bühnenbauer des epischen Theaters ist der Raum gegeben durch die Stellungen, welche die Personen zueinander einnehmen und die Bewegungen, die sie vollführen.

Nach der gewöhnlichen Ansicht hat die Bühne dem Leben zu folgen und ist im Leben Stellung und Bewegung der Menschen, gegeben durch den Raum, in dem sie sich aufhalten. Der Raum, nehmen wir ein Zimmer, scheint das Feststehende bei einem Vorgang zwischen Menschen, sagen wir, einem Mord. Es ist gestanden, bevor der Mord stattfand, es hat schon andere Vorgänge zwischen Menschen umgeben, durch die meisten unverändert. Der Mörder trat keinen Schritt weiter als die Wand es ihm erlaubte, noch fiel der Ermordete tiefer, als der Boden ihn auffing. Immerhin hat auch im Leben der Mörder sein Opfer nicht nur eben irgendwo aufgesucht, sondern eben in dem bestimmten Zimmer. Der Ort des Mordes richtete sich insofern nach den Absichten und Bewegungen der dabei Beteiligten. Es mag ein für den Mord geeigneter Ort sein oder ein ungeeigneter. Im letzteren Fall fand nicht nur ein Mord statt, sondern auch die Sichtung des Mörders, seine Spurenhinterlegung; dafür war das Zimmer geeignet. In diesem Zimmer wohnte der Mörder oder das Opfer oder hielt sich jedenfalls dort auf, als das Opfer oder der Mörder eintrat. Es war als Wohnung oder Aufenthaltsort geeignet, das heißt, es besaß genügend Eigenschaften, die den Bewohner in ihm hielten. Von unserer Handlung aus gesehen, war der Raum gerade für den Vorgang geeignet, der in ihm spielte. Der Bühnenbau muß ihn danach aufbauen, nach seiner Eignung für die Handlung, welche aus Stellungen besteht, die Personen zueinander einnehmen, und Bewegungen, die sie vollführen.

Haben wir in einem Stück großbürgerliche und proletarische Wohnungen zu zeigen, so ist es klar, daß die einen größer als die anderen sein müssen. Für den Bühnenbauer heißt das aber, daß die ersteren zu groß und die letzteren zu klein für die sich darin abspielenden Vorgänge sein müssen. Raumfixierend ist die Zahl der Figuren und ihre Bewegung.

Als praktisch erwiesen hat sich die Anfertigung von Skizzen bestimmter Vorgänge des Stücks, auf denen, bei nur angedeutetem Hintergrund, die Figuren in charakteristischen Stellungen zueinander zu sehen sind (Versteigerung des falschen Elefanten, Erschießung des Elefantendiebs in »Mann ist Mann«).

Wenn man einen Ort abbildet, der von Menschen hergerichtet wurde, sollte man deren Tätigkeit nachgehen. Das Aussehen einer Wohnung zum Beispiel wird von vielen Menschen bestimmt, die nicht in ihr wohnen. Bei ihrer Herstellung kann berücksichtigt worden sein, daß man darin wohnen soll, und es können Leute einer bestimmten Schicht ins Auge gefaßt worden sein, sie sollte aber hauptsächlich vermietet werden. Sie kann von jemand für sich selber gebaut worden sein und dann erst an andere vermietet worden sein. Sie kann dann umgebaut worden sein oder nicht. Die Leute der erwarteten Art können ausgeblieben sein. Die Mieter können einen Laden aus der Wohnung gemacht haben. Inzwischen ist auch Zeit vergangen, Wohnungen und Läden müssen neuen Anforderungen gerecht werden. In dem Laden können dann wieder

Leute wohnen und so weiter. Der Ort bietet seinen Bewohnern meist einen Widerstand; sie versuchen, ihn zu überwinden, ihre Anstrengungen sieht man. Der Bühnenbauer sollte all dem nachgehen, sozusagen mit ihnen zusammen bauen, ihre Maßnahmen wiederholen; auf diese Weise kann er manches in seinen Bau bringen, was das zu zeigende Verhalten der Personen erklären hilft.

Die Welt des Bühnenbauers ist einigermaßen verkehrt. In ihr laufen die Personen herum mit Zimmern um sich oder eine Maschine hinter sich oder Treppen unter den Füßen. Wo sie ihre Geschäfte abwickeln, da entstehen Kontore, wo sie miteinander trinken, Schankstuben. Ein Mann tritt auf einen Bühnenboden, und über ihn herab senken sich Barbierschild, Bäckerbrezel und roter Hut, die Embleme einer Straße Gewerbetreibender. Eine Frau sitzt, und um sie schieben sich Wände mit Fenstern. Verkauft ein Mann einem andern ein beschädigtes Auto, so bringt er mit sich außer dem Auto noch einen Haufen Dämmerlicht. Was für einen Überfall an Distanz nötig ist, eben das schiebt sich zwischen Räuber und Überfallenen. Und für einen Kontrakt zwischen zwei Leuten steigt ein grüner Tisch aus der Versenkung.
Nehmen wir die Orte für sich, die Zimmer, Läden, Kontore, Kasernen, so haben sie freilich auch einen Bestand für sich, eine eigene Geschichte, für die Dramatik sind sie interessant, soweit sie mit Menschen zu tun haben. Der Bühnenbauer, seinen Raum fixierend, wird zunächst die Vorgänge zwischen den Personen des Stückes bedienen. Wenn er den Ort, der abzubilden ist, für sich betrachtet, wird er ihn aufbauen, indem er denen folgt, die ihn einst gebildet haben.

So haben wir in unserm Mordzimmer das Ergebnis der Bautätigkeit vieler Menschen, Geldleuten, Bauleuten, Mietern; alle von ihnen verfolgten Absichten, die man ihrem Bau ansieht, die Absichten durchkreuzten sich, hoben sich teilweise auf, verstärkten einander gegenseitig, und am Ende kommen dazu noch, für den Bühnenbauer, als Bauleute: der Mörder und sein Opfer. Der eine, der eine Falle baute, der andere, der sie bezog. Die Auswahl der Merkmale aller dieser Bautätigkeit aber muß erfolgen nach den Bedürfnissen unseres zu zeigenden Vorgangs.

Die Übersetzung der Wirklichkeit unter Vermeidung der restlosen Illusion

1

Manche Bühnenbildner setzen ihren Ehrgeiz darein, daß man, ihre Bühne betrachtend, glaubt, an einem wirklichen Ort des wirklichen Lebens zu sein. Aber sie müßten erreichen, daß man glaubt, in einem guten Theater zu sein. Ja, sie müssen sogar erreichen, daß man an einem wirklichen Ort des wirklichen Lebens glaubt, im Theater zu sein. Denn im Theater soll eine bestimmte Betrachtungsweise gelehrt werden, eine einschätzende, aufmerksame Haltung den Vorgängen gegenüber und eine Fähigkeit, rasch die undeutlichen Menschengruppen nach dem Sinn des Vorgangs zu ordnen.

2

Das Theater hat viel mit Imitation zu tun. Die Bühnenbildner müssen, wie die Schauspieler, wissen, daß Imitation eine Sache der Phantasie sein muß, daß etwas Veränderndes darin liegen muß. Die Freiheit wiederum muß etwas Notwendiges in sich haben.

3

Das Theater hat seine eigenen Spielregeln, die jederzeit vervollständigt oder revidiert werden können, wenn sie sich nur als Spielregeln darstellen. Die Chinesen verwenden zum Beispiel als Zeichen von Armut auf ihren seidenen Gewändern seidene Streifen, die Risse und Flicken andeuten. Das Theater kommt auf seinem eigenen Wege zum Ernst. Das Spielmäßige selber hat auf dem Theater natürlich nichts Unernstes, es muß ständig in Erscheinung gehalten werden. So kann eine Dekoration, welche äußerste Armut oder gefährlichste Situation darstellt, dennoch etwas Leichtes, ja Heiteres haben. Dies entspricht der Vorschrift der Chinesen für die Darstellung alter Leute, die sehr theatermäßig ist, daß nämlich Greise hauptsächlich durch das Nichtfolgen ihrer Gliedmaßen dargestellt werden sollen, diese Darstellung selber aber feurig und kraftvoll sein müsse. Die Häßlichkeit eines Ortes wird nicht dadurch ausgedrückt, daß man die Bühne häßlich macht. Im Bühnenbild zu dem Stück »Lebenslauf des asozialen Baal«, das den Untergang eines nur Genießenden in der schließlichen Unfähigkeit zum Genuß darstellt, ließ der große Bühnenbauer Caspar Neher durch eine offen zur Schau gestellte Nachlässigkeit – ein Tuschestrich auf einem Leinwandfetzen mußte gegen das Ende des Stückes zu einen Wald vorstellen – das erlahmende Interesse, das die Mitwelt an diesem Typus nimmt, vermuten. Hier zeigte selbst das Theater dieses erlahmende Interesse, allerdings in künstlerisch großartiger Weise. So kann auch der Bühnenbildner große belehrende Gesten vollführen.

Über die Kargheit

Die Beschränkung auf das Notwendige (Mitspielende) macht den Bühnenbau mitunter karg aussehend. Er wirkt »arm«. Tatsächlich trägt er dem kleinbürgerlichen Reichtumsbegriff des Interieurs nicht Rechnung. Es fehlen die Souvenirs und die anheimelnden Spuren der Gewohnheiten, die »zur zweiten Natur« geworden sind. Tatsächlich ist dieser Überfluß an Gegenständen nur ein Mangel an Raum. Am reichsten an Gegenständen sind erst die armen Wohnungen. Karg wirkt auch, daß der nichtillusionistische Bühnenbau sich mit Andeutungen der Merkmale begnügt, mit Abstraktionen arbeitet, so dem Beschauer die Mühe des Konkretisierens aufbürdet. Er tritt der Lähmung und Verkümmerung der Phantasie entgegen. Der Aufbau der Bühne in mobilen Elementen entspricht einer neuen Betrachtungsweise unserer Umgebung: Sie wird als veränderlich und veränderbar angesehen, als voll von Widersprüchen in labiler Einheitlichkeit. Der Beschauer muß imstande sein, im Geist die Elemente auszuwechseln, also zu montieren. Damit ein Stück Natur (wie ein Feld oder eine Wohnung) praktikabel wird, muß es eines gewissen »Reichtums« an Übergängen und vervollständigenden Details entkleidet werden. Auch das macht den Bühnenbau karg.

Das Nötigste ist genug

An Stätten, wo gearbeitet wird, liest man oft: »Unbeschäftigten ist der Zutritt untersagt.« Das sollten die Bühnenbauer über ihr Spielfeld hängen. Was auf der Bühne steht, muß mitspielen, und was nicht mitspielt, muß nicht auf die Bühne. Die meisten Bühnenbauer charakterisieren eine Kleinbürgerwohnung durch Kanarienvögel oder Nippsachen. Sie stellen diese Merkmale ganz mechanisch auf die Bühne. Man kann sie ebenso mechanisch wieder wegstellen. Ihre pure Existenz besagt wenig. Es ist schwierig, handhabbare Klassenunterschiede daraus zu gewinnen. Erst wenn man die Rennställe der Großbürger gegen die Kanarienkäfige der Kleinbürger und die Statuen der einen gegen die Nippsachen der anderen setzt und dann nur die Winzigkeit des kleinbürgerlichen Besitzes als Charakteristikum überbleibt, kann man das Charakteristikum des Privatbesitzes gewinnen und die Frage aufwerfen, in welcher Quantität er unzeitgemäßer ist. Immerhin würden in satirischen Werken etwa Nippsachen und Kanarienvögel in der Kajüte eines Piratenschiffes etwas aussagen über die kleinbürgerliche Natur der kleineren Piraten.

[Das Offene zeigen]

Der Parabelerzähler tut gut, alles, was er für seine Parabel braucht, jene Elemente, mit deren Hilfe er den gesetzmäßigen Verlauf seines Vorgangs zeigen will, offen den Zuschauern vorzuweisen. Der Bühnenbauer der Parabel zeigt also offen die Lampen, Musikinstrumente, Masken, Wände und Türen, Treppen, Stühle und Tische, mit deren Hilfe die Parabel gebaut werden soll.

Die Sichtbarkeit der Lichtquellen

Das offene Zeigen der Lampenapparatur hat Bedeutung, da es eines der Mittel sein kann, nichtgewünschte Illusion zu verhindern. Es verhindert kaum die gewünschte Konzentration. Wenn wir das Spiel der Schauspieler so beleuchten, daß die Beleuchtungsanlage ins Blickfeld des Zuschauers fällt, zerstören wir einiges von seiner Illusion, einem momentanen, spontanen, nichtgeprobten, wirklichen Vorgang beizuwohnen. Er sieht, es sind Anstalten getroffen, etwas zu zeigen, hier wird etwas wiederholt unter besonderen Umständen, zum Beispiel in hellstem Licht. Getroffen werden soll durch das Zeigen der Lichtquelle die Absicht des alten Theaters, sie zu verbergen. Niemand würde erwarten, daß bei einer sportlichen Veranstaltung, etwa einem Boxkampf, die Lampen verdeckt werden. Wie immer die Darbietungen des neueren Theaters sich von sportlichen unterscheiden mögen, sie unterscheiden sich von ihnen nicht in dem Punkt, wo das alte Theater es für nötig findet, die Lichtquelle zu verstecken.

[Zeichen und Symbole]

Das Auswählen von Kennzeichen für die Schauplätze ist nicht dasselbe wie das Erfinden von Symbolen. Ein Symbol für eine Fabrik wäre eine Zwingburg. Dieses gälte für alle Fabriken und bliebe auch das gleiche für eine Fabrik in den verschiedenen Szenen eines Stückes. Damit ist ein einziger Zug aller Fabriken symbolisiert und ein zeitloser Ausdruck gefunden. Was aber, wenn die Zwingburg gesprengt ist? Wo bleibt die Fabrik? So ist es auch, wenn man das Kapital mit einem Goldklumpen symbolisiert, eine leere Spielerei, da Gold noch nicht Kapital ist und die Gier nach Gold noch nicht die Gier nach der Ware Arbeitskraft. Solches Symbolisieren tut dem von einigen daraus Gewinnziehenden verbreiteten Aberglauben Vorschub, die Menschheit stehe unter der Herrschaft einiger Ideen oder von Urtrieben ewiger Art. Die Zeichen von der hier gemeinten Art dagegen sind realistische Hinweise auf die Umgebung der Menschen des Dramas, und ihr Studium gibt Aufschlüsse über die gesellschaftlichen Prozesse, die eben im Gang sind und die in Gang zu bringen sind. Die Imitation einer Fabrikansicht sagt wenig aus, weil auch die Ansicht eines Fabrikhofs selber wenig hergibt – es gab Zeiten, wo man, einen Fabrikhof inmitten von Dörfern erblickend, die Heimarbeit verrichteten, einen Zeugen revolutionärer Entwicklung erblickte. Aber noch leerer, noch gefährlicher sind Symbolisierungen, die keinerlei Handhaben mehr für Umgestaltungen gewähren. Die Kunst des Abstrahierens muß von *Realisten* angewendet werden.

Nicht nur ein die Natur sklavisch imitierender und nicht nur ein in einzelnen Zügen phantastischer (stilisierter) Bühnenbau kann die vollkommene Illusion erzeugen; auch ein symbolischer kann es. Es ist ein großer Unterschied zu machen zwischen symbolischen Dekorationen und dem aus realistischen Merkmalen bestehenden Bühnenbau nichtaristotelischer Dramatik.

Die Auswahl der einzelnen Elemente für unsere Straße bedeutete keine besondere Schwierigkeit, es war einfach eine Reihe von Instrumenten, die wir für das Spiel benötigten; war aber, was am Schluß stand, das Abbild einer Straße?

Wir haben den *Augenschein* aufgegeben. Was wir aufgebaut haben, gleicht nur in wenigen Stücken dem wirklichen Ort, oder überhaupt einem wirklichen Ort. Wir haben keinen Fabrikhof mit Gebäuden, Zuggeleisen und so weiter, sondern vielleicht nur ein Tor und eine Draisine (als Sitzgelegenheit, wenn eine Frühstückspause gezeigt werden soll), also von vielen augenscheinlichen Dingen auf einem Fabrikhof nur wenige. Dafür haben wir einige Dinge, die auf ihm nicht augenscheinlich sind: Lohnlisten, eine Photographie des Besitzers, eine Katalogseite mit den Fabrikaten, vielleicht auch eine der Photographien mit sonntäglich gekleideten Arbeitern in einer schönen Meisterkantine mit der Unterschrift »Unsere Arbeiter in der Frühstückspause«, wie man sie in Magazinen sehen kann. Haben wir nun einen Fabrikhof? Wie stehen wir zum Augenschein? Die Psychologie sagt uns, daß je nach dem Gebrauch, den die Menschen von einem Ort machen, ein anderer Augenschein entsteht.

Eine Fabrik ist das Handwerkszeug (etwa der Riesenspinnstuhl) von Arbeitern und die Verkörperung unbezahlter Arbeitsstunden, die Geburtsstätte von Produkten und die Verschleißstätte menschlicher Arbeitskraft. Die Arbeit, die in ihr geleistet wird, wird geleistet auf einer Grundlage von Handel, Gewalt, Plan und Planlosigkeit, sie hat ganz verschiedene Ziele und so weiter. Man sieht, die arbeitende Fabrik sehend, nicht nur Handlungen von Menschen gegenüber den Naturkräften, sondern auch Handlungen von Menschen gegenüber Menschen. Man könnte annehmen, daß manches von diesem Komplex sichtbar, manches aber unsichtbar sei. Jedoch ist im Grund alles sichtbar.

Es ist klar, daß es Kennzeichen für die stattfindende Produktion geben muß, aber auch solche der stattfindenden Ausbeutung, es ist gerade das gesellschaftlich Relevante dieses Ortes, daß hier die Produktion in der Form der Ausbeutung und die Ausbeutung in der Form der Produktion vor sich geht. Könnten wir die Einfühlung des Zuschauers benutzen, so hätten wir nur den Helden zu wählen, um damit einem neutralen, dem Augenschein entsprechenden Ort den Charakter zu verleihen, auf den es uns ankommt. Der Ort würde dann als Produktionsstätte oder als Ausbeutungsstätte erscheinen, je nachdem wir uns in einen Ausgebeuteten oder einen Ausbeuter einfühlen würden. Wir würden schwerlich seinen Doppelcharakter bekommen, da sich an diesem Ort kaum eine Person aufhalten (und so unserer Einfühlung dienen) kann, die nicht der einen oder der anderen Klasse angehört. Es bleibt uns also nur übrig, von den Subjekten abzusehen und der umgebenden objektiven Welt beide Aspekte zuzuerteilen, die der Gebrauch dieser umgebenden Welt verleiht.

Da wir uns der Einfühlung unseres Zuschauers nicht bedienen wollen, sehen wir keine andere Möglichkeit, dem Gebrauch Rechnung zu tragen, den unsere Figuren vom Ort machen, als indem wir Stücke des Ortes mit Elementen mischen, welche diesen Gebrauch deutlich aufzeigen.

Bei diesem Aufbau einer gerade für unser Spiel geeigneten Straße, die induktiv, das heißt nach und nach, von Fall zu Fall, und in mobilen Elementen erfolgte, haben wir, wie man sieht, eine Reihe von Merkmalen aufgebaut, von einer realen Straße aber nur eine lückenhafte Abbildung gegeben. Haben wir also die Realität nicht »zu Wort kommen lassen«?

Soll man (also) nicht die Sache selber haben, die Realität, das fühlbare, schmeckende, sensuell kontrollierbare Ding, sondern nur »Zeichen« dafür, so etwas wie Buchstaben (in Wortform), anstatt das, was die Buchstaben meinen, nur mathematische Symbole? Allerhand über die Dinge, anstatt die Dinge? Abstraktionen?

Nichts dergleichen ist mit unseren Merkmalen gemeint. Sie sind ganz dicke, realistische Dinge, wenn man will gebrauchte (second hand). Ein Türstock, wenn man will, von einer Abbruchstätte, aus einer Wand herausgerissen, ein gesellschaftlich versiertes Ding mit einer Biographie, nicht eine ausgedachte Konstruktion, einen Durchgang bedeutend, mit keinen anderen Eigenschaften als eben der, Leute durchzulassen. Freilich, dieser Türstock vertritt ein wenig mehr als ein gewöhnlicher, er hat es bereitwillig übernommen, noch gleichzeitig für ein Stück Mauer und ein Stück Decke zu zeichnen, denn diese fehlen entweder dem Zimmer oder sind nur sehr unvollkommen zur Stelle. Ein Leinwandschirm mag als Wand identifiziert werden, sie ist dann nicht lückenlos und benutzt eine optische Täuschung, um als Wand zu wirken. Fensterrahmen mag es geben, da sie im Spiel eine Rolle spielen, allerdings sind sie vielleicht ohne Glas; auch sie benutzen die Anwesenheit einiger unzweifelhafter, wenn man will, wieder gebrauchter, aber jedenfalls brauchbarer Möbel, um richtig als Fenster auftreten zu können. Die Wahrheit ist: Das Ganze (das Zimmer) ist durch Teile (Fensterrahmen, Möbel, Türstock) vertreten, das realistische Ganze durch realistische Teile.[1]

Die Kleinhandelsembleme zum Beispiel sind jedoch keine eigentlichen Symbole. Tatsächlich benötigten wir die Geschäfte selber nicht; jedoch ist im Stück die Rede von der Schwierigkeit, Kunden zu fischen. Die Embleme sind die Köder: Sie stellen nicht Geschäfte dar (nicht die Idee Bäckerei oder Handschuhmacherei), sondern ihre Wahrzeichen, die den Kunden auf der Straße die Existenz eines speziellen Ladens anzeigen.

---

[1] Wie man sieht, ist der »Telegraphist« des Herrn Edison nicht am Werk.

[Merkmale gesellschaftlicher Prozesse]

[Notizen]

Unsere *mobilen Elemente* sind nach und nach entstanden als *Merkmale* gesellschaftlicher Prozesse, als wir sie den Schauspielern, die solche darstellten, als Instrumente stellten, und wir haben für ihre Herstellung alle gesellschaftlichen Faktoren berücksichtigt, welche das Benehmen unserer Figuren ermöglichen und erklären konnten.

Unsere Abbildung eines Ortes gibt dem Zuschauer mehr als der Anblick des wirklichen Ortes, indem sie Merkmale gesellschaftlicher Prozesse hat, die jenem fehlen, jedenfalls in dieser Deutlichkeit fehlen; unsere Abbildung gibt dem Zuschauer andrerseits weniger als der Anblick des wirklichen Orts, indem der *Augenschein* in ihr aufgegeben ist.

Proletarierwohnungen haben als Charakteristika den Platz- und Luftmangel, den geringen Erholungswert, die Krankheiten erzeugenden Umstände: Dafür sind Merkmale zu finden. Es ist leicht, einzusehen, daß diese Suche einige Schwierigkeiten birgt. Der in eine solche Wohnung eintretende Besucher entdeckt nicht sofort diese Merkmale von großer Bedeutung, sie machen sich teilweise erst nach längerem oder gar ständigem Aufenthalt bemerkbar. Jedenfalls treten sie nicht immer bildhaft in Erscheinung.

Während der Kapitalismus schon mit schlagendem Erfolg Wälder und Hügel in kommerzielle Artikel umgewandelt und in das große Spiel gesellschaftlicher Kräfte einbezogen hatte, verliehen seine Künstler immer noch selbst offenkundig gesellschaftlichen Produkten Naturcharakter, das heißt schilderten Häuser, Stühle, ja selbst Kirchen wie reine Naturprodukte. Die Größe von Zimmern wurde betrachtet wie die Größe von Höhlen, in Kalkstein ausgewaschen von Meeresflut. Schon waren neun von zehn Baumstümpfen einfach nicht in den Produktionsprozeß eingegangenes Holz, Reste gefällter Stämme, und immer noch waren die Stühle ebenso Sitze wie Baumstümpfe. Freilich ist ohne weiteres ein Stuhl kaum ein schlagendes Merkmal für bestimmte menschliche Beziehungen und gesellschaftliche Prozesse, aber schon mit andern zusammen und einigem anderen zu einem Wohnzimmer vereinigt, also als Merkmal für ein Wohnzimmer, ist er zugleich ein brauchbares Merkmal für das Wirken gesellschaftlicher Kräfte, ein Zeuge der Ausbeutung und sozialen Unterdrückung.

Das Produkt emanzipiert sich von der Produktion, es verwischt die Spuren seiner Herkunft. Es rechtfertigt die Art der Produktion, nicht nur die Produktion selber, als einen mechanischen Akt. Um den Stuhl zu haben, muß man eben Kapitalismus haben.
Die besondere Eigenart des Klassenkampfs mit seinen »undramatischen« Phasen, in denen der Kampfcharakter verdeckt ist, macht eine Darstellung nötig, die lang und verdeckt einwirkende Faktoren sichtbar machen kann. Hier leben Menschen zusammen in ausgeliehenen, vielleicht gekündigten Wohnungen, und es muß möglich sein, Abbildungen jener Bücher zu geben, in denen steht, wieviel von den Möbeln abgezahlt ist, zur Zeit der Hochzeit und zur Zeit der Aussperrung.

Eine Frau, die einen Stuhl unter sich zieht, um ein Kind auf den Schoß nehmen zu können, kann kaum beschrieben werden als eine Frau, die einen Artikel zum Preis von fünf Mark, wenn neu, hergestellt in einer Warenproduktion, die auf Ausbeutung beruht, unter sich zieht. Aber wie deplaziert immer ein besonderes Zeigen von Merkmalen dieser Herkunft und Rolle des Stuhles sein mag, sie dürfen doch jedenfalls nicht vernachlässigt werden. Und sie können jederzeit wieder aktiv werden, zum Beispiel wenn der Stuhl verkauft werden muß oder zertrümmert wird. Wer je gesehen hat, mit welcher Geste eine Frau in schlechten Verhältnissen einen Stuhl zusammengelesen hat, den ihr Mann im Zorn zerbrach, eventuell ihn auf sie werfend, versteht unmittelbar, was hier gemeint ist.

Die Straße ist das Resultat gesellschaftlicher Prozesse (des Häuserbaus, Verkehrs, Handels, Wohnens). Ihre Merkmale sind auch Merkmale dieser Prozesse. Es steht uns frei, den Merkmalen der realen Straße (Merkmalen bestimmter gesellschaftlicher Prozesse) in unseren Abbildungen, Merkmale gesellschaftlicher Prozesse hinzuzufügen, welche die reale Straße nicht zeigt, welche aber Merkmale von gesellschaftlichen Prozessen sind, die sie ermöglichen (etwa Preisbezeichnungen für die Häuser oder Sterblichkeitsstatistiken).
Sie werden nun zu Merkmalen bestimmter Orte (von Fabrikhöfen, Zimmern), und damit sind sie zugleich Merkmale bestimmter gesellschaftlicher Prozesse (des Produzierens von Waren, des Wohnens).

Wir brauchen unsere Einstellung nicht zu ändern, um nach der Straße selber zu fragen; sie muß auch da sein, wenn sie nicht für sich selber da sein muß. Dem unmittelbaren Spiel unserer Personen dienend, haben wir allerhand aufgebaut, es muß nicht notgedrungen eine Straße daraus geworden sein. Wozu brauchen wir eine Straße? Wir brauchen sie, weil unsere Personen nicht auf der Straße anders handelten.

Wir haben unsern Raum durch die Bewegungen von Menschen gewonnen, wir haben dieselben gesellschaftlich bestimmt (die Menschen bewegten sich innerhalb gesellschaftlicher Prozesse). Unsere mobilen Elemente sind mehr und mehr zu Merkmalen gesellschaftlicher Prozesse geworden.
Unser Türstock, probierend unter probierenden Schauspielern, verändert sich mit den sich verändernden Schauspielern. Er

beginnt, allerhand darzustellen, er beschreibt oder durch ihn wird beschrieben. Groß oder klein, das sagt noch nicht viel aus, es gibt vornehme Wohnungen mit kleinen Türen, schäbige mit großen; also erst zusammen mit einigen anderen Eigenschaften sagt sein Format etwas. Die Qualität seines Holzes, gut oder schlecht, ob teuer oder billig, läßt sich auf einigen Abstand schwer bemerken, aber schon der Farbanstrich. Der Türstock kann auch, obgleich vornehmer Herkunft, sozial gesunken sein, dann ist er aus teurem Holz, aber der Anstrich verrät ihn; er ist entweder vernachlässigt oder billig erneuert. Dann ist da das Schloß; für Wohnungen, wo nichts zu stehlen ist, gibt es primitive Schlösser und so weiter und so weiter.

[Der doppelte Aspekt]

Ein Hügel erscheint dem Soldaten anders als dem Bauern. Ob er sonnig oder schattig ist, verschwindet als Merkmal für den Soldaten, dem es für seine Deckung darauf ankommt, wie er eingesehen werden kann, und sein Neigungswinkel mag für beide Betrachter wichtig sein, aber in sehr verschiedener Weise wichtig, denn für das Erklimmen mag er kein besonderes Hindernis bilden, wenn er die Saat schon durch die Abfließbarkeit des Wassers gefährdet. Ein Acker mag klein sein, solange er nicht im Sperrfeuer liegt, ein Obstbaum kann eine ganze Gegend beherrschen, wenn er einen Zielpunkt abgibt und so weiter. Der Bühnenbau, gezwungen, das Charakteristische herauszuarbeiten, muß sich entscheiden, welchen von beiden Aspekten, die dem Augenschein entsprechen, er berücksichtigen will. Er mag für eine Schlachtszene den einen und für eine bukolische Szene den andern wählen, aber was macht er, wenn er in der Schlachtszene neben Soldaten Bauern dieser Gegend oder unter den Soldaten einen solchen Bauern hat? Wir benötigen vielleicht gerade den doppelten Aspekt.

Über das Ansetzen des Nullpunktes

So wie die Schauspieler setzen auch die Bühnenbauer den Ansatzpunkt ihrer Arbeit oft zu hoch an. Der richtige Ansatzpunkt ist der Nullpunkt.
Anstatt damit zu beginnen, sich für das Werk zu begeistern, in Stimmung zu geraten, Visionen nachzuhaschen oder nachzudenken, was sie von dem unterbringen könnten, was sie immer schon einmal gern gemacht hätten, sollten sie lieber versuchen, nüchtern zu werden, weniger begeistert als aufgeschlossen, mehr sich Gedanken machend als die Gefühlsseite herauskehrend.
Eine Wand und ein Stuhl sind schon sehr viel. Es ist auch schon sehr schwer, eine Wand gut zu ziehen und einen Stuhl gut aufzustellen. Ist etwa ein Fabrikhof zu bauen, so sollte das zumindest im Kopf des Bühnenbauers nach und nach geschehen, unter der ständigen Frage: Ist es schon eine Fabrik? Gleichzeitig sind die Bedürfnisse der Spieler zu beachten.

[Bühnenbau während der Proben]

Vieles kann vom Bühnenbau wegbleiben, wenn es in das Spiel der Spieler hineinkommt, und nichts kann der Bühnenbau den Schauspielern ersparen. Der gesellschaftliche Zweck der einzelnen Szenen wird während der Arbeit festgesetzt, also muß der Bühnenbauer dabeisein.
Es ist auch gut, wenn er nicht weniger experimentiert als die Schauspieler und mehr als eines versucht. Und es ist sehr schlecht, wenn erst am Ende, wenn der ganze Bau steht, ausgeleuchtet wird. Alles Gerede, er wisse aus der Erfahrung, was das Licht ausmache, zeigt nur, daß der Bühnenbauer seine Erfahrung in der Weise sammelt, daß sie für die Sache selbst nicht mehr verwertbar ist; denn er kann es erst beim nächsten Stück verwerten, wenn er beim gegenwärtigen einen Fehler

gemacht hat. Außerdem ist das Licht nicht gleichbedeutend mit einer zweiten Farbe, die man über die erste legt. Man muß mit den Dingen, den Personen und dem Licht zugleich bauen.

Über die Literarisierung der Bühnen

1

Der Bühnenbauer muß denken können, wenn er Kunst machen will. Zu gewissen Zeiten ist es schwieriger, zu denken, das heißt Auswege aus Schwierigkeiten zu finden, als in anderen, wo es sich, da die Dinge nicht verwirrt werden, so leicht denkt, daß das Denken nicht auffällt. In solchen Zeiten, wo ein Teil der Menschen die Dinge verwirrt, ist das Zurschautragen des Denkens oft von Nutzen. Die Bühne soll dann Hinweise bringen auf die Notwendigkeit des Denkens.

2

Hierher gehört die Literarisierung der Bühne. Sprüche, Photographien und Sinnbilder stehen um die agierenden Personen. Dies ist ein Milieu von nicht geringerer Natürlichkeit als jedes andere. Nach Jahrhunderten allgemeiner Lektüre haben Inschriften Wirklichkeitscharakter angenommen. In Zeiten, wo es schwierig und nötig ist, Klarheit zu schaffen, kann das Bühnenbild sich noch etwas mehr trennen von den anderen Künsten, die zu einer Theatervorstellung nötig sind, als in anderen Zeiten, wo es aber auch selbständig sein sollte. Der Bühnenbildner kann auf seine Weise zu den Vorgängen Stellung nehmen. Er steht jedoch vor der gleichen gesellschaftlichen Aufgabe wie die anderen Künste.

3

Titel, die den Szenen vorangestellt werden, damit der Zuschauer vom »Was« zum »Wie« übergehen kann; Projektionen, die im Kontrast stehen zu den Vorgängen auf der Bühne; die Aufdeckung des Apparats der Beleuchtung und der Musik; die Verfremdung allzu »bekannter« Schauplätze, welche diese wieder in ihrer eigentlichen gesellschaftlichen Bedeutung auffällig macht; all das verleiht dem Zuschauer jene gewünschte Haltung der realistischen Betrachtung, die in einer Welt vorsätzlicher Verwirrung der Begriffe, bewußter und unbewußter Verfälschung der Gefühle so nötig ist.

[Über Titel]

Den Titeln gegenüber, denen eine bestimmte Darstellungsweise entspricht, wird für gewöhnlich geltend gemacht, daß das Betitelte entweder in dem betreffenden Vorgang drinliege – dann sei der Titel überflüssig, oder nicht drinliege – dann helfe der Titel nicht. Man führt mit Vorliebe die Goetheschen Sätze »Bilde, Künstler, rede nicht!« und »Man merkt die Absicht und ist verstimmt« an. Das Leben ist titellos. Die Geschichte, die aus Vorgängen besteht, die betitelbar sind, verläuft als Leben, worauf von bürgerlicher Seite oft hingewiesen wird, so daß ihre Geschichtlichkeit schwer erkennbar ist. Wir kennen die Zeitungsberichte, die anfangen mit: »Wenige ahnten, daß sie einem geschichtlichen Moment beiwohnten, als ...« Von bestimmten Vorgängen allerdings wünschen diese Zeitungen durchaus, daß sie als geschichtliche aufgefaßt werden möchten. Wir lesen dann: »Der 30. Januar, der Tag der Machtübernahme Hitlers, ist ein geschichtliches Datum.« Oder: »Die Grundsteinlegung der ersten Autostraße durch Hitler ist ein geschichtliches Datum.« Schon eine nur flüchtige Prüfung dieser beiden Sätze ergibt allerhand. Tatsächlich hat es in das Leben des deutschen Arbeiters tief eingegriffen, daß viele Arbeiterführer nicht die geschichtliche Bedeutung der Machtergreifung Hitlers erkannten. Sie hielten sie für einen parlamentarischen Vorgang, aber das war sie

nur, wenn man die Schließung des Parlaments für einen einfachen parlamentarischen Vorgang hält. Die Eröffnung der Autostraßen greift in das Leben der Arbeiter nur sehr indirekt (als Arbeitsbeschaffung durch Kriegsvorbereitung) ein. Das Bestreben der nationalsozialistischen Propaganda, daraus einen geschichtlichen Vorgang von Bedeutung zu machen, verrät eine Täuschungsabsicht: Es soll der Glaube geschaffen werden, das deutsche Volk wohne hier dem Beginn einer für die ganze Nation nützlichen Aufbauarbeit bei. Zweifellos gibt es hier Absichten zu erkennen, und sie mögen verstimmen. [...]
Die Frage, wie die absichtsvolle Darstellung, welche die Abstraktion und Kritik erlaubt und sie selber exekutiert, zur Fülle kommt, ist eine sehr entscheidende Frage: Der Erfolg der Absichten hängt von ihrer Lösung ab. Zunächst ist natürlich die Fülle der absichtslosen (oder nur unbeabsichtigt absichtsvollen, das heißt individuell absichtslosen, dem Individuum in seiner klassenmäßigen Absichtlichkeit unbewußten) Darstellung meist eine Fülle des Überflüssigen. (»Karl Marx, ein leberleidender Jude, verfaßte das ›Kapital‹.«) Der Abstrahierende abstrahiert oft völlig vom Zufall; damit beschäftigt, Ordnung in die Materie zu bringen, die bestimmenden Zusammenhänge der geschichtlichen Verläufe aufzuhellen, übersieht er die Rolle des Zufalls in der Geschichte. Seine Darstellung gilt nur für die Masse der Erscheinungen und versagt so dem Einzelfall gegenüber. Besteht ein Widerspruch zwischen Einzelfall und Massenfall, dann entscheidet er zugunsten des Massenfalls, anstatt den Widerspruch in seine Darstellung aufzunehmen.

[Das Projektionsverfahren]

Das Projektionsverfahren wurde, als es aufkam, von schlechten Bühnenbildnern als ein Ersatz für illusionschaffende Kulissen angewendet. Die guten behandelten die Projektion als

Bild und schafften für sie erkennbare, gut aussehende Rahmen. Die Verwertung des Filmes, groß eingeführt von Piscator, verwandelte das Bühnenbild in einen Mitspieler. Ihn als solchen vorzuführen, ist eine konstruktive Arbeit der Bühnenbildner. Alles übrige auf der Bühne muß sich verändern, wenn dieser Mitspieler die Bühne betritt.

Schema der Wirkungsquanten

Es erleichtert die Musterung des Gemachten, wenn der Bühnenbauer sich eine kleine Tabelle der möglichen Wirkungen anlegt und für jede Szene jedes Stückes die Wirkungsquanten einzeichnet.
Wirkungen können sein:
    Gesellschaftliche Merkmale
    Geschichtliche Merkmale
    Verfremdungseffekte
    Ästhetische Effekte
    Poetische Effekte
    Technische Neuerungen
    Traditionseffekte
    Illusionszerstörung
    Ausstellungswerte.
Fragmentarisch

Kleines Privatissimum für meinen Freund Max Gorelik

1

Der moderne Stückeschreiber (oder Bühnenbauer) steht in einem weit komplizierteren Verhältnis zu seinem Publikum als der Händler zu seiner Kundschaft. Aber selbst der Kunde hat dem Händler gegenüber nicht immer recht, indem er keineswegs eine unveränderliche, völlig erforschte, endgültige Erscheinung darstellt. Gewisse Appetite und Gewohnheiten können beim Kunden künstlich erzeugt werden – mitunter müssen sie auch nur entdeckt werden. Der Farmer wußte nicht seit jeher, daß er einen Fordwagen brauchte oder brauchen konnte. Die schnelle ökonomische und soziale Entwicklung dieses Zeitalters verändert den Zuschauer rapid und gründlich, fordert von ihm und ermöglicht ihm immerfort neue Arten des Denkens, Fühlens und Benehmens. Außerdem steht, Hannibal ante portas, eine neue Klasse vor den Toren des Theaters.

2

Der verschärfte Klassenkampf erzeugt in unserm Publikum solche Interessengegensätze, daß es ganz außerstande ist, einheitlich und spontan auf Kunst zu reagieren. Deshalb kann der Künstler nicht den spontanen Erfolg als gültiges Kriterium seines Werkes benutzen. Auch die unterdrückte Klasse kann er nicht blind als schnellen Richter anerkennen, denn ihr Geschmack und ihr Instinkt ist eben unterdrückt.

3

In einer solchen Zeit ist der Künstler darauf angewiesen, das zu machen, was ihm selber gefällt, in der Hoffnung, er selber stelle den idealen Zuschauer dar. Das bringt ihn noch nicht in einen Elfenbeinturm, solang er angestrengt bemüht ist, die Kämpfe der Unterdrückten mitzukämpfen, ihre Interessen zu entdecken und zu vertreten und seine Kunst für sie zu entwickeln. Aber selbst in einem Elfenbeinturm sitzt er heute besser als in einer Hollywoodvilla.

4

Viel Verwirrung stiftet der Wunsch, gewisse Wahrheiten in Form verzuckerter Pillen einzuschmuggeln, das heißt den Rauschgifthandel dadurch auf eine moralisch höhere Stufe heben zu wollen, daß man Berauschten die Wahrheit beibringt: Sie können sie nicht erkennen, bestimmt aber, wieder nüchtern geworden, nicht erinnern.

5

Die Art und Weise, wie am Broadway oder in Hollywood gewisse Spannungen und Emotionen erzeugt werden, mag kunstvoll sein, jedoch dient sie nur dazu, die entsetzliche Langeweile zu bekämpfen, welche eine ewige Wiederholung der Unwahrheit und Dummheit in jedem Publikum erzeugt. Diese »Technik« wird dazu verwendet und ist dazu entwickelt, an Dingen und Ideen Interesse zu erwecken, die nicht im Interesse des Publikums sind.

6

Das Theater der parasitären Bourgeoisie erzeugt eine ganz bestimmte Nervenwirkung, die keineswegs dem Kunsterlebnis vitaler Epochen gleichzustellen ist. Es »zaubert« die Illusion hervor, Vorgänge des wirklichen Lebens widerzuspiegeln, um mehr oder weniger primitive Schocks oder sentimentale Stimmungen vager Art zu erzielen, die als Surrogate für die fehlenden seelischen Erlebnisse eines ohnmächtigen und verkrüppelten Publikums in der Wirklichkeit konsumiert werden sollen. Selbst ein flüchtiger Blick genügt zu der Feststellung, daß all diese Wirkungen auch erzielt werden können mit völlig verzerrten Widerspiegelungen des wirklichen Lebens. Viele Künstler haben sogar die Überzeugung gewonnen, daß dieses zeitgemäße »Kunsterlebnis« *nur* durch solche verzerrten Widerspiegelungen hergestellt werden kann.

7

Demgegenüber muß festgehalten werden, daß es ein natürliches Interesse an bestimmten Vorgängen zwischen Menschen gibt, ganz jenseits der Sphäre der Kunst. Dieses natürliche Interesse kann von der Kunst benutzt werden. Es gibt auch ein spontanes Interesse an der Kunst selber, das heißt an dem Vermögen, wirkliches Leben widerzuspiegeln, und zwar in einer phantastischen, eigenwilligen, persönlichen Weise, eben der des jeweiligen Künstlers. Hier ist autonome, nicht erst zu erzeugende Spannung, was in der Wirklichkeit passiert und wie der Künstler es ausdrückt.

8

Die Verteidigung des konventionellen Theaters kann nur erfolgen, wenn man den sichtbar reaktionären Satz »Theater ist Theater« oder »Drama ist Drama« benutzt. Auf diese Weise beschränkt man den Begriff des Dramas auf das verkommene Drama der parasitären Bourgeoisie. Jupiters Blitz in den Händchen L. B. Mayers. Sieh den »Konflikt« der elisabethanischen Dramatik, kompliziert, wechselnd, großenteils unpersönlich, immer unlösbar und sieh, was heute draus geworden ist, ob im zeitgemäßen Drama oder in der zeitgemäßen Reproduktion der elisabethanischen Dramen! Sieh die Rolle der Einfühlung damals und jetzt! Welch ein widerspruchsvoller, unterbrochener, komplizierter Akt im Shakespearischen Theater! Was wir heute als »ewige Gesetze des Dramas« vorgesetzt bekommen, sind die sehr heutigen Gesetze, erlassen von L. B. Mayer und der »Theatre Guild«.

9

Verwirrung über das nichtaristotelische Drama wurde gestiftet durch die Verwechslung von einem »wissenschaftlichen Drama« mit dem »Drama des wissenschaftlichen Zeitalters«.

Die Grenzpfähle zwischen Kunst und Wissenschaft stehen nicht immer auf dem gleichen Fleck, die Aufgaben der Kunst können von der Wissenschaft, die der Wissenschaft von der Kunst übernommen werden, jedoch bleibt das epische Theater ein Theater, das heißt, das Theater bleibt Theater, indem es episch wird.

10

Nur die Gegner des modernen Dramas, die Verfechter der »ewigen Gesetze des Dramas« werden behaupten, das moderne Theater verzichte auf Emotionen, wenn es auf den Einfühlungsakt verzichtet. In Wirklichkeit liquidierte das moderne Theater nur eine ramponierte, überalterte subjektivistische Gefühlswelt und bricht Bahn den neuen, vielfachen, sozial produktiven Emotionen eines neuen Zeitalters.

11

Das moderne Theater muß nicht danach beurteilt werden, wieweit es die Gewohnheiten des Publikums befriedigt, sondern danach, wieweit es sie verändert. Es muß nicht gefragt werden, ob es sich an die »ewigen Gesetze des Dramas« hält, sondern ob es die Gesetze künstlerisch bewältigen kann, nach denen sich die großen sozialen Prozesse unseres Zeitalters vollziehen. Nicht ob es den Zuschauer am Billettkauf, also am Theater interessiert, sondern ob es ihn an der Welt interessiert.

Juni 1944

Über Musik

Über die Verwendung von Musik für ein episches Theater

Für episches Theater wurde, soweit es meine eigene Produktion betrifft[1], in folgenden Stücken Musik verwendet: »Trommeln in der Nacht«, »Lebenslauf des asozialen Baal«, »Leben Eduards des Zweiten von England«, »Mahagonny«, »Die Dreigroschenoper«, »Die Mutter«, »Die Rundköpfe und die Spitzköpfe«.

In den ersten paar Stücken wurde Musik in ziemlich landläufiger Form verwendet; es handelte sich um Lieder oder Märsche, und es fehlte kaum je eine naturalistische Motivierung dieser Musikstücke. Jedoch wurde durch die Einführung der Musik immerhin mit der damaligen dramatischen Konvention gebrochen: das Drama wurde an Gewicht leichter, sozusagen eleganter; die Darbietungen der Theater gewannen artistischen Charakter. Die Enge, Dumpfheit und Zähflüssigkeit der impressionistischen und die manische Einseitigkeit der expressionistischen Dramen wurde schon einfach dadurch durch die Musik angegriffen, daß sie Abwechslung hineinbrachte. Zugleich ermöglichte die Musik etwas, was schon lange nicht mehr selbstverständlich war, nämlich »poetisches Theater«. Diese Musik schrieb ich noch selbst. Fünf Jahre später schrieb sie für die zweite Berliner Aufführung der Komödie »Mann ist Mann« am Staatstheater Kurt Weill. Die Musik hatte nunmehr Kunstcharakter (Selbstwert). Das Stück enthält Knockaboutkomik, und Weill montierte eine kleine Nachtmusik ein, zu der Projektionen von Caspar Neher gezeigt wurden, außerdem eine Schlachtmusik und ein

---

[1] Auch Piscator verwendet Musik, und zwar im »Kaufmann von Berlin« (Eisler), in »Konjunktur« (Weill), »Hoppla, wir leben!« (Meisel).

Lied, dessen Strophen bei dem offenen Umbau der Szene gesungen wurden. Aber inzwischen waren schon die ersten Theorien über die *Trennung der Elemente* aufgestellt worden.

Die Aufführung der »Dreigroschenoper« 1928 war die erfolgreichste Demonstration des epischen Theaters. Sie brachte eine erste Verwendung von Bühnenmusik nach neueren Gesichtspunkten. Ihre auffälligste Neuerung bestand darin, daß die musikalischen von den übrigen Darbietungen streng getrennt waren. Dies wurde schon äußerlich dadurch bemerkbar, daß das kleine Orchester sichtbar auf der Bühne aufgebaut war. Für das Singen der Songs wurde ein Lichtwechsel vorgenommen, das Orchester wurde beleuchtet, und auf der Leinwand des Hintergrunds erschienen die Titel der einzelnen Nummern, etwa »Lied über die Unzulänglichkeit menschlichen Strebens« oder »Fräulein Polly Peachum gesteht in einem kleinen Lied ihren entsetzten Eltern ihre Verheiratung mit dem Räuber Macheath« – und die Schauspieler nahmen für die Nummer einen Stellungswechsel vor. Es gab Duette, Terzette, Solonummern und Chorfinales. Die Musikstücke, in denen das balladeske Moment vorherrschte, waren meditierender und moralisierender Art. Das Stück zeigte die enge Verwandtschaft zwischen dem Gemütsleben der Bourgeois und dem der Straßenräuber. Die Straßenräuber zeigten, auch in der Musik, daß ihre Empfindungen, Gefühle und Vorurteile dieselben waren wie die des durchschnittlichen Bürgers und Theaterbesuchers. Ein Thema war etwa die Beweisführung, daß nur der angenehm lebe, der im Wohlstand lebe, wenn dabei auch auf manches »Höhere« verzichtet werden müsse. In einem Liebesduett wurde auseinandergesetzt, daß äußere Umstände, wie die soziale Herkunft der Partner oder ihre Vermögensanlage auf die Wahl des Ehegatten, keinen Einfluß haben dürften! In einem Terzett wurde das Bedauern darüber ausgedrückt, daß die Unsicherheit auf diesem Planeten es dem Menschen nicht möglich macht, seinem natürlichen Hang zur Güte und zu anständigem Benehmen nachzugeben.

Das zarteste und innigste Liebeslied des Stückes beschrieb die immerwährende unzerstörbare Neigung zwischen einem Zuhälter und seiner Braut. Die Liebenden besangen nicht ohne Rührung ihren kleinen Haushalt, das Bordell. Die Musik arbeitete so, gerade indem sie sich rein gefühlsmäßig gebärdete und auf keinen der üblichen narkotischen Reize verzichtete, an der Enthüllung der bürgerlichen Ideologien mit. Sie wurde sozusagen zur Schmutzaufwirblerin, Provokatorin und Denunziantin. Diese Songs gewannen eine große Verbreitung, ihre Losungen tauchten in Leitartikeln und Reden auf. Viele Leute sangen sie zu Klavierbegleitung oder nach Orchesterplatten, so wie sie Operettenschlager zu singen pflegten.

Der Song dieser Art wurde kreiert, als ich Weill aufforderte, für die Baden-Badener Musikfestwoche 1927, wo Operneinakter gezeigt werden sollten, einfach ein halbes Dutzend schon vorliegender Songs neu zu vertonen. Weill hatte bis dahin ziemlich komplizierte, hauptsächlich psychologisierende Musik geschrieben, und als er in die Komposition mehr oder weniger banaler Songtexte einwilligte, brach er mutig mit einem zähen Vorurteil der kompakten Majorität ernsthafter Komponisten. Der Erfolg dieser Anwendung moderner Musik für den Song war bedeutend. Worin bestand das eigentliche Neue dieser Musik, wenn man von ihrer bisher ungewohnten Verwendungsart absieht?

Das epische Theater ist hauptsächlich interessiert an dem Verhalten der Menschen zueinander, *wo es sozialhistorisch bedeutend (typisch) ist*. Es arbeitet Szenen heraus, in denen Menschen sich so verhalten, daß die sozialen Gesetze, unter denen sie stehen, sichtbar werden. Dabei müssen praktikable Definitionen gefunden werden, das heißt solche Definitionen der interessierenden Prozesse, durch deren Benutzung in diese Prozesse eingegriffen werden kann. Das Interesse des epischen Theaters ist also ein eminent praktisches. Das menschliche Verhalten wird als veränderlich gezeigt, der Mensch als abhängig von gewissen ökonomisch-politischen Verhältnissen und zugleich als fähig, sie zu verändern. Um ein Beispiel zu geben: Eine Szene, in der drei Männer von einem vierten Mann zu einem bestimmten illegalen Zweck gemietet werden (»Mann ist Mann«), muß vom epischen Theater so geschildert werden, daß man sich das dabei zum Ausdruck kommende Verhalten der vier Männer auch anders vorstellen kann, das heißt, daß man entweder sich politisch-ökonomische Verhältnisse vorstellen kann, unter denen diese Männer anders sprechen würden, oder eine Haltung dieser Männer den gegebenen Verhältnissen gegenüber, die sie ebenfalls anders sprechen ließe. Kurz, der Zuschauer erhält die Gelegenheit zur Kritik menschlichen Verhaltens vom gesellschaftlichen Standpunkt aus, und die Szene wird als historische Szene gespielt. Der Zuschauer soll also in der Lage sein, Vergleiche anzustellen, was die menschlichen Verhaltungsweisen anbetrifft. Dies bedeutet, vom Standpunkt der Ästhetik aus, daß der Gestus der Schauspieler besonders wichtig wird. Es handelt sich für die Kunst um eine Kultivierung des Gestus. (Selbstverständlich handelt es sich um gesellschaftlich bedeutsame Gestik, nicht um illustrierende und expressive Gestik.) Das mimische Prinzip wird sozusagen vom gestischen Prinzip abgelöst.

Dies kennzeichnet eine große Umwälzung der Dramatik. Die Dramatik folgt auch in unseren Zeiten noch den Rezepten des Aristoteles zur Erzeugung der sogenannten Katharsis (seelischen Reinigung des Zuschauers). In der aristotelischen Dramatik wird der Held durch die Handlungen in Lagen versetzt, in denen er sein innerstes Wesen offenbart. Alle gezeigten Ereignisse verfolgen den Zweck, den Helden in seelische Konflikte zu treiben. Es ist ein vielleicht blasphemischer, aber nützlicher Vergleich, wenn man hier an die Broadway-Burleske denkt, wo das Publikum, sein »Take it off!« brüllend, die Mädchen zur immer kompletteren Schaustellung ihres Körpers zwingt. Das Individuum, dessen innerstes Wesen herausgetrieben wird, steht dann natürlich für »den Menschen schlechthin«. Jeder (auch jeder Zuschauer) würde da dem Zwang der vorgeführten Ereignisse folgen, so daß man, praktisch gesprochen, bei einer »Ödipus«-Aufführung einen Zuschauerraum voll von kleinen Ödipussen, bei einer Aufführung des »Emperor Jones« einen Zuschauerraum voll von Emperor Jonesen hat. Nichtaristotelische Dramatik würde die Ereignisse, die sie vorführt, keineswegs zu einem unentrinnbaren Schicksal zusammenfassen und diesem den Menschen hilflos, wenn auch schön und bedeutsam reagierend, ausliefern, sie würde im Gegenteil gerade dieses »Schicksal« unter die Lupe nehmen und es als menschliche Machenschaften enthüllen.

Diese Erörterung, angeknüpft an die Untersuchung einiger kleiner Songs, könnte als etwas weitschweifend erscheinen, wenn nicht diese Songs die (eben noch sehr kleinen) Anfänge eines anderen, neuzeitlichen Theaters wären, oder der Anteil der Musik an diesem Theater. Der Charakter dieser Songmusik als einer sozusagen gestischen Musik kann kaum anders als durch solche Erörterungen erklärt werden, die den gesellschaftlichen Zweck der Neuerungen herausarbeiten. Praktisch gesprochen ist gestische Musik eine Musik, die dem Schauspieler ermöglicht, gewisse Grundgesten vorzuführen. Die sogenannte billige Musik ist besonders in Kabarett und Operette schon seit geraumer Zeit eine Art gestischer Musik. Die »ernste« Musik hingegen hält immer noch am Lyrismus fest und pflegt den individuellen Ausdruck.

Die Oper »Aufstieg und Fall der Stadt Mahagonny« zeigte die Anwendung der neuen Prinzipien in einer gewissen Breite. Ich möchte nicht unerwähnt lassen, daß meiner Meinung nach die Weillsche Musik zu dieser Oper nicht rein gestisch ist, sie enthält aber viele gestische Partien, jedenfalls genug, daß es zu einer ernstlichen Gefährdung des üblichen Operntypus kommt, den wir, in seiner heutigen Ausgabe, als rein kulinarische Oper bezeichnen können. Das Thema der Oper »Mahagonny« ist der Kulinarismus selbst, den Grund hierfür habe ich in einem Aufsatz »Anmerkungen zur Oper«[1] auseinandergesetzt. Dort ist auch auseinandergesetzt, daß und warum es unmöglich ist, in den kapitalistischen Ländern die Oper zu erneuern. Alle Neuerungen, die eingeführt werden, führen lediglich zur Zerstörung der Oper. Komponisten, die den Versuch unternehmen, die Oper zu erneuern, scheitern, wie Hindemith und Strawinsky, unvermeidlich am Opernapparat. Die großen Apparate, wie Oper, Schaubühne, Presse und so weiter, setzen ihre Auffassung sozusagen inkognito durch. Während sie schon längst die Kopfarbeit (hier Musik, Dichtung, Kritik und so weiter) noch mitverdienender – ökonomisch betrachtet, also mitherrschender, gesellschaftlich betrachtet schon proletaroider – Kopfarbeiter nur mehr zur Speisung ihrer Publikumsorganisationen verwerten, diese Arbeit also nach ihrer Art bewerten und in ihre Bahnen lenken, besteht bei den Kopfarbeitern selber immer noch die Fiktion, es handele sich bei dem ganzen Betrieb lediglich um die Auswertung ihrer Kopfarbeit, also um einen sekundären Vorgang, der auf ihre Arbeit keinen Einfluß hat, sondern ihr nur Einfluß verschafft. Diese bei Musikern, Schriftstellern und Kritikern herrschende Unklarheit über ihre Situation hat ungeheure Folgen, die viel zuwenig beachtet werden. Denn in der Meinung, sie seien im Besitz eines Apparates, der in Wirklichkeit sie besitzt, verteidigen sie einen Apparat, über den sie keine Kontrolle mehr haben, der nicht mehr, wie sie noch glauben, Mittel für die Produzenten ist, sondern Mittel gegen die Produzenten wurde, also gegen ihre eigene Produktion (wo nämlich dieselbe eigene, neue, dem Apparat nicht gemäße oder ihm entgegengesetzte Tendenzen verfolgt). Ihre Produktion gewinnt Lieferantencharakter. Es entsteht ein Wertbegriff, der die Verwertung zur Grundlage hat. Und dies ergibt allgemein den Usus, jedes Kunstwerk auf seine Eignung für den Apparat hin zu überprüfen. Es wird gesagt: dies oder das Werk sei gut; und es

[1] [Siehe »Schriften zum Theater«, S. 1004 ff.]

wird gemeint, aber nicht gesagt: gut für den Apparat. Dieser Apparat aber ist durch die bestehende Gesellschaft bestimmt und nimmt nur auf, was ihn in dieser Gesellschaft am Leben erhält. Jede Neuerung, welche die gesellschaftliche Funktion dieses auch spätbürgerlichen Apparates, nämlich spätbürgerliche Abendunterhaltung, nicht bedroht, könnte von ihm diskutiert werden. Nicht diskutiert werden können solche Neuerungen, die auf seinen Funktionswechsel drängen, die den Apparat also anders in die Gesellschaft stellen, etwa ihn den Lehranstalten oder den großen Publikationsorganen anschließen wollten. Die Gesellschaft nimmt durch den Apparat auf, was sie braucht, um sich selbst zu reproduzieren; durchgehen kann also auch nur eine »Neuerung«, welche zur Erneuerung, nicht aber Veränderung der bestehenden Gesellschaft führt – ob nun diese Gesellschaftsform gut oder schlecht ist. Die Künstler denken meist nicht daran, den Apparat zu ändern, weil sie glauben, einen Apparat in der Hand zu haben, der serviert, was sie frei erfinden, der sich also mit jedem ihrer Gedanken von selbst verändert. Aber sie erfinden nicht frei; der Apparat erfüllt mit ihnen oder ohne sie seine Funktion, die Theater spielen jeden Abend, die Zeitungen erscheinen xmal am Tag; und sie nehmen auf, was sie brauchen; und sie brauchen einfach ein bestimmtes Quantum Stoff.[1]

Die Gefahren vom Apparat her zeigte die New Yorker Aufführung der »Mutter«. Die Theatre Union unterschied sich durch ihre politische Einstellung beträchtlich von den Theatern, welche die Oper »Mahagonny« aufführten. Dennoch reagierte der Apparat durchaus als ein Apparat zur Herstellung von Rauschwirkungen. Nicht nur das Stück, auch die Musik wurden dadurch verunstaltet und der lehrhafte Zweck

---

[1] Die Produzenten aber sind völlig auf den Apparat angewiesen, wirtschaftlich und gesellschaftlich, er monopolisiert ihre Wirkung, und zunehmend nehmen die Produkte der Schriftsteller, Komponisten und Kritiker Rohstoffcharakter an: das Fertigprodukt stellt der Apparat her.

zum größten Teil verfehlt. Bewußter als in irgendeinem anderen Stück des epischen Theaters wurde in der »Mutter« die Musik eingesetzt, um dem Zuschauer die oben geschilderte kritisch betrachtende Haltung zu verleihen. Die Musik Eislers ist keineswegs das, was man einfach nennt. Sie ist als Musik ziemlich kompliziert, und ich kenne keine ernsthaftere als sie. Sie ermöglicht in einer bewunderungswürdigen Weise gewisse Vereinfachungen schwierigster politischer Probleme, deren Lösung für das Proletariat lebensnotwendig ist. In dem kleinen Stück, in dem den Anschuldigungen, der Kommunismus bereite das Chaos, widersprochen wird, verschafft die Musik durch ihren freundlich beratenden Gestus sozusagen der Stimme der Vernunft Gehör. Dem Stück »Lob des Lernens«, das die Frage der Machtübernahme durch das Proletariat mit der Frage des Lernens verknüpft, gibt die Musik einen heroischen und doch natürlich heiteren Gestus. So wird auch der Schlußchor »Lob der Dialektik«, der sehr leicht als ein rein gefühlsmäßiger Triumphgesang wirken könnte, durch die Musik im Bereich des Vernünftigen gehalten. (Es ist ein oft auftauchender Irrtum, wenn behauptet wird, diese Art der – epischen – Darbietung verzichte schlechthin auf emotionelle Wirkung: Tatsächlich sind ihre Emotionen nur geklärt, vermeiden als Quelle das Unterbewußtsein und haben nichts mit Rausch zu tun.)

Wer glaubt, daß einer Massenbewegung, die sich der schrankenlosen Gewalt, Unterdrückung und Ausbeutung gegenübersieht, ein so strenger und zugleich so zarter und vernünftiger Gestus, wie ihn diese Musik propagiert, nicht angemessen sei, der hat eine wichtige Seite dieses Kampfes nicht begriffen. Es ist aber klar, daß die Wirkung einer solchen Musik sehr abhängt von der Art, wie sie gebracht wird. Erfassen schon die Schauspieler nicht ihren Gestus, so besteht wenig Hoffnung, daß sie ihre Funktion, bestimmte Haltungen des Zuschauers zu organisieren, erfüllen kann. Eine sorgfältige Erziehung und strenge Schulung unserer Arbeitertheater ist nötig, daß sie die ihnen hier gestellten Aufgaben bewältigen und die ihnen hier gebotenen Möglichkeiten ausschöpfen können. Auch ihr Publikum muß eine bestimmte Schulung durch sie erfahren. Es muß gelingen, den Produktionsapparat des Arbeitertheaters herauszuhalten aus dem allgemeinen Rauschgifthandel des bürgerlichen Theaterbetriebes.

Zu dem Stück »Die Rundköpfe und die Spitzköpfe«, das sich, anders als die »Mutter«, an das »breitere« Publikum wendet und die reinen Unterhaltungsbedürfnisse mehr berücksichtigt, schrieb Eisler Songmusik. Auch diese Musik ist in einem gewissen Sinne philosophisch. Auch sie vermeidet narkotische Wirkungen, hauptsächlich indem sie die Lösung musikalischer Probleme verknüpft mit dem klaren und deutlichen Herausarbeiten des politischen und philosophischen Sinnes der Gedichte.

Aus dem Gesagten geht wohl schon hervor, welche Schwierigkeiten es für die Musik bedeutet, jene Aufgaben zu erfüllen, die ein episches Theater stellt.

Immer noch wird heute die »fortschrittliche« Musik für den Konzertsaal geschrieben. Ein einziger Blick auf die Zuhörer der Konzerte zeigt, wie unmöglich es ist, eine Musik, die solche Wirkungen hervorbringt, für politische und philosophische Zwecke zu verwenden. Wir sehen ganze Reihen in einen eigentümlichen Rauschzustand versetzter, völlig passiver, in sich versunkener, allem Anschein nach schwer vergifteter Menschen. Der stiere, glotzende Blick zeigt, daß diese Leute ihren unkontrollierten Gefühlsbewegungen willenlos und hilflos preisgegeben sind. Schweißausbrüche beweisen ihre Erschöpfung durch solche Exzesse. Der schlechteste Gangsterfilm behandelt seine Zuhörer mehr als denkende Wesen. Die Musik tritt auf als »das Schicksal schlechthin«. Als das überaus komplizierte, absolut nicht zu übersehende Schicksal dieser Zeit grauenvollster, bewußter Ausbeutung der Menschen durch den Menschen. Diese Musik hat nur mehr rein kulinarische Ambitionen. Sie verleitet den Zuhörer zu einem entnervenden, weil unfruchtbaren Genußakt. Keine Raffinements können mich davon überzeugen, daß ihre gesellschaftliche Funktion eine andere als die der Broadway-Burlesken ist.

Es ist nicht zu verkennen, daß unter den ernsthaften Komponisten heute schon eine Bewegung gegen diese depravierende gesellschaftliche Funktion im Entstehen begriffen ist. Die Experimente, die innerhalb der Musik gemacht werden, nehmen nachgerade einen beträchtlichen Umfang an; nicht nur in der Art, wie das musikalische Material behandelt wird, auch im Hinblick auf die Erfassung neuer Konsumentenschichten tut die neuere Musik alles Mögliche. Dennoch gibt es eine ganze Reihe von Aufgaben, die sie noch nicht lösen kann und an deren Lösung sie nicht einmal arbeitet. Die Kunst, Epen zu musizieren, ist zum Beispiel ganz und gar verlorengegangen. Wir wissen nicht, wie die »Odyssee« und das »Nibelungenlied« musiziert wurden. Den Vortrag erzählender Dichtungen von einiger Länge können unsere Musiker nicht mehr ermöglichen. Die Schulungsmusik liegt ebenfalls darnieder, und es hat doch Zeiten gegeben, wo die Musik zu Heilungszwecken verwendet werden konnte! Unsere Komponisten überlassen das Studium der Wirkung ihrer Musik im allgemeinen den Gastwirten. Eines der wenigen Forschungsergebnisse, die ich im Laufe eines Jahrzehnts zu Augen bekam, war die Aussage eines Pariser Restaurateurs über die verschiedenartigen Bestellungen, welche die Gäste unter der Wirkung verschiedenartiger Musik vornahmen. Er glaubte herausgefunden zu haben, daß bei bestimmten Komponisten immer wieder ganz bestimmte Getränke konsumiert wurden. Tatsächlich würde das Theater sehr viel gewinnen, wenn die Musiker imstande wären, Musik zu liefern, die einigermaßen exakt bestimmbare Wirkungen auf den Zuschauer ausüben würden. Das würde die Schauspieler sehr entlasten; besonders wünschenswert wäre es zum Beispiel, daß die Schauspieler dann *gegen* die von der Musik erzeugte Stimmung spielen könnten. (Für die Probenarbeit an Stücken in gehobenem Stil ist, was an Musik vorhanden ist, eher genügend.) Der stumme Film brachte die Gelegenheit für einige Versuche von ganz bestimmte Gemütsbestimmungen schaffender Musik. Ich hörte interessante Stücke von Hindemith und vor allem Eisler. Eisler schrieb sogar Musik zu ganz konventionellen Unterhaltungsfilmen, und zwar sehr strenge Musik.

Aber der Tonfilm, als einer der blühenden Zweige des internationalen Rauschgifthandels, wird diese Experimente kaum noch lange fortsetzen.

Eine Aussicht für die moderne Musik eröffnet meiner Meinung nach außer dem epischen Theater das *Lehrstück*. Zu einigen Modellen dieses Typus haben Weill, Hindemith und Eisler äußerst interessante Musik geschrieben. (Weill und Hindemith zusammen die Musik zu einem Radiolehrstück für Schulen, dem [»Ozeanflug«], Weill zu der Schuloper »Der Jasager«, Hindemith zum »Badener Lehrstück vom Einverständnis«, Eisler zur »Maßnahme«.)

1935

Über gestische Musik

1 Definition

Unter Gestus soll nicht Gestikulieren verstanden sein; es handelt sich nicht um unterstreichende oder erläuternde Handbewegungen, es handelt sich um Gesamthaltungen. Gestisch ist eine Sprache, wenn sie auf dem Gestus beruht, bestimmte Haltungen des Sprechenden anzeigt, die dieser andern Menschen gegenüber einnimmt. Der Satz: »Reiße das Auge, das dich ärgert, aus« ist gestisch ärmer als der Satz: »Wenn dich dein Auge ärgert, reiß es aus.« Im letzteren wird zunächst das Auge gezeigt, dann enthält der erste Halbsatz den deutlichen Gestus des etwas Annehmens, und zuletzt kommt, wie ein Überfall, ein befreiender Rat, der zweite Halbsatz.

2 Ein artistisches Prinzip?

Für den Musiker ist das zunächst ein artistisches Prinzip und als solches nicht allzu interessant. Es mag ihm dazu verhelfen, seine Texte besonders lebendig und leicht aufnehmbar zu gestalten. Wichtig hingegen ist, daß dieses Prinzip des auf den Gestus Achtens ihm ermöglichen kann, musizierend eine politische Haltung einzunehmen. Dazu ist nötig, daß er einen gesellschaftlichen Gestus gestaltet.

3 Was ist ein gesellschaftlicher Gestus?

Nicht jeder Gestus ist ein gesellschaftlicher Gestus. Die Abwehrhaltung gegen eine Fliege ist zunächst noch kein gesellschaftlicher Gestus, die Abwehrhaltung gegen einen Hund kann einer sein, wenn zum Beispiel durch ihn der Kampf, den ein schlechtgekleideter Mensch gegen Wachthunde zu führen hat, zum Ausdruck kommt. Versuche, auf einer glatten Ebene nicht auszurutschen, ergeben erst dann einen gesellschaftlichen Gestus, wenn jemand durch ein Ausrutschen »sein Gesicht verlöre«, das heißt eine Geltungseinbuße erlitte. Der Arbeitsgestus ist zweifellos ein gesellschaftlicher Gestus, da die auf die Bewältigung der Natur gerichtete menschliche Tätigkeit eine Angelegenheit der Gesellschaft, eine Angelegenheit zwischen Menschen ist. Solange andrerseits ein Schmerzgestus so abstrakt und allgemein bleibt, daß er den rein tierischen Bezirk nicht überschreitet, ist er noch kein gesellschaftlicher Gestus. Aber gerade dahin, den Gestus zu entgesellschaften, neigt die Kunst häufig. Der Künstler gibt nicht Ruhe, bis er »den Blick des gejagten Hundes« hat. Der Mensch ist dann nur mehr »der« Mensch, sein Gestus ist jeder Besonderheit gesellschaftlicher Art entkleidet, er ist leer, das heißt keine Angelegenheit oder Maßnahme des besonderen Menschen unter den Menschen. Der »Blick des gejagten Hundes« kann zum gesellschaftlichen Gestus werden, wenn gezeigt wird, wie durch besondere

Machenschaften der Menschen der einzelne Mensch auf die tierische Stufe heruntergedrückt wird, der gesellschaftliche Gestus ist der für die Gesellschaft relevante Gestus, der Gestus, der auf die gesellschaftlichen Zustände Schlüsse zuläßt.

4 Wie kann der Komponist in seiner Haltung zum Text seine Haltung im Klassenkampf wiedergeben?

Angenommen, in einer Kantate über den Tod Lenins soll der Musiker seine Haltung im Klassenkampf wiedergeben. Der Bericht über den Tod Lenins kann, was den Gestus betrifft, natürlich sehr verschieden gebracht werden. Ein gewisses feierliches Auftreten besagt noch wenig, da dies auch gegenüber dem Feind im Falle des Todes für schicklich gelten kann. Zorn über die »blindwütende Natur«, die den Besten der Gemeinschaft zur ungünstigen Zeit entreißt, wäre kein kommunistischer Gestus, auch weise Ergebenheit in dieses »Walten des Fatums« wäre keiner, der Gestus der kommunistischen Trauer um einen Kommunisten ist ein ganz besonderer Gestus. Das Verhalten des Musikers zu seinem Text, des Referenten zu seinem Referat zeigt den Grad seiner politischen und damit menschlichen Reife an. Worüber ein Mensch in Trauer verfällt und in was für eine Trauer, das zeigt seine Größe. Die Trauer zum Beispiel auf eine große Stufe zu heben, sie zu einer die Gesellschaft fördernden Sache zu machen, ist eine künstlerische Aufgabe.

5 Unmenschlichkeit der Stoffe an sich

In einer Weise haben die Stoffe an und für sich etwas Naives, Qualitätsloses, Leeres und Selbstgenügsames, wie das jeder Künstler weiß. Erst der gesellschaftliche Gestus, die Kritik, die List, die Ironie, die Propaganda und so weiter bringen das Menschliche hinein. Der Pomp der Faschisten, einfach als Pomp genommen, hat zum Beispiel einen leeren Gestus, den Gestus des Pompes schlechthin, einer qualitätslosen Erscheinung, da gibt es statt gehender schreitende Menschen, einige Steifheit, viel Farbe, selbstbewußtes Sich-in-die-Brust-Werfen und so weiter; all dies könnte noch der Gestus einer Volksbelustigung sein, etwas Harmloses, rein Faktisches, dadurch Gegebenes. Erst wenn das Schreiten über Leichen erfolgt, ist der gesellschaftliche Gestus des Faschismus da. Das heißt, der Künstler muß dem Fakt des Pompes gegenüber eine Haltung einnehmen, er darf ihn nicht nur für sich sprechen lassen, einfach ausdrücken, wie es ihm, dem Fakt, beliebt.

6 Kriterium

Es ist ein vorzügliches Kriterium gegenüber einem Musikstück mit Text, vorzuführen, in welcher Haltung, mit welchem Gestus der Vortragende die einzelnen Partien bringen muß, höflich oder zornig, demütig oder verächtlich, zustimmend oder ablehnend, listig oder ohne Berechnung. Dabei sind die allergewöhnlichsten, vulgärsten, banalsten Gesten zu bevorzugen. So kann der politische Wert des Musikstücks abgeschätzt werden.

Etwa 1938

Über Bühnenmusik

Das klassische Drama des deutschen Bürgertums verwendet Bühnenmusik selten, der Naturalismus des Kaiserreichs macht beinahe gar keinen, der Expressionismus der Weimarer Republik nur gelegentlichen Gebrauch von ihr. Die dramaturgische Funktion der Bühnenmusik war im »Egmont« und in der »Jungfrau von Orleans« und in »Hanneles Himmelfahrt« und im »Traumspiel« dieselbe.
Die nichtaristotelische Dramatik, interessiert an einer entscheidenden Vergrößerung des musikalischen Sektors, fand

»die« Musik in einem nicht besonders ermutigenden Zustand vor. Bismarck hatte das Reich, Wagner das Gesamtkunstwerk gegründet, die beiden Schmiede hatten geschmiedet und verschmolzen, und Paris war von beiden erobert worden. Die unglücklichen Wallstreetbankiers waren von Wagner gezwungen worden, sich mit den konfusen und nichts Gutes verkündenden Angelegenheiten Wotans zu befassen. Der Wink, daß der Retter unter keinen Umständen nach seiner Herkunft befragt werden sollte, fand in diesen Kreisen Verständnis. Für eine Erlösung (ohne Herabsetzung der Eintrittspreise) wurden die höchsten Preise bezahlt. Die alten wie die neuen Meistersinger von Nürnberg flößten Achtung und Sympathie ein. Die Musik gebärdete sich als der tyrannische Lakai der Bourgeoisie: es war ein »Typ im Kommen«. Dann zog sich die »ernste« Musik in den Elfenbeinturm zurück, unfähig, den mehr oder weniger unsittlichen Ansprüchen des Marktes gerecht zu werden, und »entwickelte sich dort weiter«. Sie wurde absoluter und absoluter, je geringer die Nachfrage wurde. In der Hitze der Märkte verfaulte das Fleisch rasch, die aufblühende Frigidaire-Industrie regte die Schaffung eines neuartigen Kühlsystems an. Es wurde entdeckt, daß sehr große Hitze und sehr große Kälte ähnliche Sensationen erzeugen.

Wir hatten wenig Verwendung für psychologisierte Musik. Wir zogen es vor, zurückzugehen zu den Funktionen, die etwa Mozart in seinem »Don Juan« der Musik zuerteilt hatte. Diese Musik drückte sozusagen die Manieren der Menschen aus – wenn man darunter genug versteht. Mozart drückte die gesellschaftlich belangvollen Haltungen der Menschen aus, Produktionen wie Kühnheit, Grazie, Bösartigkeit, Zärtlichkeit, Übermut, Höflichkeit, Trauer, Servilität, Geilheit und so weiter.

Ein großer Teil der zeitgenössischen Musik war introspektiv und bestand aus Ausmalungen subjektiver Stimmungen.

Solche Musik gestattet, da sie den Hörer emotional sogleich ansteckt und gleichstimmt, keine Beurteilung (rationaler und emotionaler Art) der betreffenden Seelenstimmung selbst und ist daher am besten da eingesetzt, wo die Vorgänge auf der Bühne eine solche Beurteilung gestatten. (Etwa wenn die Person oder Personengruppe, deren verzweifelte oder traurige oder optimistische Stimmung sie ausdrückt, sich anscheinend zuversichtlich oder aufgeräumt oder desparat gibt.)

[Über Filmmusik]

1 Erfahrungen des Theaters verwendbar für den Film?

Die besondere Natur der Experimente, welche das deutsche Theater der Vorhitlerzeit veranstaltet hat, macht es möglich, einige seiner Erfahrungen auch für den Film zu verwerten – vorausgesetzt, dies geschieht sehr vorsichtig. Dieses Theater verdankte dem Film nicht wenig. Es machte Gebrauch von epischen, gestischen und Montageelementen, die im Film auftraten. Es machte sogar Gebrauch vom Film selber, indem es dokumentarisches Material verwertete. Gegen die Verwertung von Filmmaterial in Theaterstücken wurde von seiten einiger Ästheten protestiert, wie mir scheint, nicht mit Recht. Damit das Theater Theater bleibt, muß man Film nicht verbannen, es genügt, ihn theatralisch einzusetzen. – Auch der Film kann vom Theater lernen und theatralische Elemente verwerten. Das muß noch nicht bedeuten, daß man Theater photographiert. In der Tat benutzt der Film ständig theatralische Elemente. Je weniger bewußt er das tut, desto schlechter benutzt er sie. Es ist in der Tat niederdrückend, wieviel schlechtes Theater er produziert! – Die Wendung zum Diskreten und zur Verwertung gegebener Typen, die Abkehr vom gesteigerten Ausdruck (Antihamism), die beim Übergang vom Stummfilm zum Sprechfilm erfolgte, hat den Film viel Ausdruck gekostet, ohne ihn aus den Klauen des Theaters zu befreien. Es genügt, von den Wandelgängen aus diesen Antihams zuzuhören, und man bemerkt sogleich, wie opernhaft und unnatürlich sie sprechen.

2 Musikinflation im Film

Die *Überschwemmung unserer Filme mit Musik* ist ohne weiteres verständlich. Eine sinnvolle Praxis aus den Zeiten des Stummfilms, als die Musik die Rolle spielte, die sie seit langem in der Pantomime gespielt hatte, wurde eine bedenkliche Gewohnheit im Sprechfilm, der mit der Pantomime nicht mehr zu tun hat als das Bühnendrama. Man ertränkt die Dialoge in Musik. Vom musikalischen Standpunkt aus macht man unsere Schauspieler zu stummen Opernsängern. Das einzige, was man für Beibehaltung von so viel Musik im Film geltend machen kann, ist, daß man sie im Grund nicht mehr hört, denn wenn, wie beim Durchschnittsfilm, bis zu 75 Prozent der Spieldauer unter Musik steht, tritt eine Inflation ein und eine völlige Entwertung der Musik.

3 Steigerung des Kunstgenusses durch Musik

Die völlige Entaktivisierung unseres Konzertpublikums zeigt sich in der Glorifizierung des Kapellmeisters. Hier kann das Publikum auch noch die Art und Weise konsumieren, wie die Musik hervorgebracht wird. Der Produktionsakt wird konsumabel. Außerdem spielt dieser Zauberer aber vor, welche Wirkung er beabsichtigt, er stellt sich selber schockiert, begeistert, sentimental, feinfühlig, erwartungsvoll, heiter, von Zweifeln gepackt, seelisch geläutert und so weiter und so weiter. Ähnliche Dienste leistet die Musik dem Film. Wenn der Ballettrattenkönig, Kapellmeister genannt, die süße Trauer gestisch zum Ausdruck bringt, die das Spielen der Partitur nach seiner Meinung erzeugen soll, scheint er nur damit beschäftigt, seine Musiker mit seiner eigenen Trauer anzustecken. In

Wirklichkeit versucht er, das Publikum damit anzustecken, direkt, über die Musik hinweg. Die Filmmusik nimmt ebenfalls das voraus, was die Vorgänge auf der Leinwand erzeugen sollen. Sie genießt vor. Sie versucht, von sich aus den Sturm der Gefühle auszudrücken, den die Filmvorgänge erzeugen sollen (und vielleicht nicht erzeugen).

4 Kunst als Phänomen

Zum Hypnoseversuch gehört es, daß man die Manipulationen, welche dazu nötig sind, möglichst unauffällig macht, wenigstens nach der Eröffnung der Hypnose. Der Hypnotiseur vermeidet dann alles, was die Aufmerksamkeit auf sich lenken könnte. Die Stanislawski-Methode, bei ihren Versuchen, Stimmung zu erzeugen, macht den Schauspieler zum »Gefäß für das Wort«, zum unauffälligen »Diener der Kunst« und so weiter. Lichtquellen und Tonquellen werden versteckt, das Theater wünscht nicht als Theater identifiziert zu werden, es tritt anonym auf. Die Dekoration hat unter diesen Umständen keinerlei Interesse, als Dekoration aufzutreten, sie stellt sich vor als Natur, eventuell als gesteigerte Natur. – Man sieht, warum als die beste Filmmusik die Musik gepriesen wird, die man nicht hört.

5 Tempo. Musik als Uhr

Musik kann in sehr verschiedener Weise zur Erzeugung von Tempo verwendet werden (so, wie sie auf vielerlei Art das Publikum in die Laune versetzen kann, gewisse notwendige Breiten der Schilderung zu akzeptieren). Gemeinhin wird zu einer Hetzjagd einfach eine schnelle Musik geschrieben. Gewisse Erwägungen können aber auch dazu führen, die Musik eher die Hindernisse als die Bewegung vertreten zu lassen. Eine Musikuhr, isolierte Tonflöcke im Abstand von mindestens zehn Sekunden (eventuell variierbar), ergeben eine gute

Steigerung des Tempos. Natürlich kann die Musik auch unter Umständen dahin wirken, daß die Handlungsweise der Personen des Films als zu langsam, als inadäquat der gebotenen Eile empfunden wird. Sie wird dann das Gefühl von Eile zu entwickeln haben.

6 Mischung der Funktionen

In *Dieterles* Film »Syncopation«, einer Darstellung der Geschichte des Jazz, verfehlte eine Sequenz ihre Wirkung, welche eine Fahrt der Heldin, einer Musikerin, von New Orleans nach Chicago zeigte. Durch verschiedene Städte kommend, hört sie gewisse charakteristische Songs, die mit diesen Städten verbunden sind. Die Idee einer Reise durch verschiedene Jazzformen wurde vom Zuhörer nicht erfaßt. Der Grund war, daß zu Beginn des Films Szenen mit Musik untermalt waren, und zwar so, daß es nicht auf die Musik, sondern auf die Szene ankam. Der Zuhörer konnte den Sprung zu dem, daß nunmehr die Szene (die Fahrt des Mädchens) weniger wichtig sein sollte als die Musik, nicht mitmachen. Der Zuhörer war daran gewöhnt worden, das, was als Begleitung gespielt wurde, nur mit halbem Ohr zu hören und es als bedeutungslos zu betrachten.

7 Funktion der Neuerungen

Es muß zugestanden werden, daß die Versuche des deutschen Theaters hauptsächlich gerade gegen die Rauschfunktion der Kunst gerichtet waren. Es handelte sich keineswegs nur darum, »starkes«, »lebensnahes«, »packendes« Theater zu machen, sondern weit eher, solche Abbildungen der Wirklichkeit zu geben, daß die abgebildete Wirklichkeit »meisterbar« wurde. Erregung, ohne die man sich Theater heute nicht vorstellen kann, trat auch dabei ein; sie glich jedoch mehr der Erregung von Leuten, die Öl finden (oder einen wahrhaft nützlichen Menschen), als der von Kindern, die auf dem Karussell fahren. Und die Musik hatte die Aufgabe, das Publikum vor »Trance« zu bewahren. Sie übernahm nicht die Steigerung vorhandener oder angebahnter Wirkungen, sondern brach solche Wirkungen ab oder manipulierte sie. Kamen etwa in einem Stück Songs vor, so war es nicht so, daß die Handlung »in Songs überging«. Die Personen des Stücks brachen nicht in Gesang aus. Sie unterbrachen im Gegenteil deutlich die Handlung, stellten sich auf zum Singen und trugen in einer Weise ihren Song vor, die der Situation nicht vollständig entsprach; auch nahmen sie in diesen musikalischen Vortrag hinein nur wenige ausgewählte Züge der Charaktere, die sie darstellten. Bei melodramatischen Partien sorgte die Musik dafür, daß das Publikum die Hohlheit und den Konventionalismus gewisser, von den Schauspielern mit unerschütterlichem Ernst gespielter Vorgänge entdecken konnte. Die Musik konnte auch gewisse Stellen konsequent realistisch gespielter Szenen generalisieren, als typisch oder historisch bedeutsam hinstellen. Diese Beispiele seien angeführt, weil verstanden werden muß, daß die Neuerungen ihrer Funktion nach den Verkauf von Trance an das Publikum nicht förderten.

8 Gefühl der Logik

Die Musik wird, wie erwähnt, im Film häufig dafür eingesetzt, Willkürlichkeiten, Sprünge und Ungereimtheiten der Handlung zu »übertönen«. Es ist für den Musiker leicht, eine gewisse artifizielle Logik zusammenzumusizieren, das heißt das Gefühl von Schicksalhaftigkeit, Unentrinnbarkeit und so weiter zu erzeugen. Der Musiker liefert hier die Logik, wie gewisse Köche zu ihren Speisen Vitamintabletten liefern. Tatsächlich könnte die Fähigkeit der Musiker, die ihren Musikstücken innewohnende Logik des Aufbaus eines Materials durch einige Kunstgriffe sozusagen heraustreten zu lassen und damit einen eigenen Spaß an Logik zu erzeugen, richtig eingesetzt, für den Film Bedeutung erlangen. Man kann durch solche Musik scheinbar unzusammenhängende Ereignisse binden, widersprüchliche Ereignisse in eine bestimmte Richtung dirigieren. Umgekehrt ausgedrückt: Der Filmschreiber kann, falls die Musik ihm das Publikum in die »Einzelheiten sammelnde«, konstruierende Haltung versetzt, den Gang der Ereignisse viel dialektischer, das heißt in ihrer wirklichen Widersprüchlichkeit und Sprunghaftigkeit schildern. Beispiel: Ein Mann soll als beeinflußt gezeigt werden durch a) Tod seines Vaters, b) Kurssteigerungen an der Börse, c) Kriegsausbruch. Garantiert die Musik die Zusammenfassung dieser Ereignisse, dann kann die Montage reicher, komplizierter, auch einfach länger sein. – Im dokumentarischen Film haben Eisler und Ivens Musik so verwendet, als sie zwei große Prozesse miteinander in einem Film verbanden, nämlich die Ackerlandgewinnung durch den Bau des Zuiderseedamms und die Verbrennung kanadischen Weizens zum Zweck einer Preisfixierung.

9 Die Chance

Andrerseits ist die Gesellschaft in ständiger Entwicklung begriffen, und zwar dadurch, daß sie Widersprüche produziert. Ist jede ihrer Konstituanten von allen andern Konstituanten abhängig, so hat auch jede eine Chance, alle andern zu beeinflussen. Sie vergrößert ihre Chance, je nachdem sie die Gesamtsituation in Betracht zieht. Das vergessen oder vergrinsen die Zyniker. Hier eine Abhängigkeit akzeptieren, heißt nicht den Kampf aufgeben, sondern ihn aufnehmen.

10 Auch geringe Ellenbogenfreiheit ist Ellenbogenfreiheit

[...] Die Unterhaltung mag zum Unterhalt gehören und doch in ihrer spezifischen Form den Unterhalt zugleich bedrohen. Ich kann, um leben zu können, Rauschgift benötigen und zugleich durch das Rauschgift mein Leben gefährden. Die allgemeinen

Zustände mögen mich zwingen, die Kunst zu bitten, ihren Prästationen Rauschcharakter zu verleihen, und zugleich kann ich die Kunst bitten müssen, sich an der Beseitigung dieser Zustände zu beteiligen. So bekommen die Künstler einen widerspruchsvollen Auftrag und spüren das mehr oder weniger. Nicht nur sie, sogar die Industrie spürt diesen Auftrag, denn er kommt von Opfern, die auch Kunden sind. Hier liegt eine Chance für die Künstler, die mit dem Film zu tun haben, eine kleine Chance, aber die einzige. Sie dürfen nicht Spekulationen anstellen, wieviel Kunst das Publikum entgegenzunehmen bereit ist. Sie müssen herausfinden, mit wie wenig Betäubung das Publikum bei seiner Unterhaltung auskommt. Dieses Minimum wird zugleich jenes Maximum sein.

11 Kollaboration?

Die Arbeitsteilung in unserer Industrie ist so aufgebaut, daß sie nicht nur das technische Zustandekommen der Produktion, sondern auch das System garantiert, das die Verwertung der Produktion regelt. Diese beiden Funktionen, die jedes Team, das einen Film herstellt, zu bedienen hat, widersprechen sich in gewisser Hinsicht. Die Musiker, Schreiber und Regisseure genügen der ersten Funktion mitunter besser, wenn sie die zweite außer acht lassen. Rein geschäftliche Kalkulationen zwingen die Industrie, Neuerungen zu organisieren und zugleich zuzusehen, daß alles beim alten bleibt; Fortschritt zu kaufen und zugleich Methoden zu kaufen, welche die Fortschritte liquidieren, die Teams leiden darunter und können davon profitieren.

12 Vorbedingung der Kollaboration auf ungleicher Basis

Innerhalb des Teams, das einen fortschrittlichen Film herstellt, ist die Stellung des Musikers schon deshalb schwach, weil gerade er besonders leicht dazu benutzt werden kann, »der Industrie zu geben, was der Industrie ist«.

Der Musiker hat sich nach dem Erzähler Film zu richten, nicht nur aus technischen Gründen, sondern auch, weil der Film als Volksgenußmittel heute Musik nur in ganz begrenzter Quantität und als Zugabe oder Behelfsmittel installiert hat. Auch das ist kein Anlaß zu Defaitismus. Auch hier sind Änderungen möglich. Die Kollaboration der ungleich starken Partner hängt nun im Grund davon ab, daß der stärkere den schwächeren immerhin als selbständigen Produzenten anerkennt. Ist die Intransigenz der Musik unmöglich, so gewinnt der Film doch auch nicht, was er gewinnen könnte, durch völlige Unterwerfung der Musik. Ihr Harakiri, ihre völlige Auflösung nützt ihm nichts.

13 Situationsmusik

Der amerikanische Film ist über das Stadium der Situationskomik und Situationstragik noch nicht hinausgelangt. Der Durchschnittsliebhaber, Durchschnittsschurke, Durchschnittsheld, Durchschnittsmastermind wird über gewisse Situationsfelder bewegt. Die Begleitmusik ist also eine Situationsmusik. Sie drückt sozusagen die Gefühle des Dramaturgen aus. Sein »Ach, wie traurig!« und »Ach, wie spannend!« wird in Musik gesetzt. Da es keine Charaktere gibt, gibt es einen schrecklichen Leerlauf für diese dramaturgische Musik. Im Gegensatz zu den Amerikanern, die auf ihren Individualismus sehr stolz sind, aber in ihren Filmen keine Individualitäten haben (ausgenommen vielleicht bei *Orson Welles*, wo beschädigte Individualitäten vorkommen), haben die Russen auf ihrer eingestandenermaßen kollektivistischen Basis Filme mit echten Individualitäten hervorgebracht (»Die Mutter«, »Die Jugend Maxims«, »Der Gesandte der Baltischen Flotte« und so weiter und so weiter). Ihre Begleitmusik, welche ebenfalls dramaturgischen Charakter hat, hat es im allgemeinen leichter, wie mir scheint.

14 Die Trennung der Elemente

Vielleicht empfiehlt es sich, hier zunächst gewisse sehr weitgehende Experimente zu erwähnen, die auf dem Gebiet des Films bisher nur im dokumentarischen Film, also in recht begrenztem Umfang, durchgeführt wurden, die aber auf dem Theater ziemliche Bedeutung gewonnen haben. Es handelt sich um die hauptsächlich im vorhitlerischen Deutschland ausprobierte *Trennung der Elemente des theatralischen Kunstwerks*. Das heißt, Musik und Aktion wurden als durchaus selbständige Bestandteile des Kunstwerks behandelt. Die musikalischen Stücke wurden kennbar einmontiert in die Aktion. Der Darstellungsstil der Schauspieler änderte sich, wenn Gesangsstücke kamen oder eine Musikuntermalung eines Dialogs erfolgte. Im allgemeinen war das Orchester sichtbar und wurde durch besondere Beleuchtung beim Spielen in das Bühnenbild einbezogen. Ein drittes selbständiges Element bildete das Bühnenbild, und so war es auch möglich, Partien einzubauen, bei denen Musik und Bühnenbild zusammen, aber ohne Aktion arbeiteten, etwa wenn in »Mann ist Mann« eine kleine Nachtmusik ertönte und Projektionen gezeigt wurden. In der Oper »Aufstieg und Fall der Stadt Mahagonny« wurde das Prinzip in anderer Form angewendet: Die drei Elemente Aktion, Musik und Bild traten vereint und doch getrennt auf, indem in einer Szene, die zeigt, wie ein Mann sich zu Tod frißt, vor einer großen Tafel, auf der überlebensgroß ein Fresser zu sehen war, der Schauspieler (der ihm nicht glich) das selbstmörderische Fressen spielte und dazu ein Chor den Vorgang singend berichtete. Musik, Bild und Akteur stellten den gleichen Vorgang selbständig dar. Diese Beispiele sind verhältnismäßig extrem, und ich glaube nicht, daß ähnliches im heutigen Spielfilm möglich ist; sie sind hauptsächlich angeführt, um zu zeigen, was unter *Trennung der Elemente* zu verstehen ist. Das Prinzip ermöglichte es jedenfalls, Musik mit Selbstwert zur Erhöhung der Gesamtwirkung zu verwenden. Drei der besten deutschen Musiker, *Eisler*, *Hindemith* und *Weill*, arbeiteten mit.

15 Trennung der Elemente im Spielfilm

Vorsichtig angewendet, müßte dieses Prinzip der Trennung der Elemente *Musik* und *Aktion* auch dem Spielfilm einige neue Wirkungen verschaffen. Voraussetzung wäre allerdings, daß der Musiker nicht, wie es bisher im allgemeinen üblich ist, erst nach der Tat zugezogen wird. Er müßte von vornherein bei der Planung der Wirkungen des Films eingesetzt werden. Bestimmte Funktionen kann nämlich von vornherein die Musik übernehmen, sie müssen für sie ausgespart werden. Wenn man zum Beispiel die Musik dafür einsetzen will und kann, seelische Vorgänge in den Menschen auszudrücken, dann braucht man allerhand Aktion nicht mehr, die sonst den Zweck verfolgen könnte, die betreffenden seelischen Vorgänge auszudrücken. Das Reifen eines Entschlusses zur Tat etwa kann dann in einem Mann pantomimisch dargestellt werden; das heißt, der Mann kann allein hin und her gehend gezeigt werden, während die Musik die Darstellung seiner Gefühlskurve übernimmt. Je weniger Mimik der Darsteller produziert dabei, desto stärker wird die Wirkung vermutlich sein. In solch einer Szene tritt die Musik vollkommen selbständig auf und leistet echte dramatische Beihilfe. Nehmen wir eine andere Möglichkeit: Ein junger Mann rudert seine Geliebte auf den See hinaus, bringt den Nachen zum Kippen und läßt das Mädchen ertrinken. Der Musiker kann zweierlei tun. Er kann in seiner Begleitmusik die Gefühle des Zuschauers antizipieren, auf Spannung hinarbeiten, die Finsterkeit der Tat ausmalen und so weiter. Er kann aber auch die Heiterkeit der Seelandschaft in seiner Musik ausdrücken, die Indifferenz der Natur, die Alltäglichkeit des Vorgangs, soweit er ein bloßer Ausflug ist. Wählt er diese Möglichkeit, so den Mord um so schrecklicher und unnatürlicher erscheinen lassend, teilt er der Musik eine weit selbständigere Aufgabe zu.

16 Frage der Quantität

Kann so die Musik viel sagen, so muß ihr, daß sie gehört werde, erlaubt sein, verhältnismäßig selten zu sprechen. Die Musik wird um so wichtiger sein können, in je kleinerer Quantität sie verwendet wird. Und sie wird ihre Funktionen um so besser bedienen, je weniger Funktionen es sind. Vor allem müssen die Funktionen sorgfältig auseinandergehalten werden. Es wäre zum Beispiel falsch, für die in 15 erwähnten beiden Szenen die Musik in der anbefohlenen Art anzuwenden, wenn diese Szenen aufeinander folgten. Die Funktion der Musik wäre dann allzusehr verschieden. Der Hörer würde den Sprung nicht mitmachen können. Man muß auch wissen, daß man den eventuellen Vorteil, eine schwach ausgefallene Sprechszene mit Musik aufzudoktern, mit dem Nachteil bezahlen muß, daß die Musik in einer folgenden Szene versagen kann. Diese Eigenschaft teilt die Musik mit andern Drogen.

17 Naturstimmungen

Für Naturstimmungen sind naturalistische Beschreibungen nicht immer am wirkungsvollsten.

Anmerkungen

Augsburger Theaterkritiken

S. *1 Augsburger Theaterkritiken*. Brecht schrieb in der Zeit vom 21. Oktober 1919 bis zum 12. Januar 1921 regelmäßig Theaterkritiken für den »Volkswillen«, die Tageszeitung der Unabhängigen Sozialdemokratischen Partei für Schwaben und Neuburg, die in Augsburg von Wendelin Thomas herausgegeben wurde. Ein Teil der Kritiken wurde im 2. Sonderheft Brecht »Sinn und Form«, 1957, veröffentlicht.

S. *3 Frank Wedekind*. Dieser Nekrolog erschien am 12. März 1918, drei Tage nach dem Tod Wedekinds, in den »Augsburger Neuesten Nachrichten«. Die Tageszeitung veröffentlichte seit 1914 Gedichte, Erzählungen und Rezensionen Brechts.

S. *12 Eine Abrechnung*. Das Augsburger Stadttheater stand 1920 bereits 17 Jahre unter der Leitung des Intendanten Carl Häusler, der seinerseits aus Kiel nach Augsburg berufen worden war. Der permanente Kampf zwischen Oper und Schauspiel war zeitweilig zugunsten der Oper entschieden: Häusler hatte während seiner Direktion bereits einmal das Schauspielensemble aufgegeben und Gastspiele des Münchener Kammertheaters organisiert. Das danach neugegründete Augsburger Schauspielensemble war vor allen Dingen auf junge Leute angewiesen.

S. *15 Offener Brief an die Augsburger Zeitungen*. Der Brief, den Brecht anläßlich des Ausscheidens von Hermann Merz im Sommer 1920 aus dem Ensemble des Augsburger Stadttheaters geschrieben hat, liegt lediglich in einer Handschrift vor.

S. *39 Karl Valentin*. Der Beitrag erschien im Oktober 1922 im »Programm«, den Blättern der Münchener Kammerspiele, in einer Bert-Brecht-Sondernummer anläßlich der Uraufführung von »Trommeln in der Nacht«. Der Text gehört nicht zu den »Augsburger Theaterkritiken«, wurde aber dem Kapitel zugeordnet, weil er in der Augsburger Zeit entstand.

Aus Notizbüchern

S. *41 Aus Notizbüchern*. Aus den zahlreichen Notizbüchern Brechts wurden Eintragungen der Jahre 1920–1926 ausgewählt, die als

Studien zu Problemen des Theaters gelten können. Die Zusammenstellung wurde ergänzt. Die handschriftlichen Eintragungen in den Notizbüchern sind teilweise sehr schwer lesbar. Eine erneute Überprüfung der Originale ergab in einigen Fällen andere Lesarten als bei der Erstveröffentlichung der Texte.

S. 46 Ich im Theater. Der Text wird hier zum erstenmal veröffentlicht.

S. 47 Das Theater als sportliche Anstalt. Siehe hierzu auch »Mehr guten Sport«, S. 81 ff.

S. 55 Zur Ästhetik des Dramas. Dieser Text erscheint hier in der ergänzten vollständigen Fassung und, der Quelle entsprechend, im Kapitel »Aus Notizbüchern«.

S. 64 Zu »Baal« und *Aus: Über Kunst und Sozialismus.* Der Text »Zu ›Baal‹« folgt im Notizbuch auf den Beitrag »Der Messiasglaube in der Literatur« (siehe »Schriften zur Literatur und Kunst«, S. 15). Es ist möglich, daß beide Texte sowie die Bruchstücke einer Vorrede zu »Mann ist Mann«, die den Titel haben »Aus: Über Kunst und Sozialismus«, einen größeren Komplex darstellen. Für diesen Fall wäre noch ein kleinerer Text wichtig, der auf »Zu ›Baal‹« folgt (von diesem Text aber durch ein Kreuz abgehoben und als selbständig gekennzeichnet ist). Der Text lautet: »Ich muß gestehen, daß ich erst, als ich Lenins ›Staat und Revolution‹ (?) und danach Marx' ›Kapital‹ gelesen hatte, begriff, wo ich, philosophisch, stand. Ich will nicht sagen, daß ich *gegen* diese Bücher reagierte, dies schiene mir höchst unrichtig. Ich glaube nur, daß ich hier, in *diesen* Gegensätzen, mich zu Hause fühlte. Mehr als den ›Standpunkt‹ einzunehmen, daß *hier* die fruchtbaren Gegensätze liegen, ist meiner Meinung nach der *Kunst* dieser (so kostbaren) Übergangszeit nicht gestattet.«

Über den Untergang des alten Dramas

S. 71 Über den Untergang des alten Dramas. Dieses Kapitel enthält, abweichend von Band 1 der siebenbändigen Ausgabe nur Texte bis 1928. Die Anordnung wurde weitgehend mit der chronologischen Abfolge in Übereinstimmung gebracht.

S. 74 Probleme des heutigen Theaters. Brechts Brief erschien mit zahlreichen Beiträgen anderer Künstler im September 1925 in

Anmerkungen 3*

»Zwischenakt«, dem Blatt des Theaters in der Königsberger Straße, dem Komödienhaus und der Tribüne. Der Text ist neu in die »Schriften zum Theater« aufgenommen.

S. 74 An den Herrn im Parkett. Brecht sandte diesen Beitrag auf seine Umfrage an den »Berliner Börsen-Courier«, wo er am 25. Dezember 1925 zusammen mit zahlreichen Antworten anderer Dramatiker und Regisseure abgedruckt wurde. Die Umfrage der Zeitung lautete: »Was, glauben Sie, verlangt Ihr Publikum von Ihnen?« U. a. antworteten: Leopold Jeßner, Jürgen Fehling, Viktor Barnowsky, Berthold Viertel, Arnolt Bronnen, Georg Kaiser, Ernst Barlach, Ernst Toller, Carl Zuckmayer, Klabund, Hans Henny Jahnn, Hans J. Rehfisch, Carl Sternheim, Paul Kornfeld, Marieluise Fleißer, Franz Lehár, Jan Gilbert, Fritz Kortner.

S. 75 Notizen über das Theater der großen Städte. Die drei Beiträge wurden vom Herausgeber zusammengestellt.

S. 81 Mehr guten Sport erschien am 6. Februar 1926 im »Berliner Börsen-Courier«. Vgl. dazu die Texte »Die Todfeinde des Sports«, »Die Krise des Sports«, »Sport und geistiges Schaffen« in der Abteilung »Zur Politik und Gesellschaft«, S. 582 ff.

S. 90 Die Sucht nach Neuem. Der Text war in Band 1 der siebenbändigen Ausgabe der »Schriften zum Theater« unter dem Titel »Drama und Zuschauer« erschienen.

S. 96 Dem siebzigjährigen Bernard Shaw. Am 22. Juli 1925 im »Berliner Börsen-Courier« zusammen mit Beiträgen von Oscar Bie, Albert Einstein, Emil Faktor, Leopold Jeßner, Erich Kleiber, Erwin Piscator, Jakob Wassermann, Stefan Zweig abgedruckt aus einer Grußadresse für den Jubilar, die der S. Fischer Verlag vorbereitete.

S. 96 Ovation für Shaw erschien am 25. Juli 1925 im »Berliner Börsen-Courier«.

S. 102 Über die Volksbühne. Der erste Beitrag (Spricht man mit einem Menschen von der Volksbühne . . .) ist in der Juni-Ausgabe der Monatsschrift »Die Scene«, Berlin, 1926, zusammen mit anderen Bemerkungen von Ernst Toller, Hans J. Rehfisch, Johannes R. Becher, Alfred Wolfenstein u. a. unter der Überschrift »Die Volksbühnenbewegung und die junge Generation« abgedruckt. Die Umfrage machte P. A. Otte, der dazu auch eine Einleitung schrieb.

S. 104 Stirbt das Drama? Unter dieser Überschrift veröffentlichte die »Vossische Zeitung« am 4. April 1926 das Ergebnis einer Um-

frage mit folgender Einleitung: »Immer mehr Stimmen werden laut, die den Untergang des Theaters in seiner jetzigen Form ankündigen oder gar schon feststellen. Daß unsere Zeit keiner Tragik fähig ist, ist eine alte Behauptung. Neu ist die Anklage, daß das Drama sich selbst als Kunstform überholt habe. Voreilige Grabredner beerdigen es, um Kino, Radio, Operette, Revue, Boxkämpfe als seine Erben zu proklamieren. Im Glauben, daß dieses Problem eine Lebensfrage deutscher Kultur berühre, haben wir eine Anzahl Berufener befragt, ob auch sie an den Untergang des Dramas glauben...« An der Rundfrage beteiligten sich: Leopold Jeßner, Lucie Höflich, Viktor Barnowsky, Elisabeth Bergner, Jakob Wassermann, Heinrich XLV. Erbprinz Reuß, Fritz v. Unruh, Max Dessoir, Fritz Kortner, Rudolf Forster, Arnolt Bronnen, Klabund, Berthold Viertel, Ludwig Berger.
S. 105 Materialwert. Die Abschnitte dieses Komplexes wurden vom Herausgeber in dieser Form zusammengestellt.
S. 111 Wie soll man heute Klassiker spielen? Antwort auf eine Umfrage, die am 25. Dezember 1926 im »Berliner Börsen-Courier« veröffentlicht wurde. Die Redaktion der Zeitung richtete an »führende Persönlichkeiten des Theaters und des Schrifttums« folgende Frage: »Wie erscheint Ihnen die Darstellung des klassischen Repertoires auf dem gegenwärtigen Theater möglich? Auf welcher Grundlage dürfen ältere Werke geändert werden? Wo beginnt die Willkür? Welche Rolle spielt dabei die Umschichtung des Publikums bei der Durchführung oder Umgestaltung des Repertoires?« In der genannten Ausgabe der Zeitung wurden Antworten von Viktor Barnowsky, Wilhelm Schmidtbonn, Tilla Durieux, Heinrich George, Alexander Granach, Eugen Klöpfer, Fritz Holl, Erwin Piscator, Hans Henny Jahnn, Jürgen Fehling, Edmund Meisel veröffentlicht.
S. 115 Vorrede zu »Macbeth«. Brecht hielt diese Vorrede als Einleitung zu einer Rundfunkaufführung der Tragödie am 14. Oktober 1927 im Radio Berlin. Die Hörspiel-Bearbeitung hatte er zusammen mit dem Regisseur Alfred Braun vorgenommen.

Der Weg zum zeitgenössischen Theater

S. 123 Der Weg zum zeitgenössischen Theater. Abweichend vom Band 1 der siebenbändigen Ausgabe der »Schriften zum Theater«,

Anmerkungen 5*

sind in diesem Kapitel die Beiträge Brechts zusammengestellt, die in den Jahren 1927 bis 1932 entstanden.

S. 125 Theatersituationen 1917–1927. Erschienen am 16. Mai 1927 in »Der neue Weg«, Berlin. Weitere Beiträge dieser Umfrage, nach der die Rolle des Regisseurs näher umrissen werden sollte, stammen von Arthur Kraußneck, Richard Weichert, Paul Legband, Emil Lind, Viktor Barnowsky, Friedrich Schramm u. a.

S. 126 Sollten wir nicht die Ästhetik liquidieren? Im »Berliner Börsen-Courier« vom 12. Mai 1927 wurde unter der Überschrift »Der Niedergang des Dramas / Brief an einen Dramatiker« von Herrn X. ein »polemischer Schriftwechsel über das gegenwärtige Drama« eröffnet. In der Ausgabe vom 2. Juni 1927 der Zeitung folgt auf Brechts Erwiderung »Sollten wir nicht die Ästhetik liquidieren?« auch die »Antwort« des Herrn X. Der anonyme Briefpartner war der Soziologe Fritz Sternberg. Der Briefwechsel wurde im »Berliner Börsen-Courier« nicht fortgesetzt.

S. 131 Betrachtung über die Schwierigkeiten des epischen Theaters. Das Literaturblatt der »Frankfurter Zeitung« veröffentlichte diesen Beitrag am 27. November 1927 unter der Überschrift »Der Autor über sich selbst« und bemerkte, Brecht habe, statt sich über sich selbst zu äußern, die Betrachtung gesandt.

S. 133 Der Piscatorsche Versuch. Von Brecht wahrscheinlich nach der Aufführung der »Sturmflut« von Paquet an Piscators Volksbühne 1926 geschrieben. – Erich Engel hatte Shakespeares »Coriolanus« am Lessing-Theater Berlin (Premiere: 27. Februar 1925) inszeniert; die Titelrolle spielte Fritz Kortner. – Die beiden Beiträge wurden vom Herausgeber zusammengestellt.

S. 141 Der Mann am Regiepult. Der Beitrag erschien als Antwort auf eine Umfrage von P. A. Otte im Januar 1928 in der Zeitschrift »Das Theater«, Berlin. Außer Brecht schrieben Arnolt Bronnen über den »Mann am Schreibtisch«, Hans J. Rehfisch über den »Mann am Schminktisch« und Carl Zuckmayer über den »Mann im Parkettsessel«.

S. 142 Die Not des Theaters. Das Dreigespräch zwischen dem Kritiker Alfred Kerr, dem Intendanten Weichert und Brecht fand am 15. April 1928 statt und wurde vom Sender Radio Berlin übertragen. Der vorliegende Text stellt wahrscheinlich einen Entwurf Brechts für das Gespräch dar. Eine Einleitung, in der Brecht die

Disposition und eine Skizze des Gesprächs gibt, wurde für diese Ausgabe gestrichen. Der hier vorliegende Text ist durch einige neu aufgefundene Passagen ergänzt.

S. 146 Kölner Rundfunkgespräch. Das Gespräch liegt in einem von Brecht geschriebenen Manuskript vor. Brecht verwandte darin einige Textstellen aus Veröffentlichungen seiner Gesprächspartner. Wahrscheinlich ist das Gespräch in dieser Form nach der Debatte im Kölner Rundfunk geschrieben worden.

S. 154 Dem fünfzigjährigen Georg Kaiser. Beitrag zum Geburtstag des Dramatikers im »Berliner Börsen-Courier« vom 24. November 1928.

S. 155 Theater als geistige Angelegenheit. Dieser neu aufgefundene Text wird hier erstmals veröffentlicht.

S. 156 Über Hermann Sudermann. Der Beitrag erschien nach Sudermanns Tod 1928 im »Prisma«, den Blättern der vereinigten Stadttheater Bochum-Duisburg. In der gleichen Ausgabe, die Hermann Sudermann gewidmet ist, schrieben Leopold Jeßner, Viktor Barnowsky und Arnolt Bronnen.

S. 168 Soll das Drama eine Tendenz haben? Die Ergebnisse einer Umfrage über dieses Thema veröffentlichte »Der Scheinwerfer«, Essen, im November 1928. Antworten lieferten u. a. Walter Bloem, Herbert Eulenberg, Hans Franck, René Schickele, Carl Sternheim, Ernst Toller, Friedrich Wolf, Arnold Zweig.

S. 169 Über eine neue Dramatik. Die letzten fünf Aphorismen dieses Beitrags stammen aus einer anderen Mappe und wurden vom Herausgeber in dieser Zusammenstellung angefügt.

S. 176 Gespräch über Klassiker. Diese Auseinandersetzung mit Herbert Jherings Buch »Reinhardt, Jessner, Piscator oder Klassikertod?«, Berlin 1928, schrieb Brecht in Dialogform unter Verwendung von Zitaten aus dem Buch. Ein fehlendes Manuskriptblatt wurde nach Angaben Herbert Jherings gleichfalls durch Texte aus der Broschüre ergänzt.

S. 184 Letzte Etappe: »Ödipus«. Erschienen am 1. Februar 1929 im »Berliner Börsen-Courier«. Die Aufführung des »Ödipus« von Sophokles in der Inszenierung von Leopold Jeßner fand am 4. Januar 1929 im Staatstheater Berlin statt. Die Tragödien »König Ödipus« und »Ödipus auf Kolonos« waren in einer Bearbeitung von Heinz Lipmann zusammengezogen worden. Die Titelrolle spielte Fritz Kortner.

S. 188 Dialog über Schauspielkunst. Der Text erschien am 17. Februar 1929 im »Berliner Börsen-Courier«. In der erwähnten »Ödipus«-Inszenierung Leopold Jeßners (im Staatlichen Schauspielhaus Berlin) spielte Helene Weigel die Rolle der Magd.

S. 193 Situationen und Verhalten. Die drei Beiträge wurden vom Herausgeber zusammengestellt.

S. 196 Über Stoffe und Form. Diese Zuschrift Brechts ist mit Äußerungen von Fritz v. Unruh, Carl Zuckmayer, Peter Martin Lampel, Ernst Toller, Marieluise Fleißer, Gerhard Menzel, Arnolt Bronnen, Ernst Barlach, Ferdinand Bruckner, Emil Burri, Leopold Jeßner und Erwin Piscator am 31. März 1929 im »Berliner Börsen-Courier« unter der Hauptüberschrift »Das Theater von morgen« veröffentlicht. Als Einleitung schrieb die Redaktion der Zeitung: »Die letzten Theaterjahre haben die Frage des stofflichen oder des formalen Theaters, des Zeittheaters oder des zeitunabhängigen Theaters besonders zur Diskussion gestellt. In diesem Zusammenhang ist auch die schwere Krise zu verstehen, die die Form der klassischen Darstellung auf der Bühne heute durchmacht. – Es ist notwendig, diese Fragen zu klären. Wir haben uns deshalb an Theaterleiter und Dramatiker mit der Frage gewandt: ›Welche neuen Stoffgebiete können das Theater befruchten? Verlangen diese Stoffe eine neue Form des Dramas und des Spiels?‹ – Die Antworten zeigen, wie die Dinge des Theaters in Bewegung geraten sind, wie notwendig eine Auseinandersetzung geworden ist. Sie hängt zusammen mit der Umlagerung der Weltanschauung ...«

S. 198 Welche Möglichkeiten haben wir im Ausland? Der »Berliner Börsen-Courier« befragte deutsche Dramatiker über ihre Erfahrungen mit ausländischen Bühnen. Das Ergebnis der Umfrage, an der sich neben Brecht auch Alfred Neumann, Leonhard Frank, Georg Kaiser, Max Mohr, Stefan Zweig und Carl Zuckmayer beteiligten, wurde am 19. Mai 1929 veröffentlicht. Der Text wurde neu in der Ausgabe aufgenommen.

S. 204 Sowjettheater und proletarisches Theater. Das Staatstheater Meyerhold, Moskau, gastierte 1930 mit den Aufführungen der Stücke »Brülle China« von Sergej Tretjakow und »Der Wald« von Alexander Ostrowski in Berlin.

S. 211 Notizen über die dialektische Dramatik. Von diesem Beitrag, den Brecht bereits 1929 und 1930 auf den Umschlagseiten der Hefte

1 und 2 der *Versuche* angekündigt hatte, fanden sich im Nachlaß zahlreiche, meist handgeschriebene Bruchstücke. Auf Grund zweier Gliederungsschemata und der mit Buchstaben und Ziffern gekennzeichneten Kapitel wurde eine Zusammenstellung des Aufsatzes versucht. Die Texte wurden überprüft und ergänzt.

Über eine nichtaristotelische Dramatik

S. 229 *Offener Brief an den Schauspieler Heinrich George.* Brecht schrieb den Brief im Dezember 1933 im Auftrag des »Bundes proletarisch-revolutionärer Schriftsteller«.

S. 234 *Über die deutsche revolutionäre Dramatik.* Entwurf für einen Radiovortrag.

S. 236 *Das deutsche Theater der zwanziger Jahre.* Der Text wurde um eine Passage gekürzt, die Brecht aus den »Anmerkungen zur ›Mutter‹« übernommen hatte. – Eine Bearbeitung dieses Aufsatzes erschien in englischer Sprache in »Left Review«, London, im Juli 1936.

S. 246 *Über praktikabel definierte Situationen in der Dramatik.* Der Beitrag wurde um eine Schlußpassage gekürzt, in der Brecht als Beispiel für die Bereitschaft der neuen Zuschauerschichten auf eine Diskussion überleitet, die er mit 300 Mitgliedern eines Berliner Arbeitersängerchores über eine Szene des Stückes »Die Maßnahme« führte. Siehe dazu »Das Lehrstück ›Die Maßnahme‹«, S. 1033 ff. – Die »Skizze über die Diskussion« wurde nicht geschrieben.

S. 250 *Realistisches Theater und Illusion.* Brecht bezieht den Titel auf den ersten Beitrag. Der zweite Text wurde vom Herausgeber dazugestellt.

S. 252 *Das Interesse der Philosophen.* Dieser Text trägt den Titel »Der Philosoph im Theater«, der als Überschrift für das Teilkapitel gewählt wurde.

S. 253 *Über das Theatermachen.* Die Beiträge wurden für diese Ausgabe zusammengestellt.

S. 262 *Vergnügungstheater oder Lehrtheater?* Der Aufsatz wurde 1957 zuerst in der einbändigen Ausgabe der »Schriften zum Theater« veröffentlicht und später in dieser Fassung nachgedruckt. – Ein Vergleich mit dem Typoskript machte einige Korrekturen notwendig. Brecht hatte den zweiten Abschnitt des Aufsatzes überschrieben

Anmerkungen 9*

mit »Zwei Schemata«. Der Abschnitt beginnt: »Einige kleine Schemata mögen zeigen, worin sich die Funktion des epischen von der des dramatischen Theaters unterscheidet.« Hierauf folgt das Schema, das Brecht in der ersten Ausgabe der *Versuche,* H. 2, 1930, in den »Anmerkungen zur Oper ›Aufstieg und Fall der Stadt Mahagonny‹« veröffentlichte. Da Brecht dieses Schema später in der Form für unzureichend hielt und für den zweiten Druck der Anmerkungen in der Malik-Ausgabe, 1938, redigierte und ergänzte, wurde der Text hier ausgelassen und auf das gültige Schema verwiesen.

S. 273 Aus einem kleinen Gespräch mit dem ungläubigen Thomas. Der Beitrag wurde aus Fragmenten des »Zweiten der kleinen Gespräche mit dem ungläubigen Thomas« zusammengestellt.

S. 280 Benutzung der Wissenschaften für die Kunst. Bei der Durchsicht der Originale stellte sich heraus, daß dieser Text im skandinavischen Exil geschrieben ist. Er wurde deshalb in dieser Ausgabe zeitlich richtig eingeordnet.

S. 283 Der Film im epischen Theater. Der Beitrag stammt aus dem »Abc des epischen Theaters«.

S. 285 Über experimentelles Theater. Diesen Vortrag hielt Brecht am 4. Mai 1939 vor Mitgliedern der Studentenbühne Stockholm. Er überarbeitete den Text für eine Wiederholung des Vortrags vor dem Ensemble des Studententheaters Helsinki im November 1940. – Der Text wurde zuerst in den *Studien,* Nr. 12, Beilage zu »Theater der Zeit«, Berlin, 1959, Heft 4, veröffentlicht.

S. 305 Die Diderot-Gesellschaft. Das Programm für die Gründung der Gesellschaft stammt aus dem Jahre 1937. Nach einem Briefentwurf sollten folgende Persönlichkeiten angesprochen werden: W. H. Auden, E. F. Burian, Rupert Doone, Slatan Dudow, S. M. Eisenstein, Hanns Eisler, Max Gorelik, Nordahl Grieg, Georg Höllering, Christopher Isherwood, Per Knutzon, Karl Koch, Fritz Kortner, Pär Lagerkvist, Per Lindberg, Archibald MacLeish, Léon Moussinac, Nicolai Ochlopkow, Erwin Piscator, Jean Renoir, Sergej Tretjakow.

S. 309 Dreigespräch über das Tragische. Der Dialog ist von Brecht mit »V-Effekte« überschrieben.

S. 309 Über die Verwendung von Prinzipien. Diese Überschrift bezieht sich bei Brecht auf den ersten Text; der zweite wurde in dieser Anordnung dazugestellt.

S. 322 Sprache des Dramatikers ist keine Formsache. Im Text Brechts fehlten die Aufzählung der grammatikalischen Fehler und die Beschreibung einer angekündigten Schilderung der Charaktere.
S. 332 Notizen über Shakespeare. Brecht beabsichtigte, Aufsätze über Shakespeare zusammenzustellen. Zu den bereits gesammelten wurden weitere Arbeiten des gleichen Themas geordnet. Die Zusammenstellung der Komplexe »Shakespeare-Studien« (S. 332) und »Shakespeare auf dem epischen Theater« (S. 334) stammt nicht von Brecht.

Neue Technik der Schauspielkunst

S. 341 Kurze Beschreibung einer neuen Technik der Schauspielkunst, die einen Verfremdungseffekt hervorbringt. Die von Brecht im Anhang zitierten Texte sind innerhalb der »Schriften zum Theater« teilweise anderen Kapiteln zugeordnet. Um die ursprüngliche Zusammenstellung Brechts kenntlich zu machen, wurde die alte Numerierung beibehalten und auf die entsprechenden Texte verwiesen. Der Aufsatz erschien zuerst 1952 im 11. Heft der *Versuche*.
S. 358 Politische Theorie der Verfremdung. Beide Texte wurden unter der Überschrift angeordnet, die sich bei Brecht nur auf den ersten Beitrag bezieht.
S. 364 Notizen über V-Effekte. Die Beispiele wurden in dieser Form vom Herausgeber angeordnet.
S. 377 Ist die kritische Haltung eine unkünstlerische Haltung? Die Überschrift gehört zu dem zweiten Text, der erste wurde dazugestellt.
S. 380 Über das Stanislawski-System. Hierunter wurden einige frühe Äußerungen Brechts zu diesem Thema geordnet. Siehe dazu auch »Der Messingkauf«, S. 505 ff.

Über den Beruf des Schauspielers

S. 398 Aufbau der Figur. Die Abschnitte »Über das Historisieren« (S. 404) und »Die Singularität der Figur« (S. 405) wurden vom Herausgeber in diesen Zusammenhang gestellt.
S. 411 Erfahrungen. Die Beiträge wurden vom Herausgeber zu einem Komplex zusammengestellt. Die Texte »Musik« (S. 412) und

»Schminken« (S. 413) liegen zwar in einer Mappe mit Texten aus dem dänischen Exil zusammen, könnten aber eventuell schon in den zwanziger Jahren geschrieben sein.

S. 424 Über das Theater der Chinesen. Die Beiträge wurden vom Herausgeber zu einem Komplex zusammengestellt. Vergleiche dazu den Essay »Verfremdungseffekte in der chinesischen Schauspielkunst«, S. 619 ff.

S. 429 Lohnt es sich, vom Amateurtheater zu reden? Erster Teil eines größeren Aufsatzes, der die Überschrift tragen sollte: »Sechs Chroniken über Amateurtheater«. Brecht entwarf für diesen Aufsatz folgende Gliederung: »1) *Lohnt es sich, vom Amateurtheater zu reden?* 2) *Amateur und Dilettant.* Unterschied zwischen Amateuren und Dilettanten. Der Amateur im *Sport* ist kein Dilettant. Der Amateur kann ein Künstler sein, auch ein großer. Nachahmung des Professionals ist Dilettantismus. Der Amateur muß seine eigene Kunst finden. 3) *Amateurtheater im vorhitlerischen Deutschland.* Versuche der Künstler (Musiker und Dramatiker), eine Volkskunst zu schaffen. Die Baden-Badener internationalen Musikfeste. Kinder spielen Theater. Die ›Gebrauchsmusik‹. Das Amateurtheater der Arbeiter. 4) *Was kann der Amateur spielen?* Es ist für den Amateur schwerer, naturalistisch zu spielen, als ›stilisiert‹. Jedoch ist er im Realistischen am stärksten. 5) *Amateure spielen eine Clownsszene.* Versuche mit einer schwedischen Amateurtruppe. Was ist elementares Theater? Feststellung, daß die Truppe über sehr viel komische Begabung verfügt und erstaunlich plastisch spielen kann, sobald ihre Phantasie sich frei entfalten darf. 6) *Dramatik für Amateure.* Die Revueform ist fortschrittlich. Die moderne Dramatik entwickelt Revueformen künstlerischer Art (Abell, Auden, Blitzstein, Wangenheim). Schlechte Revuen. Honorierung der Dramatiker, eine wichtige Frage. Dramatik der Amateure. Ausblick«.

Bühnenbau und Musik des epischen Theaters

S. 439 Über den Bühnenbau der nichtaristotelischen Dramatik. Der Aufsatz bildet den Teil einer größeren Arbeit über Bühnenbau, in dem das übrige Material (S. 447–467) verarbeitet werden sollte. *S 455 Zeichen und Symbole* und *Merkmale gesellschaftlicher Pro-*

zesse (S. 459). Die einzelnen Beiträge wurden vom Herausgeber in dieser Anordnung zusammengestellt.

S. 465 Über Titel. Der Text wurde gekürzt um das Evakuierungsbeispiel, das Brecht auch im Aufsatz »Die Vorgänge hinter den Vorgängen« verwendete (S. 258 f.).

S. 467 Kleines Privatissimum für meinen Freund Max Gorelik. Gorelik war der Bühnenbildner der New Yorker Aufführung der »Mutter« in der Theatre Union 1935.

S. 472 Über die Verwendung von Musik für ein episches Theater. Der Aufsatz wurde zuerst in der einbändigen Ausgabe »Schriften zum Theater« 1957 veröffentlicht und später in dieser Fassung nachgedruckt. Inzwischen wurde eine von Brecht korrigierte Abschrift des Textes aus den fünfziger Jahren aufgefunden, die als Vorlage für die hier niedergeschriebene Fassung diente. Darin ist der Text von Brecht 1935 datiert. – Der in früheren Abdrucken des Aufsatzes angefügte Schlußabsatz (»Dazu kommt, daß das Schreiben einprägsamer und leichtverständlicher Musik keineswegs nur Sache des guten Willens, sondern vor allem des Könnens und des Lernens ist – und das Lernen kann ja nur in ständiger Berührung mit den Massen und den andern Künstlern vor sich gehen, nicht in der Isolation.«) gehört nicht zum Text.

S. 482 Über gestische Musik. Hanns Eisler schrieb nach Texten von Brecht 1937 das Requiem »Lenin«. – Der Aufsatz wurde zuerst 1957 im Sammelband *Schriften zum Theater* veröffentlicht.

S. 487 Über Filmmusik. Die einzelnen Texte wurden in dieser Reihenfolge vom Herausgeber zusammengestellt. Sie sind im amerikanischen Exil geschrieben.

Inhalt

Augsburger Theaterkritiken 1918–1922

Frank Wedekind 3
»Gespenster« von Ibsen 4
Aus dem Theaterleben 6
Schmidtbonns »Graf von Gleichen« im Stadttheater 7
Georg Kaisers »Gas« im Stadttheater 8
»Don Carlos« 9
Crommelyncks »Maskenschnitzer« im Stadttheater 11
Eine Abrechnung 12
Offener Brief an die Augsburger Zeitungen 15
Die Steirer im Metropol 16
»Kabale und Liebe« 17
»Rose Bernd« 18
»Tasso« 19
»Alt-Heidelberg« 20
Schillers »Räuber« im Stadttheater 21
»Rose Bernd« von Gerhart Hauptmann 23
Bernard Shaws »Pygmalion« 24
Hofmannsthals »Jedermann« im Stadttheater 26
Tanzabend Rita Sacchetto 27
»Die Räuber« 27
»Zwangseinquartierung« im Stadttheater 28
Strindbergs »Rausch« 29
Erwiderung auf den offenen Brief des Personals des Stadttheaters 30
Dramatisches Papier und anderes 34
Querulanterei oder Ein Lauf gegen die Wand 35
Hebbels »Judith« im Stadttheater 37
Karl Valentin 39

Aus Notizbüchern 1920–1926

1920
Über das Unterhaltungsdrama 43
Über den Expressionismus 44
Über das Rhetorische 45
Folgen der Kritik 46
Ich im Theater 46
Das Theater als sportliche Anstalt 47
Notizen ohne Titel 49
Aus einer Dramaturgie 52
Zur Ästhetik des Dramas 55

1921
Notizen ohne Titel 57

1922
Notizen ohne Titel 62
Über die Zukunft des Theaters 62

Etwa 1926
Zu »Baal« 64
Aus: Über Kunst und Sozialismus 64
Neu und alt 67
Notizen ohne Titel 68

Über den Untergang des alten Theaters 1924–1928

Über das alte und neue Theater 72
Die Operette 73
Maria Stuart 73
Die Probleme des heutigen Theaters 74
An den Herrn im Parkett 74
Notizen über das Theater der großen Städte 75

Prinzipielles 77
Dekoration 79
Prospekte 80
Über das Theater, das wir meinen 80
Mehr guten Sport 81
Schwerfällige Apparate 85
Über den »Untergang des Theaters« 85
Ausblicke 86
Bühne ohne Kredit 87
Theater für Weiber 89
Die Sucht nach Neuem 90
Über die Eignung zum Zuschauer 91
Über die Operette 92
Die produktiven Hindernisse 93
Objektives Theater 95
Dem siebzigjährigen Bernard Shaw 96
Ovation für Shaw 96
Über die Volksbühne 102
Stirbt das Drama? 104
Materialwert 105
Weniger Gips!!! 108
Wie soll man heute Klassiker spielen? 111
Kein Interesse am Stoff 114
Vorrede zu »Macbeth« 115
Jiu Jitsu (= die leichte, die fröhliche Kunst) 119
Heiterkeit der Kunst 120

Der Weg zum zeitgenössischen Theater 1927–1931

Theatersituation 1917–1927 125
Sollten wir nicht die Ästhetik liquidieren? 126
Der einzige Zuschauer für meine Stücke 129
Über die Kreierung eines zeitgemäßen Theaters 129

16 * Inhalt

Betrachtung über die Schwierigkeiten des epischen Theaters 131
Basis der Kunst 132
Der Piscatorsche Versuch 133
Primat des Apparates 135
Das neue Theater und die neue Dramatik 137
Notiz über das Piscatortheater 139
Das Theater und die neue Produktion 139
Der Mann am Regiepult 141
Die Not des Theaters 142
Kölner Rundfunkgespräch 146
Offener Brief an Georg Kaiser 153
Dem fünfzigjährigen Georg Kaiser 154
Theater als geistige Angelegenheit 155
Über Hermann Sudermann 156
Neue Sachlichkeit 156
Provisorisches für Fachleute 161
»Junge Bühne« 162
Soll das Drama eine Tendenz haben? 168
Über eine neue Dramatik 169
Gespräch über Klassiker 176
Letzte Etappe: »Ödipus« 184
Über einen Typus moderne Schauspielerin 186
Dialog über Schauspielkunst 188
Über die Probenarbeit 192
Situation und Verhalten 193
Charakterisierung im Drama 195
Über Stoffe und Form 196
Welche Möglichkeiten haben wir im Ausland? 198
Der Weg zum großen zeitgenössischen Theater 199
Sowjettheater und proletarisches Theater 204
Der soziologische Raum des bürgerlichen Theaters 205
Über die Verwertung der theatralischen Grundelemente 207
Anschauungsunterricht für neues Sehen der Dinge 207
Notizen über die dialektische Dramatik 211

Über eine nichtaristotelische Dramatik 1933–1941

Solang man der Kunst als Bereich ... 228
Von den Tempelhütern der Kunst ... 228

Die deutsche revolutionäre Dramatik
Offener Brief an den Schauspieler Heinrich George 229
Über die deutsche revolutionäre Dramatik 234
Das deutsche Theater der zwanziger Jahre 236

Kritik der Einfühlung
Kritik der »Poetik« des Aristoteles 240
Über rationellen und emotionellen Standpunkt 242
Thesen über die Aufgabe der Einfühlung in den theatralischen
    Künsten 244
Über praktikabel definierte Situationen in der Dramatik 246
Unmittelbare Wirkung aristotelischer Dramatik 248
Realistisches Theater und Illusion 250

Der Philosoph im Theater
Das Interesse der Philosophen 252
Über die Art des Philosophierens 252
Über das Theatermachen 253
Die Vorgänge hinter den Vorgängen 256
Die Kunst, die Welt so zu zeigen, daß sie beherrschbar
    wird 260

Das epische Theater
Vergnügungstheater oder Lehrtheater? 262
Aus einem kleinen Gespräch mit dem
    ungläubigen Thomas 273
Kleine Liste der beliebtesten, landläufigsten und banalsten
    Irrtümer über das epische Theater 276
Die Kausalität in nichtaristotelischer Dramatik 278
Benutzung der Wissenschaften für Kunstwerke 280

Grenzen der nichtaristotelischen Dramatik 282
Der Film im epischen Theater 283
Über experimentelles Theater 285
Die Diderot-Gesellschaft 305
Dreigespräch über das Tragische 309
Über die Verwendung von Prinzipien 313

Die Übernahme des bürgerlichen Theaters
Verblüffen durch neue Formen 317
Der Anlaß neuer Bewegungen 318
Tiefstand der Sprachbehandlung 320
Die Sprache des Dramatikers ist keine Formsache 322
Hypnose und moralische Hemmungen 325
Hays »Haben« 325
Resignation eines Dramatikers 326

Notizen über Shakespeare
Shakespeare-Studien 332
Shakespeare auf dem epischen Theater 334
Heilig machen die Sakrilege 335

Neue Technik der Schauspielkunst etwa 1935–1941

Über das Merkwürdige und Sehenswerte 339
Kurze Beschreibung einer neuen Technik der Schauspielkunst,
  die einen Verfremdungseffekt hervorbringt 341
Politische Theorie der Verfremdung 358
Dialektik und Verfremdung 360
Der V-Effekt 361
Der V-Effekt auf dem alten Theater 362
Notizen über V-Effekte 364
Hervorbringen des V-Effekts 369
»Maßnahmen« 371
Episches Theater, Entfremdung 372

Magie und Aberglaube 373
Das Ansetzen des Nullpunkts 375
Non verbis, sed gestibus! 375
Bloße Wiedergabe 376
Ist die kritische Haltung eine unkünstlerische Haltung? 377

Über das Stanislawski-System
Fortschrittlichkeit des Stanislawski-Systems 380
Kultischer Charakter des Systems 381
Das verräterische Vokabular 383
Zu: Rapaport »The Work of the Actor« 384
Stanislawski-Wachtangow-Meyerhold 385
Über die Bezeichnung »restlose Verwandlung« 386
Die nicht restlose Verwandlung – ein scheinbarer
   Rückschritt 387

Über den Beruf des Schauspielers etwa 1935–1941

Die Profession 390
Schauspielkunst 391
Rollenstudium 393
Aufbau der Figur 398
Beziehung des Schauspielers zu seinem Publikum 406
Der Nachschlag 407
Über den Gestus 409
Anweisungen an die Schauspieler 409
Erfahrungen 411
Dialog über eine Schauspielerin des epischen Theaters 414
Der Wechsel 417
Haltung des Probenleiters (bei induktivem Vorgehen) 420
Bewegung von Gruppen 422
Übungen für Schauspielschulen 423
Die athletische Ausbildung 424
Über das Theater der Chinesen 424

Lohnt es sich, vom Amateurtheater zu reden? 429
Einiges über proletarische Schauspieler 433

Über Bühnenbau und Musik des epischen Theaters 1935–1942

Über Bühnenbau
Über den Bühnenbau der nichtaristotelischen Dramatik 439
Wofür ständiger Umbau? 447
Fixierung des Raums bei induktiver Methode 448
Die Übersetzung der Wirklichkeit unter Vermeidung der
   restlosen Illusion 451
Über die Kargheit 452
Das Nötigste ist genug 453
Das Offene zeigen 454
Die Sichtbarkeit der Lichtquellen 454
Zeichen und Symbole 455
Merkmale gesellschaftlicher Prozesse 459
Der doppelte Aspekt 462
Über das Ansetzen des Nullpunktes 463
Bühnenbau während der Proben 463
Über die Literarisierung der Bühnen 464
Über Titel 465
Das Projektionsverfahren 466
Schema der Wirkungsquanten 467
Kleines Privatissimum für meinen Freund Max Gorelik 467

Über Musik
Über die Verwendung von Musik für ein episches
   Theater 472
Über gestische Musik 482
Über Bühnenmusik 485
Über Filmmusik 487

Anmerkungen 1*

Druck: Hanseatische Druckanstalt, Hamburg
Printed in Germany